Fifteen French Poets

By the same author

Twelve French Poets

An Anthology of nineteenth-century French Poetry

Fifteen French Poets
1820-1950

Edited by
Douglas Parmée
Fellow of Queens' College, Cambridge

With an Introduction and Notes
in collaboration with

Roger Cardinal
Lecturer in French at the University of Kent at Canterbury

and Richard Cox
Lecturer in French at Trinity College, Dublin

Longman

Longman
1724-1974

LONGMAN GROUP LTD
London
Associated companies, branches and representatives throughout the world

First published 1974
ISBN 0 582 35901 5

Acknowledgements

We are grateful to the following for permission to reproduce copyright material:
Éditions Gallimard for the poems of Paul Valéry from *Œuvres*, Vol. I (Gallimard, 1957) and the poems of Paul Édluard from *Œuvres complètes* (Bibliothèque de la Pléiade), 1968, Vols. I and II.
and to the following for permission to reproduce photographs:
Archives Documentation Française, pages 109, 167, 257 and 351; Documentation Française, photographe Minstère Affaires Étrangers, pages 221 and 301; French Embassy, pages 1 and 119; Giraudon, Musée Louvre, page 237; A. Harlingue, page 327; The Mansell Collection, pages 67, 149 and 191; Roger-Viollet, pages 33 and 277 photographe Harlingue-Viollet.

Printed in Hong Kong by
Wing Tai Cheung Printing Co. Ltd

Preface

Despite its great success, it was time to provide *Twelve French Poets*, first published in 1957, with a younger yet bigger brother; three major twentieth-century poets, Valéry, Apollinaire and Eluard come into *Fifteen French Poets*. But where the same poets reappear, the work is generally no mere rehash of the older one. The structure of the new work has been changed; many poems of the earlier volume have been dropped and others introduced; some revaluations and changes of emphasis have taken place. However, I was not unhappy, even if surprised, to find that many of my previous comments (and previous choices) still seemed valid. I have continued the policy of including several poems of substantial length and this, since a long poem is obviously more liable to unevenness than a shorter one, will enable readers as before to sharpen their sensitivity and judgment by seeing good passages alongside those that are less good. I have unbent somewhat on the question of biography and while restricting myself in principle to matters relevant to the works, I have recognised that a reader's interest in poetry can be fostered by a greater knowledge of the poet's life, temperament and circumstances (including social circumstances). The reader will now also, from the portraits reproduced, see what each poet looked like. These changes may well appeal more to the general reader and school pupil but, as before, this work is aimed also at university students: there is plenty of poetry accessible to all three categories.

For various reasons—time as always being the main one—I have invited two friends and colleagues, experts in their fields, to provide the sections on Valéry and Eluard. Richard Cox has lived with Valéry's work for a number of years and Roger Cardinal is already an international authority on Surrealism, of which, as of Romanticism, we are all now, willy-nilly, heirs.

The work has four main sections: a general introduction with a general bibliography; a critical and biographical introduction to each individual poet with a more specialised bibliography; the texts themselves; and the notes and commentaries. I cannot emphasise too strongly how much these sections are intended to be read as an integrated whole; and there are liberal cross-references and opportunities to compare poems on similar subjects by different authors. The notes are not intended to be exhaustive; there is still plenty of work to be done by the reader, particularly in later poets, where there is often ambiguity and real obscurity.

May I acknowledge a debt of varying extent to the works mentioned in the bibliographies; I should like to single out Mme Durry's remarkable volumes on *Alcools* for particular gratitude; Mrs Holmes's thesis on Laforgue has also again been drawn on.

Preface

I wish this anthology the same great success as *Twelve French Poets*. In particular, I hope that the new younger generation will enjoy the avant-garde element of Apollinaire and Surrealism; they may be surprised to see how much modern poetry takes its inspiration from that man and that movement, probably the major 'ism' of the twentieth century.

DOUGLAS PARMÉE
Queens' College, Cambridge, 1973

Contents

Introduction

ROMANTICISM

Modern Western European man and thus his poetry, which can be very roughly dated from the beginning of the nineteenth century, when society was poised to take on its present industrialised and more or less democratic shape, are undoubtedly heirs to Romanticism. This view, thus baldly stated, is obviously vague almost to the point of being meaningless. Thus, within the broad purpose of this anthology of expanding the sensibility and sharpening the wit, one particular use will be to illustrate how each poet contributes to the general concept of romanticism. It contains, indeed, a good number of generally, if not universally accepted psychological, social and historical elements. One central feature certainly seems a restless, probing interest in the self, explored, sometimes hypercritically, sometimes indulgently, by introspection: the individual consciousness moves into the centre of the stage. So it was natural that love, perhaps the most personal emotion of all, particularly love between the sexes, should become a major preoccupation. In this preoccupation with love, feeling, not infrequently polarised as sentimentality or exalted passion, gains priority over reason, which had held greater sway in the formal exercises of conventional eighteenth-century love poetry. This exploration of feeling is often associated with a particular *sentiment de la nature*; passionate, individual emotions, breaking free from the restraints of the frustrations imposed by conventional society, particularly bourgeois society, find an appropriate theatre in grandiose or sublime landscapes.

This emphasis on individual feeling and the conviction of your own importance can lead to a feeling of isolation from your fellowmen, to whom, in your self-absorption, you can very easily feel yourself superior in sensitivity; but this differentiation can lead to lonely disquiet or melancholy in moments of depression as well as to sublime enthusiasm and an arrogant feeling of superiority in moments of enthusiasm. Society can easily be felt to be indifferent to your problems or hostile to the free development of the personality. From this there often springs deep dissatisfaction with society and the realisation of the gulf separating the ideal world of strong, noble feelings (one's own) and the mean reality of petty convention, whether social or political. We often find an idealised primitive past (or 'primitive' feelings in the present), considered as more attractive because more 'natural' than modern sophistication; but the concept of naturalness is not often closely examined. In any case such feelings lead to the frequent urge to break free from social, political or historical trammels.

Independence and freedom are common watchwords, though not often carefully defined. There is a frequent desire to escape from the present into the past (which can always be imagined as being better than the present) or into the future, which can be hoped to be better; in the past, for example, you might find a more fervent Christianity or a simpler, more homogeneous, medieval community; in the future, with the introduction of greater freedom for the individual and greater respect for his rights, social injustice might be diminished.

Similarly, since imagination feeds on absence, distant countries are dreamt of as being nearer to the heart's desire than the drab reality of modern France. Far greater play, in fact, is sought for the individual imagination that comes to be prized above reason or knowledge; consequently mystery comes to be valued for its own sake, sometimes taking the form of fascination with the supernatural.

This violent stirring of the human sensibility and its literary expression were foreshadowed well before the nineteenth century. Jean-Jacques Rousseau (1712–78) had long since expressed, in ecstatic terms, his delight in communing with nature (*Rêveries du promeneur solitaire*) and had passionately urged the primacy of simple, direct feeling over sophisticated reason both in love of God (*Profession de foi d'un vicaire savoyard*) and in love between the sexes (*La Nouvelle Héloïse*); he believed deeply in the goodness of the individual which had been corrupted by civilised society. He was, in short, the archetypal Romantic *isolé*, to the point of paranoia. Madame de Staël (1766–1817) had opened the eyes of her contemporaries to the sometimes rugged yet fervid and vigorous appeal of German and other foreign literatures where feeling frequently predominates in contrast to the excessive formal preoccupations into which eighteenth-century French poetry had fallen (*De l'Allemagne*, 1810). François-René de Chateaubriand's (1768–1848) richly emotive prose had revealed to the readers of *Atala* the sublime exotic grandeur of the North American landscape and in *Le Génie du Christianisme* (1802) had urged writers to seek inspiration in the untapped resources of France's medieval past. His sombrely mysterious, gloomy and doomed hero *René* (1805) had fired many imaginations to believe themselves to be suffering from a similarly self-indulgent and masochistic *ennui*. Macpherson's adaptation, first published in 1760, of poems by the legendary Scottish bard Ossian had accustomed readers to find beauty in gloomy forests and misty crags and, generally, in the sublime, grandiose and primitive. The French Revolution had contributed to shattering much of the elegant rationalising and frivolous standards of aristocratic *salon* life of the *ancien régime*. Both Musset and Nerval tell how, after the fall of Napoleon, the excitement of military success was replaced by nostalgic yearning for past glories (conveniently forgetting the casualties and privations) and dissatisfaction with the inglorious present, when the *White Terror* of the new monarchy tried to turn back the political clock. However, in its early manifestations, French poetry as represented by the young Hugo and Lamartine remained politically conservative. It was not until the 1830s that Romanticism began to show markedly democratic and humanitarian leanings.

All the same, by the early 1820s a mood had been produced in France which received little satisfaction from verse that remained in the line of eighteenth-century poetry: passionless, conventionally phrased, often overtly didactic, of narrow range, in which nature was merely a convenient excuse for moralising and which even in its rare more fervid moments remained abstract and conventional, with a constant use of stock epithets, conventional nouns, standard classical mythological allusions and well-worn rhetorical tricks of inversion, apostrophe and periphrase; a verse that contrived, with hollow eloquence, declamation and tired elegance, to say nothing of an individual nature at all, nothing corresponding to a specifically contemporary expression of contemporary sensibility. Lamartine, Vigny, Hugo, Nerval, Musset and, slightly later but most drastically, Baudelaire, were to change all this, although a great many other poets, not represented here, also made their contribution: such a poet was Sainte-Beuve who in his autobiographical poems (*Poésies de Joseph Delorme; Les Consolations*) of gentle melancholy in a minor key set in a Parisian setting undoubtedly influenced Baudelaire, just as his studies on sixteenth-century French poetry helped to reveal to his contemporaries a period of French literature when language and feeling was more vigorous and adventurous than in the intervening centuries.

Almost from the earliest days of the movement another trend began to appear in French Romantic poetry; it became known as the *école pittoresque*: and here, as so often, Hugo led the field in *Les Orientales*, published in 1829 (cf. p. 73). It is a poetry concerned with visual effect rather than the expression of personal feeling and in which poetic virtuosity seems of greater importance than any moral or emotional considerations. It was a sort of poetry that would appeal to a painter and it is perhaps not pure chance that Théophile Gautier who became the main French theoretician and exponent of this trend of Romanticism was a failed painter who earned a good part of his living as an art critic: it is the theory of art for art's sake.

ART FOR ART'S SAKE

Though this theory, as we shall see, had a positive side, one of its strengths derives from the fact that, from about 1830 onwards, after the romantic movement seemed to have carried the day, a new conception of the role of art began to make itself felt under the influence of various political thinkers and reformers (Saint-Simon, Fourier, Lamennais, Auguste Comte). Art was to become useful and fulfil a social function; and if usefulness and social function are overemphasised and too narrowly defined it is easy to see that art could become purely moralising, another form of preaching, and that aesthetic values would tend to go by the board; indeed, art that did not fulfil a social function, as defined by the ruling classes of the day, could obviously come to be considered dangerously subversive. It was against this purely utilitarian and potentially authoritarian concept of art that Gautier rebelled, both in theory and in practice. Let it be said at once that a number of French poets in the thirties showed that the extremes feared by Gautier need not arise, for, to take one example, Victor Hugo wrote a good deal of poetry with a humanitarian bias that is certainly acceptable on aesthetic grounds. On the other hand it could be argued that his personal, lyrical poetry is superior, and it is certainly the case that Vigny's and Lamartine's 'social' poetry is not of the same quality as their more personal poetry.

Gautier began theorising about poetry as early as 1832, in the preface to his first volume of poetry, after he had been affected by his experience of the 1830 revolution (and the confusion, bloodshed and ultimate failure of the 1848 Revolution completed his disillusionment and led directly to his production of *Émaux et Camées* (see p. 151). In the above-mentioned *Préface*, Gautier states his indifference to all politics and revolutions. His concern is for leisurely living and the poetry which leisure will permit him to write. It is a poetry resolutely asocial, non-utilitarian and above all, non-didactic. *Cela sert à être beau—N'est-ce pas assez? Comme les fleurs, comme les parfums, comme les oiseaux, comme tout ce que l'homme n'a pu détourner et dépraver à son usage;* and he adds: *En general, dès qu' une chose devient utile, elle cesse d'être belle. . . . L'art, c'est la liberté, le luxe, l'efflorescence, c'est l'épanouissement de l'âme dans l'oisiveté.* Two years later, in face of increasing pressure on the poet to be socially useful, he published in a preface to his novel *Mademoiselle de Maupin* his deliberately truculent manifesto of art for art's sake: *tout ce qui est utile est laid, car c'est l'expression de quelque besoin et ceux de l'homme sont ignobles et dégoûtants comme sa pauvre et infirme nature*—a statement which in its disparaging comment on mankind reveals the anti-life attitude that can, unfortunately, all too easily lie at the root of any theory that tends to attach exclusive importance to 'art' as contrasted with 'life'. Gautier goes on to add, aggressively, *l'endroit le plus utile d'une maison, ce sont les latrines.* It is, in fact, a complete rejection of the humanitarian trend to be found in the later poetry of Hugo, Lamartine and Vigny. Art for art's sake is thus a movement away from direct usefulness towards an art more exclusively formal; but it does not necessarily involve complete rejection of moral purpose, although any moral that emerges is not likely to be a conventional one; it does involve the rejection of overt preaching. As a corollary of the acceptance of a strict discipline it also turns away from the facile emotionalism inherent in purely inspirational poetry as typified in much of the poetry of, for example, Musset (p. 120). Both the rejection of direct usefulness and emphasis on formal discipline come together in the vigorous personality of Leconte de Lisle (see p. 168).

PARNASSIANISM

Leconte de Lisle became the indisputable leader of poets who have been grouped by literary critics as the *école parnassienne*. They take their name from the title of a collection of their poetry published under the title of *Le Parnasse contemporain* in 1866 (although there had been earlier similar publications in the early sixties). *Le Parnasse contemporain* achieved such success that another collection appeared in 1871 and a final one in 1876. When it is considered that in the first *Parnasse* there were nearly forty collaborators (as varied as Leconte de Lisle, Baudelaire, Mallarmé and Verlaine) and that nearly sixty poets were represented in the second volume, it can be realised that generalisations as to what constitutes Parnassianism are difficult. Such words as 'objective' and 'impersonal' have been used to describe them; yet how could such words be applied to Baudelaire? And even Leconte de Lisle's poetry is far from impassive. At the most, one can perhaps speak of trends towards restraint in the too direct or exuberant exposure of personal feelings, toward depicting the outside world—that is, producing descriptive poetry and visual imagery (which incidentally, as with the earlier Romantics, has often an exotic quality); towards replacing personal lyricism by more reflective, philosophic or historical elements. Certainly these poets are not free from moral intentions and some of them are plainly didactic. Ultimately one is forced to admit that the real connecting link between the Parnassians is the formal one: whatever the Parnassian is saying, he required it to be impeccable in form; the utmost attention must be given to producing firm rhythms and adequate rhymes (see p. xxiii). Apart from this, there is perhaps only one very general principle to which most Parnassians would have subscribed, namely that a poem must be coherent and logical in idea and structure. It was this requirement that was to be the chief target of the *décadents* and *symbolists*, many of whom were also concerned to reintroduce a more lyrical note into poetry.

SYMBOLISME

(See also under Baudelaire p. 195.)

Roughly contemporary with the development of Parnassianism but outstripping it in its durability and its importance for the whole future of French poetry, there arose the poetic movement of *symbolisme*. Clearly, all language is in a sense, symbolic: the word 'table' is not actually a table but a sign representing it. However, symbolism in the literary sense in which it has come to be used since Baudelaire can best be considered as a contrast to allegory (also used extensively by Baudelaire). While allegory is the personification of an abstraction, an idea, that is, of something that can be educed to reason (e.g. Hope, Father Time etc.), the symbol, on the other hand, involves the use of words (usually in images) to represent that which cannot logically be defined and which the poet prefers to suggest: feelings, especially vague feelings or sensations or, indeed, vague ideas; all those numerous elements that are by their nature mysterious (cf. Mallarmé's poems *Victorieusement fui*; Rimbaud's *Mémoire*). It may be described as a metaphor (often a metaphor that extends throughout the whole poem) of which the second term is missing (simple examples would be to write 'snow' when you mean something as white as snow; 'swan's neck' when you mean something as long and gracefully curved and perhaps also, as white as a swan's neck). The point is that in symbolism there is not necessarily any fixed second term of the comparison. The symbol appears as autonomous, existing in its own right and it is the job of the reader to decide for himself how to interpret it; there is thus a great increase in the ambiguity of a poem, which can be read at a number of different levels, and its charm will reside in its mystery and suggestiveness; the position may indeed be reached that the author of the poem himself may hardly know what he is wanting to say.

When a poet uses symbols to express an extremely personal relationship between things, great obscurity can arise and his poetry can become the preserve of a few initiated *cognoscenti* who have or think they have the key to his personal imagery. The danger arises, too, of seeking obscurity for obscurity's sake, as a sort of intellectual exercise and not because the feeling or mood or sensation to be evoked is genuinely complicated. But it can also be argued that the many possible meanings that may arise from the complex use of symbolism can provide a gain in variety and richness to compensate (if compensation is necessary) for loss of clarity and comprehensibility; and it seems likely that a recognition of complexity either in the subject or in the poet's approach to his subject may lead to a more interesting poem than specious simplicity and clarity.

When the use of symbols is combined with a particular concern for the musicality of verse (e.g. Baudelaire, Mallarmé) poetry can become a sort of magic spell, incomprehensible at a normal level of language, but working as an evocatory incantation which causes wide reverberations in the imagination. Symbolism is thus an excellent method of expressing a fugitive or vague state of mind, complex feelings, a half-conscious emotion arousing half-forgotten memories, evoking an uncertain sensation or impression. It is essentially a concrete rather than an abstract method yet, since it is used to suggest rather than to state, it is admirably suited to the creation of a mood.

Philosophically, symbolism is associated with an idealist conception of the world: that is (as with Baudelaire, see p. 195), the external world is considered as a representation of a spiritual essence (see also Mallarmé, p. 225). But there is another form of idealism which also operated with many poets of the symbolist period: this consists in considering the world purely as a representation of the person perceiving it. It is an attitude excellently summed up by an early disciple of Mallarmé, Henri de Régnier (1864–1934), in the line: *Et le monde finit quand je ferme les yeux*. This subjectivism pushed to extremes opens the door to complete individualism or indeed to anarchy. While few poets—Rimbaud was one of them—pushed this idea to such a strange but logical conclusion, it is clear that, in this approach, the world becomes the personal creation of each poet and what is normally regarded as the external world becomes merely the raw material which the poet rearranges and embroiders *ad libitum*. A poem becomes the expression of a highly personal imaginative experience, existing in its own right and having perhaps only a precarious relationship with the ordinary experience of most people and with ordinary objects. The poet may, in fact, through lack of a common context of experience, fail to communicate with the reader and thus the breach between the poet and the ordinary reader inherent in any exclusivist or excessively esoteric doctrine of art (cf. art for art's sake, with which symbolism has obvious analogies) tends to widen (cf. also Mallarmé, p. 225).

As has been hinted, the term symbolism often has little to do with the use of symbols but merely refers to a mood of post-Baudelairean poetry and among the minor symbolists of the late nineteenth century symbolism is merely a way of creating a mood in a minor key: a vague dreamlike mood expressed in allusive terms, by means of delicate, evanescent impressions, where grace, preciosity and, above all, languor are the most obvious qualities. Valéry was greatly influenced at the end of the nineteenth century by this prevailing mood (see *La Fileuse* and notes thereon) and Guillaume Apollinaire also fell, in his early years, under the sway of this frequently allegorical poetry (see the first section of *Les Fiançailles* and notes thereon) before he moved on to become the leader of avant-garde modernism.

Mention must briefly be made of three poets whose large-scale verse forms make them unsuitable for anthologising. Paul Claudel (1868–1955), a diplomat who spent many years in the Far East, was reconverted to Catholicism partly as a result of Rimbaud's revelation of a spiritual world beyond the material, but in his *Cinq Grandes Odes*, he explores the spiritual in the material, developing for this purpose a blend of prose-poem and liturgy, which formed a sort of biblical *verset*. However, Claudel's great achievement lies in the theatre and thus outside the scope of this anthology. Similarly, Charles Péguy (1873–1914), another Roman Catholic poet but also a socialist who was at the same time a deep lover of his country, wrote verse that is so lengthy as to defy cutting. He is, in fact, really an epic writer who celebrates with moving power the rhythms of life and death and the beauty and grandeur of France. Finally, a third important poet of this period, Emile Verhaeren (1855–1916), was inspired by the countryside of Flanders and the pullulating life of its cities. He too is so extensive a writer as to lend himself badly to anthology form.

All these poets try to break out of the fragile precious world of minor symbolism into the visible, tangible world. This mood was crystallised in *unanimisme*, a movement created by Jules Romains (1885–1972), which called for a renewal of life as well as literature, *l'expression humaine de ces êtres multiples et vivants qui continueront l'évolution de la vie par-dessus et par-delà l'homme*, the life of the collectivity. The movement threw up no great poets but considerably influenced the mature work of Apollinaire (see *Zone*, p. 343, where we see the poet partaking in the life of Paris). But the most effective attempt radically to interpenetrate life and art is found in Surrealism, which goes back for inspiration to an earlier and more vigorous doctrine than post-symbolism.

SURREALISM

Reinstating some of the essential values of Romanticism—liberty, imagination, love—the surrealist movement took up arms shortly after the First World War as the champion of hope and change in all spheres of human activity. *Il faut aboutir à une nouvelle déclaration des droits de l'homme* was the rallying-cry on the cover of the first number of *La Révolution surréaliste* (1924). This meant nothing less than a rebellion against all accepted forms of describing reality, an attempt to abolish the superstructures that bourgeois society had been blandly erecting since the great *tabula rasa* of the French Revolution. The self-righteous patriotism of the postwar establishment was to the surrealists as scandalous as had been the *ancien régime* to the militants of 1789. Already the Dada movement had erupted in neutral Zurich during the hostilities, an anarchic association of writers and artists whose noisy demonstrations, including public recitals of nonsense poetry and exhibitions of a kind of anti-art, were aimed at the destruction of all artistic values, if not of the social order itself.

When Dada reached Paris in 1920, the young poets André Breton, Philippe Soupault, Louis Aragon, Benjamin Péret and Paul Eluard at once responded to the call for provocation and iconoclasm. There ensued a period of chaotic agitation in which the foundations of Parisian cultural life were subjected to persistent ridicule. Before long, however, it became clear that aimless nihilism could not lead to genuine revolution and by 1922 Breton had led most of his fellow Dadaists away to form a group committed to a more positive mode of activity. The new movement received its charter when Breton issued the *Manifeste du surréalisme* in 1924. Though still bearing traces of the truculent humour of Dada, the manifesto was a highly serious attempt to codify the aims of Surrealism, and to give some indication of its current balance-sheet. Breton took pains to acknowledge the debts that Surrealism had incurred with regard to the past: Nerval, Hugo and Rimbaud are but a few of the names listed. On the credit side, Breton pointed out the names of those whose future contribution to the movement could as yet only be estimated: Eluard, Aragon, Robert Desnos, and others.

Perhaps the most significant influence on the nascent movement was exerted by a non-literary figure who had at the time a very small audience in France: Sigmund Freud. As a former medical student, Breton knew about Freud's psychoanalytical methods and had guessed at their possible implications for poetry. As early as 1919 he had experimented with Soupault in producing a written equivalent to the spoken monologues that Freud obtained from his patients during free association. The recipe for *écriture automatique* given in the *Manifeste* was the outcome of a period of extensive research by the group as a whole. The principle of this method of writing is that the writer should copy down from a kind of inner dictation, whilst remaining *en dehors de toute préoccupation esthétique ou morale*. If people can empty their minds of second-hand ideas and values, insists Breton, they will find completely fresh expressions pressing for attention from beyond the frontier of normal consciousness. By transcribing the words that spilled over from the rich well of the unconscious, the surrealists hoped to establish what Breton called *le fonctionnement réel de la pensée*, and obtain a direct record of the inner forces that shaped the personality. It was found that the immediate results of these experiments were so intrinsically exciting that the scientific aim of eliciting samples of unconscious thought for analysis was speedily abandoned for the more literary aim of producing a poetry of irrational surprise. Given the seemingly limitless fertility of the *voix surréaliste*, Aragon defined Surrealism as *l'inspiration reconnue, acceptée et pratiquée. Non plus comme une visitation inexplicable, mais comme une faculté qui s'exerce*. Though many critics saw automatism as a renunciation of control and responsibility, the surrealists believed it gave a guarantee of authenticity; for them, the subliminal voice spoke with a marvellous consistency.

Taking up where previous explorers such as Nerval (e.g. in *Les Chimères*) and Rimbaud (e.g. in *Mémoire*, but especially in his prose poetry) had left off, the surrealists busied themselves with extracting poetic riches from the dream-world. These consisted above all in poetic images charged with an extraordinary power to shake the fixed structures of rational thought. Retrospectively, the image was seen as the central thread in the development of poetry since Romanticism, and became the key to all new discoveries. To define the image, Breton turned to the famous definition by the poet Pierre Reverdy, formerly an associate of Apollinaire's:

> *L'image est une création pure de l'esprit.*
>
> *Elle ne peut naître d'une comparaison mais du rapprochement de deux réalités plus ou moins éloignées.*
>
> *Plus les rapports des deux réalités rapprochées seront lointains et justes, plus l'image sera forte—plus elle aura de puissance émotive et de réalité poétique.*

At this stage, Breton was less concerned that the relations between the two elements brought together to form the metaphor should be *justes* provided they were *lointains*. That is, the more unlikely the juxtaposition, the better the image. Eluard's lines

> *La terre est bleue comme une orange*
> *Jamais une erreur les mots ne mentent pas*

make a most outlandish case for language as the infallible match-maker. Later, Breton was to lay stress on the creative rather than the disruptive aspect of the image, namely its revelation of an unsuspected affinity between the elements thrust together. After the initial shock must come the integration of the novelty into one's overall conception of reality. By 1932 Breton was writing:

> *Ce qu'il s'agit de briser, c'est l'opposition toute formelle de ces deux termes; ce dont il s'agit d'avoir raison, c'est de leur apparente disproportion qui ne tient qu'à l'idée imparfaite, infantile qu'on se fait de la nature, de l'extériorité du temps et de l'espace. Plus l'élément de dissemblance immédiate paraît fort, plus il doit être surmonté.*

It now became plausible to accept that there might be a relationship between any two disparate elements, though this implied a psychological process involving nothing less than a total revision of the picture of reality. The reconciliation of things normally in conflict took on wider connotations: integration in poetic terms led to the intuition that it might be possible to integrate man and the universe. Like the *voyant* Rimbaud, the surrealists progressed from the dislocation of normal mental structures to the vision of a primitive unity underlying man's manifold apprehension and expression of experience. The innocence that the surrealists thought they saw in the relationship of primitive peoples to their surroundings provided one instance to support this idea of an original harmony in man's perceptions and imaginings. Children had a similar status, because of their 'natural' unwillingness to differentiate between subjective and objective reality, things imagined and things real. The thought processes of the insane provided a yet more extreme model for the new surrealist mentality. Not that Surrealism was advocating collective madness. Eluard and Breton made it clear that they had not lost their reason whilst composing *L'Immaculée Conception*, a set of prose texts in imitation of the various styles produced by different mental disorders. Their aim was rather to petition for an integration of the irrational into the rational so as to generate a dynamic *surrationalisme* capable of transcending the worn-out categories of delirium and analysis, dream and waking-life, reverie and perception, the inner and the outer. The notion of surreality presupposes the cultivation of a new consciousness. Eluard spoke of a 'faculté pure de voir', a mode of seeing things which would grant equal credibility to the material and the imagined.

This quest for unity amid the discontinuity of life, for a *fil conducteur* running below the confused surface of experience, had long been a concern of post-Romantic poetry (cf. Mallarmé). The surrealist outlook, based on the analogical principle formulated in Eluard's *Tout est comparable à tout*, implies a faith in the inherent harmony of things, and assumes a quasi-occult view of the universe as a network of *correspondances*, such as Nerval and Baudelaire had recognised. Dreams and irrational thoughts are not as fragmented as they may appear to the restricted categories of reason, for the surrealist divines in them a unity that points to some primeval state of being from which modern man has been alienated. With both passion and dialectical finesse, he argues that the poetic exploration of man's hidden potentialities can alone lead to his regeneration and help truly to fulfil Rimbaud's ambition to *changer la vie*.

To declare anew the rights of man is above all, in surrealist terms, to affirm the rights of desire, the inner force that prompts all his genuine thoughts and deeds, and creates his sense of identity. Freedom of desire was the cause to be defended come what may against the oppressive forces of what Breton called *misérabilisme*. In their campaign for erotic liberty, Surrealism enlisted the exemplary figure of the Marquis de Sade, and proclaimed the necessity of recognising equality of desire for all. With an instinctive love of the scandalous, the surrealists also publicised the savage poetry of Lautréamont, another of the *maudits* whose cause they could claim as their own, not least because of his remarkable linguistic innovations. Breton spoke of the common denominator of desire in both the act of love (desire for a woman) and the act of poetry (desire for free expression). As Eluard put it, *d'une grande écriture charnelle j'aime*—love and poetry spring from a common source, which is why surrealist art must always be passionate and unfettered.

As Surrealism evolved, it enriched many different forms of expression, producing poets and prose-writers, major painters such as Max Ernst, and an acknowledged master of the cinema, Luis Bunuel. Its insights into language and mental functions were, by analogy, applicable to other spheres of thought: there arose a surrealist 'philosophy', even a surrealist morality, and, not least, a surrealist politics. Political consciousness came at about the time when the early experimentation in automatic writing had begun to flag. In 1925 war broke out in Morocco when the French army was sent to quell the Riff uprising: the surrealists' unhesitating stand against the forces of tyranny was more emotional than reasoned, but it led to regular surrealist contributions to the revolutionary newspaper *Clarté* and heralded the serious and complicated negotiations with the French Communist Party which were to preoccupy many surrealists during the thirties. Some form of participation with the latter seemed for a long while the only practical way to implement surrealist ideals. A number of surrealists actually joined the Party, although it was to be expected that poetic demands would always outweigh their devotion to the party line. A suspicious party official once shouted at a surrealist *Si vous êtes marxiste, vous n'avez pas besoin d'être surréaliste!* Ultimately a choice had to be made one way or the other, and this explains in the simplest terms why Aragon and Eluard eventually felt obliged to leave the surrealist group once they had decided to commit themselves unreservedly to Communism. Breton for his part continued to reiterate the surrealist demands for a total renewal of consciousness. For although he recognised that economic change was integral to the surrealist revolutionary programme, he believed that political transformation must of necessity be accompanied by a change in sensibility. Abandoning all hope in the disastrous experiment of the Russian Revolution, he turned to the ideas of the Romantic socialist Charles Fourier for confirmation of his uncompromising stance (cf. Leconte de Lisle). Certainly the high ideals of

Surrealism have restricted its effectiveness in material terms, despite such surrealist-style manifestations as the 1968 student uprising in France, and in this sense it must be called utopian. Equally, however, it deserves respect as an exemplary attitude of dissatisfaction with any half-hearted solution to the problems of existence.

Notes on French Versification

The basic elements of French versification are syllable-count, stress and rhyme.

SYLLABLE-COUNT

In the syllable-count, the mute *e* at the end of a word is elided when followed by a word beginning with a vowel or unaspirated *h*; nor is the mute *e* at the end of a line counted. When any other vowel ending a word is followed by a word beginning with a vowel, *hiatus* is said to exist; this was forbidden by strict seventeenth-century doctrine, though the rule has rarely been exactly followed. Modern French poets would not hesitate to use it, particularly for a special effect. In any case, *hiatus* occurs constantly within words (e.g. *il tuait*). French verse lines are normally of six to twelve syllables, although since Laforgue lines of more than twelve syllables are not infrequent. Lines of less than four syllables are rare. Lines of an even number of syllables are called *pairs*, of an odd number, *impairs*. The latter are rare and reserved for special effects (see e.g. Baudelaire's *Invitation au Voyage*).

STRESS

French verse contains various stresses, one of which always falls on the last syallable of the line. Apart from lines of four syllables or less, one of the stresses is usually more marked than the others. This strong stress marks the division of the line into two parts and this division is called the caesura (*la césure*). In verse of less than twelve syllables, this caesura can occupy different positions: lines of five syllables can be divided 2/3, 3/2 or 1/4; lines of six syllables, 2/4, 4/2, 1/5 or 3/3. These last two divisions entail uneven numbers of syllables in each part and are rarer. Notice that 5/1 would hardly be possible, as one accent must always fall on the last syllable, and the French do not like two stresses falling on successive syllables. In lines of seven or more syllables a caesura is felt to be more necessary than in shorter lines, and in lines of ten or more syllables the caesura was, until the advent of the freest verse, obligatory. The octosyllable can be cut 2/6, 6/2, 5/3, 3/5, 4/4, 1/7 or even carry only one stress on the eighth syllable. Verse of nine or eleven syllables is relatively rare. The decasyllable is usually cut 4/6, 6/4 or 5/5. It is the alexandrine or twelve syllable line (so called from a thirteenth-century poem entitled *Le Roman d'Alexandre*) which occupies the place of importance; and owing to its length, it offers the greatest scope for variety of stress. The caesura traditionally falls at the sixth syllable, dividing the line into two halves or *hémistiches*. In addition to the two main stresses on the sixth and twelfth syllables, there is usually a further stress in each *hémistiche*. The variety of stress is thus very great: 3/3//3/3 is very common, but 2/4//2/4, 2/4//4/2, 4/2//2/4, 2/4//3/3, 1/5//4/2, 1/5//3/3, 4/2//1/5, etc., are all possible combinations. Strict doctrine required that the break at the caesura should be one of sense as well as sound, but from the early nineteenth century onwards, poets have tended to ignore this rule; in this way, as well as by placing strong stress on a syllable in the first *hémistiche* other than the last one, the caesura was gradually weakened and the alexandrine became much more fluid. Early nineteenth-century poets also made continual use of an alexandrine divided into not two but three parts. This is called a *trimètre*, and here too the variety of accent is great, e.g. 4/4/4 (the most common), 3/4/5, 2/6/4, etc. Hugo's poetry is full of *trimètres*. In some of these alexandrines a faint, vestigial stress on the sixth syllable still persists, but as the century grew older, so poets became bolder and alexandrines appear with no trace of a six-syllable *hémistiche*; sometimes the sixth syllable even fell on the weakest of all syllables, a mute *e*.

RHYME

French rhymes can be masculine or feminine. Feminine rhymes are those ending in a mute *e* or a mute syllable. All other rhymes are masculine. The two sorts cannot rhyme together and normally there should never be more than two successive lines of either sort; this rule is known as the *alternance des rimes*. For a full rhyme (*rime suffisante*) there should normally be two elements of similarity, i.e. either a vowel preceded by a consonant (*la consonne d'appui*), as *demi-ami*, or a vowel followed by a consonant, as *vide-ride*. Rhymes containing only one element, the vowel, not preceded by the *consonne d'appui*, are termed *rimes faibles* and, properly speaking, are not rhymes but assonances. Any rhymes containing more than the two minimum elements are called *rimes riches*, as *rite-mérite*, where the additional element is a *consonne d'appui*, or *puni-muni*, where the additional element is a vowel. Rhymes can, of course, be richer, with two or more additional elements, as *plier-peuplier*, *ouvrier-chevrier*, etc.

Apart from rules, there exist certain customs regarding rhyme, with the aim of making rhyming not too easy. Thus, no word should normally rhyme with itself or with a compound of the same stem, as *ordre-désordre*; nor two compound words of the same root, as *devenir-parvenir*, *bonheur-malheur*; nor words expressing similar or opposite ideas, as *douleur-malheur*, *chrétien-païen*; nor words of hackneyed or obvious associations, as *gloire-victoire*, *songe-mensonge*; nor two words of the same grammatical category, as *beauté-bonté*, *trouvé-lavé*, *délibérer-pleurer*, *éclatant-important*, *aimable-agréable*, *magnifiquement-admirablement*. Such rhymes, however rich they may be, are described as *banales*, and though occasionally used by all poets, excessive use would suggest carelessness or laziness or incompetence. Another custom was to tolerate *rimes insuffisantes* only if they were not too frequent and were not, at the same time, *banales*: e.g. *bleu* might rhyme with *feu*, but not *haï* with *flétri*, as these are two past participles.

The combination of rhymes is normally threefold: most common are *rimes plates*, successive pairs of alternately masculine and feminine rhymes, *aabbcc*, etc.; or *rimes croisées*, *ababcdcd*, etc.; or *rimes embrassées*, *abbacddc*, etc., the normal form of the quatrain of a sonnet. The *rime redoublée* is found when the same rhyme occurs more than once in succession, as *aaaa*. Mixed combinations of rhymes form *rimes mêlées*; this occurs usually in poems or verses containing lines of different lengths. In free verse, assonance often replaces rhyme.

Another form of rhyme is internal rhyme. In this, words within a line may rhyme with other words in the same line or with words in the next or adjacent lines, e.g. the word at the end of the first *hémistiche* might rhyme with the word similarly placed in the next line. A similar effect, less marked but subtler and even more varied, can be achieved by alliteration and assonance. Alliteration is the repetition of the same consonant, often, but not necessarily, at the beginning of a word, as *murmure de la mer*. Assonance is the repetition of the same vowel-sound, as in *je ne nie pas l'inattendu de ces idées*, an assonance in *i* as well as an alliteration in *n*. Alliteration and assonance can be used to create onomatopoeic effects in which sound reflects sense, but they are often used to create sound effects without any purpose of *harmonie imitative*.

ENJAMBEMENT

When the sense of one line is carried over to the next, there is *enjambement*, and the part of the sentence which is carried over is called the *rejet*. Enjambement can also occur at the caesura, thus weakening the symmetrical regularity of the line. In either case, considerable effects of expression can be achieved. This prolongation of the line or of the *hémistiche* is a common practice in the nineteenth century, and increases rhythmic variety as well as being an excellent method of emphasising specific words.

VERSE-FORMS

French verse-forms range from the couplet to the stanza of twelve or more lines. There are a number of fixed forms which include *terza rima* (*aba bcb cdc* etc.) and the sonnet. Stanzas may consist of lines of an equal number of syllables (isometric) or of a different number of syllables (heterometric). *Vers libres* are usually marked by their extreme variety of both metre and verse-form, as well as of rhyme. Common stanzas are the couplet, usually isometric; the quatrain or four-lined stanza, often rhyming *abab* or *abba*. Quatrains may be isometric, e.g. all octosyllables or alexandrines; or they may be heterometric, e.g. alternating alexandrines six- or eight-syllables. Five-lined stanzas are found and six-lined stanzas are frequent, with varying combinations of rhyme-scheme and metre. The seven-lined stanza is rarer, but Vigny uses it for his *Maison du Berger*. The nineteenth-century French poets were generally much interested in varying stanza forms.

Less common fixed forms include the *rondeau*, rhyming *aabba aab c aabba c*, and the *ballade*, consisting of three eight-lined octosyllabics and a conclusion or *envoi*, rhyming *ababbcbc* in the main stanzas and *bcbc* in the *envoi*, with the last line of each stanza and of the *envoi* the same. Such deliberate archaic survivals are of secondary importance. The only modern fixed form is the sonnet, whose fourteen lines are divided into two quatrains and two tercets, the first, traditionally, providing the exposition and argument, the second the conclusion, while the last line (*la chute*) should be particularly striking. The traditional rhyme-scheme of the French sonnet is *abba abba ccd ede*, but in the nineteenth century these rules are often ignored; a break in sense is not always made after the quatrains, which are often in *rimes croisées*; the rhyme-scheme of the tercets, particularly of the last one, is altered, e.g. to *eed*; and instead of five rhymes, six or even seven are found. Baudelaire's sonneteering repays close study.

Bibliography

Anna Balakian, *Surrealism, the road to the absolute*, George Allen & Unwin, London, 1972

Robert Bréchon, *Le Surréalisme*, Armand Colin, 1971

G. Brereton, *Introduction to the French poets*, London, 1973

Roger Cardinal and Robert Stuart Short, *Surrealism, permanent revelation*, Studio Vista, 1970

J. Cruickshank, ed., *French Literature and its background* (vols 4, 5 and 6), Oxford University Press, 1969–70

R. Gibson, *Modern French Poets on Poetry*, Cambridge University Press, 1961

Lagarde et Michard, *Littérature française* (anthology), vols 5 and 6, Paris, 1961–62

J. H. Matthews, ed., *An Anthology of French Surrealist Poetry*, University of London Press, 1966

M. Nadeau, *Histoire du surréalisme*, Paris, 1945–47

M. Raymond, *De Baudelaire au surréalisme*, Paris, 1947

Lamartine
dessiné un soir chez Hugo

Alphonse de Lamartine

Alphonse-Marie-Louise de Prat de Lamartine (1790–1869) was born at Mâcon in southern Burgundy, of an old landowning and (as his grandiose forenames suggest) aristocratic family. He was brought up largely in the country and was a voracious reader, particularly of poetry: Petrarch was one of his favourites, Byron and Ossian were two others. After running away from one school (sensitive children often seem to have trouble with school authorities), he was educated by the Jesuits; and despite periods of religious crises, and unbelief, Christianity was always a strong living force in his life. He was a royalist officer after the Restoration, like his fellow poet Vigny, but for a short period only. Apart from gambling, the chief distraction of an idle and amorous youth (Lamartine was an extraordinarily handsome man and something of a dandy) was a trip to Italy in 1810. Italy became his country of predilection, inspiring some of his best poetry (also his short story *Graziella*, an idealised version, with an idyllic love interest, of his first trip).

In October 1816 he fell in love with an unhappily married woman, Madame Charles (Elvire). Her death in 1817 caused him great grief and inspired some of the best of his first *Méditations poétiques*, published in 1820. In that same year again like Vigny, he married an English heiress, although Lamartine's was the better bargain in that Vigny's wife was only a false heiress and a chronic invalid as well. Lamartine now entered the diplomatic service and spent some ten years in Italy, where his poetry took on a more religious and philosophical strain; the *Harmonies poétiques et religieuses* were well received in 1830 but less well than the melancholy *mal de siècle* love poetry of his first collection; he had already been elected to the French Academy in 1829. After the 1830 Revolution and the advent of a more liberal monarchy, the poet's thoughts turned to politics, but having failed at his first attempt to enter parliament he set off, in grand style (having hired a 200 ton brig) for the obligatory Romantic trip to the mysterious East and the Holy Land. (Chateaubriand had preceded him; Gautier, Nerval and Flaubert, amongst others, were to follow.) The death of his dearly beloved daughter (he had already in the early 1820s lost a son) and political events in France brought him back—he had been elected a deputy *in absentia*. In the Chamber, he quickly began to evolve towards a humanitarian liberal position, in favour of greater political freedom and social justice and made a name for himself as a splendidly eloquent orator; but there was perhaps too much eloquence and too little skill as a poet in his epic fragments, *Jocelyn* (1836) and *La chute d'un ange* (1836), which were his chief verse productions of this period; the first was a great success, the second, more mystical and philosophic, a complete failure: and henceforth Lamartine was to publish hardly any more poetry. His great personal popularity as a deputy and his oratorical gifts enabled him to play an important role in the early months of the 1848 revolution and his moderating influence may have saved France from civil war; his speeches of the time are full of generous humanity, particularly on the issue of slavery, which he abominated: but he proved insufficiently skilful—indeed, he was probably both too honest and too naïve, possibly even too conceited, and perhaps intoxicated by his own eloquence to keep up with the march of events towards the establishment of a strong hand in France. When it came to the point of electing a President for the new (and short-lived) Second Republic, Louis Napoleon, the future Emperor Napoleon III, received nearly five and a half *million* votes against Lamartine's less than eighteen *thousand.*

Shattered and disillusioned, Lamartine retired from public life. His last years were spent in straitened circumstances and unrelenting labour, writing pot-boilers—popular histories, essays, novels, reminiscences and no less than one hundred and fifty instalments of his *Cours familier de littérature*—by which he tried to alleviate the crushing burden of debt acquired during his years of spendthrift prodigality and reckless generosity. Having sold all his estates, he lived from 1867 until his death in a small 'grace and favour' house near the Bois de Boulogne, through the generosity of the municipality of Paris. The last fifteen years of his life were illumined also by the love and affection of his devoted niece Valentine, nearly thirty years his junior, to whom, indeed, he may have been clandestinely 'married' on his deathbed. He died in 1869 and was buried at his beloved Saint Point in Burgundy.

Now that Romanticism has so deeply entered into the consciousness of modern European or indeed, all western man, it is perhaps difficult to understand the acclaim which in 1820 greeted Lamartine's *Meditations poétiques*. It was plain that by that date, various influences had produced a mood, that may be roughly called romantic, which received little satisfaction from current verse of the period (see p. xii). But Lamartine himself, as any examination of his vocabulary shows, was no bold stylistic innovator: his *style noble* and conventional 'poetic' language bear many marks of a preceding age. It is true that such a style was suited to the expression of the exalted sentiments which comprise much of his poetry and a poet writing about 'the soul' (*l'âme* occurs often in Larmartine's verse) can well find a generalised vocabulary and an elevated style appropriate. Also, even if there is a strong conventional element in his vocabulary, Lamartine can use direct and simple statement; his nature poetry, for example, contains plenty of plain, specific detail; and even his vagueness often has, at least in small doses, a sort of vaporous charm. Stylistically, he thus meets the requirements for contemporary success in that too great originality of vocabulary, too picturesque or too homely a language would have shocked. The readers of the *Méditations* found enough that was familiar to enable them to assimilate what they needed.

What was it that this handsome, curly-haired young Apollo gave to those who, in Paris salons in the winter of 1819–20, listened spellbound to his verse? They heard first of course the sound of his golden voice. Lamartine was and has remained the writer of the most musical and flowing poetry in the French tongue. At his best, he achieves that *chant*, the fusion of sound and sense, which gives the feeling that what he had to say could be adequately expressed in no other way, that it depends for its effect as much on the sound of the words, their rhythm and their whole complex musicality, as on any meaning that can be analysed. This flow of harmonious verse was inspirational rather than consciously or carefully technical. He himself admitted this: *Créer est beau mais corriger, changer, gâter est pauvre et plat, c'est ennuyeux, c'est l'oeuvre des maçons, et non pas des artistes*; so that whenever he had tried to rewrite his verses he had only made them worse. This rather complacent statement suggesting the *grand seigneur* anxious to preserve amateur status, must not be taken purely at its face value, for manuscripts of his poems show that, if some rhymes and lines seem spontaneous, others required time and trouble to discover. Gaps in his inspiration had to be filled by thought and effort. None the less, much of his verse did come to him effortlessly, *fille*, as he wrote, *de l'enthousiasme et de l'inspiration.* Alas, inspiration can flag and an effortless flow can contain weak and over-facile rhyming, monotonous rhythms, padding and general diffuseness and prolixity.

But more than the harmonious flow, there was another reason for the immediate—and permanent—appeal of his poetry: his burning intention, not to conduct what he called *un jeu stérile de l'esprit* but to communicate an important personal experience in its full impact and its complete context; a personal experience, moreover, that would be at the same time an important experience within the range of his readers: in Brunetière's words: *Le poete lyrique s'efforce de donner la forme la plus individuelle possible aux émotions de tout le monde.* Lamartine himself knew very well what he had done: speaking of his most purely lyrical collection, *Les Méditations poetiques* of 1820, he wrote: *Ces vers étaient un gémissement et un cri de l'âme. Je cadençais ce cri ou ce gémissement dans la solitude, dans les bois, sur la mer. . . . C'est là le véritable art: être touché.* And much later, he wrote: *Le sublime lasse; le beau trompe; le pathétique seul est infaillible dans l'art.* One may well wonder what meaning he intended to give *beau*; but as for the first sentence, it is certainly true that, particularly in his later works, he did try, not always successfully, for a sublime effect. As for *le pathétique*, it is unfortunately true that poetry pitched in a tone of continual pathos with an exaggerated emphasis on religious and sentimental idealism can displease and, above all, cloy. If it is a style you find basically unacceptable, then it may be that Lamartine is not the poet for you, for in any judgment on a poet, there must be some sympathy with his themes. The lover of purely descriptive poetry is unlikely to give a valuable appreciation of Mallarmé and it is all too easy for a sophisticated or disillusioned person to sneer at Lamartine's excessive emotionalism. Many critics, indeed, accuse not only Lamartine but Hugo and other Romantics of rhetorical insincerity. But it must be remembered that rhetoric (which is, in any case, rather to the French than to the English taste) can be used imaginatively and suggestively—Baudelaire does so frequently (see *Sois sage*, p. 214). As for insincerity, we must not lose sight of the fact that in discussing poetry we are talking about art and all art is by definition a rearrangement of reality, a complex imaginative recreation of an experience, not a direct expression of the experience as lived. If a poet like Lamartine can create the illusion of sincere conviction in his writings then he has fulfilled his function as an artist, even should he later change his views and disown his feelings; even, indeed, should he not practise what he has preached. The relationship of the world of art with the world of life is neither simple nor obvious.

Lamartine undoubtedly frequently achieves this tone of passionate conviction, particularly in his love poems concerned with Mme Charles and in his communings with nature (specifically in Italy and in his childhood recollections of country life in his homeland). Such themes are of general appeal to us as well as to his contemporaries.

MAIN POETICAL WORKS

Méditations poétiques, 1820
Nouvelles méditations poétiques, 1823
Harmonies poétiques et religieuses, 1830
Jocelyn (an epic), 1836
La Chute d'un Ange (epic fragment), 1838
Les Recueillements, 1839
Isolated later poems include *La Vigne et la Maison*, 1857

CRITICAL AND BIOGRAPHICAL WORKS

M. Bouchard, *Lamartine ou Le sens de l'amour*, Paris, 1940
H. Guillemin, *Lamartine, l'homme et l'œuvre*, Paris, 1940
F. Letessier, *Méditations*, Classiques Garnier, 1968

Alphonse de Lamartine

Le Lac

Ainsi, toujours poussés vers de nouveaux rivages,
Dans la nuit éternelle emportés sans retour,
Ne pourrons-nous jamais sur l'océan des âges
Jeter l'ancre un seul jour?

O lac! l'année à peine a fini sa carrière,
Et près des flots chéris qu'elle devait revoir,
Regarde! je viens seul m'asseoir sur cette pierre
Où tu la vis s'asseoir!

Tu mugissais ainsi sous ces roches profondes;
10 Ainsi tu te brisais sur leurs flancs déchirés;
Ainsi le vent jetait l'écume de tes ondes
Sur ses pieds adorés.

Un soir, t'en souvient-il? nous voguions en silence;
On n'entendait au loin, sur l'onde et sous les cieux,
Que le bruit des rameurs qui frappaient en cadence
Tes flots harmonieux.

Tout à coup des accents inconnus à la terre
Du rivage charmé frappèrent les échos;
Le flot fut attentif, et la voix qui m'est chère
20 Laissa tomber ces mots:

'O temps, suspends ton vol! et vous, heures propices,
Suspendez votre cours!
Laissez-nous savourer les rapides délices
Des plus beaux de nos jours!

'Assez de malheureux ici-bas vous implorent:
Coulez, coulez pour eux;
Prenez avec leurs jours les soins qui les dévorent,
Oubliez les heureux.

'Mais je demande en vain quelques moments encore,
30 Le temps m'échappe et fuit;
Je dis à cette nuit: "Sois plus lente"; et l'aurore
Va dissiper la nuit.'

'Aimons donc, aimons donc! de l'heure fugitive,
Hâtons-nous, jouissons!
L'homme n'a point de port, le temps n'a point de rive;
Il coule, et nous passons!'

Temps jaloux, se peut-il que ces moments d'ivresse,
Où l'amour à longs flots nous verse le bonheur,
S'envolent loin de nous de la même vitesse
40 Que les jours de malheur?

Hé quoi! n'en pourrons-nous fixer au moins la trace?
Quoi! passés pour jamais? quoi! tout entiers perdus?
Ce temps qui les donna, ce temps qui les efface,
Ne nous les rendra plus?

Eternité, néant, passé, sombres abîmes,
Que faites-vous des jours que vous engloutissez?
Parlez: nous rendrez-vous ces extases sublimes
Que vous nous ravissez?

O lac! rochers muets! grottes! forêt obscure!
50 Vous que le temps épargne ou qu'il peut rajeunir,
Gardez de cette nuit, gardez, belle nature,
Au moins le souvenir!

Qu'il soit dans ton repos, qu'il soit dans tes orages,
Beau lac, et dans l'aspect de tes riants coteaux,
Et dans ces noirs sapins, et dans ces rocs sauvages
Qui pendent sur tes eaux!

Qu'il soit dans le zéphyr qui frémit et qui passe,
Dans les bruits de tes bords par tes bords répétés,
Dans l'astre au front d'argent qui blanchit ta surface
60 De ses molles clartés!

Que le vent qui gémit, le roseau qui soupire,
Que les parfums légers de ton air embaumé,
Que tout ce qu'on entend, l'on voit ou l'on respire,
Tout dise: 'Ils ont aimé!'

L'Isolement

Souvent sur la montagne, à l'ombre du vieux chêne,
Au coucher du soleil, tristement je m'assieds;
Je promène au hasard mes regards sur la plaine,
Dont le tableau changeant se déroule à mes pieds.

Ici gronde le fleuve aux vagues écumantes;
Il serpente, et s'enfonce en un lointain obscur;
Là le lac immobile étend ses eaux dormantes
Où l'étoile du soir se lève dans l'azur.

Au sommet de ces monts couronnés de bois sombres,
10 Le crépuscule encor jette un dernier rayon;
Et le char vaporeux de la reine des ombres
Monte, et blanchit déjà les bords de l'horizon.

Cependant, s'élançant de la flèche gothique,
Un son religieux se répand dans les airs:
Le voyageur s'arrête, et la cloche rustique
Aux derniers bruits du jour mêle de saints concerts.

Mais à ces doux tableaux mon âme indifférente
N'éprouve devant eux ni charme ni transports;
Je contemple la terre ainsi qu'une ombre errante:
20 Le soleil des vivants n'échauffe plus les morts.

De colline en colline en vain portant ma vue,
Du sud à l'aquilon, de l'aurore au couchant,
Je parcours tous les points de l'immense étendue,
Et je dis: 'Nulle part le bonheur ne m'attend.'

Que me font ces vallons, ces palais, ces chaumières,
Vains objets dont pour moi le charme est envolé?
Fleuves, rochers, forêts, solitudes si chères,
Un seul être vous manque, et tout est dépeuplé!

Que le tour du soleil ou commence ou s'achève,
30 D'un œil indifférent je le suis dans son cours;
En un ciel sombre ou pur qu'il se couche ou se lève,
Qu'importe le soleil! je n'attends rien des jours.

Quand je pourrais le suivre en sa vaste carrière,
Mes yeux verraient partout le vide et les déserts:
Je ne désire rien de tout ce qu'il éclaire;
Je ne demande rien à l'immense univers.

Mais peut-être au-delà des bornes de sa sphère,
Lieux où le vrai soleil éclaire d'autres cieux,
Si je pouvais laisser ma dépouille à la terre,
40 Ce que j'ai tant rêvé paraîtrait à mes yeux!

Là, je m'enivrerais à la source où j'aspire;
Là, je retrouverais et l'espoir et l'amour,
Et ce bien idéal que toute âme désire,
Et qui n'a pas de nom au terrestre séjour!

Que ne puis-je, porté sur le char de l'Aurore,
Vague objet de mes vœux, m'élancer jusqu'à toi!
Sur la terre d'exil pourquoi resté-je encore?
Il n'est rien de commun entre la terre et moi.

Quand la feuille des bois tombe dans la prairie,
50 Le vent du soir s'élève et l'arrache aux vallons;
Et moi, je suis semblable à la feuille flétrie:
Emportez-moi comme elle, orageux aquilons!

Le Vallon

Mon cœur, lassé de tout, même de l'espérance,
N'ira plus de ses vœux importuner le sort;
Prêtez-moi seulement, vallon de mon enfance,
Un asile d'un jour pour attendre la mort.

Voici l'étroit sentier de l'obscure vallée:
Du flanc de ces coteaux pendent des bois épais,
Qui, courbant sur mon front leur ombre entremêlée,
Me couvrent tout entier de silence et de paix.

Là, deux ruisseaux cachés sous des ponts de verdure
10 Tracent en serpentant les contours du vallon;
Ils mêlent un moment leur onde et leur murmure,
Et non loin de leur source ils se perdent sans nom.

La source de mes jours comme eux s'est écoulée;
Elle a passé sans bruit, sans nom et sans retour:
Mais leur onde est limpide, et mon âme troublée
N'aura pas réfléchi les clartés d'un beau jour.

La fraîcheur de leurs lits, l'ombre qui les couronne,
M'enchaînent tout le jour sur les bords des ruisseaux;
Comme un enfant bercé par un chant monotone,
20 Mon âme s'assoupit au murmure des eaux.

Ah! c'est là qu'entouré d'un rempart de verdure,
D'un horizon borné qui suffit â mes yeux,
J'aime à fixer mes pas, et, seul dans la nature,
A n'entendre que l'onde, à ne voir que les cieux.

J'ai trop vu, trop senti, trop aimé dans ma vie;
Je viens chercher vivant le calme du Léthé.
Beaux lieux, soyez pour moi ces bords où l'on oublie;
L'oubli seul désormais est ma félicité.

Mon cœur est en repos, mon âme est en silence;
30 Le bruit lointain du monde expire en arrivant,
Comme un son éloigné qu'affaiblit la distance,
A l'oreille incertaine apporté par le vent.

D'ici je vois la vie, à travers un nuage,
S'évanouir pour moi dans l'ombre du passé;
L'amour seul est resté, comme une grande image
Survit seule au réveil dans un songe effacé.

Repose-toi, mon âme, en ce dernier asile,
Ainsi qu'un voyageur qui, le cœur plein d'espoir,
S'assied, avant d'entrer, aux portes de la ville,
40 Et respire un moment l'air embaumé du soir.

Comme lui, de nos pieds secouons la poussière;
L'homme par ce chemin ne repasse jamais:
Comme lui, respirons au bout de la carrière
Ce calme avant-coureur de l'éternelle paix.

Tes jours, sombres et courts comme les jours d'automne,
Déclinent comme l'ombre au penchant des coteaux;
L'amitié te trahit, la pitié t'abandonne,
Et, seule, tu descends le sentier des tombeaux.

Mais la nature est là qui t'invite et qui t'aime;
50 Plonge-toi dans son sein qu'elle t'ouvre toujours:
Quand tout change pour toi, la nature est la même,
Et le même soleil se lève sur tes jours.

De lumière et d'ombrage elle t'entoure encore:
Détache ton amour des faux biens que tu perds;
Adore ici l'écho qu'adorait Pythagore,
Prête avec lui l'oreille aux célestes concerts.

Suis le jour dans le ciel, suis l'ombre sur la terre!
Dans les plaines de l'air vole avec l'aquilon;
Avec le doux rayon de l'astre du mystère
60 Glisse à travers les bois dans l'ombre du vallon.

Dieu, pour le concevoir, a fait l'intelligence:
Sous la nature enfin découvre son auteur!
Une voix à l'esprit parle dans son silence:
Qui n'a pas entendu cette voix dans son cœur?

L'Automne

Salut, bois couronnés d'un reste de verdure!
Feuillages jaunissants sur les gazons épars!
Salut, derniers beaux jours! le deuil de la nature
Convient à la douleur et plaît à mes regards.

Je suis d'un pas rêveur le sentier solitaire;
J'aime à revoir encor, pour la dernière fois,
Ce soleil pâlissant, dont la faible lumière
Perce à peine à mes pieds l'obscurité des bois.

Oui, dans ces jours d'automne où la nature expire,
10 A ses regards voilés je trouve plus d'attraits;
C'est l'adieu d'un ami, c'est le dernier sourire
Des lèvres que la mort va fermer pour jamais.

Ainsi, prêt à quitter l'horizon de la vie,
Pleurant de mes longs jours l'espoir évanoui ,
Je me retourne encore, et d'un regard d'envie
Je contemple ses biens dont je n'ai pas joui.

Terre, soleil, vallons, belle et douce nature,
Je vous dois une larme aux bords de mon tombeau.
L'air est si parfumé! la lumière est si pure!
20 Aux regards d'un mourant le soleil est si beau!

Je voudrais maintenant vider jusqu'à la lie
Ce calice mêlé de nectar et de fiel:
Au fond de cette coupe où je buvais la vie,
Peut-être restait-il une goutte de miel!

Peut-être l'avenir me gardait-il encore
Un retour de bonheur dont l'espoir est perdu!
Peut-être, dans la foule, une âme que j'ignore
Aurait compris mon âme, et m'aurait répondu! . . .

La fleur tombe en livrant ses parfums au zéphire;
30 A la vie, au soleil, ce sont là ses adieux:
Moi, je meurs; et mon âme, au moment qu'elle expire,
S'exhale comme un son triste et mélodieux.

Ischia

Le soleil va porter le jour à d'autres mondes;
Dans l'horizon désert Phébé monte sans bruit
Et jette, en pénétrant les ténèbres profondes,
Un voile transparent sur le front de la nuit.

Voyez du haut des monts ses clartés ondoyantes
Comme un fleuve de flamme inonder les coteaux,
Dormir dans les vallons, ou glisser sur les pentes,
Ou rejaillir au loin du sein brillant des eaux.

La douteuse lueur, dans l'ombre répandue,
10 Teint d'un jour azuré la pâle obscurité,
Et fait nager au loin dans la vague étendue
Les horizons baignés par sa molle clarté.

L'Océan, amoureux de ces rives tranquilles,
Calme, en baisant leurs pieds, ses orageux transports,
Et, pressant dans ses bras ces golfes et ces îles,
De son humide haleine en rafraîchit les bords.

Du flot qui tour à tour s'avance et se retire
L'œil aime à suivre au loin le flexible contour:
On dirait un amant qui presse en son délire
20 La vierge qui résiste et cède tour à tour.

Doux comme le soupir de l'enfant qui sommeille,
Un son vague et plaintif se répand dans les airs:
Est-ce un écho du ciel qui charme notre oreille?
Est-ce un soupir d'amour de la terre et des mers?

Il s'élève, il retombe, il renaît, il expire,
Comme un cœur oppressé d'un poids de volupté;
Il semble qu'en ces nuits la nature respire,
Et se plaint comme nous de sa félicité.

Mortel, ouvre ton âme à ces torrents de vie;
30 Reçois par tous les sens les charmes de la nuit:
A t'enivrer d'amour son ombre te convie;
Son astre dans le ciel se lève et te conduit.

Vois-tu ce feu lointain trembler sur la colline?
Par la main de l'amour c'est un phare allumé;
Là, comme un lis penché, l'amante qui s'incline
Prête une oreille avide aux pas du bien-aimé.

La vierge, dans le songe où son âme s'égare,
Soulève un œil d'azur qui réfléchit les cieux,
Et ses doigts au hasard errant sur sa guitare
40 Jettent aux vents du soir des sons mystérieux:

'Viens! l'amoureux silence occupe au loin l'espace;
Viens du soir près de moi respirer la fraîcheur!
C'est l'heure; à peine au loin la voile qui s'efface
Blanchit en ramenant le paisible pêcheur.

Depuis l'heure où ta barque a fui loin de la rive,
J'ai suivi tout le jour ta voile sur les mers,
Ainsi que de son nid la colombe craintive
Suit l'aile du ramier qui blanchit dans les airs.

Tandis qu'elle glissait sous l'ombre du rivage,
50 J'ai reconnu ta voix dans la voix des échos;
Et la brise du soir, en mourant sur la plage,
Me rapportait tes chants prolongés sur les flots.

Quand la vague a grondé sur la côte écumante,
A l'étoile des mers j'ai murmuré ton nom;
J'ai rallumé ma lampe, et de ta seule amante
L'amoureuse prière a fait fuir l'aquilon.

Maintenant sous le ciel tout repose ou tout aime;
La vague en ondulant vient dormir sur le bord,
La fleur dort sur sa tige, et la nature même
60 Sous le dais de la nuit se recueille et s'endort.

Vois: la mousse a pour nous tapissé la vallée;
Le pampre s'y recourbe en replis tortueux,
Et l'haleine de l'onde, à l'oranger mêlée,
De ses fleurs qu'elle effeuille embaume mes cheveux.

A la molle clarté de la voûte sereine
Nous chanterons ensemble assis sous le jasmin,
Jusqu'à l'heure où la lune, en glissant vers Misène,
Se perd en pâlissant dans les feux du matin.'

Elle chante; et sa voix par intervalle expire,
70 Et, des accords du luth plus faiblement frappés,
Les échos assoupis ne livrent au zéphire
Que des soupirs mourants, de silence coupés.

Celui qui, le cœur plein de délire et de flamme,
A cette heure d'amour, sous cet astre enchanté,
Sentirait tout à coup le rêve de son âme
S'animer sous les traits d'une chaste beauté;

Celui qui, sur la mousse, au pied du sycomore,
Au murmure des eaux, sous un dais de saphirs,
Assis à ses genoux, de l'une à l'autre aurore,
80 N'aurait pour lui parler que l'accent des soupirs;

Celui qui, respirant son haleine adorée,
Sentirait ses cheveux, soulevés par les vents,
Caresser en passant sa paupière effleurée,
Ou rouler sur son front leurs anneaux ondoyants;

Celui qui, suspendant les heures fugitives,
Fixant avec l'amour son âme en ce beau lieu,
Oublierait que le temps coule encor sur ces rives,
Serait-il un mortel, ou serait-il un dieu?

Et nous, aux doux penchants de ces verts Élysées,
90 Sur ces bords où l'amour eût caché son Éden;
Au murmure plaintif des vagues apaisées,
Aux rayons endormis de l'astre élyséen;

Sous ce ciel où la vie, où le bonheur abonde,
Sur ces rives que l'œil se plaît à parcourir,
Nous avons respiré cet air d'un autre monde,
Élise! . . . Et cependant on dit qu'il faut mourir!

Chant d'Amour

Naples, 1822

Si tu pouvais jamais égaler, ô ma lyre,
Le doux frémissement des ailes du zéphyre
A travers les rameaux,
Ou l'onde qui murmure en caressant ces rives,
Ou le roucoulement des colombes plaintives
Jouant aux bords des eaux;

Si, comme ce roseau qu'un souffle heureux anime;
Tes cordes exhalaient ce langage sublime,
Divin secret des cieux,
10 Que, dans le pur séjour où l'esprit seul s'envole,
Les anges amoureux se parlent sans parole,
Comme les yeux aux yeux;

Si de ta douce voix la flexible harmonie,
Caressant doucement une âme épanouie
Au souffle de l'amour,
La berçait mollement sur de vagues images,
Comme le vent du ciel qui berce les nuages
Dans la pourpre du jour:

Tandis que sur les fleurs mon amante sommeille,
20 Ma voix murmurerait tout bas à son oreille
Des soupirs, des accords
Aussi purs que l'extase où son regard me plonge,
Aussi doux que le son que nous apporte un songe
Des ineffables bords.

Ouvre le yeux, dirais-je, ô ma seule lumière!
Laisse-moi, laisse-moi lire dans ta paupière
Ma vie et ton amour:
Ton regard languissant est plus cher à mon âme
Que le premier rayon de la céleste flamme
30 Aux yeux privés du jour.

Un de ses bras fléchit sous son cou qui le presse,
L'autre sur son beau front retombe avec mollesse,
Et le couvre à demi;
Telle, pour sommeiller, la blanche tourterelle
Courbe son cou d'albâtre, et ramène son aile
Sur son œil endormi.

Le doux gémissement de son sein qui respire
Se mêle au bruit plaintif de l'onde qui soupire
A flots harmonieux;
40 Et l'ombre de ses cils, que le zéphyr soulève,
Flotte légèrement comme l'ombre d'un rêve
Qui passe sur ses yeux.

Que ton sommeil est doux, ô vierge, ô ma colombe!
Comme d'un cours égal ton sein monte et retombe
Avec un long soupir!
Deux vagues que blanchit le rayon de la lune,
D'un mouvement moins doux viennent l'une après l'une
Murmurer et mourir!

Laisse-moi respirer sur ces lèvres vermeilles
50 Ce souffle parfumé. . . . Qu'ai-je fait? tu t'éveilles.
L'azur voilé des cieux
Vient chercher doucement ta timide paupière;
Mais toi . . . ton doux regard, en voyant la lumière,
N'a cherché que mes yeux.

Ah! que nos longs regards se suivent, se prolongent,
Comme deux purs rayons l'un dans l'autre se plongent,
Et portent tour à tour
Dans le cœur l'un de l'autre une tremblante flamme,
Ce jour intérieur que donne seul à l'âme
60 Le regard de l'amour!

Jusqu'à ce qu'une larme aux bords de ta paupière,
De son nuage errant te cachant la lumière,
Vienne baigner tes yeux,
Comme on voit, au réveil d'une charmante aurore,
Les larmes du matin, qu'elle attire et colore,
L'ombrager dans les cieux.

Parle-moi, que ta voix me touche!
Chaque parole sur ta bouche
Est un écho mélodieux.
70 Quand ta voix meurt dans mon oreille,
Mon âme résonne et s'éveille,
Comme un temple à la voix des dieux.

Un souffle, un mot, puis un silence,
C'est assez: mon âme devance
Le sens interrompu des mots,
Et comprend ta voix fugitive,
Comme le gazon de la rive
Comprend le murmure des flots.

Un son qui sur ta bouche expire,
80 Une plainte, un demi-sourire,
Mon cœur entend tout sans effort:
Tel, en passant par une lyre,
Le souffle même du zéphyre
Devient un ravissant accord.

Pourquoi sous tes cheveux me cacher ton visage?
Laisse mes doigts jaloux écarter ce nuage:
Rougis-tu d'être belle, ô charme de mes yeux?
L'aurore, ainsi que toi, de ses roses s'ombrage,
Pudeur, honte céleste, instinct mystérieux,
90 Ce qui brille le plus se voile davantage;
Comme si la beauté, cette divine image,
N'était faite que pour les cieux!

Tes yeux sont deux sources vives
Où vient se peindre un ciel pur
Quand les rameaux de leurs rives
Leur découvrent son azur.

Dans ce miroir retracées,
Chacune de tes pensées
Jette en passant son éclair,
100 Comme on voit sur l'eau limpide
Flotter l'image rapide
Des cygnes qui fendent l'air.

Ton front, que ton voile ombrage
Et découvre tour à tour,
Est une nuit sans nuage
Prête à recevoir le jour;
Ta bouche, qui va sourire,
Est l'onde qui se retire
Au souffle errant du zéphire,
110 Et, sur ces bords qu'elle quitte,
Laisse au regard qu'elle invite
Compter les perles d'Ophir.

Tes deux mains sont deux corbeilles
Qui laissent passer le jour;
Tes doigts de roses vermeilles
En couronnent le contour
Sur le gazon qui l'embrasse
Ton pied se pose, et la grâce
Comme un divin instrument,
120 Aux sons égaux d'une lyre
Semble accorder et conduire
Ton plus léger mouvement.

Pourquoi de tes regards percer ainsi mon âme?
Baisse, oh! baisse tes yeux pleins d'une chaste flamme:
Baisse-les, ou je meurs.
Viens plutôt, lève-toi! Mets ta main dans la mienne;
Que mon bras arrondi t'entoure et te soutienne
Sur ces tapis de fleurs.

Aux bords d'un lac d'azur, il est une colline
130 Dont le front verdoyant légèrement s'incline
Pour contempler les eaux;
Le regard du soleil tout le jour la caresse
Et l'haleine de l'onde y fait flotter sans cesse
Les ombres des rameaux.

Entourant de ses plis deux chênes qu'elle embrasse,
Une vigne sauvage à leurs rameaux s'enlace,
Et, couronnant leurs fronts,
De sa pâle verdure éclaircit leur feuillage
Puis sur des champs coupés de lumière et d'ombrage
140 Court en riants festons.

Là, dans les flancs creusés d'un rocher qui surplombe,
S'ouvre une grotte obscure, un nid où la colombe
Aime à gémir d'amour;
La vigne, le figuier, la voilent, la tapissent;
Et les rayons du ciel, qui lentement s'y glissent,
Y mesurent le jour.

La nuit et la fraîcheur de ces ombres discrètes
Conservent plus longtemps aux pâles violettes
Leurs timides couleurs;
150 Une source plaintive en habite la voûte,
Et semble sur vos fronts distiller goutte à goutte
Des accords et des pleurs.

Le regard, à travers ce rideau de verdure,
Ne voit rien que le ciel et l'onde qu'il azure,
Et sur le sein des eaux
Les voiles du pêcheur, qui, couvrant sa nacelle,
Fendent ce ciel limpide, et battent comme l'aile
Des rapides oiseaux.

L'oreille n'entend rien qu'une vague plaintive
160 Qui, comme un long baiser, murmure sur sa rive,
Ou la voix des zéphirs,
Ou les sons cadencés que gémit Philomèle.
Ou l'écho du rocher, dont un soupir se mêle
A nos propres soupirs.

Viens, cherchons cette ombre propice,
Jusqu'à l'heure où de ce séjour
Les fleurs fermeront leur calice
Aux regards languissants du jour,
Voilà ton ciel, ô mon étoile!
170 Soulève, oh! soulève ce voile;
Éclaire la nuit de ces lieux;
Parle, chante, rêve, soupire,
Pourvu que mon regard attire
Un regard errant de tes yeux.

Laisse-moi parsemer de roses
La tendre mousse où tu t'assieds,
Et près du lit où tu reposes
Laisse-moi m'asseoir à tes pieds.
Heureux le gazon que tu foules,
180 Et le bouton dont tu déroules
Sous tes doigts les fraîches couleurs!
Heureuses ces coupes vermeilles
Que pressent tes lèvres, pareilles
A l'abeille, amante des fleurs!

Si l'onde, des lis qu'elle cueille
Roule les calices flétris;
Des tiges que sa bouche effeuille
Si le vent m'apporte un débris;
Si sa boucle qui se dénoue
190 Vient, en ondulant sur ma joue,
De ma lèvre effleurer le bord;
Si son souffle léger résonne,
Je sens sur mon front qui frissonne
Passer les ailes de la mort.

Souviens-toi de l'heure bénie
Où les dieux, d'une tendre main,
Te répandirent sur ma vie
Comme l'ombre sur le chemin.
Depuis cette heure fortunée,
200 Ma vie à ta vie enchaînée,
Qui s'écoule comme un seul jour,
Est une coupe toujours pleine,
Où mes lèvres à longue haleine
Puisent l'innocence et l'amour.

Un jour le temps jaloux, d'une haleine glacée,
Fanera tes couleurs comme une fleur passée
Sur ces lits de gazon;
Et sa main flétrira sur tes charmantes lèvres
Ces rapides baisers, hélas! dont tu me sèvres
210 Dans leur fraîche saison.

Mais quand tes yeux, voilés d'un nuage de larmes,
De ces jours écoulés qui t'ont ravi tes charmes
Pleureront la rigueur;

Quand dans ton souvenir, dans l'onde du rivage,
Tu chercheras en vain ta ravissante image,
Regarde dans mon cœur.

Là, ta beauté fleurit pour des siècles sans nombre;
Là, ton doux souvenir veille à jamais à l'ombre
De ma fidélité,
220 Comme une lampe d'or dont une vierge sainte
Protège avec la main, en traversant l'enceinte,
La tremblante clarté.

Et quand la mort viendra, d'un autre amour suivie,
Éteindre en souriant de notre double vie
L'un et l'autre flambeau,
Qu'elle étende ma couche à côté de la tienne,
Et que ta main fidèle embrasse encor la mienne
Dans le lit du tombeau!

Ou plutôt puissions-nous passer sur cette terre,
230 Comme on voit en automne un couple solitaire
De cygnes amoureux
Partir, en s'embrassant, du nid qui les rassemble,
Et vers les doux climats qu'ils vont chercher ensemble
S'envoler deux à deux!

L'Occident

Et la mer s'apaisait comme une urne écumante
Qui s'abaisse au moment où le foyer pâlit,
Et, retirant du bord sa vague encor fumante,
Comme pour s'endormir, rentrait dans son grand lit;

Et l'astre qui tombait de nuage en nuage
Suspendait sur les flots un orbe sans rayon,
Puis plongeait la moitié de sa sanglante image,
Comme un navire en feu qui sombre à l'horizon;

Et la moitié du ciel pâlissait, et la brise
10 Défaillait dans la voile, immobile et sans voix,
Et les ombres couraient, et sous leur teinte grise
Tout sur le ciel et l'eau s'effaçait à la fois;

Et dans mon âme, aussi pâlissant à mesure,
Tous les bruits d'ici-bas tombaient avec le jour,
Et quelque chose en moi, comme dans la nature,
Pleurait, priait, souffrait, bénissait tour à tour.

Et, vers l'occident seul, une porte éclatante
Laissait voir la lumière à flots d'or ondoyer,
Et la nue empourprée imitait une tente
20 Qui voile sans l'éteindre un immense foyer;

Et les ombres, les vents, et les flots de l'abîme,
Vers cette arche de feu tout paraissait courir,
Comme si la nature et tout ce qui l'anime
En perdant la lumière avait craint de mourir.

La poussière du soir y volait de la terre,
L'écume à blancs flocons sur la vague y flottait;
Et mon regard long, triste, errant, involontaire,
Les suivait, et de pleurs sans chagrin s'humectait.

Et tout disparaissait; et mon âme oppressée
30 Restait vide et pareille à l'horizon couvert;
Et puis il s'élevait une seule pensée,
Comme une pyramide au milieu du désert:

O lumière! où vas-tu? Globe épuisé de flamme,
Nuages, aquilons, vagues, où courez-vous?
Poussière, écume, nuit; vous, mes yeux; toi, mon âme,
Dites, si vous savez, où donc allons-nous tous?

A toi, grand Tout, dont l'astre est la pâle étincelle
En qui la nuit, le jour, l'esprit, vont aboutir!
Flux et reflux divin de vie universelle,
40 Vaste océan de l'Être où tout va s'engloutir! . . .

Alphonse de Lamartine

La Vigne et la Maison

Psalmodies de l'âme

Dialogue entre mon âme et moi

MOI

Quel fardeau te pèse, ô mon âme!
Sur ce vieux lit des jours par l'ennui retourné,
Comme un fruit de douleurs qui pèse aux flancs de femme
Impatient de naître et pleurant d'être né,
La nuit tombe, ô mon âme! un peu de veille encore!
Ce coucher d'un soleil est d'un autre l'aurore.
Vois comme avec tes sens s'écroule ta prison!
Vois comme aux premiers vents de la précoce automne
Sur les bords de l'étang où le roseau frissonne,
10 S'envole brin à brin le duvet du chardon!
Vois comme de mon front la couronne est fragile!
Vois comme cet oiseau dont le nid est la tuile
Nous suit pour emporter à son frileux asile
Nos cheveux blancs, pareils à la toison que file
La vieille femme assise au seuil de sa maison!
Dans un lointain qui fuit ma jeunesse recule,
Ma sève refroidie avec lenteur circule,
L'arbre quitte sa feuille et va nouer son fruit:
Ne presse pas ces jours qu'un autre doigt calcule,
20 Bénis plutôt ce Dieu qui place un crépuscule
Entre les bruits du soir et la paix de la nuit!
Moi qui par des concerts saluai ta naissance,
Moi qui te réveillai neuve à cette existence
Avec des chants de fête et des chants d'espérance,
Moi qui fis de ton cœur chanter chaque soupir
Veux-tu que, remontant ma harpe qui sommeille,
Comme un David assis près d'un Saül qui veille,
Je chante encor pour t'assoupir?

L'ÂME

Non: Depuis qu'en ces lieux le temps m'oublia seule,
30 La terre m'apparaît vieille comme une aïeule
Qui pleure ses enfants sous ses robes de deuil.
Je n'aime des longs jours que l'heure des ténèbres,
Je n'écoute des chants que ces strophes funèbres
Que sanglote le prêtre en menant un cercueil.

MOI

Pourtant le soir qui tombe a des langueurs sereines
Que la fin donne à tout, aux bonheurs comme aux peines;
Le linceul même est tiède au cœur enseveli:
On a vidé ses yeux de ses dernières larmes,
L'âme à son désespoir trouve de tristes charmes,
40 Et des bonheurs perdus se sauve dans l'oubli.

Cette heure a pour nos sens des impressions douces
Comme des pas muets qui marchent sur des mousses:
C'est l'amère douceur du baiser des adieux.
De l'air plus transparent le cristal est limpide,
Des mots vaporisés l'azur vague et liquide
S'y fond avec l'azur des cieux.

Je ne sais quel lointain y baigne toute chose,
Ainsi que le regard l'oreille s'y repose,
On entend dans l'éther glisser le moindre vol;
50 C'est le pied de l'oiseau sur le rameau qui penche
Ou la chute d'un fruit détaché de la branche
Qui tombe du poids sur le sol.

Aux premières lueurs de l'aurore frileuse,
On voit flotter ces fils dont la vierge fileuse,
D'arbre en arbre au verger, a tissé le réseau:
Blanche toison de l'air que la brume encor mouille,
Qui traîne sur nos pas, comme de la quenouille
Un fil traîne après le fuseau.

Aux précaires tiédeurs de la trompeuse automne,
60 Dans l'oblique rayon le moucheron foisonne,
Prêt à mourir d'un souffle à son premier frisson;
Et sur le seuil désert de la ruche engourdie,
Quelque abeille en retard, qui sort et qui mendie,
Rentre lourde de miel dans sa chaude prison.

Viens, reconnais la place où ta vie était neuve!
N'as-tu point de douceur, dis-moi, pauvre âme veuve,
A remuer ici la cendre des jours morts?
A revoir ton arbuste et ta demeure vide,
Comme l'insecte ailé revoit sa chrysalide,
70 Balayure qui fut son corps?

Moi, le triste instinct m'y ramène:
Rien n'a changé que le temps;
Des lieux où notre œil se promène,
Rien n'a fui que les habitants.

Suis-moi du cœur pour voir encore,
Sur la pente douce au midi,
La vigne qui nous fit éclore
Ramper sur le roc attiédi.

Contemple la maison de pierre,
80 Dont nos pas usèrent le seuil:
Vois-la se vêtir de son lierre
Comme d'un vêtement de deuil.

Ecoute le cri des vendanges
Qui monte du pressoir voisin,
Vois les sentiers rocheux des granges
Rougis par le sang du raisin.

Regarde au pied du toit qui croule:
Voilà, près du figuier séché,
Le cep vivace qui s'enroule
90 A l'angle du mur ébréché!

L'hiver noircit sa rude écorce;
Autour du banc rongé du ver
Il contourne sa branche torse
Comme un serpent frappé du fer.

Autrefois ses pampres sans nombre
S'entrelaçaient autour du puits;
Père et mère goûtaient son ombre,
Enfants, oiseaux, rongeaient ses fruits.

Il grimpait jusqu'à la fenêtre,
100 Il s'arrondissait en arceau;
Il semble encor nous reconnaître
Comme un chien gardien d'un berceau.

Sur cette mousse des allées
Où rougit son pampre vermeil,
Un bouquet de feuilles gelées
Nous abrite encor du soleil.

Vives glaneuses de novembre,
Les grives, sur la grappe en deuil,
Ont oublié ces beaux grains d'ambre
110 Qu'enfant nous convoitions de l'œil.

Le rayon du soir la transperce
Comme un albâtre oriental,
Et le sucre d'or qu'elle verse
Y pend en larmes de cristal.

Sous ce cep de vigne qui t'aime,
O mon âme! ne crois-tu pas
Te retrouver enfin toi-même,
Malgré l'absence et le trépas?

N'a-t-il pas pour toi le délice
120 Du brasier tiède et réchauffant
Qu'allume une vieille nourrice
Au foyer qui nous vit enfant?

Ou l'impression qui console
L'agneau tondu hors de saison,
Quand il sent sur sa laine folle
Repousser sa chaude toison?

L'ÂME

Que me fait le coteau, le toit, la vigne aride?
Que me ferait le ciel, si le ciel était vide?
Je ne vois en ces lieux que ceux qui n'y sont pas!
130 Pourquoi ramènes-tu mes regrets sur leur trace?
Des bonheurs disparus se rappeler la place,
C'est rouvrir des cercueils pour revoir des trépas!

I

Le mur est gris, la tuile est rousse,
L'hiver a rongé le ciment;
Des pierres disjointes la mousse
Verdit l'humide fondement;
Les gouttières, que rien n'essuie,
Laissent, en rigoles de suie,
S'égoutter le ciel pluvieux,
140 Traçant sur la vide demeure
Ces noirs sillons par où l'on pleure,
Que les veuves ont sous les yeux.

La porte où file l'araignée,
Qui n'entend plus le doux accueil,
Reste immobile et dédaignée
Et ne tourne plus sur son seuil
Les volets que le moineau souille,
Détachés de leurs gonds de rouille,
Battent nuit et jour le granit;
150 Les vitraux brisés par les grêles
Livrent aux vieilles hirondelles
Un libre passage à leur nid.

Leur gazouillement sur les dalles
Couvertes de duvets flottants
Est la seule voix de ces salles
Pleines des silences du temps.
De la solitaire demeure
Une ombre lourde d'heure en heure
Se détache sur le gazon:
160 Et cette ombre, couchée et morte,
Est la seule chose qui sorte
Tout le jour de cette maison!

II

Efface ce séjour, ô Dieu! de ma paupière,
Ou rends-le moi semblable à celui d'autrefois,
Quand la maison vibrait comme un grand cœur de pierre
De tous ces cœurs joyeux qui battaient sous ses toits!

A l'heure où la rosée au soleil s'évapore
Tous ces volets fermés s'ouvraient à sa chaleur,
Pour y laisser entrer, avec la tiède aurore,
170 Les nocturnes parfums de nos vignes en fleur.

On eût dit que ces murs respiraient comme un être
Des pampres réjouis la jeune exhalaison;
La vie apparaissait rose, à chaque fenêtre,
Sous les beaux traits d'enfants nichés dans la maison.

Leurs blonds cheveux, épars au vent de la montagne,
Les filles, se passant leurs deux mains sur les yeux,
Jetaient des cris de joie à l'écho des montagnes,
Ou sur leurs seins naissants croissaient leurs doigts pieux.

La mère, de sa couche à ces doux bruits levée,
180 Sur ces fronts inégaux se penchait tour à tour,
Comme la poule heureuse assemble sa couvée,
Leur apprenant les mots qui bénissent le jour.

Moins de balbutiements sortent du nid sonore,
Quand, au rayon d'été qui vient la réveiller,
L'hirondelle, au plafond qui les abrite encore,
A ses petits sans plume apprend à gazouiller.

Et les bruits du foyer que l'aube fait renaître,
Les pas des serviteurs sur les degrés de bois,
Les aboiements du chien qui voit sortir son maître,
190 Le mendiant plaintif qui fait pleurer sa voix,

Montaient avec le jour; et, dans les intervalles,
Sous des doigts de quinze ans répétant leur leçon,
Les claviers résonnaient ainsi que des cigales
Qui font tinter l'oreille au temps de la moisson!

III

195 Puis ces bruits d'année en année
Baissèrent d'une vie, hélas! et d'une voix;
Une fenêtre en deuil, à l'ombre condamnée,
Se ferma sous le bord des toits.

Printemps après printemps, de belles fiancées
200 Suivirent de chers ravisseurs,
Et, par la mère en pleurs sur le seuil embrassées,
Partirent en baisant leurs sœurs.

Puis sortit un matin pour le champ où l'on pleure
Le cercueil tardif de l'aïeul,
Puis un autre, et puis deux; et puis dans la demeure
Un vieillard morne resta seul!

Puis la maison glissa sur la pente rapide
Où le temps entasse les jours,
Puis la porte à jamais se ferma sur le vide,
210 Et l'ortie envahit les cours! . . .

IV

O famille! ô mystère! ô cœur de la nature,
Où l'amour dilaté dans toute créature
Se resserre en foyer pour couver des berceaux!
Goutte de sang puisée à l'artère du monde,
Qui court de cœur en cœur toujours chaude et féconde,
Et qui se ramifie en éternels ruisseaux!

Chaleur du sein de mère où Dieu nous fit éclore,
Qui du duvet natal nous enveloppe encore
Quand le vent d'hiver siffle à la place des lits;
220 Arrière-goût du lait dont la femme nous sèvre,
Qui, même en tarissant, nous embaume la lèvre;
Etreinte de deux bras par l'amour amollis!

Premier rayon du ciel vu dans des yeux de femmes,
Premier foyer d'une âme où s'allument nos âmes,
Premiers bruits de baisers au cœur retentissants!
Adieux, retours, départs pour de lointaines rives,
Mémoire qui revient pendant les nuits pensives
A ce foyer des cœurs, univers des absents!

Ah! que tout fils dise anathème
230 A l'insensé qui vous blasphème!
Rêveur du groupe universel,
Qu'il embrasse, au lieu de sa mère,
Sa froide et stoïque chimère
Qui n'a ni cœur, ni lait, ni sel!

Du foyer proscrit volontaire,
Qu'il cherche en vain sur cette terre
Un père au visage attendri;
Que tout foyer lui soit de glace,
Et qu'il change à jamais de place
240 Sans qu'aucun lieu lui jette un cri!

Envieux du champ de famille,
Que, pareil au frelon qui pille
L'humble ruche adossée au mur,
Il maudisse la loi divine
Qui donne un sol à la racine
Pour multiplier le fruit mûr!

Que sur l'herbe des cimetières
Il foule, indifférent, les pierres
Sans savoir laquelle prier!
250 Qu'il réponde au nom qui le nomme
Sans savoir s'il est né d'un homme,
Ou s'il est fils d'un meurtrier! . . .

V

Dieu! qui révèle aux cœurs mieux qu'à l'intelligence!
Resserre autour de nous, faits de joie et de pleurs,
Ces groupes rétrécis où de ta Providence
Dans la chaleur du sang nous sentons les chaleurs;

Où, sous la porte bien close,
La jeune nichée éclose
Des saintetés de l'amour
260 Passe du lait de la mère
Au pain savoureux qu'un père
Pétrit des sueurs du jour;

Où ces beaux fronts de famille,
Penchés sur l'âtre et l'aiguille,
Prolongent leurs soirs pieux:
O soirs! ô douces veillées
Dont les images mouillées
Flottent dans l'eau de nos yeux!

Oui, je vous revois tous, et toutes, âmes mortes!
270 O chers essaims groupés aux fenêtres, aux portes!
Les bras tendus vers vous, je crois vous ressaisir,
Comme on croit dans les eaux embrasser des visages
Dont le miroir trompeur réfléchit les images,
Mais glace le baiser aux lèvres du désir.

Toi qui fis la mémoire, est-ce pour qu'on oublie? . . .
Non, c'est pour rendre au temps à la fin tous ses jours
Pour faire confluer, là-bas, en un seul cours,
Le passé, l'avenir, ces deux moitiés de vie
Dont l'une dit jamais et l'autre dit toujours.

280 Ce passé, doux Éden dont notre âme est sortie,
Ne notre éternité ne fait-il pas partie?
Où le temps a cessé tout n'est-il pas présent?
Dans l'immuable sein qui contiendra nos âmes
Ne rejoindrons-nous pas tout ce que nous aimâmes
Au foyer qui n'a plus d'absent?

Toi qui formas ces nids rembourrés de tendresses
Où la nichée humaine est chaude de caresses
Est-ce pour en faire un cercueil?
N'as-tu pas, dans un pan de tes globes sans nombre,
290 Une pente au soleil, une vallée à l'ombre
Pour y rebâtir ce doux seuil?

Non plus grand, non plus beau, mais pareil, mais le même
Où l'instinct serre un cœur contre les cœurs qu'il aime,
Où le chaume et la tuile abritent tout l'essaim,
Où le père gouverne, où la mère aime et prie,
Où dans ses petits-fils l'aïeule est réjouie
De voir multiplier son sein!

Toi qui permets, ô père! aux pauvres hirondelles
De fuir sous d'autres cieux la saison des frimas,
300 N'as-tu donc pas aussi pour tes petits sans ailes
D'autres toits préparés dans tes divins climats?
O douce Providence! ô mère de famille
Dont l'immense foyer de tant d'enfants fourmille,
Et qui les vois pleurer, souriante au milieu,
Souviens-toi, cœur du ciel, que la terre est ta fille
Et que l'homme est parent de Dieu!

MOI

Pendant que l'âme oubliait l'heure,
Si courte dans cette saison,
L'ombre de la chère demeure
310 S'allongeait sur le froid gazon;
Mais de cette ombre sur la mousse
L'impression funèbre et douce
Me consolait d'y pleurer seul:
Il me semblait qu'une main d'ange
De mon berceau prenait un lange
Pour m'en faire un sacré linceul!

Alfred de Vigny

Alfred Victor de Vigny was born in 1797 in Loches, in Touraine, of a family of country nobility ruined by the Revolution. His health was not robust but after an unhappy childhood in Paris, he was able, like his older contemporary Lamartine, to join the Royal Bodyguard after the fall of Napoleon I and served in it, off and on, for more than ten years. His *Servitude et grandeur militaires* (1835) reveal the reactions of a proud, reserved, solitary, honourable and sensitive young man cast into a fundamentally unsympathetic milieu. In the 1820s during lengthy leaves he frequented the first generation of Romantic writers in Paris, especially in the so-called *cénacle* of Nodier, best known as the author of *contes fantastiques*, often set in exotic lands with a strange fairy tale quality. He also saw a great deal of Victor Hugo.

In 1825 Vigny married an English heiress from British Guiana. She turned out to be not extremely rich and of frail health, but Vigny cared for her as a devoted albeit far from faithful husband and his marriage brought him into touch with England, where he wrote parts of *Les Destinées* poems. It was in the life story of an English poet, Chatterton, that he found the theme of his best play, the neglect of genius by a materialistic society. Indeed although his first volume of verse was published in 1822, his chief literary output was in the field of the theatre and in the typically Romantic field of the historical novel (*Cinq Mars*, 1826). He contributed greatly to the development of the romantic drama with his translations from Shakespeare (an adaptation of *Othello* was played in Paris in 1829) and his own historical drama, *La Maréchale d'Ancre* was produced in 1831, under the great shadow of Hugo's *Hernani*. His dramatic efforts were spurred on by his lengthy and lively liaison with the actress Marie Dorval, whom he upbraided for faithlessness and desertion (see his poem *Samson*), although being unfaithful himself. Marie Dorval created the part of Kitty Bell in *Chatterton*.

After his mother's death in 1837 and his break with Marie Dorval, Vigny deserted Paris more and more to spend time with his invalid wife, who died in 1852, secluded in his 'ivory tower' on his small country estate at Le Maine Giraud, near Angoulême. During this period he worked on many of the poems for *Les Destinées* (published posthumously as a collection, although many had seen the light of day in reviews previously). Like Lamartine, his social conscience and sympathy for human suffering grew with the years but despite his spasmodic attempts to do so he never succeeded in making a real mark in political life. In 1845 however, after half a dozen failures he was at last elected to the French Academy. The solitude, gloom and physical pain of his later years were softened by two love affairs: one with the formidable Louise Colet (who had already passed through the arms of Musset and Flaubert), the other with a young woman, nearly forty years his junior, who gave birth to a child that may well have been his a bare month after his death, from agonising stomach cancer, which took place in 1863. Like the old wolf in *La Mort du loup*, he died as he had lived, stoically, quietly and courageously.

Alfred de Vigny

In his revealing *Journal d'un poète*, an invaluable record of his views on life and art, Vigny divides his life into three parts: his education under the first Empire, his *vie militaire et poétique* up to 1830 and his *vie philosophique* thereafter. During this last period, his poetry turned more and more to social political and moral themes, paralleling the evolution over the same period of his senior, Lamartine, though Vigny's preoccupations expressed themselves more plainly in poetical activity and Lamartine's in active politics. Hugo also became in the thirties and forties increasingly socially and politically minded; but Vigny lacked Hugo's expansive and specific sympathy for the poor and underprivileged: his concern was more general, for the whole plight of mankind; he once wrote that the verse *J'aime la majesté des souffrances humaines* summed up the essence of his poetry. All but two of Vigny's poems included here are from the period of his *vie philosophique*.

When considering Vigny's philosophical poems we must always keep in mind that we are interested in Vigny as a poet and not a pure philosopher; it is his reactions to certain ideas rather than the ideas in themselves that concern us. To deduce abstract ideas from the work of any poet is to betray him, for in poetry meaning and expression should form an indissoluble whole, which means that great poetry, until our means of criticism become much more refined than they have been, is ultimately unanalysable; even if certain effects can be pinpointed and examined the overall effect is a total and hitherto mysterious one. Were this not so, a poet might as well express himself in prose; indeed, if we find, in considering a poetic work, that its meaning can be adequately conveyed by means of a prose commentary, then the poet is not fulfilling his function and is merely versifying abstract ideas, writing from the head alone rather than from head and heart combined. A poet must *feel* and not only *think* his ideas if he is to produce that fusion of sense and sensibility which is essential to good poetry: it is his emotional reaction to ideas that we want to read.

Unfortunately, in spite of his severe self-criticism, Vigny's own verse is very uneven; and some of his poems are so bad that it is difficult to believe that their author was a poet at all. Even in those poems where a poetic experience seems to be enacted, there occur passages where the head seems strongly to prevail (see *La Maison du Berger*, ll. 64–133). Vigny, we know, lacked facility in writing verse; but if this is the explanation, it becomes more difficult to see why some of his poetry is memorably good. It is perhaps more likely that Vigny himself strove often to be too philosophical and instead of being satisfied with expressing his often unreasoning beliefs and convictions, tried to argue, persuade by reason, strike a public attitude and become didactic—thus proving false, incidentally, to his own concept of poetry which was to *mettre en scène une pensée philosophique sous forme épique ou dramatique*. It might even be the case that Vigny at times was trying to convince himself as well as us of the truth of what he was saying: it is unlikely to be pure chance that there are certain ideas, such as confidence in the progress of the human mind, the triumph of mind over matter (as in part of *La Bouteille à la mer* and, even more, in poems unrepresented here, such as *L'Esprit pur*), which Vigny seems unable to express except in stilted and pompous verse. We may suspect that he was here expressing a public philosophy and pious hope that was far from his deeper beliefs and which did not correspond to his real temperament, cast usually in a less optimistic tone. The poems in which he was attempting to come to terms with himself, with women, with religion, with nature and with death have a different timbre.

The conclusion that we must draw is that generalisations about Vigny's ideas are worthless because impossible. The value of his poetry—and this means, in fact, his philosophical poetry—lies in the complexities of his personality (which make him, in many ways, a remarkably modern man), the variations of his attitudes and moods, his very inconsistency. For example, his hatred and distrust of women, of which much is often made in manuals of French literature, are matched by love and trust; his imprecations against nature's indifference are balanced by a deep feeling for natural beauty; his puritanical reserve and stoicism, undoubted as they are, take on their full significance only in relation to his equally undoubted experience and enjoyment of this world's pleasures. In a word, the pessimism traditionally ascribed to Vigny must be contrasted with his optimism, based on far surer grounds than a belief in 'progress' and consisting ultimately in an acceptance of life on this planet with its joys as well as its sorrows, its triumphs as well as its disappointments. At his best, Vigny is able to provide the general mood as well as terse memorable lines as the appropriate vehicle for his particular conception of philosophical poetry; there is drama and an epic simplicity in many of his poems, although the latter falls, alas, not infrequently into unintentional prosiness.

MAIN POETICAL WORKS

Poèmes, 1822 (enlarged as *Poèmes antiques et modernes*, 1826)
Les Destinées, 1864 (Bordas has a modern edition)

CRITICAL AND BIOGRAPHICAL WORKS

P.-G. Castex, *Vigny, l'homme et l'œuvre*, Paris, 1963 (also author of a critical edition of *Les Destinées*, Paris, 1964)
F. Germain, *L'imagination d'Alfred de Vigny*, Paris, 1963
E. Lauvrière, *Alfred de Vigny, sa vie, son œuvre*, Paris, 1945
B. de la Salle, *Alfred de Vigny*, Paris, 1963
V. L. Saulnier, *Les Destinées* (critical edition), Paris, 1947

Alfred de Vigny

Moïse

Poème

Le soleil prolongeait sur la cime des tentes
Ces obliques rayons, ces flammes éclatantes,
Ces larges traces d'or qu'il laisse dans les airs,
Lorsqu'en un lit de sable il se couche aux déserts.
La pourpre et l'or semblaient revêtir la campagne.
Du stérile Nébo gravissant la montagne,
Moïse, homme de Dieu, s'arrête, et, sans orgueil,
Sur le vaste horizon promène un long coup d'œil.
Il voit d'abord Phasga, que des figuiers entourent;
10 Puis, au delà des monts que ses regards parcourent,
S'étend tout Galaad, Éphraïm, Manassé,
Dont le pays fertile à sa droite est placé;
Vers le Midi, Juda, grand et stérile, étale
Ses sables où s'endort la mer occidentale;
Plus loin, dans un vallon que le soir a pâli,
Couronné d'oliviers, se montre Nephtali;
Dans des plaines de fleurs magnifiques et calmes,
Jéricho s'aperçoit: c'est la ville des palmes;
Et, prolongeant ses bois, des plaines de Phogor,
20 Le lentisque touffu s'étend jusqu'à Ségor.
Il voit tout Chanaan, et la terre promise,
Où sa tombe, il le sait, ne sera point admise.
Il voit, sur les Hébreux étend sa grande main,
Puis vers le haut du mont il reprend son chemin.

Or, des champs de Moab couvrant la vaste enceinte,
Pressés au large pied de la montagne sainte,
Les enfants d'Israel s'agitaient au vallon
Comme les blés épais qu'agite l'aquilon.
Dès l'heure où la rosée humecte l'or des sables
30 Et balance sa perle au sommet des érables,
Prophète centenaire, environné d'honneur,
Moïse était parti pour trouver le Seigneur.
On le suivait des yeux aux flammes de sa tête,
Et, lorsque du grand mont il atteignit le faîte,
Lorsque son front perça le nuage de Dieu
Qui couronnait d'éclairs la cime du haut lieu,
L'encens brûla partout sur les autels de pierre,
Et six cent mille Hébreux, courbés dans la poussière,

A l'ombre du parfum par le soleil doré,
40 Chantèrent d'une voix le cantique sacré;
Et les fils de Lévi, s'élevant sur la foule,
Tels qu'un bois de cyprès sur le sable qui roule,
Du peuple avec la harpe accompagnant les voix,
Dirigeaient vers le ciel l'hymne du Roi des Rois.

Et, debout devant Dieu, Moïse ayant pris place,
Dans le nuage obscur lui parlait face à face.

Il disait au Seigneur: 'Ne finirai-je pas?
Où voulez-vous encor que je porte mes pas?
Je vivrai donc toujours puissant et solitaire?
50 Laissez-moi m'endormir du sommeil de la terre.—
Que vous ai-je donc fait pour être votre élu?
J'ai conduit votre peuple où vous avez voulu.
Voilà que son pied touche à la terre promise.
De vous à lui qu'un autre accepte l'entremise,
Au coursier d'Israël qu'il attache le frein;
Je lui lègue mon livre et la verge d'airain.

'Pourquoi vous fallut-il tarir mes espérances,
Ne pas me laisser homme avec mes ignorances,
Puisque du mont Horeb jusques au mont Nébo
60 Je n'ai pas pu trouver le lieu de mon tombeau?
Hélas! vous m'avez fait sage parmi les sages!
Mon doigt du peuple errant a guidé les passages.
J'ai fait pleuvoir le feu sur la tête des rois;
L'avenir à genoux adorera mes lois;
Des tombes des humains j'ouvre la plus antique,
La mort trouve à ma voix une voix prophétique,
Je suis très grand, mes pieds sont sur les nations,
Ma main fait et défait les générations.—
Hélas! je suis, Seigneur, puissant et solitaire,
70 Laissez-moi m'endormir du sommeil de la terre!

'Hélas! je sais aussi tous les secrets des cieux,
Et vous m'avez prêté la force de vos yeux.
Je commande à la nuit de déchirer ses voiles;
Ma bouche par leur nom a compté les étoiles
Et, dès qu'au firmament mon geste l'appela,
Chacune s'est hâtée en disant: 'Me voilà.'
J'impose mes deux mains sur le front des nuages
Pour tarir dans leurs flancs la source des orages;

J'engloutis les cités sous les sables mouvants;
80 Je renverse les monts sous les ailes des vents;
Mon pied infatigable est plus fort que l'espace;
Le fleuve aux grandes eaux se range quand je passe,
Et la voix de la mer se tait devant ma voix.
Lorsque mon peuple souffre, ou qu'il lui faut des lois,
J'élève mes regards, votre esprit me visite;
La terre alors chancelle et le soleil hésite,
Vos anges sont jaloux et m'admirent entre eux.—
Et cependant, Seigneur, je ne suis pas heureux;
Vous m'avez fait vieillir puissant et solitaire,
90 Laissez-moi m'endormir du sommeil de la terre!

'Sitôt que votre souffle a rempli le berger,
Les hommes se sont dit: "Il nous est étranger";
Et les yeux se baissaient devant mes yeux de flamme,
Car ils venaient, hélas! d'y voir plus que mon âme.
J'ai vu l'amour s'éteindre et l'amitié tarir;
Les vierges se voilaient et craignaient de mourir.
M'enveloppant alors de la colonne noire,
J'ai marché devant tous, triste et seul dans ma gloire,
Et j'ai dit dans mon cœur: "Que vouloir à présent?"
100 Pour dormir sur un sein mon front est trop pesant,
Ma main laisse l'effroi sur la main qu'elle touche,
L'orage est dans ma voix, l'éclair est sur ma bouche;
Aussi, loin de m'aimer, voilà qu'ils tremblent tous,
Et, quand j'ouvre les bras, on tombe à mes genoux.
O Seigneur! j'ai vécu puissant et solitaire,
Laissez-moi m'endormir du sommeil de la terre!'

Or, le peuple attendait, et, craignant son courroux,
Priait sans regarder le mont du Dieux jaloux;
Car s'il levait les yeux, les flancs noirs du nuage
110 Roulaient et redoublaient les foudres de l'orage,
Et le feu des éclairs, aveuglant les regards,
Enchaînait tous les fronts courbés de toutes parts.
Bientôt le haut du mont reparut sans Moïse.—
Il fut pleuré.—Marchant vers la terre promise,
Josué s'avançait pensif, et pâlissant,
Car il était déjà l'élu du Tout-Puissant.

Alfred de Vigny

Le Cor

I

J'aime le son du Cor, le soir, au fond des bois,
Soit qu'il chante les pleurs de la biche aux abois,
Ou l'adieu du chasseur que l'écho faible accueille,
Et que le vent du nord porte de feuille en feuille.

Que de fois seul dans l'ombre à minuit demeuré,
J'ai souri de l'entendre, et plus souvent pleuré!
Car je croyais ouïr de ces bruits prophétiques
Qui précédaient la mort des Paladins antiques.

O montagnes d'azur! ô pays adoré!
10 Rocs de la Frazona, cirque du Marboré,
Cascades qui tombez des neiges entraînées,
Sources, gaves, ruisseaux, torrents des Pyrénées;

Monts gelés et fleuris, trône des deux saisons,
Dont le front est de glace et les pieds de gazons!
C'est là qu'il faut s'asseoir, c'est là qu'il faut entendre
Les airs lointains d'un Cor mélancolique et tendre.

Souvent un voyageur, lorsque l'air est sans bruit,
De cette voix d'airain fait retentir la nuit;
A ses chants cadencés autour de lui se mêle
20 L'harmonieux grelot du jeune agneau qui bêle.

Une biche attentive, au lieu de se cacher,
Se suspend immobile au sommet du rocher,
Et la cascade unit, dans une chute immense,
Son éternelle plainte au chant de la romance.

Ames des Chevaliers, revenez-vous encor?
Est-ce vous qui parlez avec la voix du Cor?
Roncevaux! Roncevaux! dans ta sombre vallée
L'ombre du grand Roland n'est donc pas consolée!

II

Tous les preux étaient morts, mais aucun n'avait fui.
30 Il reste seul debout, Olivier près de lui,
L'Afrique sur les monts l'entoure et tremble encore.
'Roland, tu vas mourir, rends-toi, criait le More;

Tous tes Pairs sont couchés dans les eaux des torrents.'
Il rugit comme un tigre, et dit: 'Si je me rends,
Africain, ce sera lorsque les Pyrénées
Sur l'onde avec leurs corps rouleront entraînées.'

—Rends-toi donc, répond-il, ou meurs, car les voilà.'
Et du plus haut des monts un grand rocher roula.
Il bondit, il roula jusqu'au fond de l'abîme,
40 Et de ses pins, dans l'onde, il vint briser la cime.

—'Merci! cria Roland; tu m'as fait un chemin.'
Et jusqu'au pied des monts le roulant d'une main,
Sur le roc affermi comme un géant s'élance,
Et prête à fuir, l'armée à ce seul pas balance.

III

Tranquilles cependant, Charlemagne et ses preux
Descendaient la montagne et se parlaient entre eux.
A l'horizon déjà, par leurs eaux signalées,
De Luz et d'Argelès se montraient les vallées.

L'armée applaudissait. Le luth du troubadour
50 S'accordait pour chanter les saules de l'Adour;
Le vin français coulait dans la coupe étrangère;
Le soldat, en riant, parlait à la bergère.

Roland gardait les monts; tous passaient sans effroi.
Assis nonchalamment sur un noir palefroi
Qui marchait revêtu de housses violettes,
Turpin disait, tenant les saintes amulettes:

'Sire, on voit dans le ciel des nuages de feu;
Suspendez votre marche, il ne faut tenter Dieu.
Par monsieur saint Denis, certes ce sont des âmes
60 Qui passent dans les airs sur ces vapeurs de flammes.

'Deux éclairs ont relui, puis deux autres encor.'
Ici l'on entendit le son lointain du Cor.—
L'Empereur étonné, se jetant en arrière,
Suspend du destrier la marche aventurière.

'Entendez-vous? dit-il.—Oui, ce sont des pasteurs
Rappelant les troupeaux épars sur les hauteurs,
Répondit l'archevêque, ou la voix étouffée
Du nain vert Obéron qui parle avec sa fée.'

Et l'Empereur poursuit, mais son front soucieux
70 Est plus sombre et plus noir que l'orage des cieux.
Il craint la trahison, et tandis qu'il y songe
Le Cor éclate et meurt, renaît et se prolonge.

'Malheur! c'est mon neveu! malheur! car si Roland
Appelle à son secours, ce doit être en mourant.
Arrière! chevaliers, repassons la montagne!
Tremble encor sous nos pieds, sol trompeur de l'Espagne!'

IV

Sur le plus haut des monts s'arrêtent les chevaux;
L'écume les blanchit; sous leurs pieds, Roncevaux
Des feux mourants du jour à peine se colore.
80 A l'horizon lointain fuit l'étendard du More.

—'Turpin, n'as-tu rien vu dans le fond du torrent?
—J'y vois deux chevaliers; l'un mort, l'autre expirant.
Tous deux sont écrasés sous une roche noire;
Le plus fort, dans sa main, élève un Cor d'ivoire,
Son âme en s'exhalant nous appela deux fois.'

Dieu! que le son du Cor est triste au fond des bois!

La Mort du Loup

I

Les nuages couraient sur la lune enflammée
Comme sur l'incendie on voit fuir la fumée,
Et les bois étaient noirs jusques à l'horizon.
Nous marchions, sans parler, dans l'humide gazon,
Dans la bruyère épaisse et dans les hautes brandes,
Lorsque, sous des sapins pareils à ceux des landes,
Nous avons aperçu les grands ongles marqués
Par les loups voyageurs que nous avions traqués.
Nous avons écouté, retenant notre haleine
10 Et le pas suspendu.—Ni le bois ni la plaine
Ne poussaient un soupir dans les airs; seulement
La girouette en deuil criait au firmament,
Car le vent, élevé bien au-dessus des terres,
N'effleurait de ses pieds que les tours solitaires,

Et les chênes d'en bas, contre les rocs penchés,
Sur leurs coudes semblaient endormis et couchés.
Rien ne bruissait donc, quand marchant tête basse
Le plus vieux des chasseurs nous indiqua la trace
De deux grands loups-cerviers et de deux louveteaux.
20 Nous avons tous alors préparé nos couteaux,
Et, cachant nos fusils et leurs lueurs trop blanches,
Nous allions, pas à pas, en écartant les branches.

Trois s'arrêtent, et moi, cherchant ce qu'ils voyaient,
J'aperçois tout à coup deux yeux qui flamboyaient,
Et je vois au-delà quatre formes légères
Qui dansaient sous la lune au milieu des bruyères,
Comme font, chaque jour, à grand bruit sous nos yeux,
Quand le maître revient, les lévriers joyeux.
Leur forme était semblable et semblable la danse;
30 Mais les enfants du Loup se jouaient en silence,
Sachant bien qu'à deux pas, ne dormant qu'à demi,
Se couche dans ses murs l'homme, leur ennemi.

Le père était debout, et plus loin, contre un arbre,
Sa Louve reposait, comme celle de marbre
Qu'adoraient les Romains et dont les flancs velus
Couvaient les demi-dieux Rémus et Romulus.
Le Loup vient et s'assied, les deux jambes dressées,
Par leurs ongles crochus dans le sable enfoncées.
Il s'est jugé perdu puisqu'il était surpris,
40 Sa retraite coupée et tous ses chemins pris;
Alors il a saisi, dans sa gueule brûlante
Du chien le plus hardi la gorge pantelante,
Et n'a pas desserré ses mâchoires de fer,
Malgré nos coups de feu qui traversaient sa chair,
Et nos couteaux aigus qui, comme des tenailles,
Se croisaient en plongeant dans ses larges entrailles,
Jusqu'au dernier moment où le chien étranglé,
Mort longtemps avant lui, sous ses pieds a roulé.
Le Loup le quitte alors et puis il nous regarde.
50 Les couteaux lui restaient au flanc jusqu'à la garde,
Le clouaient au gazon tout baigné dans son sang;
Nos fusils l'entouraient en sinistre croissant.
Il nous regarde encore, ensuite il se recouche,
Tout en léchant le sang répandu sur sa bouche,
Et, sans daigner savoir comment il a péri,
Refermant ses grands yeux, meurt sans jeter un cri.

II

J'ai reposé mon front sur mon fusil sans poudre,
Me prenant à penser, et n'ai pu me résoudre
A poursuivre sa Louve et ses fils, qui, tous trois,
60 Avaient voulu l'attendre, et, comme je le crois,
Sans ses deux louveteaux, la belle et sombre veuve
Ne l'eût pas laissé seul subir la grande épreuve;
Mais son devoir était de les sauver, afin
De pouvoir leur apprendre à bien souffrir la faim,
A ne jamais entrer dans le pacte des villes
Que l'homme a fait avec les animaux serviles
Qui chassent devant lui, pour avoir le coucher,
Les premiers possesseurs du bois et du rocher.

III

Hélas! ai-je pensé, malgré ce grand nom d'Hommes,
70 Que j'ai honte de nous, débiles que nous sommes!
Comment on doit quitter la vie et tous ses maux,
C'est vous qui le savez, sublimes animaux!
A voir ce que l'on fut sur terre et ce qu'on laisse,
Seul le silence est grand, tout le reste est faiblesse.
—Ah! je t'ai bien compris, sauvage voyageur,
Et ton dernier regard m'est allé jusqu'au cœur!
Il disait: 'Si tu peux, fais que ton âme arrive,
A force de rester studieuse et pensive,
Jusqu'à ce haut degré de stoïque fierté
80 Où, naissant dans les bois, j'ai tout d'abord monté.
Gémir, pleurer, prier, est également lâche.
Fais énergiquement ta longue et lourde tâche,
Dans la voie où le Sort a voulu t'appeler,
Puis, après, comme moi, souffre et meurs sans parler.'

La Colère de Samson

Le désert est muet, la tente est solitaire.
Quel pasteur courageux la dressa sur la terre
Du sable et des lions?—La nuit n'a pas calmé
La fournaise du jour dont l'air est enflammé.

Un vent léger s'élève à l'horizon et ride
Les flots de la poussière ainsi qu'un lac limpide.
Le lin blanc de la tente est bercé mollement;
L'œuf d'autruche, allumé, veille paisiblement,
Des voyageurs voilés intérieure étoile,
10 Et jette longuement deux ombres sur la toile.

L'une est grande et superbe, et l'autre est à ses pieds:
C'est Dalila l'esclave, et ses bras sont liés
Aux genoux réunis du maître jeune et grave
Dont la force divine obéit à l'esclave.
Comme un doux léopard elle est souple, et répand
Ses cheveux dénoués aux pieds de son amant.
Ses grands yeux, entr'ouverts comme s'ouvre l'amande,
Sont brûlants du plaisir que son regard demande,
Et jettent, par éclats, leurs mobiles lueurs.

20 Ses bras fins tout mouillés de tièdes sueurs,
Ses pieds voluptueux qui sont croisés sous elle,
Ses flancs, plus élancés que ceux de la gazelle,
Pressés de bracelets, d'anneaux, de boucles d'or,
Sont bruns, et, comme il sied aux filles de Hatsor,
Ses deux seins, tout chargés d'amulettes anciennes
Sont chastement pressés d'étoffes syriennes.

Les genoux de Samson fortement sont unis
Comme les deux genoux du colosse Anubis.
Elle s'endort sans force et riante et bercée
30 Par la puissante main sous sa tête placée.

Lui, murmure le chant funèbre et douloureux
Prononcé dans la gorge avec des mots hébreux.
Elle ne comprend pas la parole étrangère,
Mais le chant verse un somme en sa tête légère.

'Une lutte éternelle en tout temps, en tout lieu,
Se livre sur la terre, en présence de Dieu,
Entre la bonté d'Homme et la ruse de Femme,
Car la femme est un être impur de corps et d'âme.

'L'Homme a toujours besoin de caresse et d'amour;
40 Sa mère l'en abreuve alors qu'il vient au jour,
Et ce bras le premier l'engourdit, le balance
Et lui donne un désir d'amour et d'indolence.

Troublé dans l'action, troublé dans le dessein,
Il rêvera partout à la chaleur du sein,
Aux chansons de la nuit, aux baisers de l'aurore,
A la lèvre de feu que sa lèvre dévore,
Aux cheveux dénoués qui roulent sur son front,
Et les regrets du lit, en marchant, le suivront.
Il ira dans la ville, et, là, les vierges folles
50 Le prendront dans leurs lacs aux premières paroles.
Plus fort il sera né, mieux il sera vaincu,
Car plus le fleuve est grand et plus il est ému.
Quand le combat que Dieu fit pour la créature
Et contre son semblable et contre la Nature
Force l'Homme à chercher un sein où reposer,
Quand ses yeux sont en pleurs, il lui faut un baiser.
Mais il n'a pas encor fini toute sa tâche:
Vient un autre combat plus secret, traître et lâche;
Sous son bras, sous son cœur se livre celui-là;
60 Et, plus ou moins, la Femme est toujours DALILA.

'Elle rit et triomphe; en sa froideur savante,
Au milieu de ses sœurs elle attend et se vante
De ne rien éprouver des atteintes du feu.
A sa plus belle amie elle en a fait l'aveu:
Elle se fait aimer sans aimer elle-même;
Un maître lui fait peur. C'est le plaisir qu'elle aime:
L'Homme est rude et le prend sans savoir le donner.
Un sacrifice illustre et fait pour étonner
Rehausse mieux que l'or, aux yeux de ses pareilles,
70 La beauté qui produit tant d'étranges merveilles
Et d'un sang précieux sait arroser ses pas.
—Donc, ce que j'ai voulu, Seigneur, n'existe pas!—
Celle à qui va l'amour et de qui vient la vie,
Celle-là, par Orgueil, se fait notre ennemie.
La Femme est, à présent, pire que dans ces temps
Où, voyant les humains, Dieu dit: 'Je me repens!'
Bientôt, se retirant dans un hideux royaume,
La Femme aura Gomorrhe et l'Homme aura Sodome:
Et, se jetant, de loin, un regard irrité,
80 Les deux sexes mourront chacun de son côté.

'Éternel! Dieu des forts! vous savez que mon âme
N'avait pour aliment que l'amour d'une femme,
Puisant dans l'amour seul plus de sainte vigueur
Que mes cheveux divins n'en donnaient à mon cœur.

—Jugez-nous.—La voilà sur mes pieds endormie.
Trois fois elle a vendu mes secrets et ma vie,
Et trois fois a versé des pleurs fallacieux
Qui n'ont pu me cacher la rage de ses yeux;
Honteuse qu'elle était plus encor qu'étonnée
90 De se voir découverte ensemble et pardonnée:
Car la bonté de l'Homme est forte, et sa douceur
Écrase, en l'absolvant, l'être faible et menteur.

'Mais enfine je suis las. J'ai l'âme si pesante,
Que mon corps gigantesque et ma tête puissante
Qui soutiennent le poids des colonnes d'airain
Ne la peuvent porter avec tout son chagrin.
Toujours voir serpenter la vipère dorée
Qui se traîne en sa fange et s'y croit ignorée;
Toujours ce compagnon dont le cœur n'est pas sûr,
100 La Femme, enfant malade et douze fois impur!
Toujours mettre sa force à garder sa colère
Dans son cœur offensé, comme en un sanctuaire
D'où le feu s'échappant irait tout dévorer,
Interdire à ses yeux de voir ou de pleurer,
C'est trop! Dieu, s'il le veut, peut balayer ma cendre.
J'ai donné mon secret, Dalila va le vendre.
Qu'ils seront beaux, les pieds de celui qui viendra
Pour m'annoncer la mort!—Ce qui sera, sera!'

Il dit, et s'endormit près d'elle jusqu'à l'heure
110 Où les guerriers, tremblants d'être dans sa demeure,
Payant au poids de l'or chacun de ses cheveux,
Attachèrent ses mains et brûlèrent ses yeux,
Le traînèrent sanglant et chargé d'une chaîne
Que douze grands taureaux ne tiraient qu'avec peine,
Le placèrent debout, silencieusement,
Devant Dagon, leur Dieu, qui gémit sourdement
Et deux fois, en tournant, recula sur sa base
Et fit pâlir deux fois ses prêtres en extase,
Allumèrent l'encens, dressèrent un festin
120 Dont le bruit s'entendait du mont le plus lointain,
Et près de la génisse aux pieds du Dieu tuée
Placèrent Dalila, pâle prostituée,
Couronnée, adorée et reine du repas,
Mais tremblante et disant: 'IL NE ME VERRA PAS!'

Terre et Ciel! avez-vous tressailli d'allégresse
Lorsque vous avez vu la menteuse maîtresse
Suivre d'un œil hagard les yeux tachés de sang
Qui cherchaient le soleil d'un regard impuissant?
Et quand enfin Samson, secouant les colonnes
130 Qui faisaient le soutien des immenses Pylônes,
Ecrasa d'un seul coup, sous les débris mortels,
Ses trois mille ennemis, leurs dieux et leurs autels?

Terre et Ciel! punissez par de telles justices
La trahison ourdie en des amours factices,
Et la délation du secret de nos cœurs
Arraché dans nos bras par des baisers menteurs!

Le Mont des Oliviers

I

Alors il était nuit et Jésus marchait seul,
Vêtu de blanc ainsi qu'un mort de son linceul;
Les disciples dormaient au pied de la colline.
Parmi les oliviers, qu'un vent sinistre incline,
Jésus marche à grands pas en frissonnant comme eux,
Triste jusqu'à la mort, l'œil sombre et ténébreux,
Le front baissé, croisant les deux bras sur sa robe
Comme un voleur de nuit cachant ce qu'il dérobe;
Connaissant les rochers mieux qu'un sentier uni,
10 Il s'arrête en un lieu nommé Gethsémani.
Il se courbe, à genoux, le front contre la terre,
Puis regarde le ciel en appelant: 'Mon Père!'
—Mais le ciel reste noir, et Dieu ne répond pas.
Il se lève étonné, marche encore à grands pas,
Froissant les oliviers qui tremblent. Froide et lente,
Découle de sa tête une sueur sanglante.
Il recule, il descend, il crie avec effroi:
'Ne pouviez-vous prier et veiller avec moi?'
Mais un sommeil de mort accable les apôtres,
20 Pierre à la voix du maître est sourd comme les autres.
Le Fils de l'Homme alors remonte lentement.
Comme un pasteur d'Egypte il cherche au firmament
Si l'Ange ne luit pas au fond de quelque étoile.

Mais un nuage en deuil s'étend comme le voile
D'une veuve, et ses plis entourent le désert.
Jésus, se rappelant ce qu'il avait souffert
Depuis trente-trois ans, devint homme, et la crainte
Serra son cœur mortel d'une invincible étreinte.
Il eut froid. Vainement il appela trois fois:
30 'Mon père!'—Le vent seul répondit à sa voix.
Il tomba sur le sable assis, et, dans sa peine,
Eut sur le monde et l'homme une pensée humaine.
—Et la Terre trembla, sentant la pesanteur
Du Sauveur qui tombait aux pieds du Créateur.

II

Jésus disait: 'O Père, encor laisse-moi vivre!
Avant le dernier mot ne ferme pas mon livre!
Ne sens-tu pas le monde et tout le genre humain
Qui souffre avec ma chair et frémit dans ta main?
C'est que la Terre a peur de rester seule et veuve,
40 Quand meurt celui qui dit une parole neuve,
Et que tu n'as laissé dans son sein desséché
Tomber qu'un mot du ciel par ma bouche épanché.
Mais ce mot est si pur et sa douceur est telle,
Qu'il a comme enivré la famille mortelle
D'une goutte de vie et de divinité,
Lorsqu'en ouvrant les bras j'ai dit: FRATERNITÉ!
'—Père, oh! si j'ai rempli mon douloureux message,
Si j'ai caché le Dieu sous la face du Sage,
Du sacrifice humain si j'ai changé le prix,
50 Pour l'offrande des corps recevant les esprits,
Substituant partout aux choses le symbole,
La parole au combat, comme aux trésors l'obole,
Aux flots rouges du sang les flots vermeils du vin,
Aux membres de la chair le pain blanc sans levain;

Si j'ai coupé les temps en deux parts, l'une esclave
Et l'autre libre;—au nom du passé que je lave,
Par le sang de mon corps qui souffre et va finir,
Versons-en la moitié pour laver l'avenir!
Père libérateur! jette aujourd'hui, d'avance,
60 La moitié de ce sang d'amour et d'innocence
Sur la tête de ceux qui viendront en disant:
'Il est permis pour tous de tuer l'innocent.'
Nous savons qu'il naîtra, dans le lointain des âges,
Des dominateurs durs escortés de faux sages
Qui troubleront l'esprit de chaque nation

En donnant un faux sens à ma rédemption.
—Hélas! je parle encor que déjà ma parole
Est tournée en poison dans chaque parabole;
Éloigne ce calice impur et plus amer
70 Que le fiel, ou l'absinthe, ou les eaux de la mer.
Les verges qui viendront, la couronne d'épine,
Les clous des mains, la lance au fond de ma poitrine,
Enfin toute la croix qui se dresse et m'attend,
N'ont rien, mon Père, oh! rien qui m'épouvante autant!

Quand les Dieux veulent bien s'abattre sur les mondes,
Ils n'y doivent laisser que des traces profondes:
Et si j'ai mis le pied sur ce globe incomplet,
Dont le gémissement sans repos m'appelait,
C'était pour y laisser deux Anges à ma place
80 De qui la race humaine aurait baisé la trace,
La Certitude heureuse et l'Espoir confiant,
Qui, dans le Paradis, marchent en souriant.
Mais je vais la quitter, cette indigente terre,
N'ayant que soulevé ce manteau de misère
Qui l'entoure à grands plis, drap lugubre et fatal,
Que d'un bout tient le Doute et de l'autre le Mal.

'Mal et Doute! En un mot je puis les mettre en poudre.
Vous les aviez prévus, laissez-moi vous absoudre
De les avoir permis.—C'est l'accusation
90 Qui pèse de partout sur la création!—
Sur son tombeau désert faisons monter Lazare.
Du grand secret des morts qu'il ne soit plus avare,
Et de ce qu'il a vu donnons-lui souvenir:
Qu'il parle.—Ce qui dure et ce qui doit finir,
Ce qu'a mis le Seigneur au cœur de la Nature,
Ce qu'elle prend et donne à toute créature,
Quels sont avec le ciel ses muets entretiens,
Son amour ineffable et ses chastes liens,
Comment tout s'y détruit et tout s'y renouvelle,
100 Pourquoi ce qui s'y cache et ce qui s'y révèle;
Si les astres des cieux tour à tour éprouvés
Sont comme celui-ci coupables et sauvés;
Si la Terre est pour eux ou s'ils sont pour la Terre;
Ce qu'a de vrai la fable et de clair le mystère,
D'ignorant le savoir et de faux la raison;
Pourquoi l'âme est liée en sa faible prison,
Et pourquoi nul sentier entre deux larges voies,
Entre l'ennui du calme et des paisibles joies

Et la rage sans fin des vagues passions,
110 Entre la léthargie et les convulsions;
Et pourquoi pend la Mort comme une sombre épée
Attristant la Nature à tout moment frappée;
Si le Juste et le Bien, si l'Injuste et le Mal
Sont de vils accidents en un cercle fatal,
Ou si de l'univers ils sont les deux grands pôles,
Soutenant terre et cieux sur leurs vastes épaules;
Et pourquoi les Esprits du mal sont triomphants
Des maux immérités, de la mort des enfants;
Et si les Nations sont des femmes guidées
120 Par les étoiles d'or des divines idées,
Ou de folles enfants sans lampes dans la nuit,
Se heurtant et pleurant et que rien ne conduit;
Et si, lorsque des temps l'horloge périssable
Aura jusqu'au dernier versé ses grains de sable,
Un regard de vos yeux, un cri de votre voix,
Un soupir de mon cœur, un signe de ma croix,
Pourra faire ouvrir l'ongle aux Peines Éternelles,
Lâcher leur proie humaine et reployer leurs ailes:
Tout sera révélé dès que l'homme saura
130 De quels lieux il arrive et dans quels il ira.'

III

Ainsi le divin Fils parlait au divin Père.
Il se prosterne encore, il attend, il espère,
Mais il renonce et dit: 'Que votre volonté
Soit faite et non la mienne et pour l'éternité!'
Une terreur profonde, une angoisse infinie
Redoublent sa torture et sa lente agonie.
Il regarde longtemps, longtemps cherche sans voir.
Comme un marbre de deuil tout le ciel était noir;
La Terre sans clartés, sans astre et sans aurore,
140 Et sans clartés de l'âme ainsi qu'elle est encore,
Frémissait.—Dans le bois il entendit des pas,
Et puis il vit rôder la torche de Judas.

LE SILENCE

S'il est vrai qu'au Jardin sacré des Écritures,
Le Fils de l'Homme ait dit ce qu'on voit rapporté;
Muet, aveugle et sourd au cri des créatures,
Si le Ciel nous laissa comme un monde avorté,
Le juste opposera le dédain à l'absence,
Et ne répondra plus que par un froid silence
Au silence éternel de la Divinité.

La Maison du Berger

Lettre à Éva

I

Si ton cœur, gémissant du poids de notre vie,
Se traîne et se débat comme un aigle blessé,
Portant comme le mien, sur son aile asservie,
Tout un monde fatal, écrasant et glacé;
S'il ne bat qu'en saignant par sa plaie immortelle,
S'il ne voit plus l'amour, son étoile fidèle,
Eclairer pour lui seul l'horizon effacé;

Si ton âme enchaînée, ainsi que l'est mon âme,
Lasse de son boulet et de son pain amer,
10 Sur sa galère en deuil laisse tomber la rame,
Penche sa tête pâle et pleure sur la mer,
Et cherchant dans les flots une route inconnue,
Y voit, en frissonnant, sur son épaule nue,
La lettre sociale écrite avec le fer;

Si ton corps, frémissant des passions secrètes,
S'indigne des regards, timide et palpitant;
S'il cherche à sa beauté de profondes retraites
Pour la mieux dérober au profane insultant;
Si ta lèvre se sèche au poison des mensonges,
20 Si ton beau front rougit de passer dans les songes
D'un impur inconnu qui te voit et t'entend,

Pars courageusement, laisse toutes les villes;
Ne ternis plus tes pieds aux poudres du chemin,
Du haut de nos pensers vois les cités serviles
Comme les rocs fatals de l'esclavage humain.
Les grands bois et les champs sont de vastes asiles,
Libres comme la mer autour des sombres îles.
Marche à travers les champs une fleur à la main.

La Nature t'attend dans un silence austère;
30 L'herbe élève à tes pieds son nuage des soirs,
Et le soupir d'adieu du soleil à la terre
Balance les beaux lis comme des encensoirs.
La forêt a voilé ses colonnes profondes,
La montagne se cache, et sur les pâles ondes
Le saule a suspendu ses chastes reposoirs.

Le crépuscule ami s'endort dans la vallée,
Sur l'herbe d'émeraude et sur l'or du gazon,
Sous les timides joncs de la source isolée
Et sous le bois rêveur qui tremble à l'horizon,
40 Se balance en fuyant dans les grappes sauvages,
Jette son manteau gris sur le bord des rivages,
Et des fleurs de la nuit entr'ouvre la prison.

Il est sur la montagne une épaisse bruyère
Où les pas du chasseur ont peine à se plonger,
Qui plus haut que nos fronts lève sa tête altière,
Et garde dans la nuit le pâtre et l'étranger.
Viens y cacher l'amour et ta divine faute;
Si l'herbe est agitée ou n'est pas assez haute,
J'y roulerai pour toi la Maison du Berger.

50 Elle va doucement avec ses quatre roues,
Son toit n'est pas plus haut que ton front et tes yeux;
La couleur du corail et celle de tes joues
Teignent le char nocturne et ses muets essieux.
Le seuil est parfumé, l'alcôve est large et sombre,
Et, là, parmi les fleurs, nous trouverons dans l'ombre,
Pour nos cheveux unis, un lit silencieux.

Je verrai, si tu veux, les pays de la neige,
Ceux où l'astre amoureux dévore et resplendit,
Ceux que heurtent les vents, ceux que la mer assiège,
60 Ceux où le pôle obscur sous sa glace est maudit.
Nous suivrons du hasard la course vagabonde.
Que m'importe le jour, que m'importe le monde?
Je dirai qu'ils sont beaux quand tes yeux l'auront dit.

Que Dieu guide à son but la vapeur foudroyante
Sur le fer des chemins qui traversent les monts,
Qu'un Ange soit debout sur sa forge bruyante,
Quand elle va sous terre ou fait trembler les ponts
Et, de ses dents de feu dévorant ses chaudières,
Transperce les cités et saute les rivières,
70 Plus vite que le cerf dans l'ardeur de ses bonds!

Oui, si l'Ange aux yeux bleus ne veille sur sa route,
Et le glaive à la main ne plane et la défend,
S'il n'a compté les coups du levier, s'il n'écoute
Chaque tour de la roue en son cours triomphant,
S'il n'a l'œil sur les eaux et la main sur la braise,
Pour jeter en éclats la magique fournaise,
Il suffira toujours du caillou d'un enfant.

Sur ce taureau de fer qui fume, souffle et beugle,
L'homme a monté trop tôt. Nul ne connaît encor
80 Quels orages en lui porte ce rude aveugle,
Et le gai voyageur lui livre son trésor;
Son vieux père et ses fils, il les jette en otage
Dans le ventre brûlant du taureau de Carthage,
Qui les rejette en cendre aux pieds du Dieu de l'or.

Mais il faut triompher du temps et de l'espace,
Arriver ou mourir. Les marchands sont jaloux.
L'or pleut sous les charbons de la vapeur qui passe,
Le moment et le but sont l'univers pour nous.
Tous se sont dit: 'Allons!'— mais aucun n'est le maître
90 Du dragon mugissant qu'un savant a fait naître;
Nous nous sommes joués à plus fort que nous tous.

Eh bien! que tout circule et que les grandes causes
Sur les ailes de feu lancent les actions,
Pourvu qu'ouverts toujours aux généreuses choses,
Les chemins du vendeur servent les passions.
Béni soit le Commerce au hardi caducée,
Si l'Amour que tourmente une sombre pensée
Peut franchir en un jour deux grandes nations.

Mais, à moins qu'un ami menacé dans sa vie
100 Ne jette, en appelant, le cri du désespoir,
Ou qu'avec son clairon la France nous convie
Aux fêtes du combat, aux luttes du savoir;
A moins qu'au lit de mort une mère éplorée
Ne veuille encor poser sur sa race adorée
Ces yeux tristes et doux qu'on ne doit plus revoir,

Evitons ces chemins.—Leur voyage est sans grâces,
Puisqu'il est aussi prompt, sur ses lignes de fer,
Que la flèche élancée à travers les espaces
Qui va de l'arc au but en faisant siffler l'air.
110 Ainsi jetée au loin, l'humaine créature
Ne respire et ne voit, dans toute la nature,
Qu'un brouillard étouffant que traverse un éclair.

On n'entendra jamais piaffer sur une route
Le pied vif du cheval sur les pavés en feu:
Adieu, voyages lents, bruits lointains qu'on écoute,
Le rire du passant, les retards de l'essieu,
Les détours imprévus des pentes variées,
Un ami rencontré, les heures oubliées,
L'espoir d'arriver tard dans un sauvage lieu.

120 La distance et le temps sont vaincus. La science
Trace autour de la terre un chemin triste et droit.
Le Monde est rétréci par notre expérience
Et l'équateur n'est plus qu'un anneau trop étroit.
Plus de hasard. Chacun glissera sur sa ligne
Immobile au seul rang que le départ assigne,
Plongé dans un calcul silencieux et froid.

Jamais la Rêverie amoureuse et paisible
N'y verra sans horreur son pied blanc attaché;
Car il faut que ses yeux sur chaque objet visible
130 Versent un long regard, comme un fleuve épanché;
Qu'elle interroge tout avec inquiétude,
Et, des secrets divins se faisant une étude,
Marche, s'arrête et marche avec le col penché.

II

Poésie! ô trésor! perle de la pensée!
Les tumultes du cœur, comme ceux de la mer,
Ne sauraient empêcher ta robe nuancée
D'amasser les couleurs qui doivent te former.
Mais sitôt qu'il te voit briller sur un front mâle,
Troublé de ta lueur mystérieuse et pâle,
140 Le vulgaire effrayé commence à blasphémer.

Le pur enthousiasme est craint des faibles âmes
Qui ne sauraient porter son ardeur ni son poids.
Pourquoi le fuir?—la vie est double dans les flammes.

D'autres flambeaux divins nous brûlent quelquefois:
C'est le Soleil du ciel, c'est l'Amour, c'est la Vie;
Mais qui de les éteindre a jamais eu l'envie?
Tout en les maudissant, on les chérit tous trois.

La Muse a mérité les insolents sourires
Et les soupçons moqueurs qu'eveille son aspect.
150 Dès que son œil chercha le regard des Satyres,
Sa parole trembla, son serment fut suspect,
Il lui fut interdit d'enseigner la sagesse.
Au passant du chemin elle criait: largesse!
Le passant lui donna sans crainte et sans respect.

Ah! fille sans pudeur! fille du saint Orphée,
Que n'as-tu conservé ta belle gravité!
Tu n'iras pas ainsi, d'une voix étouffée,
Chanter aux carrefours impurs de la cité,
Tu n'aurais pas collé sur le coin de ta bouche
160 Le coquet madrigal, piquant comme une mouche,
Et, près de ton ciel bleu, l'équivoque effronté.

Tu tombas dès l'enfance, et, dans la folle Grèce,
Un vieillard, t'enivrant de son baiser jaloux,
Releva le premier ta robe de prêtresse,
Et, parmi les garçons, t'assit sur les genoux.
De ce baiser mordant ton front porte la trace;
Tu chantas en buvant dans les banquets d'Horace,
Et Voltaire à la cour te traîna devant nous.

Vestale aux feux éteints! les hommes les plus graves
170 Ne posent qu'à demi ta couronne à leur front;
Ils se croient arrêtés, marchant dans tes entraves,
Et n'être que poète est pour eux un affront.
Ils jettent leurs pensers aux vents de la tribune,
Et ces vents, aveuglés comme l'est la Fortune,
Les rouleront comme elle et les emporteront.

Ils sont fiers et hautains dans leur fausse attitude,
Mais le sol tremble aux pieds de ces tribuns romains.
Leurs discours passagers flattent avec étude
La foule qui les presse et qui leur bat des mains;
180 Toujours renouvelé sous ses étroits portiques,
Ce parterre ne jette aux acteurs politiques
Que des fleurs sans parfums, souvent sans lendemains.

Ils ont pour horizon leur salle de spectacle;
La chambre où ces élus donnent leurs faux combats
Jette en vain, dans son temple, un incertain oracle;
Le peuple entend de loin le bruit de leurs débats,
Mais il regarde encor le jeu des assemblées
De l'œil dont ses enfants et ses femmes troublées
Voient le terrible essai des vapeurs aux cent bras.

190 L'ombrageux paysan gronde à voir qu'on dételle,
Et que pour le scrutin on quitte le labour.
Cependant le dédain de la chose immortelle
Tient jusqu'au fond du cœur quelque avocat d'un jour.
Lui qui doute de l'âme, il croit à ses paroles.
Poésie, il se rit de tes graves symboles,
O toi des vrais penseurs impérissable amour!

Comment se garderaient les profondes pensées
Sans rassembler leurs feux dans ton diamant pur
Qui conserve si bien leurs splendeurs condensées?
200 Ce fin miroir solide, étincelant et dur,
Reste des nations mortes, durable pierre
Qu'on trouve sous ses pieds lorsque dans la poussière
On cherche les cités sans en voir un seul mur.

Diamant sans rival, que tes feux illuminent
Les pas lents et tardifs de l'humaine Raison!
Il faut, pour voir de loin les peuples qui cheminent,
Que le Berger t'enchâsse au toit de sa Maison.
Le jour n'est pas levé.—Nous sommes encore
Au premier rayon blanc qui précède l'aurore
210 Et dessine la terre aux bords de l'horizon.

Les peuples tout enfants à peine se découvrent
Par-dessus les buissons nés pendant leur sommeil,
Et leur main, à travers les ronces qu'ils entr'ouvrent,
Met aux coups mutuels le premier appareil.
La barbarie encor tient nos pieds dans sa gaîne.
Le marbre des vieux temps jusqu'aux reins nous enchaîne,
Et tout homme énergique au dieu Terme est pareil.

Mais notre esprit rapide en mouvements abonde;
Ouvrons tout l'arsenal de ses puissants ressorts.
220 L'invisible est réel. Les âmes ont leur monde
Où sont accumulés d'impalpables trésors.

Le Seigneur contient tout dans ses deux bras immenses,
Son Verbe est le séjour de nos intelligences,
Comme ici-bas l'espace est celui de nos corps.

III

Éva, qui donc es-tu? Sais-tu bien ta nature?
Sais-tu quel est ici ton but et ton devoir?
Sais-tu que, pour punir l'homme, sa créature,
D'avoir porté la main sur l'arbre du savoir,
Dieu permit qu'avant tout, de l'amour de soi-même
230 En tout temps, à tout âge, il fit son bien suprême,
Tourmenté de s'aimer, tourmenté de se voir?

Mais si Dieu près de lui t'a voulu mettre, ô femme!
Compagne délicate! Éva! sais-tu pourquoi?
C'est pour qu'il se regarde au miroir d'une autre âme,
Qu'il entende ce chant qui ne vient que de toi:
—L'enthousiasme pur dans une voix suave.
C'est afin que tu sois son juge et son esclave
Et règnes sur sa vie en vivant sous sa loi.

Ta parole joyeuse a des mots despotiques;
240 Tes yeux sont si puissants, ton aspect est si fort,
Que les rois d'Orient ont dit dans leurs cantiques
Ton regard redoutable à l'égal de la mort;
Chacun cherche à fléchir tes jugements rapides . . .
—Mais ton cœur, qui dément tes formes intrépides,
Cède sans coup férir aux rudesses du sort.

Ta pensée a des bonds comme ceux des gazelles,
Mais ne saurait marcher sans guide et sans appui.
Le sol meurtrit ses pieds, l'air fatigue ses ailes,
Son œil se ferme au jour dès que le jour a lui;
250 Parfois, sur les hauts lieux d'un seul élan posée,
Troublée au bruit des vents, ta mobile pensée
Ne peut seule y veiller sans crainte et sans ennui.

Mais aussi tu n'as rien de nos lâches prudences,
Ton cœur vibre et résonne au cri de l'opprimé,
Comme dans une église aux austères silences
L'orgue entend un soupir et soupire alarmé.
Tes paroles de feu meuvent les multitudes,
Tes pleurs lavent l'injure et les ingratitudes,
Tu pousses par le bras l'homme . . . il se lève armé.

260 C'est à toi qu'il convient d'ouïr les grandes plaintes
Que l'humanité triste exhale sourdement.
Quand le cœur est gonflé d'indignations saintes,
L'air des cités l'étouffe à chaque battement.
Mais de loin les soupirs des tourmentes civiles,
S'unissant au-dessus du charbon noir des villes,
Ne forment qu'un grand mot qu'on entend clairement.

Viens donc! le ciel pour moi n'est plus qu'une auréole
Qui t'entoure d'azur, t'éclaire et te défend;
La montagne est ton temple et le bois sa coupole;
270 L'oiseau n'est sur la fleur balancé par le vent,
Et la fleur ne parfume et l'oiseau ne soupire
Que pour mieux enchanter l'air que ton sein respire;
La terre est le tapis de tes beaux pieds d'enfant.

Éva, j'aimerai tout dans les choses créées,
Je les contemplerai dans ton regard rêveur
Qui partout répandra ses flammes colorées,
Son repos gracieux, sa magique saveur:
Sur mon cœur déchiré viens poser ta main pure,
Ne me laisse jamais seul avec la Nature:
280 Car je la connais trop pour n'en pas avoir peur.

Elle me dit: 'Je suis l'impassible théâtre
Que ne peut remuer le pied de ses acteurs;
Mes marches d'émeraude et mes parvis d'albâtre,
Mes colonnes de marbre ont les dieux pour sculpteurs.
Je n'entends ni vos cris ni vos soupirs: à peine
Je sens passer sur moi la comédie humaine
Qui cherche en vain au ciel ses muets spectateurs.

'Je roule avec dédain, sans voir et sans entendre,
A côté des fourmis les populations;
290 Je ne distingue pas leur terrier de leur cendre,
J'ignore en les portant les noms des nations.
On me dit une mère, et je suis une tombe.
Mon hiver prend vos morts comme son hécatombe,
Mon printemps ne sent pas vos adorations.

'Avant vous, j'étais belle et toujours parfumée,
J'abandonnais au vent mes cheveux tout entiers,
Je suivais dans les cieux ma route accoutumée,
Sur l'axe harmonieux des divins balanciers.

Après vous, traversant l'espace où tout s'élance,
300 J'irai seule et sereine, en un chaste silence
Je fendrai l'air du front et de mes seins altiers.'

C'est là ce que me dit sa voix triste et superbe,
Et dans mon cœur alors je la hais, et je vois
Notre sang dans son onde et nos morts sous son herbe
Nourrissant de leurs sucs la racine des bois.
Et je dis à mes yeux qui lui trouvaient des charmes:
'Ailleurs tous vos regards, ailleurs toutes vos larmes,
Aimez ce que jamais on ne verra deux fois.'

Oh! qui verra deux fois ta grâce et ta tendresse,
310 Ange doux et plaintif qui parle en soupirant?
Qui naîtra comme toi portant une caresse
Dans chaque éclair tombé de ton regard mourant,
Dans les balancements de ta tête penchée,
Dans ta taille indolente et mollement couchée,
Et dans ton pur sourire amoureux et souffrant?

Vivez, froide Nature, et revivez sans cesse
Sous nos pieds, sur nos fronts, puisque c'est votre loi;
Vivez, et dédaignez, si vous êtes déesse,
L'Homme, humble passager, qui dut vous être un roi;
320 Plus que tout votre règne et que ses splendeurs vaines,
J'aime la majesté des souffrances humaines,
Vous ne recevrez pas un cri d'amour de moi.

Mais toi, ne veux-tu pas, voyageuse indolente,
Rêver sur mon épaule, en y posant ton front?
Viens du paisible seuil de la maison roulante
Voir ceux qui sont passés et ceux qui passeront.
Tous les tableaux humains qu'un Esprit pur m'apporte
S'animeront pour toi quand, devant notre porte,
Les grand pays muets longuement s'étendront.

330 Nous marcherons ainsi, ne laissant que notre ombre
Sur cette terre ingrate où les morts ont passé;
Nous nous parlerons d'eux à l'heure où tout est sombre,
Où tu te plais à suivre un chemin effacé,
A rêver, appuyée aux branches incertaines,
Pleurant, comme Diane au bord de ses fontaines,
Ton amour taciturne et toujours menacé.

Alfred de Vigny

La Bouteille à la Mer

Conseil à un jeune homme inconnu

I

Courage, ô faible enfant, de qui ma solitude
Reçoit ces chants plaintifs, sans nom, que vous jetez
Sous mes yeux ombragés du camail de l'étude.
Oubliez les enfants par la mort arrêtés;
Oubliez Chatterton, Gilbert et Malfilâtre;
De l'œuvre d'avenir saintement idolâtre,
Enfin, oubliez l'homme en vous-même,—Ecoutez:

II

Quand un grave marin voit que le vent l'emporte
Et que les mâts brisés pendent tous sur le pont,
10 Que dans son grand duel la mer est la plus forte
Et que par des calculs l'esprit en vain répond;
Que le courant l'écrase et le roule en sa course,
Qu'il est sans gouvernail et partant sans ressource,
Il se croise les bras dans un calme profond.

III

Il voit les masses d'eau, les toise et les mesure,
Les méprise en sachant qu'il en est écrasé,
Soumet son âme au poids de la matière impure
Et se sent mort ainsi que son vaisseau rasé.
—A de certains moments, l'âme est sans résistance
20 Mais le penseur s'isole et n'attend d'assistance
Que de la forte foi dont il est embrasé.

IV

Dans les heures du soir, le jeune Capitaine
A fait ce qu'il a pu pour le salut des siens.
Nul vaisseau n'apparaît sur la vague lointaine,
La nuit tombe, et le brick court aux rocs indiens.
—Il se résigne, il prie; il se recueille, il pense
A Celui qui soutient les pôles et balance
L'équateur hérissé des longs méridiens.

V

Son sacrifice est fait; mais il faut que la terre
30 Recueille du travail le pieux monument.
C'est le journal savant, le calcul solitaire,

Plus rare que la perle et que le diamant;
C'est la carte des flots faite dans la tempête,
La carte de l'écueil qui va briser sa tête:
Aux voyageurs futurs sublime testament.

VI

Il écrit: 'Aujourd'hui, le courant nous entraîne,
Désemparés, perdus, sur la Terre-de-Feu.
Le courant porte à l'est. Notre mort est certaine:
Il faut cingler au nord pour bien passer ce lieu.
40 —Ci-joint est mon journal, portant quelques études
Des constellations des hautes latitudes.
Qu'il aborde, si c'est la volonté de Dieu!'

VII

Puis, immobile et froid, comme le cap des brumes
Qui sert de sentinelle au détroit Magellan,
Sombre comme ces rocs au front chargé d'écumes,
Ces pics noirs dont chacun porte un deuil castillan,
Il ouvre une bouteille et la choisit très forte,
Tandis que son vaisseau que le courant emporte
Tourne en un cercle étroit comme un vol de milan.

VIII

50 Il tient dans une main cette vieille compagne,
Ferme, de l'autre main, son flanc noir et terni.
Le cachet porte encor le blason de Champagne:
De la mousse de Reims son col vert est jauni.
D'un regard, le marin en soi-même rappelle
Quel jour il assembla l'équipage autour d'elle,
Pour porter un grand toste au pavillon béni.

IX

On avait mis en panne, et c'était grande fête;
Chaque homme sur son mât tenait le verre en main;
Chacun à son signal se découvrit la tête,
60 Et répondit d'en haut par un hourrah soudain.
Le soleil souriant dorait les voiles blanches;
L'air ému répétait ces voix mâles et franches,
Ce noble appel de l'homme à son pays lointain.

X

Après le cri de tous, chacun rêve en silence.
Dans la mousse d'Aï luit l'éclair d'un bonheur;
Tout au fond de son verre il aperçoit la France.
La France est pour chacun ce qu'y laissa son cœur:
L'un y voit son vieux père assis au coin de l'âtre,
Comptant ses jours d'absence; à la table du pâtre,
70 Il voit sa chaise vide à côté de sa sœur.

XI

Un autre y voit Paris, où sa fille penchée
Marque avec le compas tous les souffles de l'air,
Ternit de pleurs la glace où l'aiguille est cachée,
Et cherche à ramener l'aimant avec le fer.
Un autre y voit Marseille. Une femme se lève,
Court au port et lui tend un mouchoir de la grève,
Et ne sent pas ses pieds enfoncés dans la mer.

XII

O superstition des amours ineffables,
Murmures de nos cœurs qui semblez des voix,
80 Calculs de la science, ô décevantes fables!
Pourquoi nous apparaître en un jour tant de fois?
Pourquoi vers l'horizon nous tendre ainsi des pièges?
Espérances roulant comme roulent les neiges;
Globes toujours pétris et fondus sous nos doigts!

XIII

Où sont-ils à présent? Où sont ces trois cents braves?
Renversés par le vent dans les courants maudits,
Aux harpons indiens ils portent pour épaves
Leurs habits déchirés sur leurs corps refroidis.
Les savants officiers, la hache à la ceinture,
90 Ont péri les premiers en coupant la mâture:
Ainsi, de ces trois cents il n'en reste que dix!

XIV

Le Capitaine encor jette un regard au pôle
Dont il vient d'explorer les détroits inconnus.
L'eau monte à ses genoux et frappe son épaule,
Il peut lever au ciel l'un de ses deux bras nus.
Son navire est coulé, sa vie est révolue:
Il lance la Bouteille à la mer, et salue
Les jours de l'avenir qui pour lui sont venus.

XV

Il sourit en songeant que ce fragile verre
100 Portera sa pensée et son nom jusqu'au port,
Que d'une île inconnue il agrandit la terre,
Qu'il marque un nouvel astre et le confie au sort,
Que Dieu peut bien permettre à des eaux insensées
De perdre des vaisseaux, mais non pas des pensées,
Et qu'avec un flacon il a vaincu la mort.

XVI

Tout est dit. A présent, que Dieu lui soit en aide!
Sur le brick englouti l'onde a pris son niveau.
Au large flot de l'est le flot de l'ouest succède,
Et la Bouteille y roule en son vaste berceau.
110 Seule dans l'Océan, la frêle passagère
N'a pas pour se guider une brise légère;
—Mais elle vient de l'arche et porte le rameau.

XVII

Les courants l'emportaient, les glaçons la retiennent
Et la couvrent des plis d'un épais manteau blanc.
Les noirs chevaux de mer la heurtent, puis reviennent
La flairer avec crainte, et passent en soufflant.
Elle attend que l'été, changeant ses destinées,
Vienne ouvrir le rempart des glaces obstinées,
Et vers la ligne ardente elle monte en roulant.

XVIII

120 Un jour, tout était calme, et la mer Pacifique,
Par ses vagues d'azur, d'or et de diamant,
Renvoyait ses splendeurs au soleil du tropique.
Un navire y passait majesteuesement;
Il a vu la Bouteille aux gens de mer sacrée:
Il couvre de signaux sa flamme diaprée,
Lance un canot en mer et s'arrête un moment.

XIX

Mais on entend au loin le canon des corsaires;
Le négrier va fuir, s'il peut prendre le vent.
Alerte! et coulez bas ces sombres adversaires!
130 Noyez or et bourreaux du couchant au levant!
La frégate reprend ses canots et les jette
En son sein, comme fait la sarigue inquiète,
Et par voile et vapeur vole et roule en avant.

XX

Seule dans l'Océan, seule toujours!—Perdue
Comme un point invisible en un mouvant désert,
L'aventurière passe errant dans l'étendue,
Et voit tel cap secret qui n'est pas découvert.
Tremblante voyageuse à flotter condamnée,
Elle sent sur son col que depuis une année
140 L'algue et les goémons lui font un manteau vert.

XXI

Un soir enfin, les vents qui soufflent des Florides
L'entraînent vers la France et ses bords pluvieux.
Un pêcheur accroupi sous des rochers arides
Tire dans ses filets le flacon précieux.
Il court, cherche un savant et lui montre sa prise;
Et, sans l'oser ouvrir, demande qu'on lui dise
Quel est cet élixir noir et mystérieux.

XXII

Quel est cet élixir! Pêcheur, c'est la science,
C'est l'élixir divin que boivent les esprits,
150 Trésor de la pensée et de l'expérience;
Et si tes lourds filets, ô pêcheur, avaient pris
L'or qui toujours serpente aux veines du Mexique,
Les diamants de l'Inde et les perles d'Afrique,
Ton labeur de ce jour aurait eu moins de prix.

XXIII

Regarde.—Quelle joie ardente et sérieuse!
Une gloire de plus luit sur la nation.
Le canon tout-puissant et la cloche pieuse
Font sur les toits tremblants bondir l'émotion.
Aux héros du savoir plus qu'à ceux des batailles
160 On va faire aujourd'hui de grandes funérailles.
Lis ce mot sur les murs: 'Commémoration!'

XXIV

Souvenir éternel, gloire à la découverte
Dans l'homme ou la nature, égaux en profondeur,
Dans le Juste et le Bien, source à peine entr'ouverte,
Dans l'Art inépuisable, abîme de splendeur!
Qu'importe oubli, morsure, injustice insensée,
Glaces et tourbillons de notre traversée?
Sur la pierre des morts croît l'arbre de grandeur.

XXV

Cet arbre est le plus beau de la terre promise
170 C'est votre phare à tous, Penseurs laborieux!
Voguez sans jamais craindre ou les flots ou la brise
Pour tout trésor scellé du cachet précieux.
L'or pur doit surnager, et sa gloire est certaine.
Dites en souriant, comme ce Capitaine:
'Qu'il aborde, si c'est la volonté des Dieux!'

XXVI

Le vrai Dieu, le Dieu fort, est le Dieu des idées.
Sur nos fronts où le germe est jeté par le sort,
Répandons le savoir en fécondes ondées;
Puis, recueillant le fruit tel que de l'âme il sort,
180 Tout empreint du parfum des saintes solitudes,
Jetons l'œuvre à la mer, la mer des multitudes:
—Dieu la prendra du doigt pour la conduire au port.

VICTOR HUGO
1853

Victor Hugo

Victor-Marie Hugo poet, novelist, dramatist, critic, an artist in ink and water colour and sculptor in wood, even a politician, a truly universal man, was born in 1802 as the third son of one of Napoleon's majors, who later rose to be a general. As a child he followed his father to Corsica, Italy and Spain; but in 1812, his mother, who did not get on very well with his father, settled with Victor in Paris, where he received most of his education. From his earliest years he showed the vitality, enthusiasm and determination to make his mark that characterised his whole life. Like Vigny and Lamartine, he was in his youth an ardent royalist and like them, from an early age he showed a passionate devotion to literature; he was a brilliant pupil, particularly as a Latinist and his great love of nature frequently assumes in his poetry a Virgilian solemnity. As a precocious author, his first novel, *Bug Jargal*, an exotic tale of black slave revolt in the West Indies, was written when he was sixteen. In 1822, having already won an official poetry prize as well as founding his first literary review three years before, he published his first volume of verse, *Odes et poésies diverses*, so fervently royalist in tone that Louis XVIII gave him a pension of 1,000 francs a year from his privy purse. Like Musset and Leconte de Lisle, he toyed with legal studies for a while but it was to literature that all his immense energy was devoted. At the age of twenty, passionately and idealistically in love (his numerous later amours were generally more purely lustful and often rather squalid) he married his childhood sweetheart, having lost his mother the year before. The young couple set up in Paris and though his *Nouvelles odes* in 1824 struck as royalist a note as the previous ones, he now began to move towards more liberal views. His literary activity continued unabated and his originality began to develop. In 1829 he inaugurated in France the conception of art for art's sake in his picturesquely exotic collection *Les Orientales*—a vein that he was not, however, to pursue for long. At this time, however, his greatest fame—and greatest financial reward, which relieved him henceforth of financial worries—was achieved in the theatre. Already in 1827 the preface to his play *Cromwell* had sketched out the theory of the new lyrical romantic historical drama to replace the dreary eighteenth-century classical conventions still based (albeit without his passion and poetry) on the theatre of Racine. In 1829 his first historical drama, *Marion Delorme*, with its romantic heroine (the courtesan with the heart of gold) and hero (who preferred death to dishonour), was vetoed by the censor; but it achieved great success in 1831 when the 1830 Revolution (The July Days) had placed a more liberal, bourgeois king, Louis-Philippe, on the throne. Before then, Hugo's brilliant Spanish drama, *Hernani*, had achieved great success, after a tumultuous first night when the Romantic *claque* (which included Nerval and was led by Gautier in a defiant pink waistcoat) had carried the day against the classical supporters. The following year saw the publication of Hugo's epic novel *Notre Dame de Paris* and his first collection of really personal lyrical poetry, *Les Feuilles d'automne*, which was followed by three major collections of lyrical poetry in 1833, *Les Chants du crépuscule* (a very romantic title), 1837,

Les Voix intérieures (equally so) and 1840, *Les Rayons et les Ombres*, a title which illustrates excellently one of Hugo's central poetic devices, that of antithesis—a device which conduces to dramatic urgency and, when applied to sensations, can produce almost a hypnotic effect in its rapid juxtapositions and alternations.

Nor was he idle in the theatre; although not in uninterrupted triumph. *Le Roi s'amuse* (used by Verdi for his *Rigoletto*) was not very well received in 1832; of three prose dramas, *Lucrèce Borgia* (1833), *Marie Tudor* (in the same year) and *Angelo* (1835), only the first achieved unqualified success; and though the verse drama *Ruy Blas*, set in seventeenth-century Spain, was well received in 1838, the dramatic epic *Les Burgraves* ran for only a very short time in 1843; henceforth Hugo wrote no more for the theatre.

Meanwhile he had been carving out for himself a political reputation, surprisingly enough, since his now marked republican and social humanitarian leanings (for example, his strong opposition to capital punishment) and his nostalgic affection for past imperial grandeur made him a very dubious proposition as a supporter of the bourgeois monarchy. In fact, the regime favoured Hugo: in 1841 he was elected to the French Academy, and in 1845 he was raised to the peerage, an honour that had an invaluable byproduct in preventing him from going to gaol when he was, in that same year, caught *flagrante delicto* by the husband of one of his mistresses. Since the early 1830s, as a result of his wife's highly suspect relationship with his friend Sainte Beuve, Hugo's marriage had foundered, and since 1833 the poet had himself formed a liaison with the actress Juliette Drouet (who had taken the leading role in *Lucrèce Borgia*), a liaison which inspired some of Hugo's tenderest love poetry and was to end only with Juliette's death in 1883.

Like Lamartine, Hugo played an active part in the 1848 Revolution, first as a member of the Constituent Assembly charged with working out a new Republican Constitution. Later, as a deputy for Paris, he supported, perhaps naïvely, perhaps opportunistically, Louis Napoleon Bonaparte's successful bid for election as President of the new Second Republic; but as the future Napoleon III's plans to seize power progressed Hugo moved more and more to the left and, when the *coup d'état* finally came in 1851, he went into exile with his family, first via Belgium to Jersey (whence in 1853, he launched his *Châtiments*, a violent satirico-epic attack in verse on *Napoléon-le-Petit*); and then, in 1855, to Guernsey, where he made his home until his triumphal return to Paris on the fall of the Emperor in 1870. This difficult period of his life was marked by a period of mysticism, during part of which he showed great interest in spiritualism; above all, it was in Guernsey that he completed the compilation of his greatest collection of lyrical poetry *Les Contemplations* (first published in 1856), as well as his collection of epic verse, *La Légende des siècles* (the first series of which appeared in 1859); his immense prose epic, the humanitarian novel *Les Misérables* (1826) was also written during this period of intense creativity and was followed in 1866 by another long novel, *Les Travailleurs de la mer*, which contains a famous, graphically imaginative account of a fight with a giant octopus; finally, he temporarily relinquished his epic stance in the joyful bucolic and lyrical *Chansons des rues et des bois*, first published in 1865.

After 1870 he spent the rest of his long life in Paris, with the occasional return visit to Guernsey. His wife had died in 1868, but in increasing isolation through repeated bereavement (his elder son died in 1871, his younger son in 1873), Hugo still continued to produce original works, amongst which we may note his novel about the French Revolution (*Quatre-vingt-treize*, 1874), *L'Art d'être Grand-père*, 1877 (poems about his grandchildren, now his only remaining close relatives) and *Les Quatre vents de l'esprit*, a collection of satirical, dramatic, lyrical and epic poems published in 1881. His last years were spent preparing for publication other lyrical and, above all, epic works of a grandiose, apocalyptic nature, that were to appear posthumously (*La Fin de Satan*, 1886, *Toute la Lyre*, 1888–93, *Dieu*, 1891, and others). On his death in 1885 he was given a state funeral of immense solemnity and grandeur, appropriate indeed to his status not only as the Grand Old Man of French literature but as one of the greatest writers ever produced by France.

The first and most striking characteristic of Hugo's poetry is its immense range of tone and theme: lyrical, satirical, descriptive, narrative or epic, his poems range from the simplest song through a wide spectrum of personal love and nature lyric and political and literary satire to the broadest dramatic and epic treatment of social, historical, religious and philosophic themes; and to each of these fields he gave his individual imprint, while yet representing the trends of his time. Hugo had a noble view of the function of the poet: as he said in his Preface to *Les Rayons et les ombres: Tout poète véritable, indépendamment des pensées qui lui viennent de son organisation propre et des pensées qui lui viennent de la vérite éternelle, doit contenir la somme des idées de son temps*. Hugo's sympathies indeed were so vast and his vitality and energy so unflagging that he almost seems to be a syndicate: but a very human, humane and individual one—his personal reactions, if more vividly conceived and expressed than those of the traditional 'man in the street', are within the general human range of emotions; in contrast to the excessive torment and passion of a Baudelaire, devoured by guilt, sloth and boredom, Hugo bore his failings cheerfully.

A keen lover of women—perhaps more affected by physical tenderness and enjoyment than deep affection or passionate devotion—Hugo had the great originality of writing about paternal love—it has been said that in general, any reader of French poetry might suppose that all French poets were bachelors; and this paternal love extended to love of all children. He had a deep—but often distressingly vague—religious sense, which expressed itself sometimes in Christian but more frequently in pantheistic terms. His religious feeling, indeed, was inseparable from his deep love of nature, his sense of the oneness of the universe, with which, as a force of nature himself, he felt himself attuned, in all her moods, from her smallest and most delicate detail—a flower, an insect, to the most grandiose aspect of mountain, sea and sky. It is a love not unmixed with fear and terror at nature's immensity, and inscrutability, as Hugo himself wrote in his biographical and critical study *William Shakespeare: Qui regarde trop longtemps dans cette horreur sacrée, sent l'immensité lui monter à la tête.* Baudelaire well summed up this aspect of Hugo's genius when he said that Hugo was, *l'homme le mieux doué . . . pour exprimer par la poèsie ce que j'appellerai le mystère de la vie*; and later: *aucun artiste n'est plus universel, plus apte à se mettre en contact avec les forces de la vie universelle, plus disposé à prendre sans cesse un bain de nature.* This is particularly the note that Hugo strikes in many poems from *Les Contemplations* onwards; it is true that this apocalyptic tone, couched often in very vague terms, with an abuse of such words as *infini, absolu, immense*, can become tiresomely imprecise, repetitive and even incoherent; and his hyberbole is sometimes absurd; but at its best this pondering on the immense question of the creation, development and future of the universe is awe-inspiring and it is, indeed not inappropriate to treat mysteries with what Baudelaire calls *l'obscurité indispensable.*

More immediately accessible are the poems expressing his pity and sympathy for the poor, the underprivileged and the oppressed; although he does not always avoid a certain tear-jerking pathos, he had a superb gift for dramatic narrative. This as well as his general descriptive skill (Hugo had the gift of *seeing* things sharply and vividly) makes him a considerable epic writer in *La Légende des Siècles* and other later collections.

For this immense range of experience, Hugo had at his disposal a superb technical instrument. The claims are well-founded which he made in rather bombastic, if not arrogant terms (Hugo never believed in hiding his light under a bushel) in the poem *Réponse à un acte d'accusation* included in *Les Contemplations*:

> *Et sur les bataillons d'alexandrins carrés*
> *Je fis souffler un vent révolutionnaire.*
> *Je mis un bonnet rouge au vieux dictionnaire,*
> *Plus de mot sénateur! plus de mot roturier!*
> *Je bondis hors du cercle et brisai le compas.*
> *Je nommai le cochon par son nom, pourquoi pas?*

He renewed the French poetic vocabulary and thus launched it on the path which has led up to the present, where no word is considered unsuitable for use in poetry; he swept away the conventional eighteenth-century jargon—a task which no one was better qualified to do, for his knowledge of French was vast, equalled perhaps only by that of Gautier; and like Gautier, he had at his command a concrete vocabulary well suited to express all kinds of sensations: and here he must surely have been a most important master for Baudelaire.

His mastery of prosody and versification is unparalleled: his diversity of metre, the vigour and flexibility of his rhythms, his skill in the use of all forms of stanza and his immense resources of rhyme provided him with an instrument able to express all the facets of his tumultuous, imaginative and yet, often, strangely simple and even childlike personality. He had all the resources of rhetoric at his command; sometimes he abused them and became excessively grandiloquent, bombastic, diffuse and repetitive; at times, too, his use of his favourite device of antithesis, which can achieve great dramatic effect, degenerates into a stereotype. But someone who regularly wrote from five o'clock in the morning till noon can be excused if, in his vast production, there are weaknesses. At his imaginative best as well as at his most directly simple, he is incomparably great. In one way or another, the whole of French poetry since him owes him tribute.

MAIN POETICAL WORKS

Odes, 1822
Odes et Ballades, 1826
Les Orientales, 1829
Les Feuilles d'Automne, 1831
Les Chants du Crépuscule, 1835
Les Voix intérieures, 1837
Les Rayons et les Ombres, 1840
Les Châtiments, 1853
Les Contemplations, 1856
La Légende des Siècles, 1859 (first series); 1877 (second series); 1883 (third series)
Les Chansons des Rues et des Bois, 1865
L'Année terrible, 1871
L'Art d'être Grand-pere, 1877
La Fin de Satan (posthumous), 1886
Toute la Lyre (posthumous, 1888 (vols 1 and 2); 1899 (final vol)
Dieu (posthumous), 1891
Many modern editions and selections are available.

CRITICAL AND BIOGRAPHICAL WORKS

J. B. Barrère, *Hugo, l'homme et l'œuvre*, Paris, 1957
P. Berret, *Victor Hugo*, Paris, 1927
F. Gregh, *Victor Hugo, Sa vie, Son œuvre*, Paris, 1954
M. Levaillant, *La Crise mystique de Victor Hugo*, Paris, 1954

Clair de Lune

La lune était sereine et jouait sur les flots.—
La fenêtre enfin libre est ouverte à la brise,
La sultane regarde, et la mer qui se brise,
Là-bas, d'un flot d'argent brode les noirs îlots.

De ses doigts en vibrant s'échappe la guitare.
Elle écoute . . . Un bruit sourd frappe les sourds échos.
Est-ce un lourd vaisseau turc qui vient des eaux de Cos,
Battant l'archipel grec de sa rame tartare?

Sont-ce des cormorans qui plongent tour à tour,
10 Et coupent l'eau, qui roule en perles sur leur aile?
Est-ce un djinn qui là-haut siffle d'une voix grêle,
Et jette dans la mer les créneaux de la tour?

Qui trouble ainsi les flots près du sérail des femmes?
Ni le noir cormoran, sur la vague bercé,
Ni les pierres du mur, ni le bruit cadencé
D'un lourd vaisseau rampant sur l'onde avec des rames.

Ce sont des sacs pesants, d'où partent des sanglots.
On verrait, en sondant la mer qui les promène,
Se mouvoir dans leurs flancs comme une forme humaine . . .
20 La lune était sereine et jouait sur les flots.

Soleils couchants

J'aime les soirs sereins et beaux, j'aime les soirs,
Soit qu'ils dorent le front des antiques manoirs
Ensevelis dans les feuillages;
Soit que la brume au loin s'allonge en bancs de feu;
Soit que mille rayons brisent dans un ciel bleu
A des archipels de nuages.

Oh! regardez le ciel! cent nuages mouvants,
Amoncelés là-haut sous le souffle des vents,
Groupent leurs formes inconnues;
10 Sous leurs flots par moments flamboie un pâle éclair,
Comme si tout à coup quelque géant de l'air
Tirait son glaive dans les nues.

Le soleil, à travers leurs ombres, brille encor;
Tantôt fait, à l'égal des larges dômes d'or,
Luire le toit d'une chaumière;
Ou dispute aux brouillards les vagues horizons;
Ou découpe, en tombant sur les sombres gazons
Comme de grands lacs de lumière.

Puis voilà qu'on croit voir, dans le ciel balayé,
20 Pendre un grand crocodile au dos large et rayé
Aux trois rangs de dents acérées;
Sous son ventre plombé glisse un rayon du soir;
Cent nuages ardents luisent sous son flanc noir
Comme des écailles dorées.

Puis se dresse un palais. Puis l'air tremble, et tout fuit.
L'édifice effrayant des nuages détruit
S'écroule en ruines pressées;
Il jonche au loin le ciel, et ses cônes vermeils
Pendent, la pointe en bas, sur nos têtes, pareils
30 A des montagnes renversées.

Ces nuages de plomb, d'or, de cuivre, de fer,
Où l'ouragan, la trombe, et la foudre, et l'enfer
Dorment avec de sourds murmures,
C'est Dieu qui les suspend en foule aux cieux profonds,
Comme un guerrier qui pend aux poutres des plafonds
Ses retentissantes armures.

Tout s'en va! Le soleil, d'en haut précipité,
Comme un globe d'airain qui, rouge, est rejeté
Dans les fournaises remuées,
40 En tombant sur leurs flots que son choc désunit
Fait en flocons de feu jaillir jusqu'au zénith
L'ardente écume des nuées.

Oh! contemplez le ciel! et dès qu'a fui le jour,
En tout temps, en tout lieu, d'un ineffable amour,
Regardez à travers ses voiles;
Un mystère est au fond de leur grave beauté,
L'hiver, quand ils sont noirs comme un linceul, l'été,
Quand la nuit les brode d'étoiles.

Lorsque l'Enfant paraît

Lorsque l'enfant paraît, le cercle de famille
Applaudit à grands cris. Son doux regard qui brille
Fait briller tous les yeux.
Et les plus tristes fronts, les plus souillés peut-être,
Se dérident soudain à voir l'enfant paraître,
Innocent et joyeux.

Soit que juin ait verdi mon seuil, ou que novembre
Fasse autour d'un grand feu vacillant dans la chambre
Les chaises se toucher,
10 Quand l'enfant vient, la joie arrive et nous éclaire.
On rit, on se récrie, on l'appelle, et sa mère
Tremble à le voir marcher.

Quelquefois nous parlons, en remuant la flamme,
De patrie et de Dieu, des poètes, de l'âme
Qui s'élève en priant;
L'enfant paraît, adieu le ciel et la patrie
Et les poétes saints! la grave causerie
S'arrête en souriant.

La nuit, quand l'homme dort, quand l'esprit rêve, à l'heure
20 Où l'on entend gémir, comme une voix qui pleure,
L'onde entre les roseaux,
Si l'aube tout à coup là-bas luit comme un phare,
Sa clarté dans les champs éveille une fanfare
De cloches et d'oiseaux.

Enfant, vous êtes l'aube et mon âme est la plaine
Qui des plus douces fleurs embaume son haleine
Quand vous la respirez;

Mon âme est la forêt dont les sombres ramures
S'emplissent pour vous seul de suaves murmures
30 Et de rayons dorés!

Car vos beaux yeux sont pleins de douceurs infinies,
Car vos petites mains, joyeuses et bénies,
N'ont point mal fait encor;
Jamais vos jeunes pas n'ont touché notre fange,
Tête sacrée! enfant aux cheveux blonds! bel ange
A l'auréole d'or!

Vous êtes parmi nous la colombe de l'arche.
Vos pieds tendres et purs n'ont point l'âge où l'on marche,
Vos ailes sont d'azur.
40 Sans le comprendre encor vous regardez le monde.
Double virginité! corps où rien n'est immonde,
Ame où rien n'est impur!

Il est si beau, l'enfant, avec son doux sourire,
Sa douce bonne foi, sa voix qui veut tout dire,
Ses pleurs vite apaisés,
Laissant errer sa vue étonnée et ravie,
Offrant de toutes parts sa jeune âme à la vie
Et sa bouche aux baisers!

Seigneur! préservez-moi, préservez ceux que j'aime,
50 Frères, parents, amis, et mes ennemis même
Dans le mal triomphants,
De jamais voir, Seigneur! l'été sans fleurs vermeilles,
La cage sans oiseaux, la ruche sans abeilles,
La maison sans enfants.

Puisque j'ai mis ma Lèvre ...

Puisque j'ai mis ma lèvre à ta coupe encor pleine,
Puisque j'ai dans tes mains posé mon front pâli,
Puisque j'ai respiré parfois la douce haleine
De ton âme, parfum dans l'ombre enseveli;

Puisqu'il me fut donné de t'entendre me dire
Les mots où se répand le cœur mystérieux,
Puisque j'ai vu pleurer, puisque j'ai vu sourire
Ta bouche sur ma bouche et tes yeux sur mes yeux;

Puisque j'ai vu briller sur ma tête ravie
10 Un rayon de ton astre, hélas! voilé toujours,
Puisque j'ai vu tomber dans l'onde de ma vie
Une feuille de rose arrachée à tes jours,

Je puis maintenant dire aux rapides années:
—Passez! passez toujours! je n'ai plus à vieillir!
Allez-vous-en avec vos fleurs toutes fanées;
J'ai dans l'âme une fleur que nul ne peut cueillir!

Votre aile en le heurtant ne fera rien répandre
Du vase où je m'abreuve et que j'ai bien rempli.
Mon âme a plus de feu que vous n'avez de cendre!
20 Mon cœur a plus d'amour que vous n'avez d'oubli!

Tristesse d'Olympio

Les champs n'étaient point noirs, les cieux n'étaient pas mornes.
Non, le jour rayonnait dans un azur sans bornes
Sur la terre étendu,
L'air était plein d'encens et les prés de verdures
Quand il revit ces lieux où par tant de blessures
Son cœur s'est répandu!

L'automne souriait; les coteaux vers la plaine
Penchaient leurs bois charmants qui jaunissaient à peine;
Le ciel était doré;
10 Et les oiseaux, tournés vers celui que tout nomme,
Disant peut-être à Dieu quelque chose de l'homme,
Chantaient leur chant sacré!

Il voulut tout revoir, l'étang près de la source,
La masure où l'aumône avait vidé leur bourse,
Le vieux frêne plié,

Les retraites d'amour au fond des bois perdues,
L'arbre où dans les baisers leurs âmes confondues
Avaient tout oublié!

Il chercha le jardin, la maison isolée,
20 La grille d'où l'œil plonge en une oblique allée,
Les vergers en talus.
Pâle, il marchait.—Au bruit de son pas grave et sombre,
Il voyait à chaque arbre, hélas! se dresser l'ombre
Des jours qui ne sont plus!

Il entendait frémir dans la forêt qu'il aime
Ce doux vent qui, faisant tout vibrer en nous-même,
Y réveille l'amour,
Et, remuant le chêne ou balançant la rose,
Semble l'âme de tout qui va sur chaque chose
30 Se poser tour à tour!

Les feuilles qui gisaient dans le bois solitaire,
S'efforçant sous ses pas de s'élever de terre,
Couraient dans le jardin;
Ainsi, parfois, quand l'âme est triste, nos pensées
S'envolent un moment sur leurs ailes blessées,
Puis retombent soudain.

Il contempla longtemps les formes magnifiques
Que la nature prend dans les champs pacifiques;
Il rêva jusqu'au soir;
40 Tout le jour il erra le long de la ravine,
Admirant tour à tour le ciel, face divine,
Le lac, divin miroir!

Hélas! se rappelant ses douces aventures,
Regardant, sans entrer, par-dessus les clôtures,
Ainsi qu'un paria,
Il erra tout le jour. Vers l'heure où la nuit tombe,
Il se sentit le cœur triste comme une tombe,
Alors il s'écria:

'O douleur! j'ai voulu, moi dont l'âme est troublée,
50 Savoir si l'urne encor conservait sa liqueur,
Et voir ce qu'avait fait cette heureuse vallée
De tout ce que j'avais laissé là de mon cœur!

'Que peu de temps suffit pour changer toutes choses!
Nature au front serein, comme vous oubliez!
Et comme vous brisez dans vos métamorphoses
Les fils mystérieux où nos cœurs sont liés!

'Nos chambres de feuillage en halliers sont changées!
L'arbre où fut notre chiffre est mort ou renversé;
Nos roses dans l'enclos ont été ravagées
60 Par les petits enfants qui sautent le fossé.

'Un mur clôt la fontaine où, par l'heure échauffée,
Folâtre, elle buvait en descendant des bois;
Elle prenait de l'eau dans sa main, douce fée,
Et laissait retomber des perles de ses doigts!

'On a pavé la route âpre et mal aplanie,
Où, dans le sable pur se dessinant si bien,
Et de sa petitesse étalant l'ironie,
Son pied charmant semblait rire à côté du mien!

'La borne du chemin, qui vit des jours sans nombre,
70 Où jadis pour m'attendre elle aimait à s'asseoir,
S'est usée en heurtant, lorsque la route est sombre,
Les grands chars gémissants qui reviennent le soir.

'La forêt ici manque et là s'est agrandie,
De tout ce qui fut nous presque rien n'est vivant;
Et, comme un tas de cendre éteinte et refroidie,
L'amas des souvenirs se disperse à tout vent!

'N'existons-nous donc plus? Avons-nous eu notre heure?
Rien ne la rendra-t-il à nos cris superflus?
L'air joue avec la branche au moment où je pleure;
80 Ma maison me regarde et ne me connaît plus.

'D'autres vont maintenant passer où nous passâmes.
Nous y sommes venus, d'autres vont y venir;
Et le songe qu'avaient ébauché nos deux âmes,
Ils le continueront sans pouvoir le finir!

'Car personne ici-bas ne termine et n'achève;
Les pires des humains sont comme les meilleurs;
Nous nous réveillons tous au même endroit du rêve.
Tout commence en ce monde et tout finit ailleurs.

'Oui, d'autres à leur tour viendront, couples sans tache,
90 Puiser dans cet asile heureux, calme, enchanté,
Tout ce que la nature à l'amour qui se cache
Mêle de rêverie et de solennité!

'D'autres auront nos champs, nos sentiers, nos retraites;
Ton bois, ma bien-aimée, est à des inconnus.
D'autres femmes viendront, baigneuses indiscrètes,
Troubler le flot sacré qu'ont touché tes pieds nus!

'Quoi donc! c'est vainement qu'ici nous nous aimâmes!
Rien ne nous restera de ces coteaux fleuris
Où nous fondions notre être en y mêlant nos flammes!
100 L'impassible nature a déjà tout repris.

'Oh! dites-moi, ravins, frais ruisseaux, treilles mûres,
Rameaux chargés de nids, grottes, forêts, buissons,
Est-ce que vous ferez pour d'autres vos murmures?
Est-ce que vous direz à d'autres vos chansons?

'Nous vous comprenions tant! doux, attentifs, austères,
Tous nos échos s'ouvraient si bien à votre voix!
Et nous prêtions si bien, sans troubler vos mystères,
L'oreille aux mots profonds que vous dites parfois!

'Répondez, vallon pur, répondez, solitude,
110 O nature abritée en ce désert si beau,
Lorsque nous dormirons tous deux dans l'attitude
Que donne aux morts pensifs la forme du tombeau,

'Est-ce que vous serez à ce point insensible
De nous savoir couchés, morts avec nos amours,
Et de continuer votre fête paisible,
Et de toujours sourire et de chanter toujours?

'Est-ce que, nous sentant errer dans vos retraites,
Fantômes reconnus par vos monts et vos bois,
Vous ne nous direz pas de ces choses secrètes
120 Qu'on dit en revoyant des amis d'autrefois?

'Est-ce que vous pourrez, sans tristesse et sans plainte,
Voir nos ombres flotter où marchèrent nos pas,
Et la voir m'entraîner, dans une morne étreinte,
Vers quelque source en pleurs qui sanglote tout bas?

'Et s'il est quelque part, dans l'ombre où rien ne veille,
Deux amants sous vos fleurs abritant leurs transports,
Ne leur irez-vous pas murmurer à l'oreille:
—Vous qui vivez, donnez une pensée aux morts!

'Dieu nous prête un moment les prés et les fontaines,
130 Les grands bois frissonnants, les rocs profonds et sourds,
Et les cieux azurés et les lacs et les plaines,
Pour y mettre nos cœurs, nos rêves, nos amours;

'Puis il nous les retire. Il souffle notre flamme;
Il plonge dans la nuit l'antre où nous rayonnons;
Et dit à la vallée, où s'imprima notre âme,
D'effacer notre trace et d'oublier nos noms.

'Eh bien! oubliez-nous, maison, jardin, ombrages!
Herbe, use notre seuil! ronce, cache nos pas!
Chantez, oiseaux! ruisseaux, coulez! croissez, feuillages!
140 Ceux que vous oubliez ne vous oublieront pas.

'Car vous êtes pour nous l'ombre de l'amour même!
Vous êtes l'oasis qu'on rencontre en chemin!
Vous êtes, ô vallon, la retraite suprême
Où nous avons pleuré nous tenant par la main!

'Toutes les passions s'éloignent avec l'âge,
L'une emportant son masque et l'autre son couteau,
Comme un essaim chantant d'histrions en voyage
Dont le groupe décroit derrière le coteau.

'Mais toi, rien ne t'efface, amour! toi qui nous charmes,
150 Toi qui, torche ou flambeau, luis dans notre brouillard!
Tu nous tiens par la joie, et surtout par les larmes.
Jeune homme on te maudit, on t'adore vieillard.

'Dans ces jours où la tête au poids des ans s'incline,
Où l'homme, sans projets, sans but, sans visions,
Sent qu'il n'est déjà plus qu'une tombe en ruine
Où gisent ses vertus et ses illusions;

'Quand notre âme en rêvant descend dans nos entrailles,
Comptant dans notre cœur, qu'enfin la glace atteint,
Comme on compte les morts sur un champ de batailles,
160 Chaque douleur tombée et chaque songe éteint,

'Comme quelqu'un qui cherche en tenant une lampe,
Loin des objets réels, loin du monde rieur,
Elle arrive à pas lents par une obscure rampe
Jusqu'au fond désolé du gouffre intérieur;

'Et là, dans cette nuit qu'aucun rayon n'étoile,
L'âme, en un repli sombre où tout semble finir,
Sent quelque chose encor palpiter sous un voile . . .
C'est toi qui dors dans l'ombre, ô sacré souvenir!'

Souvenir de la Nuit du Quatre

L'enfant avait reçu deux balles dans la tête.
Le logis était propre, humble, paisible, honnête;
On voyait un rameau bénit sur un portrait.
Une vieille grand'mere était là qui pleurait.
Nous le déshabillions en silence. Sa bouche,
Pâle, s'ouvrait; la mort noyait son œil farouche;
Ses bras pendants semblaient demander des appuis.
Il avait dans sa poche une toupie en buis.
On pouvait mettre un doigt dans les trous de ses plaies.
10 Avez-vous vu saigner la mûre dans les haies!
Son crâne était ouvert comme un bois qui se fend.
L'aïeule regarda déshabiller l'enfant,
Disant:—Comme il est blanc! approchez donc la lampe.
Dieu! ses pauvres cheveux sont collés sur sa tempe!—
Et quand ce fut fini, le prit sur ses genoux.
La nuit était lugubre; on entendait des coups
De fusil dans la rue où l'on en tuait d'autres.
—Il faut ensevelir l'enfant, dirent les nôtres.
Et l'on prit un drap blanc dans l'armoire en noyer.
20 L'aïeule cependant l'approchait du foyer,
Comme pour réchauffer ses membres déjà roides.
Hélas! ce que la mort touche de ses mains froides
Ne se réchauffe plus aux foyers d'ici-bas!
Elle pencha la tête et lui tira ses bas,
Et dans ses vieilles mains prit les pieds du cadavre.
—Est-ce que ce n'est pas une chose qui navre!
Cria-t-elle; monsieur, il n'avait pas huit ans!

Ses maîtres, il allait en classe, étaient contents.
Monsieur, quand il fallait que je fisse une lettre,
30 C'est lui qui l'écrivait. Est-ce qu'on va se mettre
A tuer les enfants maintenant? Ah! mon Dieu!
On est donc des brigands? Je vous demande un peu,
Il jouait ce matin, là, devant la fenêtre!
Dire qu'ils m'ont tué ce pauvre petit être!
Il passait dans la rue, ils ont tiré dessus.
Monsieur, il était bon et doux comme un Jésus.
Moi je suis vieille, il est tout simple que je parte;
Cela n'aurait rien fait à monsieur Bonaparte
De me tuer au lieu de tuer mon enfant!—
40 Elle s'interrompit, les sanglots l'étouffant,
Puis elle dit, et tous pleuraient près de l'aïeule:
—Que vais-je devenir à présent toute seule?
Expliquez-moi cela, vous autres, aujourd'hui.
Hélas! je n'avais plus de sa mère que lui.
Pourquoi l'a-t-on tué? je veux qu'on me l'explique.
L'enfant n'a pas crié vive la République.—
Nous nous taisons, debout et graves, chapeau bas,
Tremblant devant ce deuil qu'on ne console pas.

Vous ne compreniez point, mère, la politique.
50 Monsieur Napoléon, c'est son nom authentique,
Est pauvre, et même prince; il aime les palais;
Il lui convient d'avoir des chevaux, des valets,
De l'argent pour son jeu, sa table, son alcôve,
Ses chasses; par la même occasion, il sauve
La famille, l'église et la société;
Il veut avoir Saint-Cloud, plein de roses l'été,
Où viendront l'adorer les préfets et les maires;
C'est pour cela qu'il faut que les vieilles grand'mères,
De leurs pauvres doigts gris que fait trembler le temps,
60 Cousent dans le linceul des enfants de sept ans.

Mes deux Filles

Dans le frais clair-obscur du soir charmant qui tombe,
L'une pareille au cygne et l'autre à la colombe,
Belles, et toutes deux joyeuses, ô douceur!
Voyez, la grande sœur et la petite sœur
Sont assises au seuil du jardin, et sur elles
Un bouquet d'œillets blancs aux longues tiges frêles,
Dans une urne de marbre agité par le vent,
Se penche, et les regarde, immobile et vivant,
Et frissonne dans l'ombre, et semble, au bord du vase,
10 Un vol de papillons arrêté dans l'extase.

Elle était déchaussée...

Elle était déchaussée, elle était décoiffée,
Assise, les pieds nus, parmi les joncs penchants;
Moi qui passais par là, je crus voir une fée,
Et je lui dis: Veux-tu t'en venir dans les champs?

Elle me regarda de ce regard suprême
Qui reste à la beauté quand nous en triomphons,
Et je lui dis: Veux-tu, c'est le mois où l'on aime,
Veux-tu nous en aller sous les arbres profonds?

Elle essuya ses pieds à l'herbe de la rive;
10 Elle me regarda pour la seconde fois,
Et la belle folâtre alors devint pensive.
Oh! comme les oiseaux chantaient au fond des bois!

Comme l'eau caressait doucement le rivage!
Je vis venir à moi, dans les grands roseaux verts,
La belle fille heureuse, effarée et sauvage,
Ses cheveux dans ses yeux, et riant au travers.

Mon Bras pressait...

Mon bras pressait ta taille frêle
Et souple comme le roseau;
Ton sein palpitait comme l'aile
D'un jeune oiseau.

Longtemps muets, nous contemplâmes
Le ciel où s'éteignait le jour.
Que se passait-il dans nos âmes?
Amour! Amour!

Comme un ange qui se dévoile,
10 Tu me regardais dans ma nuit,
Avec ton beau regard d'étoile,
Qui m'éblouit.

Demain, dès l'Aube...

Demain, dès l'aube, à l'heure où blanchit la campagne,
Je partirai. Vois-tu, je sais que tu m'attends.
J'irai par la forêt, j'irai par la montagne.
Je ne puis demeurer loin de toi plus longtemps.

Je marcherai les yeux fixés sur mes pensées,
Sans rien voir au dehors, sans entendre aucun bruit,
Seul, inconnu, le dos courbé, les mains croisées,
Triste, et le jour pour moi sera comme la nuit.

Je ne regarderai ni l'or du soir qui tombe,
10 Ni les voiles au loin descendant vers Harfleur,
Et quand j'arriverai, je mettrai sur ta tombe
Un bouquet de houx vert et de bruyère en fleur.

Paroles sur la Dune

Maintenant que mon temps décroît comme un flambeau,
Que mes tâches sont terminées;
Maintenant que voici que je touche au tombeau
Par les deuils et par les années,

Et qu'au fond de ce ciel que mon essor rêva,
Je vois fuir, vers l'ombre entraînées,
Comme le tourbillon du passé qui s'en va,
Tant de belles heures sonnées;

Maintenant que je dis:—Un jour, nous triomphons;
10 Le lendemain, tout est mensonge!—
Je suis triste, et je marche au bord des flots profonds,
Courbé comme celui qui songe,

Je regarde, au-dessus du mont et du vallon,
Et des mers sans fin remuées,
S'envoler, sous le bec du vautour aquilon,
Toute la toison des nuées;

J'entends le vent dans l'air, la mer sur le récif,
L'homme liant la gerbe mûre;
J'écoute, et je confronte en mon esprit pensif
20 Ce qui parle à ce qui murmure;

Et je reste parfois couché sans me lever
Sur l'herbe rare de la dune,
Jusqu'à l'heure où l'on voit apparaître et rêver
Les yeux sinistres de la lune.

Elle monte, elle jette un long rayon dormant
A l'espace, au mystère, au gouffre;
Et nous nous regardons tous les deux fixement,
Elle qui brille et moi qui souffre.

Où donc s'en sont allés mes jours évanouis?
30 Est-il quelqu'un qui me connaisse?
Ai-je encor quelque chose en mes yeux éblouis
De la clarté de ma jeunesse?

Tout s'est-il envolé? Je suis seul, je suis las;
J'appelle sans qu'on me réponde;
O vents! ô flots! ne suis-je aussi qu'un souffle, hélas!
Hélas! ne suis-je aussi qu'une onde?

Ne verrai-je plus rien de tout ce que j'aimais?
Au dedans de moi le soir tombe.
O terre, dont la brume efface les sommets,
40 Suis-je le spectre, et toi la tombe?

Ai-je donc vidé tout, vie, amour, joie, espoir?
J'attends, je demande, j'implore;
Je penche tour à tour mes urnes pour avoir
De chacune une goutte encore!

Comme le souvenir est voisin du remord!
Comme à pleurer tout nous ramène!
Et que je te sens froide en te touchant, ô mort,
Noir verrou de la porte humaine!

Et je pense, écoutant gémir le vent amer,
50 Et l'onde aux plis infranchissables;
L'été rit, et l'on voit sur le bord de la mer
Fleurir le chardon bleu des sables.

La Source tombait du Rocher

La source tombait du rocher
Goutte à goutte à la mer affreuse.
L'océan, fatal au nocher,
Lui dit:—Que me veux-tu, pleureuse?

Je suis la tempête et l'effroi;
Je finis où le ciel commence.
Est-ce que j'ai besoin de toi,
Petite, moi qui suis l'immense?—

La source dit au gouffre amer:
10 — Je te donne, sans bruit ni gloire,
Ce qui te manque, ô vaste mer!
Une goutte d'eau qu'on peut boire.

Pasteurs et Troupeaux

Le vallon où je vais tous les jours est charmant,
Serein, abandonné, seul sous le firmament,
Plein de ronces en fleurs; c'est un sourire triste.

Il vous fait oublier que quelque chose existe,
Et, sans le bruit des champs remplis de travailleurs,
On ne saurait plus là si quelqu'un vit ailleurs.
Là, l'ombre fait l'amour; l'idylle naturelle
Rit; le bouvreuil avec le verdier s'y querelle,
Et la fauvette y met de travers son bonnet;
10 C'est tantôt l'aubépine et tantôt le genêt;
De noirs granits bourrus, puis des mousses riantes;
Car Dieu fait un poème avec des variantes;
Comme le vieil Homère, il rabâche parfois,
Mais c'est avec les fleurs, les monts, l'onde et les bois!
Une petite mare est là, ridant sa face,
Prenant des airs de flot pour la fourmi qui passe,
Ironie étalée au milieu du gazon,
Qu'ignore l'océan grondant à l'horizon.
J'y rencontre parfois sur la roche hideuse
20 Un doux être; quinze ans, yeux bleus, pieds nus, gardeuse
De chèvres, habitant, au fond d'un ravin noir,
Un vieux chaume croulant qui s'étoile le soir;
Ses sœurs sont au logis et filent leur quenouille;
Elle essuie aux roseaux ses pieds que l'étang mouille;
Chèvres, brebis, béliers, paissent; quand, sombre esprit,
J'apparais, le pauvre ange a peur, et me sourit;
Et moi, je la salue, elle étant l'innocence.
Ses agneaux, dans le pré plein de fleurs qui l'encense,
Bondissent, et chacun, au soleil s'empourprant,
30 Laisse aux buissons, à qui la bise le reprend,
Un peu de sa toison, comme un flocon d'écume.

Je passe; enfant, troupeau, s'effacent dans la brume;
Le crépuscule étend sur les longs sillons gris
Ses ailes de fantôme et de chauve-souris;
J'entends encore au loin dans la plaine ouvrière
Chanter derrière moi la douce chevrière,
Et, là-bas, devant moi, le vieux gardien pensif
De l'écume, du flot, de l'algue, du récif,
Et des vagues sans trêve et sans fin remuées,
40 Le pâtre promontoire au chapeau de nuées,
S'accoude et rêve au bruit de tous les infinis,
Et, dans l'ascension des nuages bénis,
Regarde se lever la lune triomphale,
Pendant que l'ombre tremble, et que l'âpre rafale
Disperse à tous les vents avec son souffle amer
La laine des moutons sinistres de la mer.

Victor Hugo

A la Fenêtre, pendant la Nuit

I

Les étoiles, points d'or, percent les branches noires;
Le flot huileux et lourd décompose ses moires
Sur l'océan blêmi;
Les nuages ont l'air d'oiseaux prenant la fuite;
Par moments le vent parle, et dit des mots sans suite,
Comme un homme endormi.

Tout s'en va. La nature est l'urne mal fermée.
La tempête est écume et la flamme est fumée.
Rien n'est, hors du moment,
10 L'homme n'a rien qu'il prenne, et qu'il tienne, et qu'il garde.
Il tombe heure par heure, et, ruine, il regarde
Le monde, écroulement.

L'astre est-il le point fixe en ce mouvant problème?
Ce ciel que nous voyons fut-il toujours le même?
Le sera-t-il toujours?
L'homme a-t-il sur son front des clartés éternelles?
Et verra-t-il toujours les mêmes sentinelles
Monter aux mêmes tours?

II

Nuits, serez-vous pour nous toujours ce que vous êtes?
20 Pour toute vision, aurons-nous sur nos têtes
Toujours les mêmes cieux?
Dis, larve Aldebaran, réponds, spectre Saturne,
Ne verrons-nous jamais sur le masque nocturne
S'ouvrir de nouveaux yeux?

Ne verrons-nous jamais briller de nouveaux astres?
Et des cintres nouveaux, et de nouveaux pilastres
Luire à notre œil mortel,
Dans cette cathédrale aux formidables porches
Dont le septentrion éclaire avec sept torches
30 L'effrayant maître-autel?

A-t-il cessé, le vent qui fit naître ces roses,
Sirius, Orion, toi, Vénus, qui reposes
Notre œil dans le péril?
Ne verrons-nous jamais sous ces grandes haleines
D'autres fleurs de lumière éclore dans les plaines
De l'éternel avril?

Savons-nous où le monde en est de son mystère?
Qui nous dit, à nous, joncs du marais, vers de terre
            Dont la bave reluit,
40 A nous qui n'avons pas nous-mêmes notre preuve,
Que Dieu ne va pas mettre une tiare neuve
            Sur le front de la nuit?

III

Dieu n'a-t-il plus de flamme à ses lèvres profondes?
N'en fait-il plus jaillir des tourbillons de mondes?
            Parlez, Nord et Midi!
N'emplit-il plus de lui sa création sainte?
Et ne souffle-t-il plus que d'une bouche éteinte
            Sur l'être refroidi?

Quand les comètes vont et viennent, formidables,
50 Apportant la lueur des gouffres insondables
            A nos fronts soucieux,
Brûlant, volant, peut-être âmes, peut-être mondes,
Savons-nous ce que font toutes ces vagabondes
            Qui courent dans nos cieux?

Qui donc a vu la source et connaît l'origine?
Qui donc, ayant sondé l'abîme, s'imagine
            En être mage et roi?
Ah! fantômes humains, courbés sous les désastres!
Qui donc a dit:—C'est bien, Éternel. Assez d'astres.
60   N'en fais plus. Calme-toi!—

L'effet séditieux limiterait la cause?
Quelle bouche ici-bas peut dire à quelque chose:
            Tu n'iras pas plus loin?
Sous l'élargissement sans fin, la borne plie;
La création vit, croît, et se multiplie;
            L'homme n'est qu'un témoin.

L'homme n'est qu'un témoin frémissant d'épouvante.
Les firmaments sont pleins de la sève vivante
            Comme les animaux.
70 L'arbre prodigieux croise, agrandit, transforme,
Et mêle aux cieux profonds, comme une gerbe énorme
            Ses ténébreux rameaux.

Car la création est devant, Dieu derrière.
L'homme, du côté noir de l'obscure barrière,
Vit, rôdeur curieux;
Il suffit que son front se lève pour qu'il voie
A travers la sinistre et morne claire-voie
Cet œil mystérieux.

IV

Donc ne nous disons pas:—Nous avons nos étoiles.—
80 Des flottes de soleils peut-être à pleines voiles
Viennent en ce moment;
Peut-être que demain le créateur terrible,
Refaisant notre nuit, va contre un autre crible
Changer le firmament.

Qui sait? que savons-nous? Sur notre horizon sombre,
Que la création impénétrable encombre
De ses taillis sacrés,
Muraille obscure où vient battre le flot de l'être,
Peut-être allons-nous voir brusquement apparaître
90 Des astres effarés;

Des astres éperdus arrivant des abîmes,
Venant des profondeurs ou descendant des cimes,
Et, sous nos noirs arceaux,
Entrant en foule, épars, ardents, pareils au rêve,
Comme dans un grand vent s'abat sur une grève
Une troupe d'oiseaux;

Surgissant, clairs flambeaux, feux purs, rouges fournaises,
Aigrettes de rubis ou tourbillons de braises,
Sur nos bois, sur nos monts,
100 Et nous pétrifiant de leurs aspects étranges;
Car dans le gouffre énorme il est des mondes anges
Et des soleils démons!

Peut-être en ce moment, du fond des nuits funèbres,
Montant vers nous, gonflant ses vagues de ténèbres
Et ses flots de rayons,
Le muet Infini, sombre mer ignorée,
Roule vers notre ciel une grande marée
De constellations!

Victor Hugo

Booz endormi

Booz s'était couché, de fatigue accablé;
Il avait tout le jour travaillé dans son aire,
Puis avait fait son lit à sa place ordinaire;
Booz dormait auprès des boisseaux pleins de blé.

Ce vieillard possédait des champs de blés et d'orge;
Il était, quoique riche, à la justice enclin;
Il n'avait pas de fange en l'eau de son moulin,
Il n'avait pas d'enfer dans le feu de sa forge.

Sa barbe était d'argent comme un ruisseau d'avril.
10 Sa gerbe n'était point avare ni haineuse;
Quand il voyait passer quelque pauvre glaneuse:
—Laissez tomber exprès des épis, disait-il.

Cet homme marchait pur loin des sentiers obliques,
Vêtu de probité candide et de lin blanc;
Et, toujours du côté des pauvres ruisselant,
Ses sacs de grains semblaient des fontaines publiques.

Booz était bon maître et fidèle parent;
Il était généreux, quoiqu'il fût économe;
Les femmes regardaient Booz plus qu'un jeune homme.
20 Car le jeune homme est beau, mais le vieillard est grand.

Le vieillard, qui revient vers la source première,
Entre aux jours éternels et sort des jours changeants;
Et l'on voit de la flamme aux yeux des jeunes gens,
Mais dans l'œil du vieillard on voit de la lumière.

Donc, Booz dans la nuit dormait parmi les siens;
Près des meules, qu'on eût prises pour des décombres,
Les moissonneurs couchés faisaient des groupes sombres;
Et ceci se passait dans des temps très anciens.

Les tribus d'Israel avaient pour chef un juge;
30 La terre, où l'homme errait sous la tente, inquiet
Des empreintes de pieds de géant qu'il voyait,
Était encor mouillée et molle du déluge.

Comme dormait Jacob, comme dormait Judith,
Booz, les yeux fermés, gisait sous la feuillée;
Or, la porte du ciel s'étant entre-bâillée
Au-dessus de sa tête, un songe en descendit.

Et ce songe était tel, que Booz vit un chêne
Qui, sorti de son ventre, allait jusqu'au ciel bleu;
Une race y montait comme une longue chaîne;
40 Un roi chantait en bas, en haut mourait un dieu.

Et Booz murmurait avec la voix de l'âme:
'Comment se pourrait-il que de moi ceci vînt?
Le chiffre de mes ans a passé quatre-vingt,
Et je n'ai pas de fils, et je n'ai plus de femme.

'Voilà longtemps que celle avec qui j'ai dormi,
O Seigneur! a quitté ma couche pour la vôtre;
Et nous sommes encor tout mêlés l'un a l'autre,
Elle à demi vivante et moi mort à demi.

'Une race naîtrait de moi! Comment le croire?
50 Comment se pourrait-il que j'eusse des enfants?
Quand on est jeune, on a des matins triomphants,
Le jour sort de la nuit comme d'une victoire;

'Mais, vieux, on tremble ainsi qu'à l'hiver le bouleau.
Je suis veuf, je suis seul, et sur moi le soir tombe,
Et je courbe, ô mon Dieu! mon âme vers la tombe,
Comme un bœuf ayant soif penche son front vers l'eau.'

Ainsi parlait Booz dans le rêve et l'extase,
Tournant vers Dieu ses yeux par le sommeil noyés;
Le cèdre ne sent pas une rose à sa base,
60 Et lui ne sentait pas une femme à ses pieds.

Pendant qu'il sommeillait, Ruth, une moabite,
S'était couchée aux pieds de Booz, le sein nu,
Espérant on ne sait quel rayon inconnu,
Quand viendrait du réveil la lumière subite.

Booz ne savait point qu'une femme était là,
Et Ruth ne savait point ce que Dieu voulait d'elle,
Un frais parfum sortait des touffes d'asphodèle;
Les souffles de la nuit flottaient sur Galgala.

L'ombre était nuptiale, auguste et solennelle;
70 Les anges y volaient sans doute obscurément,
Car on voyait passer dans la nuit, par moment,
Quelque chose de bleu qui paraissait une aile.

La respiration de Booz qui dormait,
Se mêlait au bruit sourd des ruisseaux sur la mousse.
On était dans le mois où la nature est douce,
Les collines ayant des lis sur leur sommet.

Ruth songeait et Booz dormait; l'herbe était noire;
Les grelots des troupeaux palpitaient vaguement;
Une immense bonté tombait du firmament;
80 C'était l'heure tranquille où les lions vont boire.

Tout reposait dans Ur et dans Jérimadeth;
Les astres émaillaient le ciel profond et sombre;
Le croissant fin et clair parmi ces fleurs de l'ombre
Brillait à l'occident, et Ruth se demandait,

Immobile, ouvrant l'œil à moitié sous ses voiles,
Quel dieu, quel moissonneur de l'éternel été
Avait, en s'en allant, négligemment jeté
Cette faucille d'or dans le champ des étoiles.

Après la Bataille

Mon père, ce héros au sourire si doux,
Suivi d'un seul housard qu'il aimait entre tous
Pour sa grande bravoure et pour sa haute taille,
Parcourait à cheval, le soir d'une bataille,
Le champ couvert de morts sur qui tombait la nuit.
Il lui sembla dans l'ombre entendre un faible bruit.
C'était un Espagnol de l'armée en déroute
Qui se traînait sanglant sur le bord de la route,
Râlant, brisé, livide, et mort plus qu'à moitié,
10 Et qui disait:—A boire, à boire par pitié!—
Mon père, ému, tendit à son housard fidèle
Une gourde de rhum qui pendait à sa selle,

Et dit:—Tiens, donne à boire à ce pauvre blessé.—
Tout à coup, au moment où le housard baissé
Se penchait vers lui, l'homme, une espèce de maure,
Saisit un pistolet qu'il étreignait encore,
Et vise au front mon père en criant: Caramba!
Le coup passa si près que le chapeau tomba
Et que le cheval fit un écart en arrière.
20 —Donne-lui tout de même à boire, dit mon père.

Jour de Fête aux environs de Paris

Midi chauffe et sème la mousse;
Les champs sont pleins de tambourins;
On voit dans une lueur douce
Des groupes vagues et sereins.

Là-bas, à l'horizon, poudroie
Le vieux donjon de Saint Louis;
Le soleil dans toute sa joie
Accable les champs éblouis.

L'air brûlant fait, sous ses haleines
10 Sans murmures et sans échos,
Luire en la fournaise des plaines
La braise des coquelicots.

Les brebis paissent inégales;
Le jour est splendide et dormant;
Presque pas d'ombre; les cigales
Chantent sous le bleu flamboiement.

Voilà les avoines rentrées.
Trêve au travail. Amis, du vin!
Des larges tonnes éventrées
20 Sort l'éclat de rire divin.

Le buveur chancelle à la table
Qui boite fraternellement.
L'ivrogne se sent véritable;
Il oublie, ô clair firmament,

Tout, la ligne droite, la gêne,
La loi, le gendarme, l'effroi,
L'ordre; et l'échalas de Surène
Raille le poteau de l'octroi.

L'âne broute, vieux philosophe;
30 L'oreille est longue, l'âne en rit,
Peu troublé d'un excès d'étoffe,
Et content si le pré fleurit.

Les enfants courent par volée;
Clichy montre, honneur aux anciens!
Sa grande muraille étoilée
Par la mitraille des prussiens.

La charrette roule et cahote;
Paris élève au loin sa voix,
Noir chiffonnier qui dans sa hotte
40 Porte le sombre tas des rois.

On voit au loin les cheminées
Et les dômes d'azur voilés;
Des filles passent, couronnées
De joie et de fleurs, dans les blés.

Sur une Barricade

Sur une barricade, au milieu des pavés
Souillés d'un sang coupable et d'un sang pur lavés,
Un enfant de ouze ans est pris avec des hommes.
—Es-tu de ceux-là, toi?—L'enfant dit: Nous en sommes.
—C'est bon, dit l'officier, on va te fusiller.
Attends ton tour.—L'enfant voit des éclairs briller,
Et tous ses compagnons tomber sous la muraille.
Il dit à l'officier: Permettez-vous que j'aille
Rapporter cette montre à ma mère chez nous?
10 —Tu veux t'enfuir?—Je vais revenir.—Ces voyous
Ont peur! Où loges-tu?—Là, près de la fontaine.
Et je vais revenir, monsieur le capitaine.

—Va-t'en, drôle!—L'enfant s'en va.—Piège grossier!
Et les soldats riaient avec leur officier,
Et les mourants mêlaient à ce rire leur râle;
Mais le rire cessa, car soudain l'enfant pâle,
Brusquement reparu, fier comme Viala,
Vint s'adosser au mur et leur dit:—Me voilà.
La mort stupide eut honte, et l'officier fit grâce.

20 Enfant, je ne sais point, dans l'ouragan qui passe
Et confond tout, le bien, le mal, héros, bandits,
Ce qui dans le combat te poussait, mais je dis
Que ton âme ignorante est une âme sublime.
Bon et brave, tu fais, dans le fond de l'abîme,
Deux pas, l'un vers ta mère et l'autre vers la mort;
L'enfant a la candeur et l'homme a le remord,
Et tu ne réponds point de ce qu'on te fit faire;
Mais l'enfant est superbe et vaillant qui préfère
A la fuite, à la vie, à l'aube, aux jeux permis,
30 Au printemps, le mur sombre où sont morts ses amis.
La gloire au front te baise, ô toi si jeune encore!
Doux ami, dans la Grèce antique, Stésichore
T'eût chargé de défendre une porte d'Argos;
Cinégyre t'eût dit: Nous sommes deux égaux!
Et tu serais admis au rang des purs éphèbes
Par Tyrtée à Messène et par Eschyle à Thèbes.
On graverait ton nom sur des disques d'airain;
Et tu serais de ceux qui, sous le ciel serein,
S'ils passent près du puits ombragé par le saule,
40 Font que la jeune fille ayant sur son épaule
L'urne où s'abreuveront les buffles haletants,
Pensive, se retourne et regarde longtemps.

Le Satyre

II

Le Noir

Le satyre chanta la terre monstrueuse.
L'eau, perfide sur mer, dans les champs tortueuse,
Sembla dans son prélude errer comme à travers
Les sables, les graviers, l'herbe et les roseaux verts;
Puis il dit l'Océan, typhon couvert de baves,

Puis la Terre lugubre avec toutes ses caves,
Son dessous effrayant, ses trous, ses entonnoirs,
Où l'ombre se fait onde, où vont des fleuves noirs,
Où le volcan, noyé sous d'affreux lacs, regrette
10 La montagne, son casque, et le feu, son aigrette,
Où l'on distingue, au fond des gouffres inouïs,
Les vieux enfers éteints des dieux évanouis.
Il dit la sève; il dit la vaste plénitude
De la nuit, du silence et de la solitude,
Le froncement pensif du sourcil des rochers;
Sorte de mer ayant les oiseaux pour nochers,
Pour algue le buisson, la mousse pour éponge,
La végétation aux mille têtes songe;
Les arbres pleins de vent ne sont pas oublieux;
20 Dans la vallée, au bord des lacs, sur les hauts lieux,
Ils gardent la figure antique de la terre;
Le chêne est entre tous profond, fidèle, austère;
Il protège et défend le coin du bois ami
Où le gland l'engendra s'entr'ouvrant à demi,
Où son ombrage attire et fait rêver le pâtre.
Pour arracher de là ce vieil opiniâtre,
Que d'efforts, que de peine au rude bûcheron!
Le sylvain raconta Dodone et Cithéron,
Et tout ce qu'aux bas-fonds d'Hémus, sur l'Érymanthe,
30 Sur l'Hymète, l'autan tumultueux tourmente;
Avril avec Tellus pris en flagrant délit,
Les fleuves recevant les sources dans leur lit,
La grenade montrant sa chair sous sa tunique,
Le rut religieux du grand cèdre cynique,
Et, dans l'âcre épaisseur des branchages flottants,
La palpitation sauvage du printemps.

'Tout l'abîme est sous l'arbre énorme comme une urne.
La terre sous la plante ouvre son puits nocturne
Plein de feuilles, de fleurs et de l'amas mouvant
40 Des rameaux que, plus tard, soulèvera le vent,
Et dit:—Vivez! Prenez. C'est à vous. Prends, brin d'herbe!
Prends, sapin!—La forêt surgit; l'arbre superbe
Fouille le globe avec une hydre sous ses pieds;
La racine effrayante aux longs cous repliés,
Aux mille becs béants dans la profondeur noire,
Descend, plonge, atteint l'ombre et tâche de la boire,
Et, bue, au gré de l'air, du lieu, de la saison,
L'offre au ciel en encens ou la crache en poison,

Selon que la racine, embaumée ou malsaine,
50 Sort, parfum, de l'amour, ou, venin, de la haine.
De là, pour les héros, les grâces et les dieux,
L'œillet, le laurier-rose ou le lys radieux,
Et, pour l'homme qui pense et qui voit, la ciguë.

'Mais qu'importe à la terre? Au chaos contiguë,
Elle fait son travail d'accouchement sans fin.
Elle a pour nourrisson l'universelle faim.
C'est vers son sein qu'en bas les racines s'allongent.
Les arbres sont autant de mâchoires qui rongent
Les éléments, épars dans l'air souple et vivant;
60 Ils dévorent la pluie, ils dévorent le vent;
Tout leur est bon, la nuit, la mort; la pourriture
Voit la rose et lui va porter sa nourriture;
L'herbe vorace broute au fond des bois touffus;
A toute heure, on entend le craquement confus
Des choses sous la dent des plantes; on voit paître
Au loin, de toutes parts, l'immensité champêtre;
L'arbre transforme tout dans son puissant progrès;
Il faut du sable, il faut de l'argile et du grès;
Il en faut au lentisque, il en faut à l'yeuse,
70 Il en faut à la ronce, et la terre joyeuse
Regarde la forêt formidable manger.'

Le satyre semblait dans l'abîme songer;
Il peignit l'arbre vu du côté des racines,
Le combat souterrain des plantes assassines,
L'antre que le feu voit, qu'ignore le rayon,
Le revers ténébreux de la création,
Comment filtre la source et flambe le cratère;
Il avait l'air de suivre un esprit sous la terre;
Il semblait épeler un magique alphabet;
80 On eût dit que sa chaîne invisible tombait;
Il braillait; on voyait s'échapper de sa bouche
Son rêve avec un bruit d'ailes vague et farouche:
'Les forêts sont le lieu lugubre; la terreur,
Noire, y résiste même au matin, ce doreur;
Les arbres tiennent l'ombre enchaînée à leurs tiges;
Derrière le réseau ténébreux des vertiges,
L'aube est pâle, et l'on voit se tordre les serpents
Des branches sur l'aurore horribles et rampants;
Là, tout tremble; au-dessus de la ronce hagarde,
90 Le mont, ce grand témoin, se soulève et regarde;

La nuit, les hauts sommets, noyés dans la vapeur,
Les antres froids, ouvrant la bouche avec stupeur,
Les blocs, ces durs profils, les rochers, ces visages
Avec qui l'ombre voit dialoguer les sages,
Guettent le grand secret, muets, le cou tendu;
L'œil des montagnes s'ouvre et contemple, éperdu;
On voit s'aventurer dans les profondeurs fauves
La curiosité de ces noirs géants chauves;
Ils scrutent le vrai ciel, de l'Olympe inconnu;
100 Ils tâchent de saisir quelque chose de nu;
Ils sondent l'étendue auguste, chaste, austère,
Irritée, et, parfois surprenant le mystère,
Aperçoivent la Cause au pur rayonnement,
Et l'Énigme sacrée, au loin, sans vêtement,
Montrant sa forme blanche au fond de l'insondable.
O nature terrible! ô lien formidable
Du bois qui pousse avec l'idéal contemplé!
Bain de la déité dans le gouffre étoilé!
Farouche nudité de la Diane sombre
110 Qui, de loin regardée et vue à travers l'ombre,
Fait croître au front des rocs les arbres monstrueux!
O forêt!'

Le sylvain avait fermé les yeux;
La flûte que, parmi des mouvements de fièvre,
Il prenait et quittait, importunait sa lèvre;
Le faune la jeta sur le sacré sommet;
Sa paupière était close, on eût dit qu'il dormait,
Mais ses cils roux laissaient passer de la lumière.

Il poursuivit:
120 'Salut! Chaos! gloire à la Terre!
Le chaos est un dieu; son geste est l'élément;
Et lui seul a ce nom sacré: Commencement.
C'est lui qui, bien avant la naissance de l'heure,
Surprit l'aube endormie au fond de sa demeure,
Avant le premier jour et le premier moment;
C'est lui qui, formidable, appuya doucement
La gueule de la nuit aux lèvres de l'aurore,
Et c'est de ce baiser qu'on vit l'étoile éclore.
Le chaos est l'époux lascif de l'infini.
130 Avant le Verbe, il a rugi, sifflé, henni;
Les animaux, aînés de tout, sont les ébauches
De sa fécondité comme de ses débauches.

Fussiez-vous dieux, songez en voyant l'animal!
Car il n'est pas le jour, mais il n'est pas le mal.
Toute la force obscure et vague de la terre
Est dans la brute, larve auguste et solitaire;
La sibylle au front gris le sait, et les devins
Le savent, ces rôdeurs des sauvages ravins;
Et c'est là ce qui fait que la thessalienne
40 Prend des touffes de poils aux cuisses de l'hyène,
Et qu'Orphée écoutait, hagard, presque jaloux,
Le chant sombre qui sort du hurlement des loups.'

—Marsyas! murmura Vulcain, l'envieux louche.
Apollon attentif mit le doigt sur sa bouche.
Le faune ouvrit les yeux, et peut-être entendit;
Calme, il prit son genou dans ses deux mains, et dit:
'Et maintenant, ô dieux! écoutez ce mot: L'âme!
Sous l'arbre qui bruit, près du monstre qui brame,
Quelqu'un parle. C'est l'Ame. Elle sort du chaos.
150 Sans elle, pas de vents, le miasme; pas de flots,
L'étang; l'âme, en sortant du chaos, le dissipe;
Car il n'est que l'ébauche et l'âme est le principe.
L'Être est d'abord moitié brute et moitié forêt;
Mais l'Air veut devenir l'Esprit, l'homme apparaît.
L'homme! qu'est-ce que c'est que ce sphinx! Il commence
En sagesse, ô mystère! et finit en démence.
O ciel qu'il a quitté, rends-lui son âge d'or!'

Le faune, interrompant son orageux essor,
Ouvrit d'abord un doigt, puis deux, puis un troisième,
160 Comme quelqu'un qui compte en même temps qu'il sème,
Et cria, sur le haut Olympe vénéré:

'O dieux! l'arbre est sacré, l'animal est sacré,
L'homme est sacré; respect à la terre profonde!
La terre où l'homme crée, invente, bâtit, fonde,
Géant possible, encor caché dans l'embryon,
La terre où l'animal erre autour du rayon,
La terre où l'arbre ému prononce des oracles,
Dans l'obscur infini tout rempli de miracles,
Est le prodige, ô dieux! le plus proche de vous;
170 C'est le globe inconnu qui vous emporte tous,
Vous les éblouissants, la grande bande altière,
Qui dans des coupes d'or buvez de la lumière,
Vous qu'une aube précède et qu'une flamme suit,

Vous les dieux, à travers la formidable nuit!'
Le sueur ruisselait sur le front du satyre,
Comme l'eau du filet que des mers on retire;
Ses cheveux s'agitaient comme au vent libyen.

Phœbus lui dit:—Veux-tu la lyre?

—Je veux bien,
180 Dit le faune; et, tranquille, il prit la grande lyre.

Alors il se dressa debout dans le délire
Des rêves, des frissons, des aurores, des cieux.
Avec deux profondeurs splendides dans les yeux.
—Il est beau! murmura Vénus épouvantée.

Et Vulcain, s'approchant d'Hercule, dit: Antée.
Hercule repoussa du coude ce boiteux.

III

Le Sombre

Il ne les voyait pas, quoiqu'il fût devant eux.

Il chanta l'Homme. Il dit cette aventure sombre,
L'homme, le chiffre élu, tête auguste du nombre,
190 Effacé par sa faute, et, désastreux reflux,
Retombé dans la nuit de ce qu'on ne voit plus;
Il dit les premiers temps, le bonheur, l'Atlantide,
Comment le parfum pur devint miasme fétide,
Comme l'hymne expira sous le clair firmament,
Comment la liberté devint joug, et comment
Le silence se fit sur la terre domptée;
Il ne prononça pas le nom de Prométhée,
Mais il avait dans l'œil l'éclair du feu volé;
Il dit l'humanité mise sous le scellé,

200 Il dit tous les forfaits et toutes les misères,
Depuis les rois peu bons jusqu'aux dieux peu sincères.
Tristes hommes; ils ont vu le ciel se fermer.
En vain, pieux, ils ont commencé par s'aimer;
En vain, frères, ils ont tué la Haine infâme,
Le monstre à l'aile onglée, aux sept gueules de flamme;
Hélas! comme Cadmus, ils ont bravé le sort;
Ils ont semé les dents de la bête, il en sort

Des spectres tournoyant comme la feuille morte,
Qui combattent, l'épée à la main, et qu'emporte
210 L'évanouissement du vent mystérieux.
Ces spectres sont les rois; ces spectres sont les dieux.
Ils renaissent sans fin, ils reviennent sans cesse;
L'antique égalité devient sous eux bassesse;
Dracon donne la main à Busiris; la Mort
Se fait code, et se met aux ordres du plus fort,
Et le dernier soupir libre et divin s'exhale
Sous la difformité de la loi colossale.
L'homme se tait, ployé sous cet entassement;
Il se venge; il devient pervers; il vole, il ment;
220 L'âme inconnue et sombre a des vices d'esclave;
Puisqu'on lui met un mont sur elle, elle en sort lave;
Elle brûle et ravage au lieu de féconder.
Et dans le chant du faune on entendait gronder
Tout l'essaim des fléaux furieux qui se lève.
Il dit la guerre; il dit la trompette et le glaive;
La mêlée en feu, l'homme égorgé sans remord,
La gloire, et dans la joie affreuse de la mort
Les plis voluptueux des bannières flottantes;
L'aube naît; les soldats s'éveillent sous les tentes;
230 La nuit, même en plein jour, les suit, planant sur eux;
L'armée en marche ondule au fond des chemins creux;
La baliste en roulant s'enfonce dans les boues;
L'attelage fumant tire et l'on pousse aux roues;
Cris des chefs, pas confus; les moyeux des charrois
Balafrent les talus des ravins trop étroits.
On se rencontre, ô choc hideux! les deux armées
Se heurtent, de la même épouvante enflammées,
Car la rage guerrière est un gouffre d'effroi.
O vaste effarement! chaque bande a son roi.
240 Perce, épée! ô cognée, abats! massue, assomme!
Cheval, foule aux pieds l'homme, et l'homme et l'homme
 et l'homme!
Hommes, tuez, traînez les chars, roulez les tours;
Maintenant, pourrissez, et voici les vautours!
Des guerres sans fin naît le glaive héréditaire;
L'homme fuit dans les trous, au fond des bois, sous terre;
Et, soulevant le bloc qui ferme son rocher,
Écoute s'il entend les rois là-haut marcher;
Il se hérisse; l'ombre aux animaux le mêle;
Il déchoit; plus de femme, il n'a qu'une femelle;
250 Plus d'enfants, des petits; l'amour qui le séduit

Est fils de l'Indigence et de l'Air de la nuit;
Tous ses instincts sacrés à la fange aboutissent;
Les rois, après l'avoir fait taire, l'abrutissent
Si bien que le bâillon est maintenant un mors.
Et sans l'homme pourtant les horizons sont morts;
Qu'est la création sans cette initiale?
Seul sur la terre il a la lueur faciale;
Seul il parle; et sans lui tout est décapité.
Et l'on vit poindre aux yeux du faune la clarté
260 De deux larmes coulant comme à travers la flamme.
Il montra tout le gouffre acharné contre l'âme;
Les ténèbres croisant leurs funestes rameaux;
Et la forêt du sort et la meute des maux,
Les hommes se cachant, les dieux suivant leurs pistes.
Et, pendant qu'il chantait toutes ces strophes tristes,
Le grand souffle vivant, ce transfigurateur,
Lui mettait sous les pieds la céleste hauteur;
En cercle autour de lui se taisaient les Borées;
Et, comme par un fil invisible tirées,
270 Les brutes, loups, renards, ours, lions chevelus,
Panthères, s'approchaient de lui de plus en plus;
Quelques-unes étaient si près des dieux venues,
Pas à pas, qu'on voyait leurs gueules daus les nues.
Les dieux ne riaient plus; tous ces victorieux,
Tous ces rois, commençaient à prendre au sérieux
Cette espèce d'esprit qui sortait d'une bête.

Il reprit:
'Donc, les dieux et les rois sur le faîte,
L'homme en bas; pour valets aux tyrans, les fléaux.
280 L'homme ébauché ne sort qu'à demi du chaos,
Et jusqu'à la ceinture il plonge dans la brute;
Tout le trahit; parfois, il renonce à la lutte.
Où donc est l'espérance? Elle a lâchement fui.
Toutes les surdités s'entendent contre lui;
Le sol l'alourdit, l'air l'enfièvre, l'eau l'isole;
Autour de lui la mer sinistre se désole;
Grâce au hideux complot de tous ces guets-apens,
Les flammes, les éclairs, sont contre lui serpents;
Ainsi que le héros l'aquilon le soufflette;
290 La peste aide le glaive, et l'élément complète
Le despote, et la nuit s'ajoute au conquérant;
Ainsi la Chose vient mordre aussi l'homme, et prend
Assez d'âme pour être une force, complice

De son impénétrable et nocturne supplice;
Et la Matière, hélas! devient Fatalité.
Pourtant qu'on prenne garde à ce déshérité!
Dans l'ombre, une heure est là qui s'approche, et frissonne
Qui sera la terrible et qui sera la bonne,
Qui viendra te sauver, homme, car tu l'attends,
300 Et changer la figure implacable du temps!
Qui connaît le destin? qui sonda le peut-être?
Oui, l'heure énorme vient, qui fera tout renaître,
Vaincra tout, changera le granit en aimant,
Fera pencher l'épaule au morne escarpement,
Et rendra l'impossible aux hommes praticable.
Avec ce qui l'opprime, avec ce qui l'accable,
Le genre humain se va forger son point d'appui;
Je regarde le gland qu'on appelle aujourd'hui,
J'y vois le chêne; un feu vit sous la cendre éteinte.
310 Misérable homme, fait pour la révolte sainte,
Ramperas-tu toujours parce que tu rampas?
Qui sait si quelque jour on ne te verra pas,
Fier, suprême, atteler les forces de l'abîme,
Et, dérobant l'éclair à l'Inconnu sublime,
Lier ce char d'un autre à deux chevaux à toi?
Oui, peut-être on verra l'homme devenir loi,
Terrasser l'élément sous lui, saisir et tordre
Cette anarchie au point d'en faire jaillir l'ordre,
Le saint ordre de paix, d'amour et d'unité,
320 Dompter tout ce qui l'a jadis persécuté,
Se construire à lui-même une étrange monture
Avec toute la vie et toute la nature,
Seller la croupe en feu des souffles de l'enfer,
Et mettre un frein de flamme à la gueule du fer!
On le verra, vannant la braise dans son crible,
Maître et palefrenier d'une bête terrible,
Criant à toute chose: Obéis, germe, nais!
Ajustant sur le bronze et l'acier un harnais
Fait de tous les secrets que l'étude procure,
330 Prenant aux mains du vent la grande bride obscure,
Passer dans la lueur ainsi que les démons,
Et traverser les bois, les fleuves et les monts,
Beau, tenant une torche aux astres allumée,
Sur une hydre d'airain, de foudre et de fumée!
On l'entendra courir dans l'ombre avec le bruit
De l'aurore enfonçant les portes de la nuit!
Qui sait si quelque jour, grandissant d'âge en âge,

Il ne jettera pas son dragon à la nage,
Et ne franchira pas les mers, la flamme au front?
340 Qui sait si, quelque jour, brisant l'antique affront,
Il ne lui dira pas: Envole-toi, matiére!
S'il ne franchira point la tonnante frontière;
S'il n'arrachera pas de son corps brusquement
La pesanteur, peau vile, immonde vêtement
Que la fange hideuse à la pensée inflige?
De sorte qu'on verra tout à coup, ô prodige!
Ce ver de terre ouvrir ses ailes dans les cieux.
Oh! lève-toi, sois grand, homme! va, factieux!
Homme, un orbite d'astre est un anneau de chaîne,
350 Mais cette chaîne-là, c'est la chaîne sereine,
C'est la chaîne d'azur, c'est la chaîne du ciel;
Celle-là, tu t'y dois rattacher, ô mortel,
Afin—car un esprit se meut comme une sphère—
De faire aussi ton cercle autour de la lumière!
Entre dans le grand chœur! va, franchis ce degré,
Quitte le joug infâme et prends le joug sacré!
Deviens l'Humanité, triple, homme, enfant et femme!
Transfigure-toi va! sois de plus en plus l'âme!
Esclave, grain d'un roi, démon, larve d'un dieu,
360 Prends le rayon, saisis l'aube, usurpe le feu;
Torse ailé, front divin, monte au jour, monte au trône
Et dans la sombre nuit jette les pieds du faune!'

IV

L'Étoilé

Le satyre un moments s'arrêta, respirant
Comme un homme levant son front hors d'un torrent;
Un autre être semblait sous sa face apparaître;
Les dieux s'étaient tournés inquiets vers le maître,
Et, pensifs, regardaient Jupiter stupéfait.

Il reprit:
'Sous le poids hideux qui l'étouffait,
370 Le réel renaîtra, dompteur du mal immonde.
Dieux, vous ne savez pas ce que c'est que le monde;
Dieux, vous avez vaincu, vous n'avez pas compris.
Vous avez au-dessus de vous d'autres esprits,
Qui, dans le feu, la nue, et l'onde et la bruine,
Songent, en attendant notre immense ruine.
Mais qu'est-ce que cela me fait à moi qui suis

La prunella effarée au fond des vastes nuits?
Dieux, il est d'autres sphinx que le vieux sphinx de Thèbe.
Sachez ceci, tyrans de l'homme et de l'Érèbe,
380 Dieux qui versez le sang, dieux dont on voit le fond,
Nous nous sommes tous faits bandits sur ce grand mont
Où la terre et ciel semblent en équilibre,
Mais vous pour être rois et moi pour être libre.
Pendant que vous semez haine, fraude et trépas,
Et que vous enjambez tout le crime en trois pas,
Moi je songe. Je suis l'œil fixe des cavernes.
Je vais. Olympes bleus et ténébreux Avernes,
Temples, charniers, forêts, cités, aigle, alcyon,
Sont devant mon regard la même vision;
390 Les dieux, les fléaux, ceux d'à présent, ceux d'ensuite,
Traversent ma lueur et sont la même fuite.
Je suis témoin que tout disparaît. Quelqu'un est.
Mais celui-là, jamais l'homme ne le connaît.
L'humanité suppose, ébauche, essaie, approche;
Elle façonne un marbre, elle taille une roche
Et fait une statue et dit: Ce sera lui.
L'homme reste devant cette pierre ébloui;
Et tous les à peu près, quels qu'ils soient, ont des prêtres.
Soyez les Immortels, faites! broyez les êtres,
400 Achevez ce vain tas de vivants palpitants,
Régnez; quand vous aurez, encore un peu de temps,
Ensanglanté le ciel que la lumière azure,
Quand vous aurez, vainqueurs, comblé votre mesure,
C'est bien, tout sera dit, vous serez remplacés
Par ce noir dieu final que l'homme appelle Assez!
Car Delphe et Pise sont comme des chars qui roulent,
Et les choses qu'on crut éternelles s'écroulent
Avant qu'on ait le temps de compter jusqu'à vingt.'

Tout en parlant ainsi, le satyre devint
410 Démesuré; plus grand d'abord que Polyphème,
Puis plus grand que Typhon qui hurle et qui blasphème
Et qui heurte ses poings ainsi que des marteaux,
Puis plus grand que Titan, puis plus grand que l'Athos;
L'espace immense entra dans cette forme noire;
Et, comme le marin voit croître un promontoire,
Les dieux dressés voyaient grandir l'être effrayant;
Sur son front blêmissait un étrange orient;
Sa chevelure était une forêt; des ondes,
Fleuves, lacs, ruisselaient de ses hanches profondes;

420 Ses deux cornes semblaient le Caucase et l'Atlas;
Les foudres l'entouraient avec de sourds éclats;
Sur ses flancs palpitaient des prés et des campagnes,
Et des difformités s'étaient faites montagnes;
Les animaux qu'avaient attirés ses accords,
Daims et tigres, montaient tout le long de son corps;
Des avrils tout en fleur verdoyaient sur ses membres;
Le pli de son aisselle abritait des décembres;
Et des peuples errants demandaient leur chemin,
Perdus au carrefour des cinq doigts de sa main.
430 Des aigles tournoyaient dans sa bouche béante;
La lyre, devenue en le touchant géante,
Chantait, pleurait, grondait, tonnait, jetait des cris,
Les ouragans étaient dans les sept cordes pris
Comme des moucherons dans de lugubres toiles;
Sa poitrine terrible était pleine d'étoiles.

Il cria:
'L'avenir, tel que les cieux le font,
C'est l'élargissement dans l'infini sans fond,
C'est l'esprit pénétrant de toutes parts la chose!
440 On mutile l'effet en limitant la cause;
Monde, tout le mal vient de la forme des dieux.
On fait du ténébreux avec le radieux;
Pourquoi mettre au-dessus de l'Être, des fantômes?
Les clartés, les éthers, ne sont pas des royaumes.
Place au fourmillement éternel des cieux noirs,
Des cieux bleus, des midis, des aurores, des soirs!
Place à l'atome saint, qui brûle ou qui ruisselle!
Place au rayonnement de l'âme universelle!
Un roi c'est de la guerre, un dieu c'est de la nuit.
450 Liberté, vie et foi, sur le dogme détruit!
Partout une lumière et partout un génie!
Amour! tout s'entendra, tout étant l'harmonie!
L'azur du ciel sera l'apaisement des loups.
Place à Tout! Je suis Pan; Jupiter! à genoux!'

Gérard de Nerval

Gérard Labrunie (he adopted de Nerval as a grander *nom de plume*), though born in Paris in 1808 spent his early years in the Valois, the area of heath and forest round Compiègne which he idealised and immortalised in his delightful short story *Sylvie*. He never knew his mother who died in 1810 when accompanying his father, a military doctor, campaigning in the Napoleonic wars in central Europe. The latter returned in 1814 and settled with his son in Paris, but Gérard spent many happy holidays in the Valois. At school, he had Gautier as schoolmate and like him, he was interested in literature from an early age; and was only nineteen years old when he completed his translation of Goethe's *Faust* (Part I). This work not only made his name but orientated his interests towards German poetry, particularly ballad poetry (Schiller and Bürger) and Heine: he was to travel widely in both Germany and Austria.

From 1828 onwards, Gérard became a frequenter of Romantic circles; with Gautier, he was present at the first night (*la bataille*) of Hernani and through him, he began to move in the rather wilder, bohemian fringe of art students and painters: we know that he spent a night in gaol in 1832 for rowdy behaviour. But though he enjoyed having a good time with congenial friends interested in literature and the arts as well as in wine, women and song, he was not just a loafer: in 1829, anxious to make his mark in the theatre in the footprints of Hugo (whom he knew) and Vigny, he dramatised the former's exotic novel, *Han d'Islande*, and in the following year he published further translations of poetry from the German as well as a selection of poems of the sixteenth-century poet Ronsard. He also vaguely studied medicine but on coming into some money in 1834, he studied no more. It was probably after returning from a short trip to Italy (to celebrate his inheritance) that Nerval first saw the plump blond actress Jenny Colon with whom he fell desperately (and probably hopelessly) in love; it was two years later that he plucked up courage to confess it to her. Meanwhile he sank most of his capital in a luxury review, *Le Monde dramatique*, with the intention of helping Jenny's career; but it lasted barely a year and its failure left Gérard in straitened circumstances, which, like Gautier he was able to palliate, but never fully remove by journalism and playwriting, either alone or in collaboration. In 1837, his comic opera *Piquillo* was respresented, with Jenny as the female lead; in 1839, two *drames*, *Léo Burckart* and *L'Alchimiste*, in collaboration with Alexandre Dumas *père*.

In August 1838, a few months after Jenny Colon's marriage, Nerval made his first trip to Germany and the following year spent the whole winter in Vienna where he had an unsatisfactory love affair with the well-known pianist Marie Pleyel. In the autumn of 1840 he went to Brussels to see Jenny Colon act in *Piquillo*. But now financial worries as well as emotional disappointments began to take their toll: in the late winter of 1841, he suffered his first fit of madness, followed quickly by another one which kept him interned for six months. Jenny Colon's death early in 1842 intensified his stress: from now on he was to live constantly under the shadow of madness.

In 1842, in the footsteps of Chateaubriand and Lamartine, he was able, by means of an official grant, to visit the mysterious East—Egypt, the Lebanon, Turkey, Malta and home via Marseilles. It is significant of his interest in the occult and the mystical that everywhere he showed his interest in the study of religious sects and mysteries which was to come out strongly in a number of the *Chimères* written shortly afterwards. His account of his trip to the East was published in book form in 1846, but did not bring him the fame for which he hoped. While still desperately working to keep his head above water by journalism (he twice stood in for Gautier when the latter went on his trips to Spain in 1840 and Algeria in 1845), Nerval now turned again to the stage: a comic opera *Les Monténégrins* in 1849; *Le Chariot d'enfant*, a verse drama, in 1850; a vaudeville, *Pruneau de Tours* in the same year, *L'Imagier de Harlem*, a drama, in 1851, of which Nerval had great hopes which were not fulfilled. He was also writing many articles and short stories at this time.

From 1849 onwards, his mental health seemed very precarious—we learn of attacks of mental disorder in 1849 (although he was well enough to go to London in the early summer); next year he was in a clinic for two or three months; he was in hospital in January and February of the next year: but it was during the next year or two that some of his best work was done: he wrote *Sylvie* (which was published in 1853) as well as other short stories (e.g. *Les Filles du feu*); yet three times in 1852 he had to be shut up. The following year, with constant mental breakdowns, he still managed to spend some months in Germany; and after another internment from May to October, he seems to have had no fixed abode but to have wandered about Paris, thinly dressed, with hardly a penny to his name. On 25 January 1855, the month in which the first part of *Aurélia*, his autobiographical study of his dream madness, was published, Nerval had to borrow 25 centimes from a friend to buy a meal. It was freezing hard but he had no overcoat; and early on 26 January he was found hanged from a lamp-post, presumably by his own hand.

Everyone who knew Nerval speaks of his compelling charm, discretion and modesty. When young he was strikingly handsome but age and worry lent him a sombre brooding beauty which appears plainly in a portrait of him by the great French photographer, Nadar. He was gentle, sensitive, almost childlike; but he was also independent, whimsical and proud. He lived so much in his own dreams and imaginings that his conversation—as well as his actions—was brilliantly fanciful: during the period of *bohème dorée* in *l'impasse du Doyenné* (so vividly described by Balzac in his novel *La Cousine Bette*) he bought an immense bed in which he hoped to entertain an as yet unconvinced girl-friend —and the bed was too immense to sleep in alone and so he camped out on the floor beside it; on another occasion he was seen taking a live lobster for a walk in the Palais Royal, attached to a blue ribbon—when asked his reason, Nerval replied that he was fond of lobsters, which were quiet and well-behaved, didn't bark or bite like dogs and knew all the mysteries of the deep. It was hardly surprising that he was so unworldly and unpractical a dreamer: indeed, his life may be summed up in a phrase which he uses of himself in *Aurélia*: it was *l'épanchement du rêve dans la réalité*.

Few poets have achieved such lasting fame with such a small opus. It rests on a dozen sonnets, each of them, it is true, fraught with enough meaning and controlled emotive suggestion to have provided Hugo with half a dozen long epics. It is this extraordinary density as well as their allusiveness to personal, mythical and legendary events, which constitute one of their main claims to uniqueness—and also their semihermetic difficulty. Nerval himself described his sonnets as a sort of supernatural rêverie, adding mischievously that they were scarcely more obscure than Hegel's metaphysics (this is certainly true), adding further that they would lose much of their charm by being explained, assuming this were possible (and this is, hopefully, not true, if by explanation we mean the processes leading to knowledgeable awareness and empathy).

They are the work of a man in whom dream and fancy have become one with ordinary reality, for whom, in fact, dreams were even more real than reality. This leads to a paranoiac quality in the poems: every event or aspect of life that impinged on him was interpreted in accordance with the needs of his obsessions: everything was for him a sign for something else. Yet within this obsessive world he miraculously maintained complete lucidity; and, indeed, since dream and reality were one and the same thing, there was no reason why he should not have done (Rimbaud does something similar in his prose poems).

Nerval's obsessions revolved round two main centres: religion and love which were, in turn, intertwined in his mind. As for the first, his position is perhaps best summed up by an amusing remark he made to someone who accused him of being without religion: *Moi, sans religion? J'en ai au moins dix-sept*. He dreamed, in fact, of producing one ideal religion combining all those qualities of the religions of Europe and Asia Minor which best represented his own mystical beliefs. Nerval was widely read in esoteric religions, books of theosophy and the occult generally—illuminism, mesmerism, the works of religious sectarians and mystics of all sorts. During his journey to the East, one of his main concerns was the study of the religious beliefs and rites of all races and tribes with whom he came into contact, always trying to find resemblances and affinities: pagan Greek survivals in Islamic ritual, Egyptian polytheistic memories in modern Christianity, perennial forms of the Christ figure in ancient religions. One of his most deeply rooted beliefs was in metempsychosis or the transmigration of souls; similarly, like Hugo at one period, he was a deeply convinced spiritualist and felt himself in communication with the dead. He was also greatly influenced by the bizarre side of German literature: supernatural ballads, tales of magic and above all the problematic, tormented and titanic figures of Faust and the Devil as represented in Goethe.

Nor should we forget his interest in tarot cards, a special pack of cards used mainly for fortune-telling (see the commentary on *El Desdichado*); or in alchemy, a magical science which could not fail to impress someone like Nerval who had a belief in the interrelationship of all things and the spirituality of all matter.

In his other related obsession of love, he was haunted all his life by the image of an ideal woman who should be both wife and mother to him and whom he had once glimpsed in his youth (see *Sylvie*) and then pursued for the rest of his life in a series of supposed reincarnations. This woman would play the part of female intercessor for him, offering redemption and immortality in which he would at last be reunited with his loves (or his Love); in this way he reconciled religion and love to overcome death.

A mind of such peculiar cast and temper could hardly fail to write something that was striking; in his *Chimères* (chimaeras or fantastic beasts, half lion, half goat, with feminine attributes, in fact, fanciful beings, often equated with illusions) he moves in restless phrases, from past to present, from personal memories to religious or mythical or legendary allusion, from vision to real happening (but of hidden significance), from France to Italy or Greece or Egypt, from exclamation to statement, unanswered question to objurgation. Yet this apparently incoherent and even irrational surge is expressed in lucidly grammatical syntax, without the use of markedly esoteric language. It is framed in the strictness of the sonnet form and the alexandrine. The immediate impact—borne out by analysis—of its sounds and rhythms is of a subtlety of stress, of alliteration, of assonance and of general repetition of words and phrases which gives a constantly varied musical line. It is perhaps in this harmonious resolution of opposites, the irrational allusive suggestiveness matched by general simplicity and naturalness of vocabulary and syntax, with the confused suggested emotion set off by formal strictness, that lies much of the irresistible appeal of Nerval's poetry. It is significant that this poet, so often confined in an institution as insane, was also the author of humorous charming stories of travel and love in pellucid and graceful prose.

MAIN POETICAL WORKS

Oeuvres (2 vols, *Pléiade*)
Les Chimères, J. Moulin edition, *Textes littéraires Français*, 1947

CRITICAL AND BIOGRAPHICAL WORKS

R. M. Allbérès, *Gérard de Nerval*, Paris, 1955
L. Cellier, *Nerval*, Paris, 1956
R. Jean, *Nerval par lui-même*, Paris, 1964
A.-M. and H. Marel, Selection of *Les Chimères* and other works, *Sélection Littéraire Bordas*, Paris, 1967

El Desdichado

Je suis le ténébreux,—le veuf,—l'inconsolé,
Le prince d'Aquitaine à la tour abolie;
Ma seule étoile est morte,—et mon luth constellé
Porte le soleil noir de la Mélancolie.

Dans la nuit du tombeau, toi qui m'as consolé,
Rends-moi le Pausilippe et la mer d'Italie,
La fleur qui plaisait tant à mon cœur désolé,
Et la treille où le pampre à la rose s'allie.

Suis-je Amour ou Phébus? . . . Lusignan ou Biron?
10 Mon front est rouge encor du baiser de la reine;
J'ai rêvé dans la grotte où nage la sirène. . . .

Et j'ai deux fois vainqueur traversé l'Achéron:
Modulant tour à tour sur la lyre d'Orphée
Les soupirs de la sainte et les cris de la fée.

Artémis

La Treizième revient . . . C'est encor la première;
Et c'est toujours la seule,—ou c'est le seul moment;
Car es-tu reine, ô toi! la première ou dernière?
Es-tu roi, toi le seul ou le dernier amant? . . .

Aimez qui vous aima du berceau dans la bière;
Celle que j'aimai seul m'aime encor tendrement:
C'est la mort—ou la morte. . . . O délice! ô tourment!
La rose qu'elle tient c'est la Rose trémière.

Sainte napolitaine aux mains pleines de feux,
10 Rose au cœur violet, fleur de sainte Gudule:
As-tu trouvé ta croix dans le désert des cieux?

Roses blanches, tombez! vous insultez nos dieux,
Tombez, fantômes blancs, de votre ciel qui brûle:
—La sainte de l'abîme est plus sainte à mes yeux!

Gérard de Nerval

Delfica

La connais-tu, Dafné, cette ancienne romance,
Au pied du sycomore, ou sous les lauriers blancs,
Sous l'olivier, le myrte, ou les saules tremblants,
Cette chanson d'amour qui toujours recommence? . . .

Reconnais-tu le Temple au péristyle immense,
Et les citrons amers où s'imprimaient tes dents,
Et la grotte, fatale aux hôtes imprudents,
Où du dragon vaincu dort l'antique semence.

Ils reviendront, ces Dieux, que tu pleures toujours!
10 La temps va ramener l'ordre des anciens jours;
La terre a tressailli d'un souffle prophétique. . . .

Cependant la sybille au visage latin
Est endormie encor sous l'arc de Constantin
—Et rien n'a dérangé le sévère portique.

Le Christ aux Oliviers

I

Quand le Seigneur, levant au ciel ses maigres bras,
Sous les arbres sacrés, comme font les poétes,
Se fut longtemps perdu dans ses douleurs muettes,
Et se jugea trahi par des amis ingrats;

Il se tourna vers ceux qui l'attendaient en bas
Rêvant d'être des rois, des sages, des prophètes. . . .
Mais engourdis, perdus dans le sommeil des bêtes,
Et se prit à crier: 'Non, Dieu n'existe pas!'

Ils dormaient. 'Mes amis, savez-vous la nouvelle?
10 J'ai touché de mon front à la voûte éternelle;
Je suis sanglant, brisé, souffrant pour bien des jours!

'Frères, je vous trompais: Abîme! abîme! abîme!
Le dieu manque à l'autel où je suis la victime. . . .
Dieu n'est pas! Dieu n'est plus! Mais ils dormaient
toujours! . . .

II

Il reprit: 'Tout est mort! J'ai parcouru les mondes;
Et j'ai perdu mon vol dans leurs chemins lactés.
Aussi loin que la vie, en ses veines fécondes,
Répand des sables d'or et des flots argentés:

'Partout le sol désert côtoyé par des ondes,
20 Des tourbillons confus d'océans agités. . . .
Un souffle vague émeut les sphères vagabondes,
Mais nul esprit n'existe en ces immensités.

'En cherchant l'œil de Dieu, je n'ai vu qu'une orbite
Vaste, noire et sans fond, d'où la nuit qui l'habite
Rayonne sur le monde et s'épaissit toujours;

'Un arc-en-ciel étrange entoure ce puits sombre,
Seuil de l'ancien chaos dont le néant est l'ombre,
Spirale engloutissant les Mondes et les Jours!

III

'Immobile Destin, muette sentinelle,
30 Froide Nécessité! . . . Hasard qui, t'avançant
Parmi les mondes morts sous la neige éternelle,
Refroidis, par degrés, l'univers pâlissant,

'Sais-tu ce que tu fais, puissance originelle,
De tes soleils éteints, l'un l'autre se froissant. . . .
Es-tu sûr de transmettre une haleine immortelle,
Entre un monde qui meurt et l'autre renaissant? . . .

'O mon père! est-ce toi que je sens en moi-même?
As-tu pouvoir de vivre et de vaincre la mort?
Aurais-tu succombé sous un dernier effort

40 'De cet ange des nuits que frappa l'anathème? . . .
Car je me sens tout seul à pleurer et souffrir,
Hélas! et, si je meurs, c'est que tout va mourir!'

IV

Nul n'entendait gémir l'éternelle victime,
Livrant au monde en vain tout son cœur épanché;
Mais prêt à défaillir et sans force penché,
Il appela le seul—éveillé dans Solyme:

'Judas! lui cria-t-il, tu sais ce qu'on m'estime,
Hâte-toi de me vendre, et finis ce marché:
Je suis souffrant, ami! sur la terre couché. . . .
50 Viens! ô toi qui, du moins, as la force du crime!'

Mais Judas s'en allait, mécontent et pensif,
Se trouvant mal payé, plein d'un remords si vif
Qu'il lisait ses noirceurs sur tous les murs écrites. . . .

Enfin Pilate seul, qui veillait pour César,
Sentant quelque pitié, se tourna par hasard:
'Allez chercher ce fou!' dit-il aux satellites.

V

C'était bien lui, ce fou, cet insensé sublime. . . .
Cet Icare oublié qui remontait les cieux,
Ce Phaéton perdu sous la foudre des dieux,
60 Ce bel Atys meurtri que Cybèle ranime!

L'augure interrogeait le flanc de la victime,
La terre s'enivrait de ce sang précieux. . . .
L'univers étourdi penchait sur ses essieux,
Et l'Olympe un instant chancela vers l'abîme.

'Réponds! criait César à Jupiter Ammon,
Quel est ce nouveau dieu qu'on impose à la terre?
Et si ce n'est un dieu, c'est au moins un démon. . . .'

Mais l'oracle invoqué pour jamais dut se taire;
Un seul pouvait au monde expliquer ce mystère:
70 —Celui qui donna l'âme aux enfants du limon.

Gérard de Nerval

Vers dorés

Eh quoi! Tout est sensible
PYTHAGORE

Homme, libre penseur! te crois-tu seul pensant
Dans ce monde où la vie éclate en toute chose?
Des forces que tu tiens ta liberté dispose,
Mais de tous tes conseils l'univers est absent.

Respecte dans la bête un esprit agissant:
Chaque fleur est une âme à la Nature éclose;
Un mystère d'amour dans le métal repose;
'Tout est sensible!' Et tout sur ton être est puissant.

Crains, dans le mur aveugle, un regard qui t'épie:
10 A la matière même un verbe est attaché. . . .
Ne la fais pas servir à quelque usage impie!

Souvent dans l'être obscur habite un Dieu caché;
Et comme un œil naissant couvert par ses paupières,
Un pur esprit s'accroît sous l'écorce des pierres!

Alfred de Musset

Alfred Louis Charles de Musset was a Parisian born and bred and both in certain sorts of his poetry but particularly in his plays, he shows the liveliness, wit, *finesse* and elegant charm associated with the adjective Parisian. Like another aristocrat, Vigny—and equally proud of his lineage—Musset frequented the romantic circles of Nodier and Victor Hugo. In fact he had a literary ancestry on both sides of his family and his various attempts to interest himself in any studies other than literary—such as the law and medicine—were extremely desultory. He was a precocious, brilliant, extremely handsome and rather spoilt young man about town. His first work, a translation of Quincey's *Confessions of an English Opium Eater*, was followed in 1829 by a collection of poetry *Contes d'Espagne et d'Italie*, full of violent passion in exotic sites, plentiful in local colour, a romantic mixture strongly tempered by a witty and ironic tone borrowed from Byron, whom he greatly admired. He was always something of an *enfant terrible* of Romanticism; he firmly rejected Hugo's humanitarian trends, although welcoming his dislocation of the alexandrine. He also had a rather unromantic, although similarly escapist, admiration for ancient Greece—he wrote of *Grèce, mère des arts, terre d'idolâtrie.*

Like Hugo and Vigny, he was greatly attracted by the theatre (and by actresses) but when his comedy *La Nuit vénitienne* failed on the stage in 1830, he thereafter wrote plays to be read rather than performed—although later generations have found them highly successful on the stage. His first collection of this *spectacle dans un fauteuil* was published in 1833; it included *La Coupe et les Lèvres*, with its celebrated impertinently funny *dédicace* attacking certain Romantic sentimental attitudes and affirming his own individuality: *Mon verre n'est pas grand mais je bois dans mon verre*; with side blows at Hugo (*Je ne me suis pas fait écrivain politique, N'étant pas amoureux de la place publique*) and at Lamartine and Chateaubriand (*Mais je hais les pleurards, les rêveurs à nacelles, Les amants de la nuit, des lacs, des cascatelles*) as well as against professional nature-lovers, to whom like Gautier and Baudelaire, he urges the positive values of art for its own sake (*Vous me demanderez si j'aime la nature. Oui;—j'aime fort aussi les arts et la peinture, le corps de la Vénus me paraît merveilleux*). Musset finally states his own credo:

> *L'amour est tout,—l'amour et la vie au soleil,*
> *Aimer est le grand point, qu'importe la maîtresse?*
> *Qu'importe le flacon, pourvu qu'on ait l'ivresse?*

A further series of the *spectacle dans un fauteuil* included the 'Shakespearean' *Lorenzaccio* (certainly the best of Musset's historical dramas, impregnated with his tormented desires and sense of waste) and the comedy *Fantasio* where the author's lyrical charm and freshness combine with his shrewd psychological insight and limpid style to form a minor masterpiece.

Meanwhile in 1833 Musset had met and fallen in love with the seasoned George Sand, who, some six years his senior, had just broken with her most recent lover. George Sand was a striking, masterful, figure, frequently dressed in trousers and smoking a cigar (though she was, we are told, wearing a gold-embroidered jacket and a Turkish dagger in her belt when she met Musset). It was perhaps her maternal instincts more than desire that attracted her to Musset; but attracted they were and, romantically (after George Sand had, rather less romantically, obtained permission from Musset's mother), they ran off for an unofficial honeymoon to Venice. It turned out to be a disaster: after showing his usual tendency to have a wandering eye, in the course of an indisposition of George, Musset himself fell dangerously ill and was nursed back to health by George, helped by an Italian doctor whose mistress she promptly became. This tragicomedy of romantic instability and incompatibility seems to have caused Musset a permanent trauma and gave rise to some of his most poignant and passionately direct lyrical outbursts in *Les Nuits* (especially in *La Nuit de Mai*; the *Nuit de Décembre* was largely inspired by a later love, Mme Joubert, and *La Nuit d'Octobre* by a girl, Aimée d'Alton). The final break with Sand came in 1835 and Musset turned for inadequate consolation to a hectic social whirl with a precarious foundation of heavy drinking and pursuit of love, with poetry as its accompaniment; his many liaisons, often stormy, included one with the most famous 'romantic' actress of her day, Rachel (who revived interest in French classical theatre by her passionate portrayal of Racine's love-stricken heroines) and Louise Colet, a mediocre poetess who had a weakness for men of letters—she also collected Flaubert.

Musset's most creative years poetically were between 1835 and 1838: in that period love and suffering became indissolubly linked in his poetry. Later he also wrote short stories (the best known of which is *Mimi Pinson* (1848) who is the archetypal Parisian *grisette*, the students' *petite amie*, gay, generous and improvident) as well as the important autobiographical *Confession d'un enfant du siècle*, a shrewd and disillusioned examination of the contradictions of romantic passion bred from boredom, fed on illusion and killed by reality. In his later years Musset suffered more and more from insatiable boredom and an underlying melancholy which he tried vainly to drown in drink and dispel by a life that was both debauched and 'smart'—the life of the *boulevardier* and *salonard*.

He was elected to the French Academy in 1852, although his best work was long since done and he lived to enjoy the honour only five more years, when he died, physically and emotionally worn out.

Most of Alfred de Musset's poetry is that of a young man; almost all his best poetry was written before he was thirty. The result is a poetry of enthusiasm, almost recklessness. He is rarely halfhearted in his lyricism; when he is angry he is furious, when pleased joyful, when censorious, impertinently witty, when doubtful, cynical; and when he is unhappy, he is thoroughly dejected. This we know because Musset's subject is always, directly, his own feelings and he makes no bones about it. To an even greater extent than Lamartine he relies on inspiration, with the dangerous facility that this entails and which can lead to banal effusiveness as easily as to graceful effortlessness. But Musset compensates for his by the analytical quality of his verse and by the complexity of his nature; he is by no means a straightforward character. He pokes fun at romantic love in his *Dédicace* to *La Coupe et les lèvres*; but what could be more romantic than his love for George Sand? He was in fact an independent, a freethinker in more ways than one. In love, he was a rake like his hero Byron; but curiously sensitive to innocence and in pursuit always of *la grande passion.* Unlike Vigny or Lamartine, he was a gay dog, witty, mocking, and elegant and some of this comes through in many of the charming songs he wrote. But though he may have preferred the sight of a pretty face or ankle on a fashionable boulevard to a grandiose sunset seen, *à la Hugo*, from the top of Notre-Dame, when he fell in love and love failed him, his essential duality shone out and he is as sad as any other Romantic.

This duality clearly comes out in his *Nuits*, the account of a heart-breaking experience. In *La Nuit de Mai*, the dialogue is between the disconsolate weak-willed poet and his Muse—his better part—who brings encouragement by advising the poet not only to turn his suffering into a poem but to turn to other subjects; while in the *Nuit d'août* we see the young poet recovering from his love, anxious to turn to a more carefree vein, while it is the Muse who plays the part of the remorseful conscience, reminding him of earlier suffering and heart-break. It is perhaps in *Les Nuits* that he achieves the ideal that he expresses so well in his *Dédicace* to *La Coupe et les lèvres*:

Au moment du travail, chaque nerf, chaque fibre
Tressaille comme un luth que l'on vient d'accorder,
On n'écrit pas un mot que tout l'être ne vibre.

But after finishing *Les Nuits*, although Musset was only twenty-eight years old, he was never able to regain their controlled emotion in love poetry again, although *L'Espoir en Dieu* shows a probing intelligent metaphysical anguish. Occasionally, too, he achieves the artless directness which makes him the most charming poet of his generation. Only in his plays which are, ultimately, his greatest claim to fame, did he find expression for the tormented conflict between his two selves, the sensualist and the idealist, passion and intelligence, innocence and experience, which is his fundamental theme.

MAIN POETICAL WORKS

Contes d'Espagne et d'Italie, 1829
Namouna, conte oriental, 1832
Premières Poésies, 1852 (contains above-mentioned works and others)
Poésies nouvelles, 1852 (contains many previously published poems, including *Les Nuits*, *Souvenir*, etc.)

CRITICAL AND BIOGRAPHICAL WORKS

N. Allem, *Musset*, Grenoble, 1948
F. Gastinel, *Le Romantisme de Musset*, Paris, 1932
P. van Tieghem, *Musset, l'homme et l'œuvre*, Paris, 1945

Chanson

J'ai dit à mon cœur, à mon faible cœur:
N'est-ce point assez d'aimer sa maîtresse?
Et ne vois-tu pas que changer sans cesse,
C'est perdre en désirs le temps du bonheur?

Il m'a répondu: Ce n'est point assez,
Ce n'est point assez d'aimer sa maîtresse;
Et ne vois-tu pas que changer sans cesse
Nous rend doux et chers les plaisirs passés?

J'ai dit à mon cœur, à mon faible cœur;
10 N'est-ce point assez de tant de tristesse?
Et ne vois-tu pas que changer sans cesse,
C'est à chaque pas trouver la douleur?

Il m'a répondu: Ce n'est point assez,
Ce n'est point assez de tant de tristesse;
Et ne vois-tu pas que changer sans cesse
Nous rend doux et chers les chagrins passés?

Lucie
Élégie

Mes chers amis, quand je mourrai,
Plantez un saule au cimetière.
J'aime son feuillage éploré;
La pâleur m'en est douce et chère,
Et son ombre sera légère
A la terre où je dormirai.

Un soir, nous étions seuls, j'étais assis près d'elle;
Elle penchait la tête, et sur son clavecin
Laissait, tout en rêvant, flotter sa blanche main.
10 Ce n'était qu'un murmure; on eût dit les coups d'aile
D'un zéphyr éloigné glissant sur des roseaux,

Et craignant en passant d'éveiller les oiseaux.
Les tièdes voluptés des nuits mélancoliques
Sortaient autour de nous du calice des fleurs.
Les marronniers du parc et les chênes antiques
Se berçaient doucement sous leurs rameaux en pleurs.
Nous écoutions la nuit; la croisée entr'ouverte
Laissait venir à nous les parfums du printemps;
Les vents étaient muets, la plaine était déserte;
20 Nous étions seuls, pensifs, et nous avions quinze ans.
Je regardais Lucie.—Elle était pâle et blonde.
Jamais deux yeux plus doux n'ont du ciel le plus pur
Sondé la profondeur et réfléchi l'azur.
Sa beauté m'enivrait; je n'aimais qu'elle au monde.
Mais je croyais l'aimer comme on aime une sœur,
Tant ce qui venait d'elle était plein de pudeur!
Nous nous tûmes longtemps; ma main touchait la sienne,
Je regardais rêver son front triste et charmant,
Et je sentais dans l'âme, à chaque mouvement,
30 Combien peuvent sur nous, pour guérir toute peine,
Ces deux signes jumeaux de paix et de bonheur,
Jeunesse de visage et jeunesse de cœur.
La lune, se levant dans un ciel sans nuage,
D'un long réseau d'argent tout à coup l'inonda.
Elle vit dans mes yeux resplendir son image;
Son sourire semblait d'un ange: elle chanta.

. . . . . .

Fille de la douleur, harmonie! harmonie!
Langue que pour l'amour inventa le génie!
Qui nous vins d'Italie et qui lui vins des cieux!
40 Douce langue du cœur, la seule où la pensée,
Cette vierge craintive et d'une ombre offensée,
Passe en gardant son voile, et sans craindre les yeux!
Qui sait ce qu'un enfant peut entendre et peut dire
Dans tes soupirs divins nés de l'air qu'il respire,
Tristes comme son cœur et doux comme sa voix?
On surprend un regard, une larme qui coule;
Le reste est un mystère ignoré de la foule,
Comme celui des flots, de la nuit et des bois! . . .
Nous étions seuls, pensifs; je regardais Lucie.
50 L'écho de sa romance en nous semblait frémir.
Elle appuya sur moi sa tête appesantie.
Sentais-tu dans ton cœur Desdemona gémir,
Pauvre enfant? Tu pleurais, sur ta bouche adorée
Tu laissas tristement mes lèvres se poser,

Et ce fut ta douleur qui reçut mon baiser.
Telle je t'embrassai, froide et décolorée,
Telle, deux mois après, tu fus mise au tombeau,
Telle, ô ma chaste fleur! tu t'es évanouie.
Ta mort fut un sourire aussi doux que ta vie,
60 Et tu fus rapportée à Dieu dans ton berceau.

Doux mystère du toit que l'innocence habite,
Chansons, rêves d'amour, rires, propos d'enfant,
Et toi, charme inconnu dont rien ne se défend,
Qui fis hésiter Faust au seuil de Marguerite,
Candeur des premiers jours, qu'êtes-vous devenus?

Paix profonde à ton âme, enfant, à ta mémoire.
Adieu! ta blanche main sur le clavier d'ivoire,
Durant les nuits d'été, ne voltigera plus . . .

La Nuit de Mai

LA MUSE

Poète, prends ton luth et me donne un baiser;
La fleur de l'églantier sent ses bourgeons éclore.
Le printemps naît ce soir; les vents vont s'embraser,
Et la bergeronnette, en attendant l'aurore,
Aux premiers buissons verts commence à se poser.
Poète, prends ton luth et me donne un baiser.

LE POÈTE

Comme il fait noir dans la vallée!
J'ai cru qu'une forme voilée
Flottait là-bas sur la forêt.
10 Elle sortait de la prairie;
Son pied rasait l'herbe fleurie;
C'est une étrange rêverie;
Elle s'efface et disparaît.

LA MUSE

Poète, prends ton luth; la nuit, sur la pelouse,
Balance le zéphyr dans son voile odorant.
La rose, vierge encor, se referme jalouse
Sur le frelon nacré qu'elle enivre en mourant.

Écoute! tout se tait; songe à ta bien-aimée.
Ce soir, sous les tilleuls, à la sombre ramée
20 Le rayon du couchant laisse un adieu plus doux.
Ce soir, tout va fleurir: l'immortelle nature
Se remplit de parfums, d'amour et de murmure,
Comme le lit joyeux de deux jeunes époux.

LE POÈTE

Pourquoi mon cœur bat-il si vite?
Qu'ai-je donc en moi qui s'agite
Dont je me sens épouvanté?
Ne frappe-t-on pas à ma porte?
Pourquoi ma lampe à demi morte
M'éblouit-elle de clarté?
30 Dieu puissant! tout mon corps frissonne.
Qui vient? qui m'appelle?—Personne.
Je suis seul; c'est l'heure qui sonne;
O solitude! ô pauvreté!

LA MUSE

Poète, prends ton luth; le vin de la jeunesse
Fermente cette nuit dans les veines de Dieu.
Mon sein est inquiet; la volupté l'oppresse,
Et les vents altérés m'ont mis la lèvre en feu.
O paresseux enfant! regarde, je suis belle.
Notre premier baiser, ne t'en souviens-tu pas,
40 Quand je te vis si pâle au toucher de mon aile,
Et que, les yeux en pleurs, tu tombas dans mes bras?
Ah! je t'ai consolé d'une amère souffrance!
Hélas! bien jeune encor, tu te mourais d'amour.
Console-moi ce soir, je me meurs d'espérance;
J'ai besoin de prier pour vivre jusqu'au jour.

LE POÈTE

Est-ce toi dont la voix m'appelle,
O ma pauvre Muse! est-ce toi?
O ma fleur! ô mon immortelle!
Seul être pudique et fidèle
50 Où vive encor l'amour de moi!
Oui, te voilà, c'est toi, ma blonde,
C'est toi, ma maîtresse et ma sœur!
Et je sens, dans la nuit profonde,
De ta robe d'or qui m'inonde
Les rayons glisser dans mon cœur.

LA MUSE

Poète, prends ton luth; c'est moi, ton immortelle,
Qui t'ai vu cette nuit triste et silencieux,
Et qui, comme un oiseau que sa couvée appelle,
Pour pleurer avec toi descends du haut des cieux.
60 Viens, tu souffres, ami. Quelque ennui solitaire
Te ronge; quelque chose a gémi dans ton cœur;
Quelque amour t'est venu, comme on en voit sur terre.
Une ombre de plaisir, un semblant de bonheur.
Viens, chantons devant Dieu; chantons dans tes pensées,
Dans tes plaisirs perdus, dans tes peines passées;
Partons, dans un baiser, pour un monde inconnu.
Éveillons au hasard les échos de ta vie,
Parlons-nous de bonheur, de gloire et de folie,
Et que ce soit un rêve, et le premier venu.
70 Inventons quelque part des lieux où l'on oublie;
Partons, nous sommes seuls, l'univers est à nous.
Voici la verte Écosse et la brune Italie,
Et la Grèce, ma mère, où le miel est si doux,
Argos, et Ptéléon, ville des hécatombes,
Et Messa la divine, agréable aux colombes;
Et le front chevelu du Pélion changeant;
Et le bleu Titarèse, et le golfe d'argent
Qui montre dans ses eaux, où le cygne se mire,
La blanche Oloossone à la blanche Camyre.
80 Dis-moi, quel songe d'or nos chants vont-ils bercer?
D'où vont venir les pleurs que nous allons verser?
Ce matin, quand le jour a frappé ta paupière,
Quel séraphin pensif, courbé sur ton chevet,
Secouait des lilas dans sa robe légère,
Et te contait tout bas les amours qu'il rêvait?
Chanterons-nous l'espoir, la tristesse ou la joie?
Tremperons-nous de sang les bataillons d'acier?
Suspendrons-nous l'amant sur l'échelle de soie?
Jetterons-nous au vent l'écume du coursier?
Dirons-nous quelle main, dans les lampes sans nombre
90 De la maison céleste, allume nuit et jour
L'huile sainte de vie et d'éternel amour?
Crierons-nous à Tarquin: 'Il est temps, voici l'ombre!'
Descendrons-nous cueillir la perle au fond des mers?
Mènerons-nous la chèvre aux ébéniers amers?
Montrerons-nous le ciel à la Mélancolie?
Suivrons-nous le chasseur sur les monts escarpés?

La biche le regarde; elle pleure et supplie;
Sa bruyère l'attend: ses faons sont nouveau-nés;
100 Il se baisse, il l'égorge, il jette à la curée
Sur les chiens en sueur son cœur encor vivant.
Peindrons-nous une vierge à la joue empourprée,
S'en allant à la messe, un page la suivant,
Et d'un regard distrait, à côté de sa mère,
Sur sa lèvre entr'ouverte oubliant sa prière?
Elle écoute en tremblant, dans l'écho du pilier,
Résonner l'éperon d'un hardi cavalier.
Dirons-nous aux héros des vieux temps de la France
De monter tout armés aux créneaux de leurs tours,
110 Et de ressusciter la naïve romance
Que leur gloire oubliée apprit aux troubadours?
Vêtirons-nous de blanc une molle élégie?
L'homme de Waterloo nous dira-t-il sa vie,
Et ce qu'il a fauché du troupeau des humains
Avant que l'envoyé de la nuit éternelle
Vînt sur son tertre vert l'abattre d'un coup d'aile,
Et sur son cœur de fer lui croiser les deux mains?
Clouerons-nous au poteau d'une satire altière
Le nom sept fois vendu d'un pâle pamphlétaire,
120 Qui, poussé par la faim, du fond de son oubli,
S'en vient, tout grelottant d'envie et d'impuissance,
Sur le front du génie insulter l'espérance,
Et mordre le laurier que son souffle a sali?
Prends ton luth! prends ton luth! je ne peux plus me taire.
Mon aile me soulève au souffle du printemps.
Le vent va m'emporter; je vais quitter la terre.
Une larme de toi! Dieu m'écoute; il est temps.

LE POÈTE

S'il ne te faut, ma sœur chérie,
Qu'un baiser d'une lèvre amie
130 Et qu'une larme de mes yeux,
Je te les donnerai sans peine;
De nos amours qu'il te souvienne.
Si tu remontes dans les cieux.
Je ne chante ni l'espérance,
Ni la gloire, ni le bonheur,
Hélas! pas même la souffrance.
La bouche garde le silence
Pour écouter parler le cœur.

LA MUSE

Crois-tu donc que je sois comme le vent d'automne,
140 Qui se nourrit de pleurs jusque sur un tombeau,
Et pour qui la douleur n'est qu'une goutte d'eau?
O poète! un baiser, c'est moi que te le donne.
L'herbe que je voulais arracher de ce lieu,
C'est ton oisiveté; ta douleur est à Dieu.
Quel que soit le souci que ta jeunesse endure,
Laisse-la s'élargir cette sainte blessure
Que les noirs séraphins t'ont faite au fond du cœur;
Rien ne nous rend si grands qu'une grande douleur.
Mais, pour en être atteint, ne crois pas, ô poète,
150 Que ta voix ici-bas doive rester muette.
Les plus désespérés sont les chants les plus beaux,
Et j'en sais d'immortels qui sont de purs sanglots.
Lorsque le pélican, lassé d'un long voyage,
Dans les brouillards du soir retourne à ses roseaux,
Ses petits affamés courent sur le rivage
En le voyant au loin s'abattre sur les eaux.
Déjà croyant saisir et partager leur proie,
Ils courent à leur père avec des cris de joie
En secouant leurs becs sur leurs goîtres hideux.
160 Lui, gagnant à pas lents une roche élevee,
De son aile pendante abritant sa couvée,
Pêcheur mélancolique, il regarde les cieux.
Le sang coule à longs flots de sa poitrine ouverte;
En vain il a des mers fouillé la profondeur;
L'Océan était vide et la plage déserte;
Pour toute nourriture il apporte son cœur.
Sombre et silencieux, étendu sur la pierre,
Partageant à ses fils ses entrailles de père,
Dans son amour sublime il berce sa douleur;
170 Et, regardant couler sa sanglante mamelle,
Sur son festin de mort il s'affaisse et chancelle,
Ivre de volupté, de tendresse et d'horreur.
Mais parfois, au milieu du divin sacrifice,
Fatigué de mourir dans un trop long supplice,
Il craint que ses enfants ne le laissent vivant;
Alors il se soulève, ouvre son aile au vent,
Et se frappant le cœur avec un cri sauvage,
Il pousse dans la nuit un si funèbre adieu,
Que les oiseaux des mers désertent le rivage,
180 Et que le voyageur attardé sur la plage,

Sentant passer la mort, se recommande à Dieu.
Poète, c'est ainsi que font les grands poètes.
Ils laissent s'égayer ceux qui vivent un temps;
Mais les festins humains qu'ils servent à leurs fêtes
Ressemblent la plupart à ceux des pélicans.
Quand ils parlent ainsi d'espérances trompées,
De tristesse et d'oubli, d'amour et de malheur,
Ce n'est pas un concert à dilater le cœur.
Leurs déclamations sont comme des épées;
190 Elles tracent dans l'air un cercle éblouissant;
Mais il y pend toujours quelque goutte de sang.

LE POÈTE

O Muse! spectre insatiable,
Ne m'en demande pas si long.
L'homme n'écrit rien sur le sable
A l'heure où passe l'aquilon.
J'ai vu le temps où ma jeunesse
Sur mes lèvres était sans cesse
Prête à chanter comme un oiseau;
200 Mais j'ai souffert un dur martyre,
Et le moins que l'en pourrais dire,
Si je l'essayais sur ma lyre,
La briserait comme un roseau.

La Nuit d'Août

LA MUSE

Depuis que le soleil, dans l'horizon immense,
A franchi le Cancer sur son axe enflammé,
Le bonheur m'a quittée et j'attends en silence
L'heure où m'appellera mon ami bien-aimé.
5 Hélas! depuis longtemps sa demeure est déserte.
Des beaux jours d'autrefois rien n'y semble vivant.
Seule, je viens encor, de mon voile couverte,
Poser mon front brûlant sur sa porte entr'ouverte,
Comme une veuve en pleurs au tombeau d'un enfant.

LE POÈTE

10 Salut à ma fidèle amie!
Salut, ma gloire et mon amour!

La meilleure et la plus chérie
Est celle qu'on trouve au retour.
L'opinion et l'avarice
Viennent un temps de m'emporter.
Salut, ma mère et ma nourrice!
Salut, salut, consolatrice!
Ouvre tes bras, je viens chanter.

LA MUSE

Pourquoi, cœur altéré, cœur lassé d'espérance,
20 T'enfuis-tu si souvent pour revenir si tard?
Que t'en vas-tu chercher, sinon quelque hasard,
Et que rapportes-tu, sinon quelque souffrance?
Que fais-tu loin de moi, quand j'attends jusqu'au jour?
Tu suis un pâle éclair dans une nuit profonde.
Il ne te restera de tes plaisirs du monde
Qu'un impuissant mépris pour notre honnête amour.
Ton cabinet d'étude est vide quand j'arrive;
Tandis qu'à ce balcon, inquiète et pensive,
Je regarde en rêvant les murs de ton jardin,
30 Tu te livres dans l'ombre à ton mauvais destin.
Quelque fière beauté te retient dans sa chaîne,
Et tu laisses mourir cette pauvre verveine
Dont les derniers rameaux, en des temps plus heureux,
Devaient être arrosés des larmes de tes yeux.
Cette triste verdure est mon vivant symbole,
Ami, de ton oubli nous mourrons toutes deux,
Et son parfum léger, comme l'oiseau qui vole,
Avec mon souvenir s'enfuira dans les cieux.

LE POÈTE

40 Quand j'ai passé par la prairie,
J'ai vu, ce soir, dans le sentier,
Une fleur tremblante et flétrie,
Une pâle fleur d'églantier.
Un bourgeon vert à côté d'elle
Se balançait sur l'arbrisseau;
J'y vis poindre une fleur nouvelle;
La plus jeune était la plus belle:
L'homme est ainsi, toujours nouveau.

LA MUSE

Hélas! toujours un homme, hélas! toujours des larmes!
Toujours les pieds poudreux et la sueur au front!

50 Toujours d'affreux combats et de sanglantes armes;
Le cœur a beau mentir, la blessure est au fond.
Hélas! par tous pays, toujours la même vie:
Convoiter, regretter, prendre et tendre la main,
Toujours mêmes acteurs et même comédie,
Et, quoi qu'ait inventé l'humaine hypocrisie,
Rien de vrai là-dessous que le squelette humain.
Hélas! mon bien-aimé, vous n'êtes plus poète.
Rien ne réveille plus votre lyre muette;
Vous vous noyez le cœur dans un rêve inconstant,
Et vous ne savez pas que l'amour de la femme
60 Change et dissipe en pleurs les trésors de votre âme
Et que Dieu compte plus les larmes que le sang.

LE POÈTE

Quand j'ai traversé la vallée,
Un oiseau chantait sur son nid.
Ses petits, sa chère couvée,
Venaient de mourir dans la nuit.
Cependant il chantait l'aurore;
O ma Muse! ne pleurez pas,
A qui perd tout, Dieu reste encore,
70 Dieu là-haut, l'espoir ici-bas.

LA MUSE

Et que trouveras-tu, le jour où la misére
Te ramènera seul au paternal foyer?
Quand tes tremblantes mains essuieront la poussière
De ce pauvre réduit que tu crois oublier,
De quel front viendras-tu, dans ta propre demeure,
Chercher un peu de calme et l'hospitalité?
Une voix sera là pour crier à toute heure:
Qu'as-tu fait de ta vie et de ta liberté?
Crois-tu donc qu'on oublie autant qu'on le souhaite?
80 Crois-tu qu'en te cherchant tu te retrouveras?
De ton cœur ou de toi lequel est le poète?
C'est ton cœur, et ton cœur ne te répondra pas.
L'amour l'aura brisé; les passions funestes
L'auront rendu de pierre au contact des méchants;
Tu n'en sentiras plus que d'effroyables restes,
Qui remueront encor, comme ceux des serpents.
O ciel! qui t'aidera? que ferai-je moi-même,
Quand celui qui peut tout défendra que je t'aime,
Et quand mes ailes d'or, frémissant malgré moi,

90 M'emporteront à lui pour me sauver de toi?
Pauvre enfant! nos amours n'étaient pas menacées,
Quand dans les bois d'Auteuil, perdu dans tes pensées,
Sous les verts marronniers et les peupliers blancs,
Je t'agaçais le soir en détours nonchalants.
Ah! j'étais jeune alors et nymphe, et les dryades
Entr'ouvraient pour me voir l'écorce des bouleaux,
Et les pleurs qui coulaient durant nos promenades
Tombaient, purs comme l'or, dans le cristal des eaux.
Qu'as-tu fait, mon amant, des jours de ta jeunesse?
00 Qui m'a cueilli mon fruit sur mon arbre enchanté?
Hélas! ta joue en fleur plaisait à la déesse
Qui porte dans ses mains la force et la santé.
De tes yeux insensés les larmes l'ont pâlie;
Ainsi que ta beauté tu perdras ta vertu.
Et moi qui t'aimerai comme une unique amie,
Quand les dieux irrités m'ôteront ton génie,
Si je tombe des cieux, que me répondras-tu?

LE POÈTE

Puisque l'oiseau des bois voltige et chante encore
Sur la branche où ses œufs sont brisés dans le nid;
10 Puisque la fleur des champs entr'ouverte à l'aurore,
Voyant sur la pelouse une autre fleur éclore,
S'incline sans murmure et tombe avec la nuit;

Puisqu'au fond des forêts, sous les toits de verdure,
On entend le bois mort craquer dans le sentier,
Et puisqu'en traversant l'immortelle nature,
L'homme n'a su trouver de science qui dure,
Que de marcher toujours et toujours oublier;

Puisque, jusqu'aux rochers, tout se change en poussière;
Puisque tout meurt ce soir pour revivre demain;
Puisque c'est un engrais que le meurtre et la guerre;
120 Puisque sur une tombe on voit sortir de terre
Le brin d'herbe sacré qui nous donne le pain;

O Muse! que m'importe ou la mort ou la vie?
J'aime, et je veux pâlir; j'aime, et je veux souffrir;
J'aime, et pour un baiser je donne mon génie;
J'aime, et je veux sentir sur ma joue amaigrie
Ruisseler une source impossible à tarir.

J'aime, et je veux chanter la joie et la paresse,
Ma folle expérience et mes soucis d'un jour,
130 Et je veux raconter et répéter sans cesse
Qu'après avoir juré de vivre sans maîtresse,
J'ai fait serment de vivre et de mourir d'amour.

Dépouille devant tous l'orgueil qui te dévore,
Cœur gonflé d'amertume et qui t'es cru fermé.
Aime, et tu renaîtras; fais-toi fleur pour éclore;
Après avoir souffert, il faut souffrir encore;
Il fait aimer sans cesse, après avoir aimé.

L'Espoir en Dieu

Tant que mon faible cœur, encor plein de jeunesse
A ses illusions n'aura pas dit adieu,
Je voudrais m'en tenir à l'antique sagesse,
Qui du sobre Épicure a fait un demi-dieu,
Je voudrais vivre, aimer, m'accoutumer aux hommes,
Chercher un peu de joie et n'y pas trop compter,
Faire ce qu'on a fait, être ce que nous sommes,
Et regarder le ciel sans m'en inquiéter.

Je ne puis;—malgré moi l'infini me tourmente.
10 Je n'y saurais songer sans crainte et sans espoir;
Et, quoi qu'on en ait dit, ma raison s'épouvante
De ne pas le comprendre et pourtant de le voir.
Qu'est-ce donc que ce monde, et qu'y venons-nous faire
Si, pour qu'on vive en paix, il faut voiler les cieux?
Passer comme un troupeau les yeux fixes à terre,
Et renier le reste, est-ce donc être heureux?
Non, c'est cesser d'être homme et dégrader son âme.
Dans la création le hasard m'a jeté;
Heureux ou malheureux, je suis né d'une femme,
20 Et je ne puis m'enfuir hors de l'humanité.
Que faire donc? 'Jouis, dit la raison païenne;
Jouis et meurs; les dieux ne songent qu'à dormir.
—Espère seulement, répond la foi chrétienne;
Le ciel veille sans cesse, et tu ne peux mourir.'
Entre ces deux chemins j'hésite et je m'arrête.

Je voudrais, à l'écart, suivre un plus doux sentier.
Il n'en existe pas, dit une voix secrète;
En présence du ciel il faut croire ou nier.
Je le pense en effet; les âmes tourmentées
30 Dans l'un et l'autre excès se jettent tour à tour,
Mais les indifférents ne sont que des athées;
Il ne dormiraient plus s'ils doutaient un seul jour.
Je me résigne donc, et, puisque la matière
Me laisse dans le cœur un désir plein d'effroi,
Mes genoux fléchiront; je veux croire, et j'espère.
Que vais-je devenir, et que veut-on de moi?

Me voilà dans les mains d'un Dieu plus redoutable
Que ne sont à la fois tous les maux d'ici-bas;
Me voilà seul, errant, fragile et misérable.
40 Sous les yeux d'un témoin qui ne me quitte pas.
Il m'observe, il me suit. Si mon cœur bat trop vite,
J'offense sa grandeur et sa divinité.
Un gouffre est sous mes pas: si je m'y précipite,
Pour expier une heure, il faut l'éternité.
Mon juge est un bourreau qui trompe sa victime.
Pour moi, tout devient piège et tout change de nom;
L'amour est un péché, le bonheur est un crime,
Et l'œuvre des sept jours n'est que tentation.
Je ne garde plus rien de la nature humaine;
50 Il n'existe pour moi ni vertu ni remord.
J'attends la récompense et j'évite la peine;
Mon seul guide est la peur, et mon seul but la mort.

On me dit cependant qu'une joie infinie
Attend quelques élus—Où sont-ils, ces heureux?
Si vous m'avez trompé, me rendrez-vous la vie?
Si vous m'avez dit vrai, m'ouvririez-vous les cieux?
Hélas! ce beau pays dont parlaient vos prophètes,
S'il existe là-haut, ce doit être un désert.
Vous les voulez trop purs, les heureux que vous faites,
60 Et quand leur joie arrive, ils en ont trop souffert.
Je suis seulement homme, et ne veux pas moins être,
Ni tenter davantage.—A quoi donc m'arrêter?
Puisque je ne puis croire aux promesses du prêtre.
Est-ce l'indifférent que je vais consulter?

Si mon cœur, fatigué du rêve qui l'obsède.
A la réalité revient pour s'assouvir,

Au fond des vains plaisirs que j'appelle à mon aide
Je trouve un tel dégoût, que je me sens mourir.
Aux jours même où parfois la pensée est impie,
70 Où l'on voudrait nier pour cesser de douter,
Quand je possèderais tout ce qu'en cette vie
Dans ses vastes désirs l'homme peut convoiter:
Donnez-moi le pouvoir, la santé, la richesse,
L'amour même, l'amour, le seul bien d'ici-bas!
Que la blonde Astarté, qu'idolâtrait la Grèce,
De ses îles d'azur sorte en m'ouvrant les bras;
Quand je pourrais saisir dans le sein de la terre
Les secrets éléments de sa fécondité,
Transformer à mon gré la vivace matière,
80 Et créer pour moi seul une unique beauté;
Quand Horace, Lucrèce et le vieil Épicure,
Assis à mes côtés, m'appelleraient heureux,
Et quand ces grands amants de l'antique nature
Me chanteraient la joie et le mépris des dieux,
Je leur dirais à tous: 'Quoi que nous puissions faire,
Je souffre, il est trop tard; le monde s'est fait vieux.
Une immense espérance a traversé la terre;
Malgré nous vers le ciel il faut lever les yeux!'

Que me reste-t-il donc? Ma raison révoltée
90 Essaye en vain de croire et mon cœur de douter.
Le chrétien m'épouvante, et ce que dit l'athée,
En dépit de mes sens, je ne puis l'écouter.
Les vrais religieux me trouveront impie,
Et les indifférents me croiront insensé.
A qui m'adresserai-je, et quelle voix amie
Consolera ce cœur que le doute a blessé?

Il existe, dit-on, une philosophie
Qui nous explique tout sans révélation,
Et qui peut nous guider à travers cette vie
100 Entre l'indifférence et la religion.
J'y consens.—Où sont-ils, ces faiseurs de systèmes,
Qui savent, sans la foi, trouver la vérité,
Sophistes impuissants qui ne croient qu'en eux-mêmes?
Quels sont leurs arguments et leur autorité?
L'un me montre ici-bas deux principes en guerre,
Qui, vaincus tour à tour, sont tous deux immortels;
L'autre découvre au loin, dans le ciel solitaire,
Un inutile Dieu qui ne veut pas d'autels.

Je vois rêver Platon et penser Aristote;
110 J'écoute, j'applaudis et poursuis mon chemin.
Sous les rois absolus je trouve un Dieu despote;
On nous parle aujourd'hui d'un Dieu républicain.
Pythagore et Leibniz transfigurent mon être.
Descartes m'abandonne au sein des tourbillons.
Montaigne s'examine, et ne peut se connaître.
Pascal fuit en tremblant ses propres visions.
Pyrrhon me rend aveugle, et Zénon insensible.
Voltaire jette à bas tout ce qu'il voit debout.
Spinoza fatigué de tenter l'impossible,
120 Cherchant en vain son Dieu, croit le trouver partout.
Pour le sophiste anglais l'homme est une machine.
Enfin sort des brouillards un rhéteur allemand
Qui, du philosophisme achevant la ruine,
Déclare le ciel vide, et conclut au néant.

Voilà donc les débris de l'humaine science!
Et, depuis cinq mille ans qu'on a toujours douté,
Après tant de fatigue et de persévérance,
C'est là le dernier mot qui nous en est resté!
Ah! pauvres insensés, misérables cervelles,
130 Qui de tant de façons avez tout expliqué,
Pour aller jusqu'aux cieux il vous fallait des ailes:
Vous aviez le désir, la foi vous a manqué.
Je vous plains; votre orgueil part d'une âme blessée.
Vous sentiez les tourments dont mon cœur est rempli,
Et vous la connaissiez, cette amère pensée
Qui fait frissonner l'homme en voyant l'infini.
Eh bien, prions ensemble,—abjurons la misère
De vos calculs d'enfants, de tant de vains travaux.
Maintenant que vos corps sont réduits en poussière,
140 J'irai m'agenouiller pour vous, sur vos tombeaux.
Venez, rhéteurs païens, maîtres de la science,
Chrétiens des temps passés et rêveurs d'aujourd'hui;
Croyez-moi, la prière est un cri d'espérance!
Pour que Dieu nous réponde, adressons-nous à lui.
Il est juste, il est bon; sans doute il vous pardonne.
Tous vous avez souffert, le reste est oublié.
Si le ciel est désert, nous n'offensons personne;
Si quelqu'un nous entend, qu'il nous prenne en pitié!

O toi que nul n'a pu connaître,
150 Et n'a renié sans mentir,
Réponds-moi, toi qui m'as fait naître,
Et demain me feras mourir!

Puisque tu te laisses comprendre,
Pourquoi fais-tu douter de toi?
Quel triste plaisir peux-tu prendre
A tenter notre bonne foi?

Dès que l'homme lève la tête,
Il croit t'entrevoir dans les cieux:
La création, sa conquête,
160 N'est qu'un vaste temple à ses yeux.

Dès qu'il redescend en lui-même,
Il t'y trouve; tu vis en lui.
S'il souffre, s'il pleure, s'il aime,
C'est son Dieu qui le veut ainsi.

De la plus noble intelligence
La plus sublime ambition
Est de prouver ton existence,
Et de faire épeler ton nom.

De quelque façon qu'on t'appelle,
170 Bramah, Jupiter ou Jésus,
Vérité, Justice éternelle,
Vers toi tous les bras sont tendus.

Le dernier des fils de la terre
Te rend grâces du fond du cœur,
Dès qu'il se mêle à sa misère
Une apparence de bonheur.

Le monde entier te glorifie:
L'oiseau te chante sur son nid;
Et pour une goutte de pluie
180 Des milliers d'êtres t'ont béni.

Tu n'as rien fait qu'on ne l'admire;
Rien de toi n'est perdu pour nous:
Tout prie, et tu ne peux sourire
Que nous ne tombions à genoux.

Pourquoi donc, ô Maître suprême,
As-tu créé le mal si grand,
Que la raison, la vertu même,
S'épouvantent en le voyant?

Lorsque tant de choses sur terre
190 Proclament la Divinité,
Et semblent attester d'un père
L'amour, la force et la bonté,

Comment, sous la sainte lumière,
Voit-on des actes si hideux,
Qu'ils font expirer la prière
Sur les lèvres du malheureux?

Pourquoi, dans ton œuvre céleste,
Tant d'éléments si peu d'accord?
A quoi bon le crime et la peste?
200 O Dieu juste! pourquoi la mort?

Ta pitié dut être profonde
Lorsqu'avec ses biens et ses maux,
Cet admirable et pauvre monde
Sortit en pleurant du chaos!

Puisque tu voulais le soumettre
Aux douleurs dont il est rempli,
Tu n'aurais pas dû lui permettre
De t'entrevoir dans l'infini.

Pourquoi laisser notre misère
210 Rêver et deviner un Dieu?
Le doute a désolé la terre;
Nous en voyons trop ou trop peu.

Si ta chétive créature
Est indigne de t'approcher,
Il fallait laisser la nature
T'envelopper et te cacher.

Il te resterait ta puissance,
Et nous en sentirions les coups:
Mais le repos et l'ignorance
220 Auraient rendu nos maux plus doux.

Si la souffrance et la prière
N'atteignent pas ta majesté,
Garde ta grandeur solitaire;
Ferme à jamais l'immensité.

Mais si nos angoisses mortelles
Jusqu'à toi peuvent parvenir;
Si, dans les plaines éternelles,
Parfois tu nous entends gémir,

Brise cette voûte profonde
230 Qui couvre la création;
Soulève les voiles du monde,
Et montre-toi, Dieu juste et bon!

Tu n'apercevras sur la terre
Qu'un ardent amour de la foi,
Et l'humanité tout entière
Se prosternera devant toi.

Les larmes qui l'ont épuisée
Et qui ruissellent de ses yeux,
Comme une légère rosée
240 S'évanouiront dans les cieux.

Tu n'entendras que tes louanges,
Qu'un concert de joie et d'amour,
Pareil à celui dont tes anges
Remplissent l'éternel séjour;

Et dans cet hosanna suprême,
Tu verras, au bruit de nos chants,
S'enfuir le doute et le blasphème,
Tandis que la Mort elle-même
Y joindra ses derniers accents.

Souvenir

J'espérais bien pleurer, mais je croyais souffrir
En osant te revoir, place à jamais sacrée,
O la plus chère tombe et la plus ignorée
Où dorme un souvenir!

Que redoutiez-vous donc de cette solitude,
Et pourquoi, mes amis, me preniez-vous la main,
Alors qu'une si douce et si vieille habitude
Me montrait ce chemin?

Les voilà, ces coteaux, ces bruyères fleuries,
10 Et ces pas argentins sur le sable muet,
Ces sentiers amoureux, remplis de causeries,
Où son bras m'enlaçait.

Les voilà, ces sapins à la sombre verdure,
Cette gorge profonde aux nonchalants détours,
Ces sauvages amis dont l'antique murmure
A bercé mes beaux jours.

Les voilà, ces buissons où toute ma jeunesse,
Comme un essaim d'oiseaux, chante au bruit de mes pas.
Lieux charmants, beau désert où passa ma maîtresse,
20 Ne m'attendiez-vous pas?

Ah! laissez-les couler, elles me sont bien chères,
Ces larmes que soulève un cœur encor blessé!
Ne les essuyez pas, laissez sur mes paupières
Ce voile du passé!

Je ne viens point jeter un regret inutile
Dans l'écho de ces bois témoins de mon bonheur.
Fière est cette forêt dans sa beauté tranquille,
Et fier aussi mon cœur.

Que celui-là se livre à des plaintes amères,
30 Qui s'agenouille et prie au tombeau d'un ami.
Tout respire en ces lieux; les fleurs des cimetières
Ne poussent point ici.

Voyez: la lune monte à travers ces ombrages.
Ton regard tremble encor, belle reine des nuits;
Mais du sombre horizon déjà tu te dégages,
Et tu t'épanouis.

Ainsi de cette terre, humide encor de pluie,
Sortent, sous tes rayons, tous les parfums du jour;
Aussi calme, aussi pur, de mon âme attendrie
40 Sort mon ancien amour.

Que sont-ils devenus, les chagrins de ma vie?
Tout ce qui m'a fait vieux est bien loin maintenant;
Et rien qu'en regardant cette vallée amie,
Je redeviens enfant.

O puissance du temps! ô légères années!
Vous emportez nos pleurs, nos cris et nos regrets
Mais la pitié vous prend, et sur nos fleurs fanées
Vous ne marchez jamais.

Tout mon cœur te bénit, bonté consolatrice!
50 Je n'aurais jamais cru que l'on pût tant souffrir
D'une telle blessure, et que sa cicatrice
Fût si douce à sentir.

Loin de moi les vains mots, les frivoles pensées,
Des vulgaires douleurs linceul accoutumé,
Que viennent étaler sur leurs amours passées
Ceux qui n'ont point aimé!

Dante, pourquoi dis-tu qu'il n'est pire misère
Qu'un souvenir heureux dans les jours de douleur?
Quel chagrin t'a dicté cette parole amère,
60 Cette offense au malheur?

En est-il donc moins vrai que la lumière existe,
Et faut-il l'oublier du moment qu'il fait nuit?
Est-ce bien toi, grande âme immortellement triste,
Est-ce toi qui l'as dit?

Non, par ce pur flambeau dont la splendeur m'éclaire,
Ce blasphème vanté ne vient pas de ton cœur.
Un souvenir heureux est peut-être sur terre
Plus vrai que le bonheur.

Eh quoi! l'infortuné qui trouve une étincelle
70 Dans la cendre brûlante où dorment ses ennuis,
Qui saisit cette flamme et qui fixe sur elle
Ses regards éblouis;

Dans ce passé perdu quand son âme se noie,
Sur ce miroir brisé lorsqu'il rêve en pleurant,
Tu lui dis qu'il se trompe, et que sa faible joie
N'est qu'un affreux tourment!

Et c'est à ta Françoise, à ton ange de gloire,
Que tu pouvais donner ces mots à prononcer,
Elle qui s'interrompt, pour conter son histoire,
80 D'un éternel baiser!

Qu'est-ce donc, juste Dieu, que la pensée humaine,
Et qui pourra jamais aimer la vérité,
S'il n'est joie ou douleur si juste et si certaine,
Dont quelqu'un n'ait douté?

Comment vivez-vous donc, étranges créatures?
Vous riez, vous chantez, vous marchez à grands pas:
Le ciel et sa beauté, le monde et ses souillures
Ne vous dérangent pas.

Mais, lorsque par hasard le destin vous ramène
90 Vers quelque monument d'un amour oublié,
Ce caillou vous arrête, et cela vous fait peine
Qu'il vous heurte le pié.

Et vous criez alors que la vie est un songe;
Vous vous tordez les bras comme en vous réveillant,
Et vous trouvez fâcheux qu'un si joyeux mensonge
Ne dure qu'un instant.

Malheureux! cet instant où votre âme engourdie
A secoué les fers qu'elle traîne ici-bas,
Ce fugitif instant fut toute votre vie;
100 Ne le regrettez pas!

Regrettez la torpeur qui vous cloue à la terre,
Vos agitations dans la fange et le sang,
Vos nuits sans espérance et vos jours sans lumière:
C'est là qu'est le néant!

Mais que vous revient-il de vos froides doctrines?
Que demandent au ciel ces regrets inconstants
Que vous allez semant sur vos propres ruines,
A chaque pas du Temps?

Oui, sans doute, tout meurt; ce monde est un grand rêve,
110 Et le peu de bonheur qui nous vient en chemin,
Nous n'avons pas plutôt ce roseau dans la main
Que le vent nous l'enlève.

Oui, les premiers baisers, oui, les premiers serments
Que deux êtres mortels échangèrent sur terre,
Ce fut au pied d'un arbre effeuillé par les vents
Sur un roc en poussière.

Ils prirent à témoin de leur joie éphémère
Un ciel toujours voilé qui change à tout moment,
Et des astres sans nom que leur propre lumière
120 Dévore incessamment.

Tout mourait autour d'eux, l'oiseau dans le feuillage,
La fleur entre leurs mains, l'insecte sous leurs piés,
La source desséchée où vacillait l'image
De leurs traits oubliés;

Et, sur tous ces débris joignant leurs mains d'argile,
Étourdis des éclairs d'un instant de plaisir,
Ils croyaient échapper à cet Être immobile
Qui regarde mourir!

—Insensés! dit le sage.—Heureux! dit le poète.
130 Et quels tristes amours as-tu donc dans le cœur,
Si le bruit du torrent te trouble et t'inquiète,
Si le vent te fait peur?

J'ai vu sous le soleil tomber bien d'autres choses
Que les feuilles des bois et l'écume des eaux,
Bien d'autres s'en aller que le parfum des roses
Et le chant des oiseaux.

Mes yeux ont contemplé des objets plus funèbres
Que Juliette morte au fond de son tombeau,
Plus affreux que le toast à l'ange des ténèbres
140 Porté par Roméo.

J'ai vu ma seule amie, à jamais la plus chère,
Devenue elle-même un sépulcre blanchi,
Une tombe vivante où flottait la poussière
De notre mort chéri,

De notre pauvre amour, que, dans la nuit profonde,
Nous avions sur nos cœurs si doucement bercé!
C'était plus qu'une vie, hélas! c'était un monde
Qui s'était effacé!

Oui, jeune et belle encor, plus belle, osait-on dire,
150 Je l'ai vue, et ses yeux brillaient comme autrefois.
Ses lèvres s'entr'ouvraient, et c'était un sourire,
Et c'était une voix;

Mais non plus cette voix, non plus ce doux langage,
Ces regards adorés dans les miens confondus;
Mon cœur, encore plein d'elle, errait sur son visage,
Et ne la trouvait plus.

Et pourtant j'aurais pu marcher alors vers elle,
Entourer de mes bras ce sein vide et glacé,
Et j'aurais pu crier: 'Qu'as-tu fait, infidèle,
160 Qu'as-tu fait du passé?'

Mais non: il me semblait qu'une femme inconnue
Avait pris par hasard cette voix et ces yeux;
Et je laissai passer cette froide statue
En regardant les cieux.

Eh bien! ce fut sans doute une horrible misère
Que ce riant adieu d'un être inanimé,
Eh bien! qu'importe encore? O nature! ô ma mère!
En ai-je moins aimé?

La foudre maintenant peut tomber sur ma tête,
170 Jamais ce souvenir ne peut m'être arraché;
Comme le matelot brisé par la tempête,
Je m'y tiens attaché.

Je ne veux rien savoir, ni si les champs fleurissent,
Ni ce qu'il adviendra du simulacre humain,
Ni si ces vastes cieux éclaireront demain
Ce qu'ils ensevelissent.

Je me dis seulement: 'A cette heure, en ce lieu,
Un jour, je fus aimé, j'aimais, elle était belle.
J'enfouis ce trésor dans mon âme immortelle,
180 Et je l'emporte à Dieu!'

Alfred de Musset

Mimi Pinson

Chanson

Mimi Pinson est une blonde,
Une blonde que l'on connaît.
Elle n'a qu'une robe au monde,
Landerirette!
Et qu'un bonnet.
Le Grand-Turc en a davantage.
Dieu voulut de cette façon
La rendre sage.
On ne peut pas la mettre en gage,
10 La robe de Mimi Pinson.

Mimi Pinson porte une rose,
Une rose blanche au côté.
Cette fleur dans son cœur éclose,
Landerirette!
C'est la gaîté.
Quand un bon souper la réveille,
Elle fait sortir la chanson
De la bouteille.
Parfois il penche sur l'oreille,
20 Le bonnet de Mimi Pinson.

Elle a les yeux et la main prestes,
Les carabins, matin et soir,
Usent les manches de leurs vestes,
Landerirette!
A son comptoir.
Quoique sans maltraiter personne,
Mimi leur fait mieux la leçon
Qu'à la Sorbonne.
Il ne faut pas qu'on la chiffonne,
30 La robe de Mimi Pinson.

Mimi Pinson peut rester fille,
Si Dieu le veut, c'est dans son droit.
Elle aura toujours son aiguille,
Landerirette!
Au bout du doigt

Pour entreprendre sa conquête,
Ce n'est pas tout qu'un beau garçon:
Faut être honnête;
Car il n'est pas loin de sa tête,
40 Le bonnet de Mimi Pinson.

D'un gros bouquet de fleurs d'orange
Si l'amour veut la couronner,
Elle a quelque chose en échange,
Landerirette!
A lui donner.
Ce n'est pas, on se l'imagine,
Un manteau sur un écusson
Fourré d'hermine;
C'est l'étui d'une perle fine,
50 La robe de Mimi Pinson.

Mimi n'a pas l'âme vulgaire,
Mais son cœur est républicain:
Aux trois jours elle a fait la guerre,
Landerirette!
En casaquin.
A défaut d'une hallebarde,
On l'a vue avec son poinçon
Monter la garde.
Heureux qui mettra la cocarde
60 Au bonnet de Mimi Pinson!

Alfred de Musset

Sonnet

Se voir le plus possible et s'aimer seulement,
Sans ruse et sans détours, sans honte ni mensonge,
Sans qu'un désir nous trompe, ou qu'un remords nous ronge,
Vivre à deux et donner son cœur à tout moment;

Respecter sa pensée aussi loin qu'on y plonge,
Faire de son amour un jour au lieu d'un songe,
Et dans cette clarté respirer librement—
Ainsi respirait Laure et chantait son amant.

Vous dont chaque pas touche à la grâce suprême,
10 C'est vous, la tête en fleurs, qu'on croirait sans souci,
C'est vous qui me disiez qu'il faut aimer ainsi.

Et c'est moi, vieil enfant du doute et du blasphème,
Qui vous écoute, et pense, et vous réponds ceci:
Oui, l'on vit autrement, mais c'est ainsi qu'on aime.

Théophile Gautier

Théophile Gautier was born in Tarbes, in the south-western Pyrenees, but came early to Paris and became an inveterate Parisian—albeit always with nostalgic longings for exotic sunny lands. An art student in his youth (and always interested in the visual arts: he was to write a lot of art criticism later in his long journalistic career) he soon abandoned painting to launch eagerly into literature in the circle of Romantics grouped round his idol Hugo. With flowing hair and clad in a bright pink doublet he was an energetic and truculent leader of the Romantic *claque* which ensured the triumph of Hugo's exotic historical verse drama *Hernani* on its first performance in 1830, against the sober misgivings of the hidebound supporters of classical tragedy, with its strict unities of time and place and its formal, conventional language and treatment, which Hugo wished to abolish by intermingling tragedy and comedy *à la* Shakespeare. He was the acknowledged leading spirit of the wilder living strongly antibourgeois younger Romantics who took the title *Les Jeunes-France* (which did not prevent him from poking gentle fun at them in a prose work of that name published a few years later). Their romanticism showed itself in free living and eccentric costume (Gautier always retained a fondness for dressing up, usually in some sort of oriental garb, and he often preferred to squat rather than sit). These young bohemians (who included Nerval) showed interest in the fantastic and the macabre (including such bizarre habits as vampirism—Gautier himself wrote a vampire story, *La Morte amoureuse* in 1836, and his second volume of verse, *Albertus ou l'âme et le péché* was strongly macabre); and they were often in metaphysical as well as political revolt against the respectable *bien pensant* middle class of the time, the pillars of Louis Philippe's plutocratic establishment.

The 1830s were very fruitful for Gautier, creatively. In poetry he published *Poésies* (1830), *Albertus* (1832) and *La Comédie de la mort* (1838)—like many pagans, Gautier was obsessed by death, particularly in his youth, and Baudelaire's line: *Un cœur tendre qui hait le néant vaste et noir*, could well apply to him); in prose, apart from *Les Jeunes-France* (1833) he wrote *Les Grotesques* (studies of French writers from the fifteenth century to the seventeenth, a significant choice of title); *Mademoiselle de Maupin* (1835), a deliberately scandalous tale of a young woman who, dressed as a young man, is loved by both a man and a woman; and *Fortunio*.

From 1835 onwards, when his incessant activity as a journalist forced him to write vast regular quantities of dramatic, literary and art criticism, his creative work became less voluminous, above all his poetry; but he still managed to produce two full-length novels, *Le Roman de la momie* in 1856 and *Le Capitaine Fracasse* in 1863, as well as further short stories; and his collection of poems based on his trip to Spain in 1840, *España* (1845) and his *Émaux et Camées* (first published in 1852 and regularly augmented) were fully equal in quality to his early work. Apart from his journalistic articles (many of them periodically gathered into volumes), he wrote a good deal of work based on his various travels—like all the Romantics, he was fond of *dépaysement*, particularly to countries where it was warm: thus we have *Voyage en Espagne* (1845), based on the same trip to Spain as *España, Caprices et zigzags* (also 1845 and dealing mainly with England); *Voyage en Italie* (1852); *Constantinople* (1853); *Voyage en Russie* (1866).

Gautier had as his collaborator in these travel sketches, his natural son, also called Théophile, who was born in 1836 to Eugénie Fort, whom Gautier never married but who remained a source of devoted companionship to him until his death. As he aged he mellowed, and he finished by becoming probably the best-known and loved *homme de lettres* of the Second Empire: in particular he was, in his later years, the object of affectionate friendship by Princess Mathilde, the Emperor's niece and greatly interested in all the arts, including that of good conversation. Gautier was a great frequenter of her drawing-room in Paris and became her librarian in 1868, and he spent much time at her house in the country. In 1858 he had been made *Officier de la Légion d'honneur*; but he was never elected to the *Académie française*, despite his efforts: perhaps he still aroused suspicions as a result of his turbulent literary past: but with Imperial favour he could afford to be indifferent to that kind of immortality; and for the other sort he was prepared to rely on his dedication to an ideal of beauty and to his cult of art as the supremely valuable human activity.

Gautier was well known in his day as the writer of ballet, the most familiar of which, *Giselle*, was first danced by an entrancing ballerina, Carlotta Grisi, whom Théophile pursued with a hopeless passion all his life, meanwhile contenting himself, one feels as a *pis-aller*, with a liaison extending over more than twenty years with her sister Ernesta, by whom he had two daughters, the first of whom became an author in her own right.

Like Nerval, Gautier seems to have been a lovable character; sensual and easygoing, he was nicknamed *le bon Théo* by his friends. His last few years were bedevilled by ill health: being physically slothful, he had become heavy and fat. His heart was affected and the fall of the Empire, France's defeat and the Commune were grievous blows to his tender (if selfish) nature and he did not long survive them. He died in his sleep on 23 October 1872: Banville, who saw him the evening before, described his calm radiance, his beard and superb hair, his assured gaze, as giving him the look of an Olympian Zeus.

Gautier's name as a poet is above all associated with the concept of art for art's sake, a term which had already been used by the French philosopher, Victor Cousin, before 1820 but one to which Gautier not only gave formulation (see p. xiii *et seq.*) but put into poetic practice, especially in his collection *Émaux et Camées*, first published in 1852, when it contained only eighteen poems but was later enlarged until its definitive version in 1873 contained forty-seven. Almost without exception these poems are in octosyllabic four-line stanzas rhyming *abab*, and as it was a novelty to write a complete collection of poems in this form, it throws light on the concept of art for art's sake to discover why Gautier chose it. This is what he himself wrote about the collection: *Ce titre exprime le dessein de traiter sous forme restreinte, de petits sujets, tantôt sur plaque d'or ou de cuivre avec les vives couleurs de l'émail, tantôt avec la roue du graveur de pierres fines. . . . Chaque pièce devait être quelque chose qui rappelât ces empreintes des médailles antiques qu'on voit chez les peintres et les sculpteurs. Mais l'auteur ne s'interdisait nullement de découper un pur profil moderne. . . . L'alexandrin était trop vaste pour ses modestes ambitions et l'auteur n'employa que le vers de huits pieds qu'il refondit et cisela avec tout le soin dont il etait capable. Cette forme, non pas nouvelle mais renouvelée par les soins du rythme, la richesse de la rime et la précision que peut obtenir tout ouvrier patient, terminant à loisir une petite chose, fut accueillie assez favorablement.*

This is a basically non-didactic, decorative, miniature art, deliberately employed on minor trivial subjects. Indeed, although there is in the doctrine of art for art's sake no specific requirement for the subject to be trivial, it can be seen that, since the emphasis is on the artistry, the treatment of the subject rather than on the subject itself, the triviality can even offer a challenge to the poet. Thus there arises the idea that part of the task of a poet may even be to choose a recalcitrant subject and the poet's merit will be the greater if he succeeds in overcoming these difficulties and makes a good poem out of such unpromising material: as Baudelaire wrote: *Tu m'as donné ta boue et j'en ai fait de l'or*. Even natural ugliness can be transposed, by the alchemy of poetry, into a thing of beauty.

Similarly, although emotion and human feeling need not necessarily be excluded, the primarily visual nature of Gautier's art, which appears very plainly in the above quotation, tends to push emotion into the background; any emotion will be discreet, as far away as possible from Musset's passionately outspoken lyricism. Similarly, in his desire for art on a small scale, Gautier, aiming at succinctness and conciseness and accuracy, will steer clear of flamboyant rhetoric and verbosity *à la Hugo*. Nor is the visual element purely objective. Gautier's eye is often not for the purely superficial but for the evocative detail. Also although it is not intended to have any direct utility, it has the indirect utility that Gautier sought in all art; as he wrote, *l'art est ce qui console le mieux de vivre*, it provides the necessary stylisation and transposition of life which is often, particularly for a Romantic, boring, disappointing and ugly. For Gautier art also had another important use: in a world in which everything is impermanent, in which death always stands as a dread warning of our mortality, the poet can create something of more permanent value than passing forms. Art thus provided Gautier with a solace for his fear of death while he was alive and the hope of some immortality in death.

The object, therefore, is the creation of a certain type of beauty, not purely plastic but still strongly visual; not devoid of feeling but of muted feeling; not devoid of ideas—Gautier himself attacked critics who tried to see in art for art's sake a mere fondness of form for the sake of form; he wanted, he said, to use form to express the idea—it is to have a quality of suggestiveness. Nevertheless, great care must go to polishing the form: the rhythm must be varied, the rhyme must be adequate—in fact, despite Gautier's remark, quoted above, on the importance of rich rhyme, he did not, on the whole, rhyme very richly; indeed, too rich a rhyme in such a short metre as the octosyllable could be overpowering and produce a forced or even comic effect (an effect indidentally that Gautier, who was not without humour, sometimes deliberately tried to produce) while a weak or inadequate rhyme could lead to shapelessness.

The result of all this is a miniature art that is rather bloodless, charming rather than deeply moving, fascinating rather than intellectually enthralling.

But the house of art has many mansions and Gautier, often achieving completely the effect at which he aimed, can still delight those for whom formal perfection and visual subtlety are more important than challenging richness of breadth of emotion or powerful temperament. His art does not lack originality, charm and consistency. It must be added that Baudelaire was going to argue forcibly the case against a strict application of art for art's sake in view of its danger of sterility; and it is clear that any claims to complete amorality (which were not made by the mature Gautier—and indeed, even as a young man he wrote: *Menez le peuple au bien par le chemin du beau*) or complete objectivity are invalid. The refusal to adopt a moral standpoint is itself a moral judgment; and however objective the treatment of a theme, the choice of one subject to the exclusion of others is bound to throw light on the poet's personal likes and dislikes; and in the treatment of themes, the personality of the poet is bound to show itself by omission or emphasis (see *Leconte de Lisle*, p. 171).

MAIN POETICAL WORKS

Poésies, 1830–1832
Albertus ou l'Âme et le Péché, 1833
La Comédie de la Mort, 1838
España, 1845
Émaux et Camées, 1852 (first edition, followed by successive editions until 1872)
A critical edition exists in *Textes littéraires français*

CRITICAL AND BIOGRAPHICAL WORKS

R. Jasinski, *Les Années romantiques de Théophile Gautier*, Paris, 1929
J. Richardson, *Théophile Gautier, his life and times*, London, 1958
J. Tild, *Théophile Gautier et ses amis*, Paris, 1951

Théophile Gautier

Soleil couchant

Notre Dame,
Que c'est beau!

VICTOR HUGO

En passant sur le point de la Tournelle, un soir,
Je me suis arrêté quelques instants pour voir
Le soleil se coucher derrière Notre-Dame.
Un nuage splendid à l'horizon de flamme,
Tel qu'un oiseau géant qui va prendre l'essor,
D'un bout du ciel à l'autre ouvrait ses ailes d'or,
—Et c'étaient des clartés à baisser la paupière.
Les tours au front orné de dentelles de pierre,
Le drapeau que le vent fouette, les minarets
10 Qui s'élèvent pareils aux sapins des forêts,
Les pignons tailladés que surmontent des anges
Aux corps roides et longs, aux figures étranges,
D'un fond clair ressortaient en noir: l'Archevêché,
Comme au pied de sa mère un jeune enfant couché,
Se dessinait au pied de l'église, dont l'ombre
S'allongeait à l'entour mystérieuse et sombre.
—Plus loin, un rayon rouge allumait les carreaux
D'une maison du quai.—L'air était doux; les eaux
Se plaignaient contre l'arche à doux bruit, et la vague
20 De la vieille cité berçait l'image vague;
Et moi, je regardais toujours, ne songeant pas
Que la nuit étoilée arrivait à grands pas.

Sonnet

Pour veiner de son front la pâleur délicate,
Le Japon a donné son plus limpide azur;
La blanche porcelaine est d'un blanc bien moins pur
Que son col transparent et ses tempes d'agate;

Dans sa prunelle humide un doux rayon éclate;
Le chant du rossignol près de sa voix est dur,
Et, quand elle se lève à notre ciel obscur,
On dirait de la lune en sa robe d'ouate;

Ses yeux d'argent bruni roulent moelleusement;
10 Le caprice a taillé son petit nez charmant;
Sa bouche a des rougeurs de pêche et de framboise;

Ses mouvements sont pleins d'une grâce chinoise,
Et près d'elle on respire autour de sa beauté
Quelque chose de doux comme l'odeur du thé.

L'Hippopotame

L'hippopotame au large ventre
Habite aux jungles de Java,
Où grondent, au fond de chaque antre,
Plus de monstres qu'on n'en rêva.

Le boa se déroule et siffle,
Le tigre fait son hurlement,
Le buffle en colère renifle;
Lui, dort ou paît tranquillement.

Il ne craint ni kriss ni zagaies,
10 Il regarde l'homme sans fuir,
Et rit des balles des cipayes
Qui rebondissent sur son cuir.

Je suis comme l'hippopotame:
De ma conviction couvert,
Forte armure que rien n'entame,
Je vais sans peur par le désert.

Niobé

Sur un quartier de roche, un fantôme de marbre,
Le menton dans la main et le coude au genou,
Les pieds pris dans le sol, ainsi que des pieds d'arbre,
Pleure éternellement sans relever le cou.

Quel chagrin pèse donc sur ta tête abattue?
A quel puits de douleurs tes yeux puisent-ils l'eau?
Et que souffres-tu donc dans ton cœur de statue,
Pour que ton sein sculpté soulève ton manteau?

Tes larmes, en tombant du coin de ta paupière,
10 Goutte à goutte, sans cesse et sur le même endroit,
Ont fait dans l'épaisseur de ta cuisse de pierre
Un creux où le bouvreuil trempe son aile et boit.

O symbole muet de l'humaine misère,
Niobé sans enfants, mère des sept douleurs,
Assise sur l'Athos ou bien sur le Calvaire,
Quel fleuve d'Amérique est plus grand que tes pleurs?

La Fontaine du Cimetière

A la morne chartreuse, entre des murs de pierre,
En place du jardin l'on voit un cimetière,
Un cimetière nu comme un sillon fauché,
Sans croix, sans monument, sans tertre qui se hausse:
L'oubli couvre le nom, l'herbe couvre la fosse;
La mère ignorerait où son fils est couché.

Les végétations maladives du cloître
Seules sur ce terrain peuvent germer et croître,
Dans l'humidité froide à l'ombre des longs murs;
10 Des morts abandonnés douces consolatrices,
Les fleurs n'oseraient pas incliner leurs calices
Sur le vague tombeau de ces dormeurs obscurs.

Au milieu, deux cyprès à la noire verdure
Profilent tristement leur silhouette dure,
Longs soupirs de feuillage élancés vers les cieux,
Pendant que du bassin d'une avare fontaine
Tombe en frange effilée une nappe incertaine,
Comme des pleurs furtifs qui débordent des yeux.

Par les saints ossements des vieux moines filtrée,
20 L'eau coule à flots si clairs dans la vasque éplorée,
Que pour en boire un peu je m'approchai du bord . . .
Dans le cristal glacé quand je trempai ma lèvre,
Je me sentis saisi par un frisson de fièvre:
Cette eau de diamant avait un goût de mort!

Clair de Lune sentimental

A travers la folle risée
Que Saint-Marc renvoie au Lido,
Une gamme monte en fusée,
Comme au clair de lune un jet d'eau . . .

A l'air qui jase d'un ton bouffe
Et secoue au vent ses grelots,
Un regret, ramier qu'on étouffe,
Par instant mêle ses sanglots.

Au loin, dans la brume sonore,
10 Comme un rêve presque effacé,
J'ai revu, pâle et triste encore,
Mon vieil amour de l'an passé.

Mon âme en pleurs s'est souvenue
De l'avril, où, guettant au bois
La violette à sa venue,
Sous l'herbe nous mêlions nos doigts . . .

Cette note de chanterelle,
Vibrant comme l'harmonica,
C'est la voix enfantine et grêle,
20 Flèche d'argent qui me piqua.

Le son en est si faux, si tendre,
Si moqueur, si doux, si cruel,
Si froid, si brûlant, qu'à l'entendre
On ressent un plaisir mortel,

Et que mon cœur, comme la voûte
Dont l'eau pleure dans un bassin,
Laisse tomber goutte par goutte
Ses larmes rouges dans mon sein.

Jovial et mélancolique,
30 Ah! vieux thème du carnaval,
Où le rire aux larmes réplique,
Que ton charme m'a fait de mal!

Affinités secrètes

Dans le fronton d'un temple antique,
Deux blocs de marbre ont, trois mille ans,
Sur le fond bleu du ciel attique,
Juxtaposé leurs rêves blancs;

Dans la même nacre figées,
Larmes des flots pleurant Vénus,
Deux perles au gouffre plongées
Se sont dit des mots inconnus;

Au frais Généralife écloses,
10 Sous le jet d'eau toujours en pleurs,
Du temps de Boabdil, deux roses
Ensemble ont fait jaser leurs fleurs;

Sur les coupoles de Venise
Deux ramiers blancs aux pieds rosés,
Au nid où l'amour s'éternise,
Un soir de mai se sont posés.

Marbre, perle, rose, colombe,
Tout se dissout, tout se détruit;
La perle fond, le marbre tombe,
20 La fleur se fane et l'oiseau fuit.

En se quittant, chaque parcelle
S'en va dans le creuset profond
Grossir la pâte universelle
Faite des formes que Dieu fond.

Par de lentes métamorphoses,
Les marbres blancs en blanches chairs,
Les fleurs roses en lèvres roses
Se refont dans des corps divers;

Les ramiers de nouveau roucoulent
30 Au cœur de deux jeunes amants,
Et les perles en dents se moulent
Pour l'écrin des rires charmants.

De là naissent ces sympathies
Aux impérieuses douceurs,
Par qui les âmes averties
Partout se reconnaissent sœurs.

Docile à l'appel d'un arome,
D'un rayon ou d'une couleur,
L'atome vole vers l'atome,
40 Comme l'abeille vers la fleur.

L'on se souvient des rêveries
Sur le fronton ou dans la mer,
Des conversations fleuries
Près de la fontaine au flot clair,

Des baisers et des frissons d'ailes
Sur les dômes aux boules d'or,
Et les molécules fidèles
Se cherchent et s'aiment encor.

L'amour oublié se réveille,
50 Le passé vaguement renaît,
La fleur sur la bouche vermeille
Se respire et se reconnaît;

Dans la nacre où le rire brille
La perle revoit sa blancheur;
Sur une peau de jeune fille
Le marbre ému sent sa fraîcheur;

Le ramier trouve une voix douce,
Écho de son gémissement;
Toute résistance s'émousse,
60 Et l'inconnu devient l'amant.

Vous devant qui je brûle et tremble,
Quel flot, quel fronton, quel rosier,
Quel dôme nous connut ensemble,
Perle ou marbre, fleur ou ramier?

Lacenaire

Pour contraste, la main coupée
De Lacenaire l'assassin,
Dans des baumes puissants trempée,
Posait auprès, sur un coussin.

Curiosité dépravée!
J'ai touché, malgré mes dégoûts,
Du supplice encor mal lavée,
Cette chair froide au duvet roux.

Momifiée et toute jaune
10 Comme la main d'un Pharaon,
Elle allonge ses doigts de faune
Crispés par la tentation.

Un prurit d'or et de chair vive
Semble titiller de ses doigts
L'immobilité convulsive,
Et les tordre comme autrefois.

Tous les vices avec leurs griffes
Ont, dans les plis de cette peau,
Tracé d'affreux hiéroglyphes,
20 Lus couramment par le bourreau.

On y voit les œuvres mauvaises
Écrites en fauves sillons,
Et les brûlures des fournaises
Où bouillent les corruptions;

Les débauches dans les Caprées
Des tripots et des lupanars,
De vin et de sang diaprées,
Comme l'ennui des vieux Césars!

En même temps molle et féroce,
30 Sa forme a pour l'observateur
Je ne sais quelle grâce atroce,
La grâce du gladiateur!

Criminelle aristocratie,
Par la varlope ou le marteau
Sa pulpe n'est pas endurcie,
Car son outil fut un couteau.

Saints calus du travail honnête,
On y cherche en vain votre sceau,
Vrai meurtrier et faux poète,
40 Il fut le Manfred du ruisseau.

A une Robe rose

Que tu me plais dans cette robe
Qui te déshabille si bien,
Faisant jaillir ta gorge en globe,
Montrant tout nu ton bras païen!

Frêle comme une aile d'abeille,
Frais comme un cœur de rose-thé,
Son tissu, caresse vermeille,
Voltige autour de ta beauté.

De l'épiderme sur la soie
10 Glissent des frissons argentés,
Et l'étoffe à la chair renvoie
Ses éclairs roses reflétés.

D'où te vient cette robe étrange
Qui semble faite de ta chair,
Trame vivante qui mélange
Avec ta peau son rose clair?

Est-ce à la rougeur de l'aurore,
A la coquille de Vénus,
Au bouton de sein près d'éclore,
20 Que sont pris ces tons inconnus?

Ou bien l'étoffe est-elle teinte
Dans les roses de ta pudeur?
Non; vingt fois modelée et peinte,
Ta forme connaît sa splendeur.

Jetant le voile qui te pèse,
Réalité que l'art rêva,
Comme la princesse Borghèse
Tu poserais pour Canova.

Et ces plis roses sont les lèvres
30 De mes désirs inapaisés,
Mettant au corps dont tu les sèvres
Une tunique de baisers.

Carmen

Carmen est maigre,—un trait de bistre
Cerne son œil de gitana.
Ses cheveux sont d'un noir sinistre,
Sa peau, le diable la tanna.

Les femmes disent qu'elle est laide,
Mais tous les hommes en sont fous:
Et l'archevêque de Tolède
Chante la messe à ses genoux;

Car sur sa nuque d'ambre fauve
10 Se tord un énorme chignon
Qui, dénoué, fait dans l'alcôve
Une mante à son corps mignon.

Et, parmi sa pâleur, éclate
Une bouche aux rires vainqueurs;
Piment rouge, fleur écarlate,
Qui prend sa pourpre au sang des cœurs.

Ainsi faite, la moricaude
Bat les plus altières beautés,
Et de ses yeux la lueur chaude
20 Rend la flamme aux satiétés.

Elle a, dans sa laideur piquante,
Un grain de sel de cette mer
D'où jaillit, nue et provocante,
L'âcre Vénus du gouffre amer.

Théophile Gautier

La Source

Tout près du lac filtre une source,
Entre deux pierres, dans un coin:
Allègrement l'eau prend sa course
Comme pour s'en aller bien loin.

Elle murmure: Oh! quelle joie!
Sous la terre il faisait si noir!
Maintenant ma rive verdoie,
Le ciel se mire à mon miroir.

Les myosotis aux fleurs bleues
10 Me disent: Ne m'oubliez pas!
Les libellules de leurs queues
M'égratignent dans leurs ébats;

A ma coupe l'oiseau s'abreuve;
Qui sait?—Après quelques détours
Peut-être deviendrai-je un fleuve
Baignant vallons, rochers et tours.

Je broderai de mon écume
Ponts de pierre, quais de granit,
Emportant le steamer qui fume
20 A l'Océan où tout finit.

Ainsi la jeune source jase,
Formant cent projets d'avenir;
Comme l'eau qui bout dans un vase,
Son flot ne peut se contenir;

Mais le berceau touche à la tombe;
Le géant futur meurt petit;
Née à peine, la source tombe
Dans le grand lac qui l'engloutit!

Théophile Gautier

Premier Sourire du Printemps

Tandis qu'à leurs œuvres perverses
Les hommes courent haletants,
Mars qui rit, malgré les averses,
Prépare en secret le printemps.

Pour les petites pâquerettes,
Sournoisement, lorsque tout dort,
Il repasse des collerettes
Et cisèle des boutons d'or.

Dans le verger et dans la vigne
10 Il s'en va, furtif perruquier,
Avec une houppe de cygne,
Poudrer à frimas l'amandier.

La nature au lit se repose;
Lui, descend au jardin désert
Et lace les boutons de rose
Dans leur corset de velours vert.

Tout en composant des solfèges,
Qu'aux merles il siffle à mi-voix,
Il sème aux prés les perce-neiges
20 Et les violettes aux bois.

Sur le cresson de la fontaine
Où le cerf boit, l'oreille au guet,
De sa main glacée il égrène
Les grelots d'argent du muguet.

Sous l'herbe, pour que tu la cueilles,
Il met la fraise au teint vermeil,
Et te tresse un chapeau de feuilles
Pour te garantir du soleil.

Puis, lorsque sa besogne est faite
30 Et que son règne va finir,
Au seuil d'avril tournant la tête,
Il dit: « Printemps, tu peux venir! »

Théophile Gautier

L'Art

Oui, l'œuvre sort plus belle
D'une forme au travail
Rebelle,
Vers, marbre, onyx, émail.

Point de contraintes fausses!
Mais que pour marcher droit
Tu chausses,
Muse, un cothurne étroit.

Fi du rhythme commode,
10 Comme un soulier trop grand,
Du mode
Que tout pied quitte et prend!

Statuaire, repousse
L'argile que pétrit
Le pouce
Quand flotte ailleurs l'esprit;

Lutte avec le carrare,
Avec le paros dur
Et rare,
20 Gardiens du contour pur;

Emprunte à Syracuse
Son bronze où fermement
S'accuse
Le trait fier et charmant;

D'une main délicate
Poursuis dans un filon
D'agate
Le profil d'Apollon.

Peintre, fuis l'aquarelle,
30 Et fixe la couleur
Trop frêle
Au four de l'émailleur;

Fais les sirènes bleues,
Tordant de cent façons
        Leurs queues,
Les monstres des blasons;

Dans son nimbe trilobe
La Vierge et son Jésus,
        Le globe
40 Avec la croix dessus.

Tout passe.—L'art robuste
Seul a l'éternité.
        Le buste
Survit à la cité,

Et la médaille austère
Que trouve un laboureur
        Sous terre
Révèle un empereur.

Les dieux eux-mêmes meurent,
50 Mais les vers souverains
        Demeurent
Plus forts que les airains.

Sculpte, lime, cisèle;
Que ton rêve flottant
        Se scelle
Dans le bloc résistant!

Portrait de Leconte de Lisle, par Paul Verlaine.

Leconte de Lisle

Charles-René-Marie Leconte de Lisle was born in 1818 on the island of Réunion in the Indian Ocean, of a cultivated aristocratic family whose wealth was based on sugar plantations and slavery. After three years as a very young child with paternal relatives in Brittany, Leconte de Lisle spent the impressionable years of his adolescence from ten to nineteen in the warmth, colour and luxuriance of the tropics. As a boy he seems, significantly, to have been a great reader of elegiac poetry and Walter Scott's historical novels—two trends of interest that run throughout his own poetry. After a spell as a most unsatisfactory law student and unsuccessful journalist in Brittany (he studied—or was supposedly studying—at the recently founded university of Rennes), he returned to Réunion Island for a couple of years; but irked by the intellectual and physical apathy and selfish materialism of slave-based creole civilisation, he returned to France where for two or three years he worked with the group of followers of Charles Fourier (1772–1837) ,the French Utopian socialist who had hoped to achieve a thoroughgoing revolution in society to put an end to the exploitation of the poor and underprivileged by a ruthless ruling class. Above all, Fourier thought that mankind, which, sharing Rousseau's views, he considered essentially good, should put its trust in natural instincts; the evils of modern civilisation, he thought, sprang from the constraints and particularly from the sexual constraints imposed by Christianity. People should be encouraged, in modern parlance, to 'do their own thing'. This would come about by free association into groups (called *phalanstères*) where action by individuals in conformity to their tastes and instincts would contribute to the good of the community as a whole, resulting in perfect social and moral balance.

Leconte de Lisle collaborated in the *Fouriéristes*' daily paper, *La Démocratie pacifique* and in their review, *La Phalange* (in which he also published some of his early poetry). One of his co-workers was Louis Ménard (1822–1901), a notable hellenist and very minor poet, who played an important role in the revival of interest in Greek studies in France in the middle of the nineteenth century, which greatly influenced Leconte de Lisle's own attitude towards Greek religion and civilisation. Leconte de Lisle launched enthusiastically into the 1848 Revolution but found himself allotted the thankless, indeed impossible task of converting the conservative, devout Roman Catholics of Brittany into freethinking republicans. Like Baudelaire he was shocked, disillusioned and embittered by the failure of the Second Republic and withdrew disdainfully from the political arena, indeed from any sort of public action. At the same time, too, a passionate love affair came to an end with the betrayal and departure of his loved one. Henceforth, his concern was art and the creation of beauty, despite the lack of any fixed income and with little prospect of earning money from his poetry: the French have a saying: *La poésie ne nourrit pas son homme.*

At first his financial situation was very grim. Humiliatingly, in order to survive and fulfil his poetic ambitions he was forced, secretly, to accept a pension from the Emperor, whom, as a convinced Republican, he despised; it is true that this did not occur until 1864, when the Empire was moving towards a more liberal regime, but it was a great embarrassment to him when the fact was discovered after the fall of the Empire. Another paradox was that at the moment of his greatest financial need, he was saved by a pension granted by the General Council of the island of Réunion whose impoverishment he had aided and abetted in 1848, when like Lamartine, he had supported the abolition of slavery. Meanwhile, he supported himself by journalism, translations from the Greek (including the *Iliad*, the *Odyssey* and numerous plays) and private tuition. His material situation slowly improved. In 1857, he was able to marry and gradually, as his poetry, in the form of isolated poems published in reviews or in collections, became better known, he developed into a major literary figure (although not at first with the prestige and influence of Gautier who, as a completely apolitical figure, had not quite made his peace with the regime).

Leconte de Lisle's Saturday evening 'At Homes' became in the 1860s the centre for all the principal young poets who were to establish a new school of French poetry, Parnassianism (Coppée, Sully Prudhomme, Heredia, Banville and Mallarmé, who learnt from Leconte de Lisle that Art was the supreme value). In his salon the caustic Leconte de Lisle preached his gospel of careful technique and disciplined emotion and, with a malicious smile, hurled ferocious verbal barbs at those whose work failed to live up to his own high standards of workmanship and intellectual probity or whose lives were, in his view, dishonest and vulgar in their search for easy popularity: ever since the failure of 1848 he had abhorred the *mobile vulgus*. After the fall of the Empire, which removed an important source of income, he was rescued by being appointed to the sinecure post of under-librarian to the Senate. He now at last became officially recognised. In 1884 he received the *Légion d'honneur* and two years later he was at last elected to the French Academy. From being respected, he became fashionable; but he remained olympian and severe, his inner eye still haunted by visions of catastrophe and decay. He died in 1894.

Leconte de Lisle's early poetic activity was closely allied to his republican humanitarianism, especially to his interest in Fourier and in ancient Greece in which, rather naïvely, he saw a prefiguration of his perfect society in which instinct and reason should be balanced: his final religious position was his own conception of Hinduism (see *L'Illusion Suprême* and notes).

When his hopes of a social revolution, flattered by the 1848 Revolution, were finally disappointed, he turned away from politics although he did not adopt so marked a doctrine of art for art's sake as Gautier or such an asocial attitude as Baudelaire. In his preface to his first collected verse, *Poèmes antiques*, published in 1852, he stated the beliefs to which, with certain changes of emphasis, he was to remain faithful all his life. He rejected excessively personal lyricism, which he considered a profanation of poetry's nobility: addressing the public in his well-known poem entitled *Les Montreurs*, first published in 1862, he wrote, rather rhetorically and no doubt with a certain mock-modesty:

Dans mon orgueil muet, dans ma tombe sans gloire,
Dussé-je m'engloutir pour l'éternité noire,
Je ne te vendrai pas mon ivresse ou mon mal . . .

He will no longer attempt to link poetry directly with politics, modern materialistic society and mediocrity and he realises that, in an unheroic age, poetry can no longer play the part it played in ancient Greece, where poetry and science were one and imagination was not at war with rationalism. Poetry could, however, strive to become again more scientific and philosophical by returning to what he calls these *sources éternellement pures* and recover its dignity in studying more grandiose periods of past history; thus the poet might become again what he had been before, the educator of mankind. This might seem to be making poetry useful; but Leconte de Lisle, with increasing intransigence and bitterness as he grew older, makes it clear (for example in his *Avant-propos* to critical articles on contemporary poets published in 1864) that this utility is never direct: *le monde du Beau, unique domaine de l'Art, est en soi un infini sans contact possible avec toute autre conception. Le Beau n'est pas le serviteur du Vrai, car il contient la Vérité*; and later: *il n'existe d'enseignement efficace que dans l'art qui n'a d'autre but que lui-même* (cf. Baudelaire's own attitude). He realises that this austere conception of beauty will isolate the poet but (again like Baudelaire and like Vigny and Mallarmé) he accepts this isolation and makes a virtue of it: *l'Art . . . est un luxe intellectuel accessible à de très rares esprits*. His attitude towards poetry has become extremely aristocratic and exclusive—he referred to the crowd as *plèbe carnassière*—a hazard which is indeed an inherent danger in all theories of art for art's sake.

From early on, Leconte de Lisle showed interest in other civilisations, and with folklore; religions too, always attracted him, not only for their inherent values but as expressions of particular civilisations. So from the early 1850s, faithful to his intention of reuniting science—which for Leconte de Lisle meant chiefly historical research—and poetry, he wrote many poems on historical legendary, religious and mythological subjects from all sources: ancient Egyptian, Biblical, Arab, Scandinavian, Finnish, Celtic, medieval European, El Cid legends from Spain, and even on such faraway subjects as the Polynesians and Red Indians. His stated object was, by careful study of the most recent research by historians, philologists and travellers, to become *une sorte de contemporain de chaque époqe*, to endeavour to know each period and subject well enough to write from intimate sympathy.

In contrast to Vigny or Hugo who use history or legend as a picturesque vehicle for their own ideas, passions, or hopes, Leconte de Lisle wanted the poet to *se transporte*[*r*] *tout entier à l'époque choisie et y reviv*[*re*] *exclusivement*. In fact, being a poet rather than a scholar despite his careful documentation, Leconte de Lisle reveals his own purposes and prejudices in his choice and treatment of themes. For one thing his desire to study primitive societies and epics was strongly inspired by the hope of finding there, if not the imagined complete harmony of Greek civilisation, at least the vigour, energy and passionate spontaneity which he found lacking in modern times; and the same attraction towards the nature worship of the Greeks (which sprang from his obstinate refusal to see in Christianity anything more than the enemy of healthy instincts) led him to admire the beautiful physical vigour and uninhibited instinctive activity of wild animals, which appear in so many of his poems. He sympathised with his ferocious, superbly muscled jaguar; there was many a contemporary whom he would have liked to get his claws into.

The counterpart of this dissatisfaction with his times and his lengthy lack of recognition, combined no doubt with his particular cast of temperament, led him in many poems to express a deeply pessimistic viewpoint. Many of his poems are concerned with the vanity of all human affairs and some of his most impressive poems paint a picture of cosmic devastation and dissolution.

A second factor which diminishes Leconte de Lisle's claim to be merely the objective reteller of old talers, is the artistic one. In his poetry he sought to adapt his treatment to suit the modern reader brought up to love the picturesque; indeed, there is in his own approach a strong element of Romantic nostalgia in his love of the past civilisations of other countries, just as his numerous poems on tropical subjects based on memories of his youth in Réunion Island, have an exotic appeal that equally smacks of Romanticism (although Leconte de Lisle did at least know at first hand the tropical scenes which he was describing). But in his *Poèmes barbares*, despite his admiration for the simple and primitive he often produces poems far more sophisticated than the original; the positive effect of this rearrangement, achieved by a choice of significant, often plastic, detail is to give a vividness and substance sometimes lacking in the more loosely woven albeit more charmingly artless original. Far less imaginative, less exuberant in vocabulary and original in imagery than his fellow epic-writter Hugo, he is far less longwinded (though sometimes longwinded enough). Similarly, although he lacked the variety of metre, rhythm and verse form of Hugo (whom he greatly admired) his careful rhyme and rhythm create an effect of solidity. What is more, he is an auditive as well as a visual poet; particularly in his gentler and tender poems, certainly his most endearing and perhaps even, together with his apocalyptic poems, his most enduring, he achieves considerable melodiousness. But even when tender, he was discreet and he despised the sentimental outpourings of Musset as much as he condemned his weak rhyming, padding and facile carelessness.

MAIN POETICAL WORKS

Poèmes antiques, 1852
Poèmes et poésies, 1855
Poésies nouvelles, 1858
Poésies barbares, 1862
Poèmes barbares, 1871 (modified edition of previous work)
Poèmes tragiques, 1884
Derniers poèmes (posthumous), 1895

CRITICAL AND BIOGRAPHICAL WORKS

E. Eggli, ed., *Leconte de Lisle, poèmes choisis* (a selection of poetry from all periods), Manchester, 1943
E. Estève, *Leconte de Lisle, L'homme et l'œuvre*, Paris
A. Fairlie, *Leconte de Lisle's Poems on the barbarian races*, Cambridge University Press, 1947
P. Flottes, *Leconte de Lisle*, Paris, 1954

Leconte de Lisle

Niobé

Niobé les contemple, immobile et muette;
Et, de son désespoir comprimant la tempête,
Seule vivante au sein de ces morts qu'elle aimait,
Elle dresse ce front que nul coup ne soumet.

Comme un grand corps taillé par une main habile,
Le marbre te saisit d'une étreinte immobile:
Des pleurs marmoréens ruissellent de tes yeux;
La neige du Paros ceint ton front soucieux;
En flots pétrifiés ta chevelure épaisse
10 Arrête sur ton cou l'ombre de chaque tresse;
Et tes vagues regards où s'est éteint le jour,
Ton épaule superbe au sévère contour,
Tes larges flancs, si beaux dans leur splendeur royale
Qu'ils brillaient à travers la pourpre orientale,
Et tes seins jaillissants, ces futurs nourriciers
Des vengeurs de leur mère et des Dieux justiciers,
Tout est marbre! La foudre a consumé ta robe,
Et plus rien désormais aux yeux ne te dérobe.
Que ta douleur est belle, ô marbre sans pareil!
20 Non, jamais corps divins dorés par le soleil,
Dans les cités d'Helles jamais blanches statues
De grâce et de jeunesse et d'amour revêtues,
Du sculpteur inspiré songes harmonieux,
Muets à notre oreille et qui chantent aux yeux;
Jamais fronts doux et fiers où la joie étincelle,
N'ont valu ce regard et ce col qui chancelle,
Ces bras majestueux dans leur geste brisés,
Ces flancs si pleins de vie et d'efforts épuisés,
Ce corps où la beauté, cette flamme éternelle,
30 Triomphe de la mort et resplendit en elle!

On dirait à te voir, ô marbre désolé,
Que du ciseau sculpteur des larmes ont coulé.
Tu vis, tu vis encor! Sous ta robe insensible
Ton cœur est dévoré d'un songe indestructible.
Tu vois de tes grands yeux, vides comme la nuit,
Tes enfants bien-aimés que la haine poursuit.
O pâle Tantalide, ô mère de détresse,
Leur regard défaillant t'appelle et te caresse . . .

Ils meurent tour à tour, et, renaissant plus beaux
40 Pour disparaître encore dans leurs sanglants tombeaux,
Ils lacèrent ton cœur mieux que les Euménides
Ne flagellent les Morts aux demeures livides!
Oh! qui soulèvera le fardeau de tes jours?
Niobé, Niobé! Souffriras-tu toujours?

Hypatie

Au déclin des grandeurs qui dominent la terre,
Quand les cultes divins, sous les siècles ployés,
Reprenant de l'oubli le sentier solitaire,
Regardent s'écrouler leurs autels foudroyés;

Quand du chêne d'Hellas la feuille vagabonde
Des parvis désertés efface le chemin,
Et qu'au delà des mers, où l'ombre épaisse abonde,
Vers un jeune soleil flotte l'esprit humain;

Toujours des Dieux vaincus embrassant la fortune,
10 Un grand cœur les défend du sort injurieux:
L'aube des jours nouveaux le blesse et l'importune,
Il suit à l'horizon l'astre de ses aïeux.

Pour un destin meilleur qu'un autre siècle naisse
Et d'un monde épuisé s'éloigne sans remords:
Fidèle au songe heureux où fleurit sa jeunesse,
Il entend tressaillir la poussière des morts.

Les sages, les héros se lèvent pleins de vie!
Les poètes en chœur murmurent leurs beaux noms;
Et l'Olympe idéal, qu'un chant sacré convie,
20 Sur l'ivoire s'assied dans les blancs Parthénons.

O vierge, qui, d'un pan de ta robe pieuse,
Couvris la tombe auguste où s'endormaient tes Dieux,
De leur culte éclipsé prêtresse harmonieuse,
Chaste et dernier rayon détaché de leurs cieux!

Je t'aime et te salue, ô vierge magnanime!
Quand l'orage ébranla le monde paternel,
Tu suivis dans l'exil cet Œdipe sublime,
Et tu l'enveloppas d'un amour éternel.

Debout, dans ta pâleur, sous les sacrés portiques
30 Que des peuples ingrats abandonnait l'essaim,
Pythonisse enchaînée aux trépieds prophétiques,
Les Immortels trahis palpitaient dans ton sein.

Tu les voyais passer dans la nue enflammée!
De science et d'amour ils t'abreuvaient encor;
Et la terre écoutait, de ton rêve charmée,
Chanter l'abeille attique entre tes lèvres d'or.

Comme un jeune lotos croissant sous l'œil des sages,
Fleur de leur éloquence et de leur équité,
Tu faisais, sur la nuit moins sombre des vieux âges,
40 Resplendir ton génie à travers ta beauté!

Le grave enseignement des vertus éternelles
S'épanchait de ta lèvre au fond des cœurs charmés;
Et les Galiléens qui te rêvaient des ailes
Oubliaient leur Dieu mort pour tes Dieux bien-aimés.

Mais le siècle emportait ces âmes insoumises
Qu'un lien trop fragile enchaînait à tes pas;
Et tu les voyais fuir vers les terres promises;
Mais toi, qui savais tout, tu ne les suivis pas!

Que t'importait, ô vierge, un semblable délire?
50 Ne possédais-tu pas cet idéal cherché?
Va! dans ces cœurs troublés tes regards savaient lire,
Et les Dieux bienveillants ne t'avaient rien caché.

O sage enfant, si pure entre tes sœurs mortelles!
O noble front, sans tache entre les fronts sacrés!
Quelle âme avait chanté sur des lèvres plus belles,
Et brûlé plus limpide en des yeux inspirés?

Sans effleurer jamais ta robe immaculée,
Les souillures du siècle ont respecté tes mains:
Tu marchais, l'œil tourné vers la Vie étoilée,
60 Ignorante des maux et des crimes humains.

Le vil Galiléen t'a frappée et maudite,
Mais tu tombas plus grande! Et maintenant, hélas!
Le souffle de Platon et le corps d'Aphrodite
Sont partis à jamais pour les beaux cieux d'Hellas!

Dors, ô blanche victime, en notre âme profonde,
Dans ton linceul de vierge et ceinte de lotos;
Dors! l'impure laideur est la reine du monde,
Et nous avons perdu le chemin de Paros.

Les Dieux sont en poussière et la terre est muette:
70 Rien ne parlera plus dans ton ciel déserté.
Dors! mais, vivante en lui, chante au cœur du poète
L'hymne mélodieux de la sainte Beauté!

Elle seule survit, immuable, éternelle,
La mort peut disperser les univers tremblants,
Mais la Beauté flamboie, et tout renaît en elle,
Et les mondes encor roulent sous ses pieds blancs!

Midi

Midi, roi des étés, épandu sur la plaine,
Tombe en nappes d'argent des hauteurs du ciel bleu.
Tout se tait. L'air flamboie et brûle sans haleine;
La terre est assoupie en sa robe de feu.

L'étendue est immense, et les champs n'ont point d'ombre,
Et la source est tarie où buvaient les troupeaux;
La lointaine forêt, dont la lisière est sombre,
Dort là-bas, immobile, en un pesant repos.

Seuls, les grands blés mûris, tels qu'une mer dorée
10 Se déroulent au loin, dédaigneux du sommeil;
Pacifiques enfants de la terre sacrée,
Ils épuisent sans peur la coupe du soleil.

Parfois, comme un soupir de leur âme brûlante,
Du sein des épis lourds qui murmurent entre eux,
Une ondulation majestueuse et lente
S'éveille, et va mourir à l'horizon poudreux.

Non loin, quelques bœufs blancs, couchés parmi les herbes
Bavent avec lenteur sur leurs fanons épais,
Et suivent de leurs yeux languissants et superbes
20 Le songe intérieur qu'ils n'achèvent jamais.

Homme, si, le cœur plein de joie ou d'amertume,
Tu passais vers midi dans les champs radieux,
Fuis! la nature est vide et le soleil consume:
Rien n'est vivant ici, rien n'est triste ou joyeux.

Mais si, désabusé des larmes et du rire,
Altéré de l'oubli de ce monde agité,
Tu veux, ne sachant plus pardonner ou maudire,
Goûter une suprême et morne volupté,

Viens! Le soleil te parle en paroles sublimes;
30 Dans sa flamme implacable absorbe-toi sans fin;
Et retourne à pas lents vers les cités infimes,
Le cœur trempé sept fois dans le néant divin.

Les Hurleurs

Le soleil dans les flots avait noyé ses flammes,
La ville s'endormait aux pieds des monts brumeux.
Sur de grands rocs lavés d'un nuage écumeux
La mer sombre en grondant versait ses hautes lames.

La nuit multipliait ce long gémissement.
Nul astre ne luisait dans l'immensité nue;
Seule, la lune pâle, en écartant la nue,
Comme une morne lampe oscillait tristement.

Monde muet, marqué d'un signe de colère,
10 Débris d'un monde mort au hasard dispersé,
Elle laissait tomber de son orbe glacé
Un reflet sépulcral sur l'océan polaire.

Sans borne, assise au Nord, sous les cieux étouffants,
L'Afrique, s'abritant d'ombre épaisse et de brume,
Affamait ses lions dans le sable qui fume,
Et couchait près des lacs ses troupeaux d'éléphants.

Mais sur la plage aride, aux odeurs insalubres,
Parmi des ossements de bœufs et de chevaux,
De maigres chiens, épars, allongeant leurs museaux,
20 Se lamentaient, poussant des hurlements lugubres.

La queue en cercle sous leurs ventres palpitants,
L'œil dilaté, tremblants sur leurs pattes fébriles,
Accroupis çà et là, tous hurlaient, immobiles,
Et d'un frisson rapide agités par instants.

L'écume de la mer collait sur leurs échines
De longs poils qui laissaient les vertèbres saillir;
Et, quand les flots par bonds les venaient assaillir,
Leurs dents blanches claquaient sous leurs rouges babines.

Devant la lune errante aux livides clartés,
30 Quelle angoisse inconnue, au bord des noires ondes,
Faisait pleurer une âme en vos formes immondes?
Pourquoi gémissiez-vous, spectres épouvantés?

Je ne sais; mais, ô chiens qui hurliez sur les plages,
Après tant de soleils qui ne reviendront plus,
J'entends toujours, du fond de mon passé confus,
Le cri désespéré de vos douleurs sauvages!

Christine

Une étoile d'or là-bas illumine
Le bleu de la nuit, derrière les monts;
La lune blanchit la verte colline:
Pourquoi pleures-tu, petite Christine?
Il est tard, dormons.

—Mon fiancé dort sous la noire terre,
Dans la froide tombe il rêve de nous.
Laissez-moi pleurer, ma peine est amère;
Laissez-moi gémir et veiller, ma mère:
10 Les pleurs me sont doux.—

La mère repose, et Christine pleure,
Immobile auprès de l'âtre noirci.
Au long tintement de la douzième heure,
Un doigt léger frappe à l'humble demeure:
—Qui donc vient ici?

—Tire le verrou, Christine, ouvre vite:
C'est ton jeune ami, c'est ton fiancé.
Un suaire étroit à peine m'abrite;
J'ai quitté pour toi, ma chère petite,
20 Mon tombeau glacé.—

Et cœur contre cœur tous deux ils s'unissent.
Chaque baiser dure une éternité;
Les baisers d'amour jamais ne finissent.
Ils causent longtemps; mais les heures glissent,
Le coq a chanté.

Le coq a chanté, voici l'aube claire;
L'étoile s'éteint, le ciel est d'argent.
—Adieu, mon amour, souviens-toi, ma chère!
Les morts vont rentrer dans la noire terre
30 Jusqu'au jugement.

—O mon fiancé, souffres-tu, dit-elle,
Quand le vent d'hiver gémit dans les bois,
Quand la froide pluie aux tombeaux ruisselle?
Pauvre ami, couché dans l'ombre éternelle,
Entends-tu ma voix?

—Au rire joyeux de ta lèvre rose,
Mieux qu'au soleil d'or le pré rougissant,
Mon cercueil s'emplit de feuilles de rose;
Mais tes pleurs amers dans ma tombe close
40 Font pleuvoir du sang.

Ne pleure jamais! Ici-bas tout cesse,
Mais le vrai bonheur nous attend au ciel.
Si tu m'as aimé, garde ma promesse:
Dieu nous rendra tout, amour et jeunesse,
Au jour éternel.

—Non! je t'ai donné ma foi virginale;
Pour me suivre aussi, ne mourrais-tu pas?
Non! je veux dormir ma nuit nuptiale,
Blanche, à tes côtés, sous la lune pâle,
50 Morte entre tes bras!—

Lui ne répond rien. Il marche et la guide.
A l'horizon bleu le soleil paraît.
Ils hâtent alors leur course rapide,
Et vont, traversant sur la mousse humide
La longue forêt.

Voici les pins noirs du vieux cimetière.
—Adieu, quitte-moi, reprends ton chemin;
Mon unique amour, entends ma prière!—
Mais elle au tombeau descend la première,
60 Et lui tend la main.

Et, depuis ce jour, sous la croix de cuivre,
Dans la même tombe ils dorment tous deux.
O sommeil divin dont le charme enivre!
Ils aiment toujours. Heureux qui peut vivre
Et mourir comme eux!

Le Cœur de Hialmar

Une nuit claire, un vent glacé. La neige est rouge.
Mille braves sont là qui dorment sans tombeaux
L'épée au poing, les yeux hagards. Pas un ne bouge.
Au-dessus tourne et crie un vol de noirs corbeaux.

La lune froide verse au loin sa pâle flamme.
Hialmar se soulève entre les morts sanglants,
Appuyé des deux mains au tronçon de sa lame.
La pourpre du combat ruisselle de ses flancs.

—Holà! Quelqu'un a-t-il encore un peu d'haleine,
10 Parmi tant de joyeux et robustes garçons
Qui, ce matin, riaient et chantaient à voix pleine
Comme des merles dans l'épaisseur des buissons?

Tous sont muets. Mon casque est rompu, mon armure
Est trouée, et la hache a fait sauter ses clous.
Mes yeux saignent. J'entends un immense murmure
Pareil aux hurlements de la mer ou des loups.

Viens par ici, Corbeau, mon brave mangeur d'hommes!
Ouvre-moi la poitrine avec ton bec de fer.
Tu nous retrouveras demain tels que nous sommes.
20 Porte mon cœur tout chaud à la fille d'Ylmer.

Dans Upsal, où les Jarls boivent la bonne bière,
Et chantent, en heurtant les cruches d'or, en chœur,
A tire-d'aile vole, ô rôdeur de bruyère!
Cherche ma fiancée et porte-lui mon cœur.

Au sommet de la tour que hantent les corneilles
Tu la verras debout, blanche, aux longs cheveux noirs.
Deux anneaux d'argent fin lui pendent aux oreilles,
Et ses yeux sont plus clairs que l'astre des beaux soirs.

Va, sombre messager, dis-lui bien que je l'aime,
30 Et que voici mon cœur. Elle reconnaîtra
Qu'il est rouge et solide et non tremblant et blême;
Et la fille d'Ylmer, Corbeau, te sourira!

Moi, je meurs. Mon esprit coule par vingt blessures.
J'ai fait mon temps. Buvez, ô loups, mon sang vermeil.
Jeune, brave, riant, libre et sans flétrissures,
Je vais m'asseoir parmi les Dieux, dans le soleil!

Les Éléphants

Le sable rouge est comme une mer sans limite,
Et qui flambe, muette, affaissée en son lit.
Une ondulation immobile remplit
L'horizon aux vapeurs de cuivre où l'homme habite.

Nulle vie et nul bruit. Tous les lions repus
Dorment au fond de l'antre éloigné de cent lieues,
Et la girafe boit dans les fontaines bleues,
Là-bas, sous les dattiers des panthères connus.

Pas un oiseau ne passe en fouettant de son aile
10 L'air épais, où circule un immense soleil.
Parfois quelque boa, chauffé dans son sommeil,
Fait onduler son dos dont l'écaille étincelle.

Tel l'espace enflammé brûle sous les cieux clairs.
Mais, tandis que tout dort aux mornes solitudes,
Les éléphants rugueux, voyageurs lents et rudes,
Vont au pays natal à travers les déserts.

D'un point de l'horizon, comme des masses brunes,
Ils viennent, soulevant la poussière, et l'on voit,
Pour ne point dévier du chemin le plus droit,
20 Sous leur pied large et sûr crouler au loin les dunes.

Celui qui tient la tête est un vieux chef. Son corps
Est gercé comme un tronc que le temps ronge et mine;
Sa tête est comme un roc, et l'arc de son échine
Se voûte puissamment à ses moindres efforts.

Sans ralentir jamais et sans hâter sa marche,
Il guide au but certain ses compagnons poudreux;
Et, creusant par derrière un sillon sablonneux,
Les Pèlerins massifs suivent leur patriarche.

L'oreille en éventail, la trompe entre les dents,
30 Ils cheminent, l'œil clos. Leur ventre bat et fume,
Et leur sueur dans l'air embrasé monte en brume;
Et bourdonnent autour mille insectes ardents.

Mais qu'importent la soif et la mouche vorace,
Et le soleil cuisant leur dos noir et plissé?
Ils rêvent en marchant du pays délaissé,
Des forêts de figuiers où s'abrita leur race.

Ils reverront le fleuve échappé des grands monts,
Où nage en mugissant l'hippopotame énorme,
Où, blanchis par la lune et projetant leur forme,
40 Ils descendaient pour boire en écrasant les joncs.

Aussi, pleins de courage et de lenteur, ils passent
Comme une ligne noire, au sable illimité;
Et le désert reprend son immobilité
Quand les lourds voyageurs à l'horizon s'effacent.

Le Rêve du Jaguar

Sous les noirs acajous, les lianes en fleur,
Dans l'air lourd, immobile et saturé de mouches,
Pendent, et, s'enroulant en bas parmi les souches,
Bercent le perroquet splendide et querelleur,
L'araignée au dos jaune et les singes farouches.
C'est là que le tueur de bœufs et de chevaux,
Le long des vieux troncs morts à l'écorce moussue,
Sinistre et fatigué, revient à pas égaux.
Il va, frottant ses reins musculeux qu'il bossue;
10 Et, du mufle béant par la soif alourdi,
Un souffle rauque et bref, d'une brusque secousse,
Trouble les grands lézards, chauds des feux de midi,
Dont la fuite étincelle à travers l'herbe rousse.
En un creux du bois sombre interdit au soleil
Il s'affaisse, allongé sur quelque roche plate;
D'un large coup de langue il se lustre la patte;
Il cligne ses yeux d'or hébétés de sommeil;
Et, dans l'illusion de ses forces inertes,
Faisant mouvoir sa queue et frissonner ses flancs,
20 Il rêve qu'au milieu des plantations vertes,
Il enfonce d'un bond ses ongles ruisselants
Dans la chair des taureaux effarés et beuglants.

Le Sommeil du Condor

Par delà l'escalier des roides Cordillères,
Par delà les brouillards hantés des aigles noirs,
Plus haut que les sommets creusés en entonnoirs
Où bout le flux sanglant des laves familières,
L'envergure pendante et rouge par endroits,
Le vaste Oiseau, tout plein d'une morne indolence,
Regarde l'Amérique et l'espace en silence,
Et le sombre soleil qui meurt dans ses yeux froids.
La nuit roule de l'Est, où les pampas sauvages
10 Sous les monts étagés s'élargissent sans fin;

Elle endort le Chili, les villes, les rivages,
Et la mer Pacifique et l'horizon divin;
Du continent muet elle s'est emparée:
Des sables aux coteaux, des gorges aux versants,
De cime en cime, elle enfle, en tourbillons croissants,
Le lourd débordement de sa haute marée.
Lui, comme un spectre, seul, au front du pic altier,
Baigné d'une lueur qui saigne sur la neige,
Il attend cette mer sinistre qui l'assiège:
20 Elle arrive, déferle, et le couvre en entier.
Dans l'abîme sans fond la Croix australe allume
Sur les côtes du ciel son phare constellé.
Il râle de plaisir, il agite sa plume,
Il érige son cou musculeux et pelé,
Il s'enlève en fouettant l'âpre neige des Andes,
Dans un cri rauque il monte où n'atteint pas le vent,
Et, loin du globe noir, loin de l'astre vivant,
Il dort dans l'air glacé, les ailes toutes grandes.

Solvet Sæclum

Tu te tairas, ô voix sinistre des vivants!

Blasphèmes furieux qui roulez par les vents,
Cris d'épouvante, cris de haine, cris de rage,
Effroyables clameurs de l'éternel naufrage,
Tourments, crimes, remords, sanglots désespérés,
Esprit et chair de l'homme, un jour vous vous tairez!
Tout se taira, dieux, rois, forçats et foules viles,
Le rauque grondement des bagnes et des villes,
Les bêtes des forêts, des monts et de la mer,
10 Ce qui vole et bondit et rampe en cet enfer,
Tout ce qui tremble et fuit, tout ce qui tue et mange,
Depuis le ver de terre écrasé dans la fange
Jusqu'à la foudre errant dans l'épaisseur des nuits!
D'un seul coup la nature interrompra ses bruits.
Et ce ne sera point, sous les cieux magnifiques,
Le bonheur reconquis des paradis antiques,
Ni l'entretien d'Adam et d'Eve sur les fleurs,

Ni le divin sommeil après tant de douleurs;
Ce sera quand le Globe et tout ce qui l'habite,
20 Bloc stérile arraché de son immense orbite,
Stupide, aveugle, plein d'un dernier hurlement,
Plus lourd, plus éperdu de moment en moment,
Contre quelque univers immobile en sa force,
Défoncera sa vieille et misérable écorce,
Et, laissant ruisseler, par mille trous béants,
Sa flamme intérieure avec ses océans,
Ira fertiliser de ses restes immondes
Les sillons de l'espace où fermentent les mondes.

La Vérandah

Au tintement de l'eau dans les porphyres roux
Les rosiers de l'Iran mêlent leurs frais murmures,
Et les ramiers rêveurs leurs roucoulements doux.
Tandis que l'oiseau grêle et le frelon jaloux,
Sifflant et bourdonnant, mordent les figues mûres,
Les rosiers de l'Iran mêlent leurs frais murmures
Au tintement de l'eau dans les porphyres roux.

Sous les treillis d'argent de la vérandah close,
Dans l'air tiède, embaumé de l'odeur des jasmins,
10 Où la splendeur du jour darde une flèche rose,
La Persane royale, immobile, repose,
Derrière son col brun croisant ses belles mains,
Dans l'air tiède, embaumé de l'odeur des jasmins,
Sous les treillis d'argent de la vérandah close.

Jusqu'aux lèvres que l'ambre arrondi baise encor,
Du cristal d'où s'échappe une vapeur subtile
Qui monte en tourbillons légers et prend l'essor,
Sur les coussins de soie écarlate, aux fleurs d'or,
La branche du hûka rôde comme un reptile
20 Du cristal d'où s'échappe une vapeur subtile
Jusqu'aux lèvres que l'ambre arrondi baise encor.

Deux rayons noirs, chargés d'une muette ivresse,
Sortent de ses longs yeux entr'ouverts à demi;
Un songe l'enveloppe, un souffle la caresse;
Et parce que l'effluve invincible l'oppresse,
Parce que son beau sein qui se gonfle a frémi,
Sortent de ses longs yeux entr'ouverts à demi
Deux rayons noirs, chargés d'une muette ivresse.

Et l'eau vive s'endort dans les porphyres roux,
30 Les rosiers de l'Iran ont cessé leurs murmures,
Et les ramiers rêveurs leurs roucoulements doux.
Tout se tait. L'oiseau grêle et le frelon jaloux
Ne se querellent plus autour des figues mûres.
Les rosiers de l'Iran ont cesseé leurs murmures,
Et l'eau vive s'endort dans les porphyres roux.

Sacra Fames

L'immense Mer sommeille. Elle hausse et balance
Ses houles où le Ciel met d'éclatants îlots.
Une nuit d'or emplit d'un magique silence
La merveilleuse horreur de l'espace et des flots.

Les deux gouffres ne font qu'un abîme sans borne
De tristesse, de paix et d'éblouissement,
Sanctuaire et tombeau, désert splendide et morne
Où des millions d'yeux regardent fixement.

Tels, le Ciel magnifique et les Eaux vénérables
10 Dorment dans la lumière et dans la majesté,
Comme si la rumeur des vivants misérables
N'avait troublé jamais leur rêve illimité.

Cependant, plein de faim dans sa peau flasque et rude,
Le sinistre Rôdeur des steppes de la Mer
Vient, va, tourne, et, flairant au loin la solitude,
Entre-bâille d'ennui ses mâchoires de fer.

Certes, il n'a souci de l'immensité bleue,
Des Trois Rois, du Triangle ou du long Scorpion
Qui tord dans l'infini sa flamboyante queue,
20 Ni de l'Ourse qui plonge au clair Septentrion.

Il ne sait que la chair qu'on broie et qu'on dépèce,
Et, toujours absorbé dans son désir sanglant,
Au fond des masses d'eau lourdes d'une ombre épaisse
Il laisse errer son œil terne, impassible et lent.

Tout est vide et muet. Rien qui nage ou qui flotte,
Qui soit vivant ou mort, qu'il puisse entendre ou voir.
Il reste inerte, aveugle, et son grêle pilote
Se pose pour dormir sur son aileron noir.

Va, monstre! tu n'es pas autre que nous ne sommes,
30 Plus hideux, plus féroce, ou plus désespéré.
Console-toi! demain tu mangeras des hommes,
Demain par l'homme aussi tu seras dévoré.

La faim sacrée est un long meurtre légitime
Des profondeurs de l'ombre aux cieux resplendissants,
Et l'homme et le requin, égorgeur ou victime,
Devant ta face, ô Mort, sont tous deux innocents.

La dernière Vision

Un long silence pend de l'immobile nue.
La neige, bossuant ses plis amoncelés,
Linceul rigide, étreint les océans gelés.
La face de la terre est absolument nue.

Point de villes, dont l'âge a rompu les étais,
Qui s'effondrent par blocs confus que mord le lierre.
Des lieux où tournoyait l'active fourmilière
Pas un débris qui parle et qui dise: J'étais!

Ni sonnantes forêts, ni mers des vents battues.
10 Vraiment, la race humaine et tous les animaux
Du sinistre anathème ont épuisé les maux.
Les temps sont accomplis: les choses se sont tues.

Comme, du faîte plat d'un grand sépulcre ancien,
La lampe dont blêmit la lueur vagabonde,
Plein d'ennui, palpitant sur le désert du monde,
Le soleil qui se meurt regarde et ne voit rien.

Un monstre insatiable a dévoré la vie.
Astres resplendissants des cieux, soyez témoins!
C'est à vous de frémir, car ici-bas, du moins,
20 L'affreux spectre, la goule horrible est assouvie.

Vertu, douleur, pensée, espérance, remords,
Amour qui traversais l'univers d'un coup d'aile,
Qu'êtes-vous devenus? L'âme qu'a-t-on fait d'elle?
Qu'a-t-on fait de l'esprit silencieux des morts?

Tout! Tout a disparu, sans échos et sans traces,
Avec le souvenir du monde jeune et beau.
Les siècles ont scellé dans le même tombeau
L'illusion divine et la rumeur des races.

O Soleil! vieil ami des antiques chanteurs,
30 Père des bois, des blés, des fleurs et des rosées,
Éteins donc brusquement tes flammes épuisées,
Comme un feu de berger perdu sur les hauteurs.

Que tardes-tu? La terre est desséchée et morte:
Fais comme elle, va, meurs! Pourquoi survivre encor?
Les globes détachés de ta ceinture d'or
Volent, poussière éparse, au vent qui les emporte.

Et, d'heure en heure aussi, vous vous engloutirez,
O tourbillonnements d'étoiles éperdues,
Dans l'incommensurable effroi des étendues,
40 Dans les gouffres muets et noirs des cieux sacrés!

Et ce sera la Nuit aveugle, la grande Ombre
Informe, dans son vide et sa stérilité,
L'abîme pacifique où gît la vanité
De ce qui fut le temps et l'espace et le nombre.

L'Illusion suprême

Quand l'homme approche enfin des sommets où la vie
Va plonger dans votre ombre inerte, ô mornes cieux!
Debout sur la hauteur aveuglément gravie,
Les premiers jours vécus éblouissent ses yeux.

Tandis que la nuit monte et déborde les grèves,
Il revoit, au delà de l'horizon lointain,
Tourbillonner le vol des désirs et des rêves
Dans la rose clarté de son heureux matin.

Monde lugubre où nul ne voudrait redescendre
10 Par le même chemin solitaire, âpre et lent,
Vous, stériles soleils, qui n'êtes plus que cendre,
Et vous, ô pleurs muets, tombés d'un cœur sanglant!

Celui qui va goûter le sommeil sans aurore
Dont l'homme ni le Dieu n'ont pu rompre le sceau,
Chair qui va disparaître, âme qui s'évapore,
S'emplit des visions qui hantaient son berceau.

Rien du passé perdu qui soudain ne renaisse:
La montagne natale et les vieux tamarins,
Les chers morts qui l'aimaient au temps de sa jeunesse
20 Et qui dorment là-bas dans les sables marins.

Sous les lilas géants où vibrent les abeilles,
Voici le vert coteau, la tranquille maison,
Les grappes de letchis et les mangues vermeilles
Et l'oiseau bleu dans le maïs en floraison;

Aux pentes des pitons, parmi les cannes grêles
Dont la peau d'ambre mûr s'ouvre au jus attiédi,
Le vol vif et strident des roses sauterelles
Qui s'enivrent de la lumière de midi;

Les cascades, en un brouillard de pierreries,
30 Versant du haut des rocs leur neige en éventail,
Et la brise embaumée autour des sucreries,
Et le fourmillement des Hindous au travail;

Le café rouge, par monceaux, sur l'aire sèche;
Dans les mortiers massifs le son des calaous;
Les grands-parents assis sous la varangue fraîche,
Et les rires d'enfants à l'ombre des bambous;

Le ciel vaste où le mont dentelé se profile,
Lorsque ta pourpre, ô soir, le revêt tout entier!
Et le chant triste et doux des bandes à la file
40 Qui s'en viennent des hauts et s'en vont au quartier.

Voici les bassins clairs entre les blocs de lave;
Par les sentiers de la savane, vers l'enclos,
Le beuglement des bœufs bossus de Tamatave
Mêlé dans l'air sonore au murmure des flots,

Et sur la côte, au pied des dunes de Saint-Gilles,
Le long de son corail merveilleux et changeant,
Comme un essaim d'oiseaux les pirogues agiles
Trempant leur aile aiguë aux écumes d'argent.

Puis tout s'apaise et dort. La lune se balance,
50 Perle éclatante, au fond des cieux d'astres emplis;
La mer soupire et semble accroître le silence
Et berce le reflet des mondes dans ses plis.

Mille aromes légers émanent des feuillages
Où la mouche d'or rôde, étincelle et bruit;
Et les feux des chasseurs, sur les mornes sauvages,
Jaillissent dans le bleu splendide de la nuit.

Et tu renais aussi, fantôme diaphane,
Qui fis battre son cœur la première fois,
Et, fleur cueillie avant que le soleil te fane,
60 Ne parfumas qu'un jour l'ombre calme des bois!

O chère Vision, toi qui répands encore,
De la plage lointaine où tu dors à jamais,
Comme un mélancolique et doux reflet d'aurore
Au fond d'un cœur obscur et glacé désormais!

Les ans n'ont pas pesé sur ta grâce immortelle,
La tombe bienheureuse a sauvé ta beauté:
Il te revoit avec tes yeux divins, et telle
Que tu lui souriais en un monde enchanté!

Mais, quand il s'en ira dans le muet mystère
70 Où tout ce qui vécut demeure enseveli,
Qui saura que ton âme a fleuri sur la terre,
O doux rêve promis à l'infaillible oubli?

Et vous, joyeux soleils des naïves années,
Vous, éclatantes nuits de l'infini béant,
Qui versiez votre gloire aux mers illuminées,
L'esprit qui vous songea vous entraîne au néant.

Ah! tout cela, jeunesse, amour, joie et pensée,
Chants de la mer et des forêts, souffles du ciel
Emportant à plein vol l'Espérance insensée,
80 Qu'est-ce que tout cela, qui n'est pas éternel?

Soit! la poussière humaine, en proie au temps rapide,
Ses voluptés, ses pleurs, ses combats, ses remords,
Les Dieux qu'elle a conçus et l'univers stupide
Ne valent pas la paix impassible des morts.

Charles Baudelaire

Charles-Pierre Baudelaire was born in 1821 in Paris, where he spent most of his relatively short life; and he was one of the first French poets whose urban experience was the central point of his imagination. His family circumstances were comfortable, but his father, already sixty when Charles was born, died when his son was only five and Charles was brought up by an adoringly possessive mother who, unfortunately for the boy, remarried only a year after her bereavement. This was an emotional shock to Baudelaire and he was never on good terms with his stepfather, an army officer who went on to beome a general, French ambassador in Madrid and a senator. Charles was packed off to boarding schools, which he loathed and where he was desperately unhappy. At the age of eighteen, he was expelled for undisciplined behaviour. Like Musset and Leconte de Lisle, he dabbled in law studies for a while after leaving school but spent his time in bohemian living during which he probably contracted the syphilis which was to shorten his life.

To remove him from the temptations of Paris (including the temptation of becoming a poet, because young Baudelaire showed early and passionate interest in poetry), he was sent away on a cruise to India in 1841 but he turned back at Mauritius, not before being seduced by the vision of tropical beauty that haunts some of his poems. On his return, having now come into his inheritance, he proceeded to squander it until, alarmed by his extravagant and spendthrift behaviour, his family took steps to place him under legal control which prevented him from receiving anything more than the interest on what was left of his legacy. One main result of this restraint was to push him more and more deeply into debt throughout his life. In 1845 his desperation was so great that he attempted suicide.

From the early 1840s he was involved in a liaison with *la Vénus noire*, a second-rate actress of mulatto blood called Jeanne Duval who, if she gave him moments of great bliss, in later years caused him great distress (she became an alcoholic wreck) as well as not inconsiderable expense. He continued to show her generosity and kindness long after it might have been considered that she had forfeited any further claim on his heart or his purse. He found consolation with other mistresses, including the beautiful former artists' model Madame Sabatier (*la Vénus blanche*), whom he idealised and who proved unequal to his idealisation; she inspired some of his loveliest poems, as did the actress Marie Daubrun, *la fille aux yeux verts*.

In addition to literature, Baudelaire was greatly interested in painting and his first appearance in print was as an art critic reviewing the Paris *Salon* of 1845 (the equivalent of the British Academy Exhibition). He frequented artistic circles; one of his great idols was the Romantic painter Eugène Delacroix in whom he found *le plus suggestif de tous les peintres*, the one who, like Baudelaire himself, considered imagination as *le don le plus precieux*, *la faculté la plus importante*. Baudelaire was also an original music critic, especially in his appreciation of Wagner, of whom (with Mallarmé) he was amongst the early French admirers.

Baudelaire had a rebellious nature and passed through a socialistic phase at the time of the 1848 Revolution; but his enthusiasm quickly faded and he turned more and more towards an apolitical and more aesthetic although never amoral doctrine. In his later years, religion played an increasing role in his meditations and his philosophy of life and art. When his verse was first collected and published in 1857 under the title of *Les Fleurs du mal*, he was appalled and amazed to find himself prosecuted and the work seized on the grounds of blasphemy and obscenity. The work was, in fact, condemned, the author fined and certain poems were ordered to be removed as obscene; a revised edition appeared in 1861.

Other works of his later years included translations of short stories of the North American poet Edgar Allan Poe (whom he had started translating as early as 1848 and by whose poetics he was greatly influenced); an exploration of the effect of drugs on the consciousness (*Les Paradis artificiels* 1860); further art criticism (*Le Salon de 1859*); and finally, a consideralbe amount of prose poetry, written, as he explained, in an endeavour to find a style to describe modern life by means, which he calls 'a miracle', of a poetic prose *musicale sans rythme et sans rime, assez souple et assez heurtée pour s'adapter aux mouvements lyriques de l'âme, aux ondulations de la rêverie, aux soubresauts de la conscience.* These poems were published in various reviews during his lifetime but were not collected until after his death.

Baudelaire's last years were wretched with poverty and ill-health, with premonitions as early as 1862 of the general paralysis that was slowly to cloud his mind. In 1864, to escape his creditors and in the hope of earning his living by lecturing, he emigrated to Belgium and settled in Brussels; but he found the Belgians unlikeable and no more understanding of his work than the French. In 1866 paralysis prevented him from speaking and he was brought back to Paris where he died in his mother's arms on 31 August 1867.

Baudelaire, with Hugo, dominates French poetry in the nineteenth century. Still in many ways a Romantic, sharing many ideas of the Parnassians, he points, with his use of symbolism and *correspondances*, the way to the future. Of *Les Fleurs du mal*, he himself wrote: *Dans ce livre atroce, j'ai mis toute ma pensée, tout mon coeur, toute ma religion (travestie), toute ma haine.* It is in the full sense of the word, a book of passion, full of ardour and suffering. For Baudelaire, passionate feeling was one of the essential elements of art and in one of his critical articles (his criticism was as remarkable as his poetry) he wrote: *la puérile utopie de l'école de l'art pour l'art en excluant la morale et souvent même la passion, était necessairement stérile.* Passion is, however, only one pole of poetic creation; the other is willpower at the service of intelligence to produce the careful craftsmanship which is the result of hard work. He tells us explicitly that *l'inspiration est décidément la soeur du travail journalier.* Facile sentimentalising and lyrical gush were as much anathema to him as to the other contributors to the *Parnasse contemporain* (in which some of his poems appeared in 1866).

Les Fleurs du mal are thus, at least in part, the poetic biography of Baudelaire, and in the very first poem, *Au Lecteur*, he tells us that he is going to deal with fundamentals, of body and of mind:

La sottise, l'erreur, le péché, la lésine
Occupent nos esprits et travaillent nos corps
Nos péchés sont têtus, nos repentirs sont lâches.

and it is salvation or damnation that is at stake—and the Devil is a powerful enemy tempting us to sin and destroy ourselves. Nor does Baudelaire consider his own moral predicament a purely personal one: we are all in the same boat, however morally superior the hypocritical amongst us may feel: he addresses us as his *hypocrite lecteur*, *mon semblable*, *mon frère*. We are all both sinful and mortal and if many of us are more sinful in thought than in deed, it is only because we are too timorous, too lazy or too bored to put our innate nastiness into practice; Baudelaire rejoins strict Christians in his conception of original sin; but for him—and herein lies one of his great originalities—the supreme evil is not the ordinary *ménagerie infâme de nos vices*, *les monstres glapissants*, *hurlants*, *grognants*, *rampants*, but *L'Ennui*, a *monstre délicat* [*qui*] *dans un bâillement avalerait le monde*. By *ennui*, the supreme evil, Baudelaire means of course not boredom in the ordinary sense of the word but a pathological state of mind which at times seems almost to take the form of a physical disease; it is a state of inertia brought on by the belief that all action is unsatisfactory or even harmful, a sort of self-destructive introspective rêverie in which everything and everybody, particularly oneself, seems hateful, a condition of mind and body which results, in Baudelaire, from the firm belief that Satan is the Prince of the World; it is life denial to the supreme degree. It is this *ennui* that Baudelaire seeks to combat in *Les Fleurs du mal* and the successive sections of his collection are carefully arranged in order to present certain possible remedies to this state. First, we are offered the consolations of the perception and creation of beauty (particularly in painting and poetry, but also in music and sculpture), and of love of women, both physical and spiritual; all these come in the section headed *Spleen et idéal* (see the notes on *Bénédiction*, p. 414). From these possible, but ultimately illusory or at best temporary alleviations of *ennui*, Baudelaire moves on to the distractions—frequently grim—to be found in the spectacle of Paris life (*Tableaux parisiens*); to the palliatives offered by the drugs of alcohol and tobacco (*Le Vin*); to the oblivion sought in vice (in the subsection of the collection entitled *Fleurs du mal*); in the attempt to deny the inevitability of damnation in a movement of blasphemy and revolt against a God who allows evil to prevail (*Révolte*); and finally, in his extreme anguish of mental and physical suffering, in the section entitled *La Mort* the poet comes almost to long for death in the hope that it may at least provide something new to alleviate his *ennui*, despite the strong suggestion, indeed a terrible fear, that the next world, assuming that it exists, will be no less tedious than this one.

With passion and willpower as the poles of Baudelaire's genius, there remains a third most important characteristic of *Les Fleurs du mal*: the poet's great imaginative power. He refers, indeed, to the imagination as *la reine des facultés*; but just as he gives new meaning to *ennui*, so imagination takes on for him a particular significance, different from the mere ability to represent things in the mind or to be sensitive to the outside world. Although it includes these qualities, imagination is primarily a coordinating power; and to understand what it coordinates we must examine the relationship between Baudelaire's conception of life and his aesthetics.

Baudelaire is convinced that the essence of reality is not material but spiritual and that it is through his feeling for the beautiful that man becomes aware of this spiritual essence, this kind of soul existing in everything: *C'est cet admirable ... instinct du beau qui nous fait considérer la terre ... comme une correspondance du ciel.* In themselves, external appearances have no sort of interest: they are important as a reflection or deformation of spirit. The world is thus merely a sort of dictionary, the words of which must be selected and arranged to produce beauty and significance. This is the task of the imagination which must seize the reality represented and masked by externals, which must perceive, not philosophically by reason or deduction, but intuitively, in an image containing elements both of the subject (the poet's interpretation) and the object (the external world), *les rapports intimes et secrets des choses, les correspondances et les analogies.*[1]

It is this doctrine of poetry as the expression, through suggestion, of a hidden meaning which stands at the beginning of the movement of French *symbolisme* (see pp. xv–xvii). Through the imagination, Baudelaire conceives of the poet as able to reveal beauty even in ugliness: he can be the alchemist who takes the base matter of everyday life and transmutes it into gold. The purpose of this process must, of course, be purely the creation of beauty; there must be no didacticism, no preaching; but Baudelaire was sure that the product of such an effort, since it was a true reflection of what life is, would, in its very nature, be moral, though not moralising; its moral value would be implicit in its truthfulness, not explicit as a demonstration or sermon.

But Baudelaire's conception of imagination went even further in his exploration of the relationship between appearances and their hidden reality: it led to a specific theory of *correspondances*. Since all externals, he thought, were expressions of the spiritual essence of the universe, they must also be related to each other; so the senses of sight, touch, smell, taste and hearing through which we perceive the external world, are not only complementary to each other but in a mysterious fashion, interchangeable. It is the idea which he states vividly in his sonnet *Correspondances*:

Comme de longs échos qui de loin se confondent
Dans une ténébreuse et profonde unité
Vaste comme la nuit et comme la clarté,
Les parfums, les couleurs et les sons se répondent.

Il est des parfums frais comme des chairs d'enfants,
Doux comme les hautbois, verts comme les prairies.

This conception of the interrelation of the senses (synaesthesia) leads to a great extension of the bounds of metaphor and simile and was to have a decisive effect on the next generation of poets (the generation of symbolism).

[1] This insistence on intuition makes Baudelaire attach great importance to childhood, the age of immediacy and vividness of impression and emotion; he once wrote that genius was the ability to recover childhood at will.

As his stormy nature might suggest, Baudelaire's idea of beauty was not one of regularity or conventional polish: as he wrote, *l'irrégularité, c'est-à-dire l'inattendu, la surprise sont une partie essentielle et caractéristique de la beauté*; or: *j'ai trouvé la définition du Beau, de mon Beau: c'est quelque chose d'ardent et de triste, quelque chose d'un peu vague*. Here, too, he was to point the way to the plaintive, melancholy and obscure tone of the poetry of Verlaine and his contemporaries and immediate successors. It began more and more to be realised that beauty was no longer to be restricted to specific aspects of the world but lay in the expression of the individual temperament in all its peculiarities. Clearly these mysteries of the human personality require a more allusive, suggestive approach. Baudelaire, following the North American poet Poe, condemns purely descriptive or narrative poetry as lacking poetic intensity—a condemnation echoed by Mallarmé for the same reason. This did not mean, for Baudelaire, abandonment to personal caprice: Baudelaire always considered that for a poem to be durable it must contain certain fixed and as it were timeless elements, which were represented for him by the traditional rules of French prosody; he considered that these rules corresponded to certain fundamental and permanent needs of mankind for order and rhythm. But into this time-tested framework (e.g. the strict sonnet in alexandrines), Baudelaire thought that there should be introduced other, modern elements which might be represented by a particular period, a particular fashion, a particular modern attitude or a particular passion. A poet must be of his times, he must react to the contemporary scene, he must (unless he is to condemn himself to producing colourless, passionless *pastiches*) be modern in his sensibility. Here, too, Baudelaire was a forerunner of modern poetic attitudes.

He was a highly conscious craftsman, his particular care being to vary his rhythm (which he describes as *l'instrument le plus utile dans un but de beauté*) according to his needs of expression; to pay, in accordance with the techniques advocated by Poe, particular attention to the use of various forms of repetitions and relations of sounds (alliteration and assonance), words and phrases—a technique which was to find its fullest development in Verlaine. Baudelaire's *Harmonie du Soir* is a typical example of this endeavour to weave an evocative musical pattern which, in its sounds and rhythms would awaken varied and subtle emotional responses and reverberations. Finally, he had at his disposal a range of tones, from the eloquently rhetorical, sometimes almost declamatory, to the conversational verging on the prosaic. Here too he was to find important followers, especially, among his immediate successors, in Laforgue.

MAIN POETICAL WORKS

Les Fleurs du mal, 1857 (revised and enlarged 1861) (published in an excellent edition in *Classiques Garnier*)

CRITICAL AND BIOGRAPHICAL WORKS

L. J. Austin, *L'Univers poétique de Baudelaire*, Paris, 1956
A. Fairlie, *Baudelaire: Les Fleurs du mal*, Arnold, 1960
F. W. Leakey, *Baudelaire and nature*, Manchester, 1969
D. J. Mossop, *Baudelaire's Tragic Hero*, Oxford, 1961

Charles Baudelaire

D. Parmée, *Selected Critical Studies of Baudelaire*, Cambridge University Press, 1949
J. Prévost, *Baudelaire*, Paris, 1953
M. Ruff, *Baudelaire, l'homme et l'œuvre*, Paris, 1955
J.-P. Sartre, *Baudelaire*, Paris, 1947
E. M. Starkie, *Baudelaire*, Oxford University Press, 1957

Charles Baudelaire

Bénédiction

Lorsque, par un décret des puissances suprêmes,
Le Poète apparaît en ce monde ennuyé,
Sa mère épouvantée et pleine de blasphèmes
Crispe ses poings vers Dieu, qui la prend en pitié:

—'Ah! que n'ai-je mis bas tout un nœud de vipères,
Plutôt que de nourrir cette dérision!
Maudite soit la nuit aux plaisirs éphémères
Où mon ventre a conçu mon expiation!

Puisque tu m'as choisie entre toutes les femmes
10 Pour être le dégoût de mon triste mari,
Et que je ne puis pas rejeter dans les flammes,
Comme un billet d'amour, ce monstre rabougri,

Je ferai rejaillir ta haine qui m'accable
Sur l'instrument maudit de tes méchancetés,
Et je tordrai si bien cet arbre misérable,
Qu'il ne pourra pousser ses boutons empestés!'

Elle ravale ainsi l'écume de sa haine,
Et, ne comprenant pas les desseins éternels,
Elle-même prépare au fond de la Géhenne
20 Les bûchers consacrés aux crimes maternels.

Pourtant, sous la tutelle invisible d'un Ange,
L'Enfant déshérité s'enivre de soleil,
Et dans tout ce qu'il boit et dans tout ce qu'il mange
Retrouve l'ambroisie et le nectar vermeil.

Il joue avec le vent, cause avec le nuage,
Et s'enivre en chantant du chemin de la croix;
Et l'Esprit qui le suit dans son pèlerinage
Pleure de le voir gai comme un oiseau des bois.

Tous ceux qu'il veut aimer l'observent avec crainte,
30 Ou bien s'enhardissant de sa tranquillité,
Cherchent à qui saura lui tirer une plainte,
Et font sur lui l'essai de leur férocité.

Dans le pain et le vin destinés à sa bouche
Ils mêlent de la cendre avec d'impurs crachats;
Avec hypocrisie ils jettent ce qu'il touche,
Et s'accusent d'avoir mis leurs pieds dans ses pas.

Sa femme va criant sur les places publiques:
—'Puisqu'il me trouve assez belle pour m'adorer,
Je ferai le métier des idoles antiques,
40 Et comme elles je veux me faire redorer;

Et je me soûlerai de nard, d'encens, de myrrhe,
De génuflexions, de viandes et de vins,
Pour savoir si je puis dans un cœur qui m'admire
Usurper en riant les hommages divins!

Et, quand je m'ennuierai de ces farces impies,
Je poserai sur lui ma frêle et forte main;
Et mes ongles, pareils aux ongles des harpies
Sauront jusqu'à son cœur se frayer un chemin.

Comme un tout jeune oiseau qui tremble et qui palpite,
50 J'arracherai ce cœur tout rouge de son sein,
Et, pour rassasier ma bête favorite,
Je le lui jetterai par terre avec dédain!'

Vers le Ciel, où son œil voit un trône splendide,
Le Poète serein lève ses bras pieux,
Et les vastes éclairs de son esprit lucide
Lui dérobent l'aspect des peuples furieux:

'Soyez béni, mon Dieu, qui donnez la souffrance
Comme un divin remède à nos impuretés,
Et comme la meilleure et la plus pure essence
60 Qui prépare les forts aux saintes voluptés!

Je sais que vous gardez une place au Poète
Dans les rangs bienheureux des saintes Légions,
Et que vous l'invitez à l'éternelle fête
Des Trônes, des Vertus, des Dominations.

Je sais que la douleur est la noblesse unique
Où ne mordront jamais la terre et les enfers,
Et qu'il faut pour tresser ma couronne mystique
Imposer tous les temps et tous les univers.

Mais les bijoux perdus de l'antique Palmyre,
70 Les métaux inconnus, les perles de la mer,
Par votre main montés, ne pourraient pas suffire
A ce beau diadème éblouissant et clair;

Car il ne sera fait que de pure lumière,
Puisée au foyer saint des rayons primitifs,
Et dont les yeux mortels, dans leur splendeur entière,
Ne sont que des miroirs obscurcis et plaintifs!'

Élévation

Au-dessus des étangs, au-dessus des vallées,
Des montagnes, des bois, des nuages, des mers,
Par delà le soleil, par delà les éthers,
Par delà les confins des sphères étoilées,

Mon esprit, tu te meus avec agilité,
Et, comme un bon nageur qui se pâme dans l'onde,
Tu sillonnes gaiement l'immensité profonde
Avec une indicible et mâle volupté.

Envole-toi bien loin de ces miasmes morbides;
10 Va te purifier dans l'air supérieur,
Et bois, comme une pure et divine liqueur,
Le feu clair qui remplit les espaces limpides.

Derrière les ennuis et les vastes chagrins
Qui chargent de leur poids l'existence brumeuse,
Heureux celui qui peut d'une aile vigoureuse
S'élancer vers les champs lumineux et sereins;

Celui dont les pensers, comme des alouettes,
Vers les cieux le matin prennent un libre essor,
—Qui plane sur la vie, et comprend sans effort
20 Le langage des fleurs et des choses muettes!

Charles Baudelaire

Correspondances

La Nature est un temple où de vivants piliers
Laissent parfois sortir de confuses paroles;
L'homme y passe à travers des forêts de symboles
Qui l'observent avec des regards familiers.

Comme de longs échos qui de loin se confondent
Dans une ténébreuse et profonde unité,
Vaste comme la nuit et comme la clarté,
Les parfums, les couleurs et les sons se répondent.

Il est des parfums frais comme des chairs d'enfants,
10 Doux comme les hautbois, verts comme les prairies,
—Et d'autres, corrompus, riches et triomphants,

Ayant l'expansion des choses infinies,
Comme l'ambre, le musc, le benjoin et l'encens,
Qui chantent les transports de l'esprit et des sens.

L'Ennemi

Ma jeunesse ne fut qu'un ténébreux orage,
Traversé çà et là par de brillants soleils;
Le tonnerre et la pluie ont fait un tel ravage,
Qu'il reste en mon jardin bien peu de fruits vermeils.

Voilà que j'ai touché l'automne des idées
Et qu'il faut employer la pelle et les râteaux
Pour rassembler à neuf les terres inondées,
Où l'eau creuse des trous grands comme des tombeaux.

Et qui sait si les fleurs nouvelles que je rêve
10 Trouveront dans ce sol lavé comme une grève
Le mystique aliment qui ferait leur vigueur?

—O douleur! ô douleur! Le Temps mange la vie,
Et l'obscur Ennemi qui nous ronge le cœur
Du sang que nous perdons croît et se fortifie!

Charles Baudelaire

Hymne à la Beauté

Viens-tu du ciel profond ou sors-tu de l'abîme,
O Beauté? Ton regard, infernal et divin,
Verse confusément le bienfait et le crime,
Et l'on peut pour cela te comparer au vin.

Tu contiens dans ton œil le couchant et l'aurore;
Tu répands des parfums comme un soir orageux;
Tes baisers sont un philtre et ta bouche une amphore
Qui font le héros lâche et l'enfant courageux.

Sors-tu du gouffre noir ou descends-tu des astres?
10 Le Destin charmé suit tes jupons comme un chien;
Tu sèmes au hasard la joie et les désastres,
Et tu gouvernes tout et ne réponds de rien.

Tu marches sur des morts, Beauté, dont tu te moques;
De tes bijoux l'Horreur n'est pas le moins charmant,
Et le Meurtre, parmi tes plus chères breloques,
Sur ton ventre orgueilleux danse amoureusement.

L'éphémère ébloui vole vers toi, chandelle,
Crépite, flambe et dit: Bénissons ce flambeau!
L'amoureux pantelant incliné sur sa belle
20 A l'air d'un moribond caressant son tombeau.

Que tu viennes du ciel ou de l'enfer, qu'importe,
O Beauté! monstre énorme, effrayant, ingénu!
Si ton œil, ton souris, ton pied, m'ouvrent la porte
D'un Infini que j'aime et n'ai jamais connu?

De Satan ou de Dieu, qu'importe? Ange ou Sirène,
Qu'importe, si tu rends,—fée aux yeux de velours,
Rhythme, parfum, lueur, ô mon unique reine!—
L'univers moins hideux et les instants moins lourds?

Parfum exotique

Quand, les deux yeux fermés, en un soir chaud d'automne,
Je respire l'odeur de ton sein chaleureux,
Je vois se dérouler des rivages heureux
Qu'éblouissent les feux d'un soleil monotone;

Une île paresseuse où la nature donne
Des arbres singuliers et des fruits savoureux;
Des hommes dont le corps est mince et vigoureux,
Et des femmes dont l'œil par sa franchise étonne.

Guidé par ton odeur vers de charmants climats,
10 Je vois un port rempli de voiles et de mâts
Encor tout fatigués par la vague marine,

Pendant que le parfum des verts tamariniers,
Qui circule dans l'air et m'enfle la narine,
Se mêle dans mon âme au chant des mariniers.

La Chevelure

O toison, moutonnant jusque sur l'encolure!
O boucles! O parfum chargé de nonchaloir!
Extase! Pour peupler ce soir l'alcôve obscure
Des souvenirs dormant dans cette chevelure,
Je la veux agiter dans l'air comme un mouchoir!

La langoureuse Asie et la brûlante Afrique,
Tout un monde lointain, absent, presque défunt,
Vit dans tes profondeurs, forêt aromatique!
Comme d'autres esprits voguent sur la musique,
10 Le mien, ô mon amour! nage sur ton parfum.

J'irai là-bas où l'arbre et l'homme, pleins de sève,
Se pâment longuement sous l'ardeur des climats;
Fortes tresses, soyez la houle qui m'enlève!
Tu contiens, mer d'ébène, un éblouissant rêve
De voiles, de rameurs, de flammes et de mâts:

Un port retentissant où mon âme peut boire
A grands flots le parfum, le son et la couleur;
Où les vaisseaux, glissant dans l'or et dans la moire,
Ouvrent leurs vastes bras pour embrasser la gloire
20 D'un ciel pur où frémit l'éternelle chaleur.

Je plongerai ma tête amoureuse d'ivresse
Dans ce noir océan où l'autre est enfermé;
Et mon esprit subtil que le roulis caresse
Saura vous retrouver, ô féconde paresse,
Infinis bercements du loisir embaumé!

Cheveux bleus, pavillon de ténèbres tendues,
Vous me rendez l'azur du ciel immense et rond;
Sur les bords duvetés de vos mèches tordues
Je m'enivre ardemment des senteurs confondues
30 De l'huile de coco, du musc et du goudron.

Longtemps! toujours! ma main dans ta crinière lourde
Sèmera le rubis, la perle et le saphir,
Afin qu'à mon désir tu ne sois jamais sourde!
N'es-tu pas l'oasis où je rève, et la gourde
Où je hume à longs traits le vin du souvenir?

Le Balcon

Mere des souvenirs, maîtresse des maîtresses,
O toi, tous mes plaisirs! ô toi, tous mes devoirs!
Tu te rappelleras la beauté des caresses,
La douceur du foyer et le charme des soirs,
Mère des souvenirs, maîtresse des maîtresses!

Les soirs illuminés par l'ardeur du charbon,
Et les soirs au balcon, voilés de vapeurs roses.
Que ton sein m'était doux! que ton cœur m'était bon!
Nous avons dit souvent d'impérissables choses
10 Les soirs illuminés par l'ardeur du charbon.

Que les soleils sont beaux dans les chaudes soirées!
Que l'espace est profond! que le cœur est puissant!
En me penchant vers toi, reine des adorées,
Je croyais respirer le parfum de ton sang.
Que les soleils sont beaux dans les chaudes soirées!

La nuit s'épaississait ainsi qu'une cloison,
Et mes yeux dans le noir devinaient tes prunelles,
Et je buvais ton souffle, ô douceur! ô poison!
Et tes pieds s'endormaient dans mes mains fraternelles.
20 La nuit s'épaississait ainsi qu'une cloison.

Je sais l'art d'évoquer les minutes heureuses,
Et revis mon passé blotti dans tes genoux.
Car à quoi bon chercher tes beautés langoureuses
Ailleurs qu'en ton cher corps et qu'en ton cœur si doux?
Je sais l'art d'évoquer les minutes heureuses!

Ces serments, ces parfums, ces baisers infinis,
Renaîtront-ils d'un gouffre interdit à nos sondes,
Comme montent au ciel les soleils rajeunis
Après s'être lavés au fond des mers profondes?
30 —O serments! ô parfums! ô baisers infinis!

Harmonie du Soir

Voici venir les temps où vibrant sur sa tige
Chaque fleur s'évapore ainsi qu'un encensoir;
Les sons et les parfums tournent dans l'air du soir;
Valse mélancolique et langoureux vertige!

Chaque fleur s'évapore ainsi qu'un encensoir;
Le violon frémit comme un cœur qu'on afflige;
Valse mélancolique et langoureux vertige!
Le ciel est triste et beau comme un grand reposoir.

Le violon frémit comme un cœur qu'on afflige,
10 Un cœur tendre, qui hait le néant vaste et noir!
Le ciel est triste et beau comme un grand reposoir;
Le soleil s'est noyé dans son sang qui se fige.

Un cœur tendre, qui hait le néant vaste et noir,
Du passé lumineux recueille tout vestige!
Le soleil s'est noyé dans son sang qui se fige.
Ton souvenir en moi luit comme un ostensoir!

L'Invitation au Voyage

Mon enfant, ma sœur,
    Songe à la douceur
D'aller là-bas vivre ensemble!
    Aimer à loisir,
    Aimer et mourir
Au pays qui te ressemble!
    Les soleils mouillés
    De ces ciels brouillés
Pour mon esprit ont les charmes
10   Si mystérieux
    De tes traîtres yeux,
Brillant à travers leurs larmes.

Là, tout n'est qu'ordre et beauté,
Luxe, calme et volupté.

    Des meubles luisants,
    Polis par les ans,
Décoreraient notre chambre;
    Les plus rares fleurs
    Mêlant leurs odeurs
20 Aux vagues senteurs de l'ambre.
    Les riches plafonds,
    Les miroirs profonds,
La splendeur orientale,
    Tout y parlerait
    A l'âme en secret
Sa douce langue natale.

Là, tout n'est qu'ordre et beauté,
Luxe, calme et volupté.

Vois sur ces canaux
30 Dormir ces vaisseaux
Dont l'humeur est vagabonde;
C'est pour assouvir
Ton moindre désir
Qu'ils viennent du bout du monde
—Les soleils couchants
Revêtent les champs,
Les canaux, la ville entière,
D'hyacinthe et d'or;
Le monde s'endort
40 Dans une chaude lumière.

Là, tout n'est qu'ordre et beauté,
Luxe, calme et volupté.

Je t'adore à l'égal

Je t'adore à l'égal de la voûte nocturne,
O vase de tristesse, ô grande taciturne,
Et t'aime d'autant plus, belle, que tu me fuis,
Et que tu me parais, ornement de mes nuits,
Plus ironiquement accumuler les lieues
Qui séparent mes bras des immensités bleues.

Je m'avance à l'attaque, et je grimpe aux assauts,
Comme après un cadavre un chœur de vermisseaux,
Et je chéris, ô bête implacable et cruelle!
10 Jusqu'à cette froideur par où tu m'est plus belle!

Causerie

Vous êtes un beau ciel d'automne, clair et rose!
Mais la tristresse en moi monte comme la mer,
Et laisse, en refluant, sur ma lèvre morose
Le souvenir cuisant de son limon amer.

—Ta main se glisse en vain sur mon sein qui se pâme;
Ce qu'elle cherche, amie, est un lieu saccagé
Par la griffe et la dent féroce de la femme.
Ne cherchez plus mon cœur; les bêtes l'ont mangé.

Mon cœur est un palais flétri par la cohue;
10 On s'y soûle, on s'y tue, on s'y prend aux cheveux!
—Un parfum nage autour de votre gorge nue! . . .

O Beauté, dur fléau des âmes, tu le veux!
Avec tes yeux de feu, brillants comme des fêtes,
Calcine ces lambeaux qu'ont épargnés les bêtes!

Chant d'Automne

I

Bientôt nous plongerons dans les froides ténèbres;
Adieu, vive clarté de nos étés trop courts!
J'entends déjà tomber avec des chocs funèbres
Le bois retentissant sur le pavé des cours.

Tout l'hiver va rentrer dans mon être: colère,
Haine, frissons, horreur, labeur dur et forcé,
Et, comme le soleil dans son enfer polaire,
Mon cœur ne sera plus qu'un bloc rouge et glacé.

J'écoute en frémissant chaque bûche qui tombe;
10 L'échafaud qu'on bâtit n'a pas d'écho plus sourd.
Mon esprit est pareil à la tour qui succombe
Sous les coups du bélier infatigable et lourd.

Il me semble, bercé par ce choc monotone,
Qu'on cloue en grande hâte un cerceuil quelque part.
Pour qui?—C'était hier l'été; voici l'automne!
Ce bruit mystérieux sonne comme un départ.

II

J'aime de vos longs yeux la lumière verdâtre,
Douce beauté, mais tout aujourd'hui m'est amer,
Et rien, ni votre amour, ni le boudoir, ni l'âtre,
20 Ne me vaut le soleil rayonnant sur la mer.

Et pourtant aimez-moi, tendre cœur! soyez mère,
Même pour un ingrat, même pour un méchant;
Amante ou sœur, soyez la douceur éphémère
D'un glorieux automne ou d'un soleil couchant.

Courte tâche! La tombe attend; elle est avide!
Ah! laissez-moi, mon front posé sur vos genoux,
Goûter, en regrettant l'été blanc et torride,
De l'arrière-saison le rayon jaune et doux!

La Musique

La musique souvent me prend comme une mer!
Vers ma pâle étoile,
Sous un plafond de brume ou dans un vaste éther,
Je mets à la voile;

La poitrine en avant et les poumons gonflés
Comme de la toile,
J'escalade le dos des flots amoncelés
Que la nuit me voile;

Je sens vibrer en moi toutes les passions
10 D'un vaisseau qui souffre;
Le bon vent, la tempête et ses convulsions

Sur l'immense gouffre
Me bercent. D'autres fois, calme plat, grand miroir
De mon désespoir!

Le Cygne

I

Andromaque, je pense à vous! Ce petit fleuve,
Pauvre et triste miroir où jadis resplendit
L'immense majesté de vos douleurs de veuve,
Ce Simoïs menteur qui par vos pleurs grandit,

A fécondé soudain ma mémoire fertile,
Comme je traversais le nouveau Carrousel.
Le vieux Paris n'est plus (la forme d'une ville
Change plus vite, hélas! que le cœur d'un mortel);

Je ne vois qu'en esprit tout ce camp de baraques,
10 Ces tas de chapiteaux ébauchés et de fûts,
Les herbes, les gros blocs verdis par l'eau des flaques,
Et, brillant aux carreaux, le bric-à-brac confus.

Là s'étalait jadis une ménagerie;
Là je vis, un matin, à l'heure où sous les cieux
Froids et clairs le Travail s'éveille, où la voirie
Pousse un sombre ouragan dans l'air silencieux,

Un cygne qui s'était évadé de sa cage,
Et, de ses pieds palmés frottant le pavé sec,
Sur le sol raboteux traînait son blanc plumage.
20 Près d'un ruisseau sans eau la bête ouvrant le bec

Baignait nerveusement ses ailes dans la poudre,
Et disait, le cœur plein de son beau lac natal:
'Eau, quand donc pleuvras-tu? quand tonneras-tu, foudre?'
Je vois ce malheureux, mythe étrange et fatal,

Vers le ciel quelquefois, comme l'homme d'Ovide,
Vers le ciel ironique et cruellement bleu,
Sur son cou convulsif tendant sa tête avide,
Comme s'il adressait des reproches à Dieu!

II

Paris change! mais rien dans ma mélancolie
30 N'a bougé! palais neufs, échafaudages, blocs,
Vieux faubourgs, tout pour moi devient allégorie,
Et mes chers souvenirs sont plus lourds que des rocs.

Aussi devant ce Louvre une image m'opprime:
Je pense à mon grand cygne, avec ses gestes fous,
Comme les exilés, ridicule et sublime,
Et rongé d'un désir sans trêve! et puis à vous,

Andromaque, des bras d'un grand époux tombée,
Vil bétail, sous la main du superbe Pyrrhus,
Auprès d'un tombeau vide en extase courbée;
40 Veuve d'Hector, hélas! et femme d'Hélénus!

Je pense à la négresse, amaigrie et phtisique,
Piétinant dans la boue, et cherchant, l'œil hagard,
Les cocotiers absents de la superbe Afrique
Derrière la muraille immense du brouillard;

A quiconque a perdu ce qui ne se retrouve
Jamais, jamais! à ceux qui s'abreuvent de pleurs
Et tettent la Douleur comme une bonne louve!
Aux maigres orphelins séchant comme des fleurs!

Ainsi dans la forêt où mon esprit s'exile
50 Un vieux Souvenir sonne à plein souffle du cor!
Je pense aux matelots oubliés dans une île,
Aux captifs, aux vaincus! . . . à bien d'autres encor!

Les Aveugles

Contemple-les, mon âme; ils sont vraiment affreux!
Pareils aux mannequins; vaguement ridicules;
Terribles, singuliers comme les somnambules;
Dardant on ne sait où leurs globes ténébreux.

Leurs yeux, d'où la divine étincelle est partie,
Comme s'ils regardaient au loin, restent levés
Au ciel; on ne les voit jamais vers les pavés
Pencher rêveusement leur tête appesantie.

Ils traversent ainsi le noir illimité,
10 Ce frère du silence éternel. O cité!
Pendant qu'autour de nous tu chantes, ris et beugles,

Éprise du plaisir jusqu'à l'atrocité,
Vois! je me traîne aussi! mais, plus qu'eux hébété,
Je dis: Que cherchent-ils au Ciel, tous ces aveugles?

Charles Baudelaire

Le Crépuscule du Soir

Voici le soir charmant, ami du criminel;
Il vient comme un complice, à pas de loup; le ciel
Se ferme lentement comme une grande alcôve
Et l'homme impatient se change en bête fauve.
O soir, aimable soir, désiré par celui
Dont les bras, sans mentir, peuvent dire: Aujourd'hui
Nous avons travaillé!—C'est le soir qui soulage
Les esprits que dévore une douleur sauvage,
Le savant obstiné dont le front s'alourdit,
10 Et l'ouvrier courbé qui regagne son lit.
Cependant des démons malsains dans l'atmosphère
S'éveillent lourdement, comme des gens d'affaire,
Et cognent en volant les volets et l'auvent.
A travers les lueurs que tourmente le vent
La Prostitution s'allume dans les rues;
Comme une fourmilière elle ouvre ses issues;
Partout elle se fraye un occulte chemin,
Ainsi que l'ennemi qui tente un coup de main;
Elle remue au sein de la cité de fange
20 Comme un ver qui dérobe à l'Homme ce qu'il mange.
On entend çà et là les cuisines siffler,
Les théâtres glapir, les orchestres ronfler;
Les tables d'hôte, dont le jeu fait les délices,
S'emplissent de catins et d'escrocs, leurs complices,
Et les voleurs, qui n'ont ni trêve ni merci,
Vont bientôt commencer leur travail, eux aussi,
Et forcer doucement les portes et les caisses
Pour vivre quelques jours et vêtir leurs maîtresses.

Recueille-toi, mon âme, en ce grave moment,
30 Et ferme ton oreille à ce rugissement.
C'est l'heure où les douleurs des malades s'aigrissent!
La sombre Nuit les prend à la gorge; ils finissent
Leur destinée et vont vers le gouffre commun;
L'hôpital se remplit de leurs soupirs.—Plus d'un
Ne viendra plus chercher la soupe parfumée,
Au coin du feu, le soir, auprès d'une âme aimée.

Encore la plupart n'ont-ils jamais connu
La douceur du foyer et n'ont jamais vécu!

Charles Baudelaire

Brumes et Pluies

O fins d'automne, hivers, printemps trempés de boue,
Endormeuses saisons! je vous aime et vous loue
D'envelopper ainsi mon cœur et mon cerveau
D'un linceul vaporeux et d'un vague tombeau.

Dans cette grande plaine où l'autan froid se joue,
Où par les longues nuits la girouette s'enroue,
Mon âme mieux qu'au temps du tiède renouveau
Ouvrira largement ses ailes de corbeau.

Rien n'est plus doux au cœur plein de choses funèbres,
10 Et sur qui dès longtemps descendent les frimas,
O blafardes saisons, reines de nos climats,

Que l'aspect permanent de vos pâles ténèbres,
—Si ce n'est, par un soir sans lune, deux à deux,
D'endormir la douleur sur un lit hasardeux.

A une Passante

La rue assourdissante autour de moi hurlait,
Longue, mince, en grand deuil, douleur majestueuse,
Une femme passa, d'une main fastueuse
Soulevant, balançant le feston et l'ourlet;

Agile et noble, avec sa jambe de statue.
Moi, je buvais, crispé comme un extravagant,
Dans son œil, ciel livide où germe l'ouragan,
La douceur qui fascine et le plaisir qui tue.

Un éclair . . . puis la nuit!—Fugitive beauté
10 Dont le regard m'a fait soudainement renaître,
Ne te verrai-je plus que dans l'éternité?

Ailleurs, bien loin d'ici! trop tard! *jamais* peut-être!
Car j'ignore où tu fuis, tu ne sais où je vais,
O toi que j'eusse aimée, ô toi qui le savais!

Recueillement

Sois sage, ô ma Douleur, et tiens-toi plus tranquille.
Tu réclamais le Soir; il descend; le voici;
Une atmosphère obscure enveloppe la ville,
Aux uns portant la paix, aux autres le souci.

Pendant que des mortels la multitude vile,
Sous le fouet du Plaisir, ce bourreau sans merci,
Va cueillir des remords dans la fête servile,
Ma Douleur, donne-moi la main; viens par ici,

Loin d'eux. Vois se pencher les défuntes Années,
10 Sur les balcons du ciel, en robes surannées;
Surgir du fond des eaux le Regret souriant;

Le Soleil moribond s'endormir sous une arche,
Et, comme un long linceul traînant à l'Orient,
Entends, ma chère, entends la douce Nuit qui marche.

Le Reniement de Saint Pierre

Qu'est-ce que Dieu fait donc de ce flot d'anathèmes
Qui monte tous les jours vers ses chers Séraphins?
Comme un tyran gorgé de viande et de vins,
Il s'endort au doux bruit de nos affreux blasphèmes.

Les sanglots des martyrs et des suppliciés
Sont une symphonie enivrante sans doute,
Puisque, malgré le sang que leur volupté coûte,
Les cieux ne s'en sont point encore rassasiés!

— Ah! Jésus, souviens-toi du Jardin des Olives!
10 Dans ta simplicité tu priais à genoux
Celui qui dans son ciel riait au bruit des clous
Que d'ignobles bourreaux plantaient dans tes chairs vives,

Lorsque tu vis cracher sur ta divinité
La crapule du corps de garde et des cuisines,
Et lorsque tu sentis s'enfoncer les épines
Dans ton crâne où vivait l'immense Humanité;

Quand de ton corps brisé la pesanteur horrible
Allongeait tes deux bras distendus, que ton sang
Et ta sueur coulaient de ton front pâlissant,
20 Quand tu fus devant tous posé comme une cible,

Rêvais-tu de ces jours si brillants et si beaux
Où tu vins pour remplir l'éternelle promesse,
Où tu foulais, monté sur une douce ânesse,
Des chemins tout jonchés de fleurs et de rameaux,

Où, le cœur tout gonflé d'espoir et de vaillance,
Tu fouettais tous ces vils marchands à tour de bras,
Où tu fus maître enfin? Le remords n'a-t-il pas
Pénétré dans ton flanc plus avant que la lance?

— Certes, je sortirai, quant à moi, satisfait
30 D'un monde où l'action n'est pas la sœur du rêve;
Puissé-je user du glaive et périr par le glaive!
Saint Pierre a renié Jésus . . . il a bien fait!

Le Voyage

I

Pour l'enfant, amoureux de cartes et d'estampes,
L'univers est égal à son vaste appétit.
Ah! que le monde est grand à la clarté des lampes!
Aux yeux du souvenir que le monde est petit!

Un matin nous partons, le cerveau plein de flamme,
Le cœur gros de rancune et de désirs amers,
Et nous allons, suivant le rythme de la lame,
Berçant notre infini sur le fini des mers:

Les uns, joyeux de fuir une patrie infâme;
10 D'autres, l'horreur de leurs berceaux, et quelques-uns,
Astrologues noyés dans les yeux d'une femme,
La Circé tyrannique aux dangereux parfums.

Pour n'être pas changés en bêtes, ils s'enivrent
D'espace et de lumière et de cieux embrasés;
La glace qui les mord, les soleils qui les cuivrent,
Effacent lentement la marque des baisers.

Mais les vrais voyageurs sont seux-là seuls qui partent
Pour partir; cœurs légers, semblables aux ballons,
De leur fatalité jamais ils ne s'écartent,
20 Et, sans savoir pourquoi, disent toujours: Allons!

Ceux-là dont les désirs ont la forme des nues,
Et qui rêvent, ainsi qu'un conscrit le canon,
De vastes voluptés, changeantes, inconnues,
Et dont l'esprit humain n'a jamais su le nom!

II

Nous imitons, horreur! la toupie et la boule
Dans leur valse et leurs bonds; même dans nos sommeils
La Curiosité nous tourmente et nous roule,
Comme un Ange cruel qui fouette des soleils.

Singulière fortune où le but se déplace,
30 Et, n'étant nulle part, peut être n'importe où!
Où l'Homme, dont jamais l'espérance n'est lasse,
Pour trouver le repos court toujours comme un fou!

Notre âme est un trois-mâts cherchant son Icarie;
Une voix retentit sur le pont: 'Ouvre l'œil!'
Une voix de la hune, ardente et folle, crie:
'Amour . . . gloire . . . bonheur!' Enfer! c'est un écueil!

Chaque îlot signalé par l'homme de vigie
Est un Eldorado promis par le Destin;
L'Imagination qui dresse son orgie
40 Ne trouve qu'un récif aux clartés du matin.

O le pauvre amoureux des pays chimériques!
Faut-il le mettre aux fers, le jeter à la mer,
Ce matelot ivrogne, inventeur d'Amériques
Dont le mirage rend le gouffre plus amer?

Tel le vieux vagabond, piétinant dans la boue,
Rêve, le nez en l'air, de brillants paradis;
Son œil ensorcelé découvre une Capoue
Partout où la chandelle illumine un taudis.

III

Étonnants voyageurs! quelles nobles histoires
40 Nous lisons dans vos yeux profonds comme les mers!
Montrez-nous les écrins de vos riches mémoires,
Ces bijoux merveilleux, faits d'astres et d'éthers.

Nous voulons voyager sans vapeur et sans voile!
Faites, pour égayer l'ennui de nos prisons,
Passer sur nos esprits, tendus comme une toile,
Vos souvenirs avec leurs cadres d'horizons.

Dites, qu'avez-vous vu?

IV

'Nous avons vu des astres
Et des flots; nous avons vu des sables aussi;
Et, malgré bien des chocs et d'imprévus désastres,
60 Nous nous sommes souvent ennuyés, comme ici.

La gloire du soleil sur la mer violette,
La gloire des cités dans le soleil couchant,
Allumaient dans nos cœurs une ardeur inquiète
De plonger dans un ciel au reflet alléchant.

Les plus riches cités, les plus grands paysages,
Jamais ne contenaient l'attrait mystérieux
De ceux que le hasard fait avec les nuages.
Et toujours le désir nous rendait soucieux!

—La jouissance ajoute au désir de la force.
70 Désir, vieil arbre à qui le plaisir sert d'engrais,
Cependant que grossit et durcit ton écorce,
Tes branches veulent voir le soleil de plus près!

Grandiras-tu toujours, grand arbre plus vivace
Que le cyprès?—Pourtant nous avons, avec soin,
Cueilli quelques croquis pour votre album vorace,
Frères qui trouvez beau tout ce qui vient de loin!

Nous avons salué des idoles à trompe;
Des trônes constellés de joyaux lumineux;
Des palais ouvragés dont la féerique pompe
80 Serait pour vos banquiers un rêve ruineux;

Des costumes qui sont pour les yeux une ivresse;
Des femmes dont les dents et les ongles sont teints,
Et des jongleurs savants que le serpent caresse.'

V

Et puis, et puis encore?

VI

'O cerveaux enfantins!

Pour ne pas oublier la chose capitale,
Nous avons vu partout, et sans l'avoir cherché,
Du haut jusques en bas de l'échelle fatale,
Le spectacle ennuyeux de l'immortel péché:

La femme, esclave vile, orgueilleuse et stupide,
90 Sans rire s'adorant et s'aimant sans dégoût;
L'homme, tyran goulu, paillard, dur et cupide,
Esclave de l'esclave et ruisseau dans l'égoût;

Le bourreau qui jouit, le martyre qui sanglote;
La fête qu'assaisonne et parfume le sang;
Le poison du pouvoir énervant le despote,
Et le peuple amoureux du fouet abrutissant;

Plusieurs religions semblables à la nôtre,
Toutes escaladant le ciel; la Sainteté,
Comme en un lit de plume un délicat se vautre,
100 Dans les clous et le crin cherchant la volupté;

L'Humanité bavarde, ivre de son génie,
Et, folle maintenant comme elle était jadis,
Criant à Dieu, dans sa furibonde agonie:
'O mon semblable, ô mon maître, je te maudis!'

Et les moins sots, hardis amants de la Démence,
Fuyant le grand troupeau parqué par le Destin,
Et se réfugiant dans l'opium immense!
—Tel est du globe entier l'éternel bulletin.'

VII

Amer savoir, celui qu'on tire du voyage!
110 Le monde, monotone et petit, aujourd'hui,
Hier, demain, toujours, nous fait voir notre image:
Une oasis d'horreur dans un désert d'ennui!

Faut-il partir? rester? Si tu peux rester, reste;
Pars, s'il le faut. L'un court, et l'autre se tapit
Pour tromper l'ennemi vigilant et funeste,
Le Temps! Il est, hélas! des coureurs sans répit,

Comme le Juif errant et comme les apôtres,
A qui rien ne suffit, ni wagon ni vaisseau,
Pour fuir ce rétiaire infâme; il en est d'autres
120 Qui savent le tuer sans quitter leur berceau.

Lorsque enfin il mettra le pied sur notre échine,
Nous pourrons espérer et crier: En avant!
De même qu'autrefois nous partions pour la Chine,
Les yeux fixés au large et les cheveux au vent,

Nous nous embarquerons sur la mer des Ténèbres
Avec le cœur joyeux d'un jeune passager.
Entendez-vous ces voix, charmantes et funèbres,
Qui chantent: 'Par ici! vous qui voulez manger

Le Lotus parfumé! c'est ici qu'on vendange
130 Les fruits miraculeux dont votre cœur a faim;
Venez vous enivrer de la douceur étrange
De cette après-midi qui n'a jamais de fin!'

A l'accent familier nous devinons le spectre;
Nos Pylades là-bas tendent leurs bras vers nous.
'Pour rafraîchir ton cœur nage vers ton Électre!'
Dit celle dont jadis nous baisions les genoux.

VIII

O Mort, vieux capitaine, il est temps! levons l'ancre!
Ce pays nous ennuie, ô Mort! Appareillons!
Si le ciel et la mer sont noirs comme de l'encre,
140 Nos cœurs que tu connais sont remplis de rayons!

Verse-nous ton poison pour qu'il nous réconforte!
Nous voulons, tant ce feu nous brûle le cerveau,
Plonger au fond du gouffre, Enfer ou Ciel, qu'importe?
Au fond de l'Inconnu pour trouver du *nouveau*!

Stéphane Mallarmé

Stéphane Mallarmé (originally christened Êtienne) was born in Paris in the spring of 1842, the son of a civil servant. As a result of his mother's death when he was only five, Stéphane was brought up by his maternal grandmother and spent much of his youth in boarding schools. At his last school, the *lycée* at Sens, he had the good fortune to have as friend and teacher, a young man Emmanuel des Essarts who was also a minor poet and encouraged his interest in modern French poetry, which, with Gautier and Leconte de Lisle, was beginning to take a Parnassian turn; indeed, until his death, Mallarmé was to be convinced of the primacy of art over life. But from the first, more than anybody else, his poetic god was Baudelaire: in him, he learned of the essentially ideal nature of the universe—although he was to give this idealism a very special turn.

Stéphane passed his *baccalauréat* in 1860 and then, accompanied by a young German governess, Maria Gerhard, whom he had met in Sens, he went to England to improve his English. That same year, he married Maria in Brompton Oratory in London. They were soon to have a daughter, Geneviève, of whom Mallarmé was exceedingly fond; he seems, in fact, to have had a most kindly and affectionate nature.

On returning to France, Mallarmé obtained the *Certificat d'aptitude à l'enseignement de l'anglais* with which, until his retirement in 1893, he was able to exercise his profession as secondary school teacher of English, a monotonous task which he faced with a singular lack of enthusiasm but which he accepted as a means of livelihood and which was, in many ways, suitable for his sedate temperament and gave him leisure for his all-absorbing literary interests. Apart from prose and verse poetry, these literary interests included writings on aesthetics (collected in *Divagations*, published in collected form in 1897), translations and even in 1877 a school textbook, entitled *Petite philologie à l'usage des classes et du monde: Les mots anglais*, in which, amongst other idiosyncrasies, he established connections not only between the sounds of words and their meanings (an obvious basis for the symbolic use of words) but also between the meaning of a word and the shape of the letters in it.

Mallarmé's first post was at Tournon but despite its southerly situation, he found the winters bitterly cold. He was, in fact, always physically somewhat frail and suffered above all from the plague of overactive minds, chronic insomnia. After three years, during which he had already begun to work out his personal aesthetics and started on *L'Après-midi d'un faune*, he went for a year to the far colder mountain town of Besançon. He received some compensation through the acceptance, in that same year of 1866, of no less than ten poems for the first *Parnasse contemporain*. Also he was beginning to make contact with many poets and authors of the period; he received, for example, a copy of Verlaine's *Poèmes saturniens* from the author. Moreover, he managed to escape from Besançon, for in October 1867 he was sent to Avignon (where it was the heat he complained of). However, he was now happier and despite some depressive crises—a creative depression which led him to meditate deeply on his art—he seems to have felt less distaste for teaching. In 1871, after the birth of his second child, Anatole, Mallarmé succeeded in being appointed to a Paris post at the *lycée* Fontanes (now Condorcet), where he spent thirteen years; then after a brief spell in another *lycée*, he completed his professional career at the *Collège* Rollin, retiring at the early age of fifty-one.

In 1874 Mallarmé and his family moved into a modest flat in the *rue de Rome*, near the Gare St Lazare (a quarter that Apollinaire was to frequent some quarter of a century later) and it was here that from about 1880 onwards, he began to hold his famous Tuesday 'At Homes' which, from the middle of the 1880s until his death, became, with Leconte de Lisle's Saturdays, the most famous literary rendezvous of the period and included some of the most noted writers of the time, ranging from the older generation of Verlaine to younger 'symbolists' or their associates such as Henri de Régnier and Jules Laforgue, and eventually to an even younger generation of writers such as Gide, Valéry and Proust. He also frequented modern artists such as Rodin, Manet and Whistler as well as the composer Debussy. Manet and Whistler both painted portraits of Mallarmé. He was a great music-lover and particularly an early Wagner fan.

All those who knew Mallarmé at these 'mardis' speak of the quiet almost saintly charm of the host and the penetration of his talk as he puffed gently away at his pipe or cigarette—talk that was more or less a monologue, listened to with semireligious awe. No one was ever able to give any exact account of the content of these elegant disquisitions on literature and life, although it may be guessed from his published articles. These talks continued in the summer for those who visited him in the holidays at his country cottage in Valvins, near Fontainebleau, where he relaxed amidst his books, and also enjoyed a little dinghy sailing on the Seine. It was to Valvins that he retired on giving up teaching. An affectionate husband, Mallarmé none the less had, in his uneventful life, at least one other tender relationship with a neighbour of his in the *rue de Rome*, Méry Laurent, a former dancer who had been a friend and model of Mallarmé's own friend Manet; her beautiful luxuriant hair figures in a number of the poet's sonnets.

In 1896 Mallarmé succeeded Verlaine as 'prince of poets' and made a speech at his funeral: he was now an important literary figure. Only two years later, however, he himself died at Valvins from a laryngeal spasm at the early age of fifty-six.

Mallarmé, like many of his contemporaries and immediate juniors, started life strongly under the influence of Baudelaire: like his master, he was deeply convinced that the universe was ultimately spiritual in essence; and he equally believed in the poet's personal role in observing the various elements of reality in his own way in order to show the interrelationship of the part within the whole: but his expression of these beliefs was, after a few early, rather derivative poems, entirely his own. In his early poetry we find him placing this hidden spiritual reality outside of himself: in one poem he symbolises it in the infinite blue spaces of the sky. But in the space of two or three years, roughly from 1866 to 1869, he underwent a mental crisis which clarified and reorientated this understanding of hidden reality. He claims in those years to have reached an understanding of this spiritual principle of the universe by the process of a sort of identification through meditation. By this method, he realises that this principle is what he calls *le néant*: pure spirit deprived of all its fortuitous physical trappings is sheer emptiness, nothing. So far did he carry this identification with timeless and infinite essence that he lost all sense of his own personality. He wrote of this experience to a friend that, were he not able to see himself in his mirror, he would be unable to realise that he existed as a physical person. He had turned himself, by meditation on nothingness, into a pure idea and become the symbol of the principle of the universe.

Obviously, he could not remain in this state; but he was able to turn this strange and disturbing experience to use for his literary vocation. Having reached this identification with the void left when all matter is eliminated, he realised that his task must now be to recreate in words, as a poet, the universe he had destroyed. This recreation through words would produce a work of art that symbolised but did not imitate the real world of normal experience. In particular, whereas the characteristic of the world of normal experience is its fortuitousness, its lack of necessity, in the work of art the workings of chance—*le hasard*—should be as far as possible eliminated. In the poem, there must be no element of sound, vision or meaning that had not been deeply meditated and carefully calculated until everything fortuitous, everything that did not contribute to the whole unified effect of the poem had been rejected. Expressed in terms of technique, it involved the rejection of inspiration in favour of the most conscious craftsmanship. The external world being too luxuriant, containing too much that is useless or redundant, Mallarmé would reduce this wastefulness, prodigality and superficiality. It is this improvement on nature that is the poet's justification, for external reality is only of interest when so transformed. Appearances are transient and the poet must bring out their hidden reality in a work of beauty. *Tout au monde*, he wrote, *n'existe que pour aboutir à un Livre*; and when asked in 1884, to give a definition of poetry, he wrote: *La Poésie est l'expression, par le langage humain ramené à son rythme essential, du sens mystérieux des aspects de l'existence; elle doue ainsi d'authenticité notre séjour et constitue la seule tâche spirituelle*. Poetry, in seeking to express the secret essence of life, provides the only real justification for living—a view that is, in many respects, close to Gautier's view of art.

Poetry based on such a special experience as Mallarmé's obviously requires its own methods. As things are not what they seem—or at least, if what they seem is unimportant compared with what their essence is—then direct statement is inadequate to express the poet's conception. Poetry's task therefore is not to describe or tell a story but to suggest; it is not things in themselves but their effect on the poet which is to be expressed. In Mallarmé's own words, his task was to *évoquer, dans une ombre exprès, l'objet par les mots allusifs, jamais directs*. This allusiveness is deliberate: for one thing, since the relationships between reality and the idea are mysterious, it would be a betrayal of this mystery to attempt to make them too plain—indeed, it would be impossible to do so. What is more, this suggestiveness is inherent in poetry: in an equally famous statement he wrote: *Nommer un objet supprime les trois quarts de la jouissance du poème, le suggérer, voilà le rêve*; the poet is inviting the reader to participate in the understanding of the poem. If a poem is too straightforward, the reader (that is, the highly specialised, alert and motivated reader for whom Mallarmé was writing) will be disappointed by not having sufficient effort to make to decipher its full beauty. In this way, Mallarmé thinks that he will be turning poetry into a sort of sacred rite to which only the initiated will have access: a conception of literature that is both aristocratic and religious. It is a conception that has obvious dangers in leading poetry to become too subtle and complicated; and may even lead the reader to suspect that difficulty is being introduced almost for its own sake. What is more, this difficulty increased as with the passage of time Mallarmé became increasingly obsessed by economy, trying to suggest the greatest amount with the smallest possible number of words, thus reducing any similarity between the poetic and the prosaic use of words to a minimum.

One important result of this desire to avoid direct statement by the use of what Mallarmé calls analogy is to place great emphasis not so much on what is obviously present in a poem as on what is potentially present, the idea lying behind an appearance—an idea which, as we saw above, is basically a void, an emptiness. Thus his poetry can be said, paradoxically, to be full of absence; as he himself said: *Je dis: une fleur! et hors de l'oubli où ma voix relègue aucun* (in the English sense of any) *contour en tant que quelque chose d'autre que les calices sus* (i.e. any shape other than flowers—*calices sus* is a typically precious Mallarmean periphrasis, meaning what is known as flowers) *musicalement se lève, idée même et suave, l'absente de tous bouquets*. This *absente de tous bouquets* which appears through this process of eliminating anything that is not flower, is the Ideal Flower, too lovely to exist in any real bunch of flowers; it is present, however, only by being suggested, because an idea is too immaterial to be evoked other than by allusion or analogy.

Just as Mallarmé hoped, in what he called his *Grand Œuvre* (a word used by alchemists to denote their transmutation of base matter into gold) to restructure the universe according to his conception of it, so he set about restructuring normal French syntax as a necessary technique; not only did he make bold use of such devices as ellipsis (very close to his heart as leading to suggestive conciseness) and periphrasis (which appealed to his weakness for preciosity), he actually rearranged the order of words in the sentence in such a way as to force a new vision or way of thought on to the reader: thus he uses constant apposition, separates subjects from verbs and leaves infinitives floating half-unattached in his sentences; he also progressively abolished punctuation. From these devices springs a great deal of his hermeticism and it is sometimes helpful to re-establish normal syntax in order to understand in a form closer to prose the statement he is making, although in so doing the poetic effect (that is the indissoluble combination of image and idea) also vanishes.

This contorted syntax and lack of punctuation serve another striving of Mallarmé: his endeavour to achieve a musical effect (cf. the adverb *musicalement* in the sentence quoted in the above paragraph). This music is not the normal endeavour to write pleasant-sounding or onomatopoeic verse; his conception, particularly in his later verse, is more personal. On the one hand, he seems to consider that vowels and consonant sounds could in themselves suggest certain ideas or moods without the intervention of reasoning, exactly as musical notes can evoke impressions, moods or ideas in a listener. He also lavished great care on the relationships of sounds, the effect created by juxtaposition and repetition on the unity of the whole poem, including rhythmic as well as sonorous effects. He thus achieves a sort of incantatory effect, not using the various sounds and rhythms merely for their own sake, but for the mental equivalents they suggest.

Despite this, he found traditional French rhyme and metre perfectly adequate for his purpose; indeed he always attached great importance to correct and even rich rhyming. In 1886 he wrote in a preface for a friend perhaps the best summing-up of his poetics: *Le vers qui de plusieurs vocables refait un mot total, neuf, étranger à la langue* (i.e. reflecting the poet's special conception of the world, away from everday, utilitarian prose language) *et comme incantatoire, achève cet isolement de la parole, niant le hasard demeuré aux termes mêmes, malgré l'artifice de leur retrempe alternée en le sens et la sonorité* (this refers to the close relationship, indeed the intermingling in poetry of sound and sense to form an indissoluble whole) *et vous cause cette surprise de n'avoir ouï jamais tel fragment ordinaire d'élocution, en même temps que la réminiscence de l'objet nommé baigné dans une neuve atmosphère.* Paraphrasing and interpreting, we might say that the poet creates, albeit with ordinary words (although Mallarmé's vocabulary is not entirely unesoteric) a self-contained poetic universe in which every element is carefully studied with a view to the total effect and with the purpose of eliminating anything unforeseen or uncalculated in the poem, so that, unlike the real world, full of fortuitous appearances, the poem cannot be altered without destroying its coherence and breaking the spell; prolonged meditation on the interdependence of sound and sense is required; and the final poem will surprise the reader by combining the inevitability normally associated with logic and reason with the mystery created by obliqueness of expression and more usually associated with irrationality and dreams.

From the beginning, Mallarmé had realised the difficulties surrounding his complicated conception of poetry; as he wrote in 1866: *Nous ne sommes que de vaines formes de la matière, mais bien sublimes pour avoir inventé Dieu et notre âme* (he had rejected any conventionally Christian conception of God and the soul). *Si sublimes . . . que je veux me donner ce spectacle de la matière ayant conscience d'être, et cependant s'élançant forcenément dans le rêve qu'elle sait n'être pas . . . et proclamant, devant le Rien qui est la vérité, ces glorieux mensonges!* Art is the creation of a sublime illusion which, in its beauty, is worth more than any material reality.

Mallarmé had from an early age been afflicted with the thought of *impuissance*—the lack of power to achieve his difficult aims (an offshoot of Baudelairean *ennui*); and as he grew older, he became more and more resigned to the inevitable failure of his grandiose projects of recreating a whole, completely personal universe. He came to accept the fact that, at most, he might succeed in eternalising, in accordance with his artistic principles, a few isolated moments and scenes of his life, and in expressing in poetry some of his ideas on art and artists. In view of his reduction of life to being purely a subject for poetry, it is not surprising that many of his poems deal with literature and this, added to their hermeticism, reduces his general appeal. Unlike Baudelaire, his temperamental, moral and physical range is limited and it is often questionable whether the extreme concentration required to read his poetry gives corresponding satisfaction for our trouble. We may find ourselves admiring the ingenuity but unable to share the experience. Mallarmé is open to the accusation that he fails to realise the importance of communication: he writes too much for a few initiates. But for those who are prepared to meet him on his own terms—as indeed one must in order to enjoy any poet—then Mallarmé offers pleasures of unequalled subtlety and complexity. He has the quality of making other poets seem diffuse, careless and uneven. In these times of close examination and analysis of language, Mallarmé's meditations have a certain topicality which lends added depth to his poetry and we can see that in exploring the Word (*le Verbe*) Mallarmé was moving into the heart of one of the greatest human mysteries: the problems of verbal communication, central to the conception of humanity.

MAIN POETICAL WORKS

Après-midi d'un faune, 1876
Poésies, 1887. There is a *Pleiade* edition.

CRITICAL AND BIOGRAPHICAL WORKS

C. Chadwick, *Mallarmé, sa pensée dans sa poésie*, Paris, 1962
W. G. Davies, *Les Tombeaux de Mallarmé*, Paris, 1950
Mallarmé et le drame solaire, Paris, 1959
G. Michaud, *Mallarmé, l'homme et l'œuvre*, Paris, 1953
H. Mondor, *Mallarmé*, Paris, 1941
P. O. Walzer, *Essai sur Stéphane Mallarmé*, Paris, 1963

Las de l'amer repos

Las de l'amer repos où ma paresse offense
Une gloire pour qui jadis j'ai fui l'enfance
Adorable des bois de roses sous l'azur
Naturel, et plus las sept fois du pacte dur
De creuser par veillée une fosse nouvelle
Dans le terrain avare et froid de ma cervelle,
Fossoyeur sans pitié pour la stérilité,
—Que dire à cette Aurore, ô Rêves, visité
Par les roses, quand, peur de ses roses livides,
10 Le vaste cimetière unira les trous vides?—
Je veux délaisser l'Art vorace d'un pays
Cruel, et, souriant aux reproches vieillis
Que me font mes amis, le passé, le génie,
Et ma lampe qui sait pourtant mon agonie,
Imiter le Chinois au cœur limpide et fin
De qui l'extase pure est de peindre la fin
Sur ses tasses de neige à la lune ravie
D'une bizarre fleur qui parfume sa vie
Transparente, la fleur qu'il a sentie, enfant,
20 Au filigrane bleu de l'âme se greffant.
Et, la mort telle avec le seul rêve du sage,
Serein, je vais choisir un jeune paysage
Que je peindrais encor sur les tasses, distrait.
Une ligne d'azur mince et pâle serait
Un lac, parmi le ciel de porcelaine nue,
Un clair croissant perdu par une blanche nue
Trempe sa corne calme en la glace des eaux,
Non loin de trois grands cils d'émeraude, roseaux.

Stéphane Mallarmé

Soupir

Mon âme vers ton front où rêve, ô calme sœur,
Un automne jonché de taches de rousseur
Et vers le ciel errant de ton œil angélique
Monte, comme dans un jardin mélancolique,
Fidèle, un blanc jet d'eau soupire vers l'Azur!
—Vers l'Azur attendri d'Octobre pâle et pur
Qui mire aux grands bassins sa langueur infinie
Et laisse, sur l'eau morte où la fauve agonie
Des feuilles erre au vent et creuse un froid sillon,
10 Se traîner le soleil jaune d'un long rayon.

Renouveau

Le printemps maladif a chassé tristement
L'hiver, saison de l'art serein, l'hiver lucide,
Et dans mon être à qui le sang morne préside
L'impuissance s'étire en un long bâillement.

Des crépuscules blancs tiédissent sous mon crâne
Qu'un cercle de fer serre ainsi qu'un vieux tombeau
Et, triste, j'erre après un rêve vague et beau,
Par les champs où la sève immense se pavane

Puis je tombe énervé de parfums d'arbres, las,
10 Et creusant de ma face une fosse à mon rêve,
Mordant la terre chaude où poussent les lilas,

J'attends, en m'abîmant que mon ennui s'élève . . .
—Cependant l'Azur rit sur la haie et l'éveil
De tant d'oiseaux en fleur gazouillant au soleil.

Brise marine

La chair est triste, hélas! et j'ai lu tous les livres.
Fuir! là-bas fuir! Je sens que des oiseaux sont ivres
D'être parmi l'écume inconnue et les cieux!

Rien, ni les vieux jardins reflétés par les yeux
Ne retiendra ce cœur qui dans la mer se trempe
O nuits! ni la clarté déserte de ma lampe
Sur le vide papier que la blancheur défend
Et ni la jeune femme allaitant son enfant.
Je partirai! Steamer balançant ta mâture,
10 Lève l'ancre pour une exotique nature!

Un Ennui, désolé par les cruels espoirs,
Croit encore à l'adieu suprême des mouchoirs!
Et, peut-être, les mâts, invitant les orages
Sont-ils de ceux qu'un vent penche sur les naufrages
Perdus, sans mâts, sans mâts, ni fertiles îlots. . . .
Mais, ô mon cœur, entends le chant des matelots!

Sonnet

'Sur les bois oubliés quand passe l'hiver sombre
Tu te plains, ô captif solitaire du seuil,
Que ce sépulcre à deux qui fera notre orgueil
Hélas! du manque seul des lourds bouquets s'encombre.

Sans écouter Minuit qui jeta son vain nombre,
Une veille t'exalte à ne pas fermer l'œil
Avant que dans les bras de l'ancien fauteuil
Le suprême tison n'ait éclairé mon Ombre.

Qui veut souvent avoir la Visite ne doit
10 Par trop de fleurs charger la pierre que mon doigt
Soulève avec l'ennui d'une force défunte.

Ame au si clair foyer tremblante de m'asseoir,
Pour revivre il suffit qu'à tes lèvres j'emprunte
Le souffle de mon nom murmuré tout un soir.'

Mes bouquins refermés...

Mes bouquins refermés sur le nom de Paphos,
Il m'amuse d'élire avec le seul génie
Une ruine, par mille écumes bénie
Sous l'hyacinthe, au loin, de ses jours triomphaux.

Coure le froid avec ses silences de faux,
Je n'y hululerai pas de vide nénie
Si ce très blanc ébat au ras du sol dénie
A tout site l'honneur du paysage faux.

Ma faim qui d'aucuns fruits ici ne se régale
10 Trouve en leur docte manque une saveur égale:
Qu'un éclate de chair humain et parfumant!

Le pied sur quelque guivre où notre amour tisonne,
Je pense plus longtemps peut-être éperdument
A l'autre, au sein brûlé d'une antique amazone.

Le vierge, le vivace . . .

Le vierge, le vivace et le bel aujourd'hui
Va-t-il nous déchirer avec un coup d'aile ivre
Ce lac dur oublié que hante sous le givre
Le transparent glacier des vols qui n'ont pas fui!

Un cygne d'autrefois se souvient que c'est lui
Magnifique mais qui sans espoir se délivre
Pour n'avoir pas chanté la région où vivre
Quand du stérile hiver a resplendi l'ennui.

Tout son col secouera cette blanche agonie
10 Par l'espace infligée à l'oiseau qui le nie,
Mais non l'horreur du sol où le plumage est pris.

Fantôme qu'à ce lieu son pur éclat assigne,
Il s'immobilise au songe froid de mépris
Que vêt parmi l'exil inutile le Cygne.

Victorieusement fui . . .

Victorieusement fui le suicide beau
Tison de gloire, sang par écume, or, tempête!
O rire si là-bas une pourpre s'apprête
A ne tendre royal que mon absent tombeau.

Quoi! de tout cet éclat pas même le lambeau
S'attarde, il est minuit, à l'ombre qui nous fête
Excepté qu'un trésor présomptueux de tête
Verse son caressé nonchaloir sans flambeau,

La tienne si toujours le délice! la tienne
10 Oui seule qui du ciel évanoui retienne
Un peu de puéril triomphe en t'en coiffant

Avec clarté quand sur les coussins tu la poses
Comme un casque guerrier d'impératrice enfant
Dont pour te figurer il tomberait des roses.

Toast funèbre

O de notre bonheur, toi, le fatal emblème!
Salut de la démence et libation blême,
Ne crois pas qu'au magique espoir du corridor
J'offre ma coupe vide où souffre un monstre d'or!
Ton apparition ne va pas me suffire:
Car je t'ai mis, moi-même, en un lieu de porphyre.
Le rite est pour les mains d'éteindre le flambeau
Contre le fer épais des portes du tombeau:
Et l'on ignore mal, élu pour notre fête
10 Très simple de chanter l'absence du poète,
Que ce beau monument l'enferme tout entier.
Si ce n'est que la gloire ardente du métier,
Jusqu'à l'heure commune et vile de la cendre,
Par le carreau qu'allume un soir fier d'y descendre,
Retourne vers les feux du pur soleil mortel!

Magnifique, total et solitaire, tel
Tremble de s'exhaler la faux orgueil des hommes.
Cette foule hagarde! elle annonce: Nous sommes
La triste opacité de nos spectres futurs.
20 Mais le blason des deuils épars sur de vains murs
J'ai méprisé l'horreur lucide d'une larme,
Quand, sourd même à mon vers sacré qui ne l'alarme
Quelqu'un de ces passants, fier, aveugle et muet,
Hôte de son linceul vague, se transmuait
En le vierge héros de l'attente posthume.
Vaste gouffre apporté dans l'amas de la brume
Par l'irascible vent des mots qu'il n'a pas dits,
Le néant à cet Homme aboli de jadis:
'Souvenirs d'horizons, qu'est-ce, ô toi, que la Terre?'
30 Hurle ce songe; et, voix dont la clarté s'altère
L'espace a pour jouet le cri: 'Je ne sais pas!'
Le Maître, par un œil profond, a, sur ses pas,
Apaisé de l'éden l'inquiète merveille
Dont le frisson final, dans sa voix seule, éveille
Pour la Rose et le Lys le mystère d'un nom.
Est-il de ce destin rien qui demeure, non?
O vous tous, oubliez une croyance sombre.
Le splendide génie éternel n'a pas d'ombre.
Moi, de votre désir soucieux, je veux voir,
40 A qui s'évanouit, hier, dans le devoir
Idéal que nous font les jardins de cet astre,
Survivre pour l'honneur du tranquille désastre
Une agitation solennelle par l'air
De paroles, pourpre ivre et grand calice clair,
Que, pluie et diamant, le regard diaphane
Resté là sur ces fleurs dont nulle ne se fane,
Isole parmi l'heure et le rayon du jour!
C'est de nos vrais bosquets déjà tout le séjour,
Où le poète pur a pour geste humble et large
50 De l'interdire au rêve, ennemi de sa charge:
Afin que le matin de son repos altier,
Quand la mort ancienne est comme pour Gautier
De n'ouvrir pas les yeux sacrés et de se taire,
Surgisse, de l'allée ornement tributaire,
Le sépulcre solide où gît tout ce qui nuit,
Et l'avare silence et la massive nuit.

Stéphane Mallarmé

Le Tombeau d'Edgar Poe

Tel qu'en Lui-même enfin l'éternité le change,
Le poète suscite avec un glaive nu
Son siècle épouvanté de n'avoir pas connu
Que la mort triomphait dans cette voix étrange!

Eux, comme un vil sursaut d'hydre oyant jadis l'ange
Donner un sens plus pur aux mots de la tribu
Proclamèrent très haut le sortilège bu
Dans le flot sans honneur de quelque noir mélange

Du sol et de la nue hostiles, ô grief!
10 Si notre idée avec ne sculpte un bas-relief
Dont la tombe de Poe éblouissante s'orne

Calme bloc ici-bas chu d'un désastre obscur
Que ce granit du moins montre à jamais sa borne
Aux noirs vols du Blasphème épars dans le futur.

Stéphane Mallarmé

Toute l'Ame

Toute l'âme résumée
Quand lente nous l'expirons
Dans plusieurs ronds de fumée
Abolis en autres ronds

Atteste quelque cigare
Brûlant savamment pour peu
Que la cendre se sépare
De son clair baiser de feu

Ainsi le chœur des romances
10 A la lèvre vole-t-il
Exclus-en si tu commences
Le réel parce que vil

Le sens trop précis rature
Ta vague littérature.

Stéphane Mallarmé

O si chère

O si chère de loin et proche et blanche, si
Délicieusement toi, Mary, que je songe
A quelque baume rare émané par mensonge
Sur aucun bouquetier de cristal obscurci.

Le sais-tu, oui! pour moi voici des ans, voici
Toujours que ton sourire éblouissant prolonge
La même rose avec son bel été qui plonge
Dans autrefois et puis dans le futur aussi.

Mon cœur qui dans les nuits parfois cherche à s'entendre
10 Ou de quel dernier mot t'appeler le plus tendre
S'exalte en celui rien que chuchoté de sœur

N'était, très grand trésor et tête si petite,
Que tu m'enseignes bien toute une autre douceur
Tout bas par le baiser seul dans tes cheveux dite.

Paul Verlaine

Paul Verlaine was born in Metz in 1844; his father was an army doctor and as an only child he was excessively adored, to his own moral detriment, by his mother. She was to prove a solid source of financial support in his later years, despite her son's frequent ill-treatment of her to the extent of physical brutality. However, as a boy, Paul was an impulsively affectionate, perhaps oversensitive boy, dreaming of loving and being loved rather than attending to his school books. One important factor in his life was undoubtedly his physical appearance: he was ugly and was aware of it, and as he grew older so he grew uglier—a traumatic experience for someone of strong sensual appetites in great need of female (as well as male) affection.

In 1862 he passed his *baccalauréat* in the Paris *Lycée Bonaparte* (now *Condorcet*) and in 1864 he took a job as a clerk in the Paris municipal offices in the Hôtel de Ville. He was already to be seen in literary cafés and drawing-rooms, mainly those frequented by the poets (including Coppée, France—who wrote poetry as a young man—and Catulle Mendès, Gautier's son-in-law) who were going to contribute to the first *Parnasse contemporain* in 1866. Verlaine was himself represented in this collection by seven of his own poems; and his own first collected verse, *Poemès saturniens*, a title reflecting his sensitively sad and melancholy temperament, bore strong marks of Parnassian influence in its truculent insistence on careful craftsmanship and plasticity; at the same time, his own originality plainly shows in the hauntingly evocative music, subtle impressionism and emphasis on fleeting sensations which were to be the hallmark of his most successful poetry.

In 1869 he met and fell ardently in love with a girl some nine years his junior, Mathilde de Mauté, and married her the following year. He had already had a romantically tender attachment to a young married cousin who died at an early age in 1866. It has been surmised that this emotional shock, combined with his own unstable character, contributed to his developing the alcoholic habits that were to dog him throughout most of his life. For a short while at any rate, Verlaine seems to have found some appeasement of his powerful sensuality and satisfaction for his nostalgia for innocence in his relationship with Mathilde, for whom he wrote *La bonne Chanson* (1879) the rather *mièvre* simplicity of which contrasts strangely with the disturbingly affected playful sensuality of his *Fêtes galantes*, published the year before.

In 1871, however, Verlaine, having been sent some poems by Rimbaud from his home in Charleville, invited the young rebel to join him in Paris and the literary acquaintance developed into a stormy, mutually tormenting love relationship. His relations with his pregnant wife went from bad to worse until his abuse and brutality drove her from the marital home. Verlaine also at this time was dismissed from his job at the Hôtel de Ville for suspected complicity with the Commune uprising that followed the fall of the Second Empire and the defeat of France by Prussia.

In 1872 Verlaine and Rimbaud ran away together, first to Belgium and then on to England. The outcome, after quarrels (often drunken), separations and reconciliations (and also a vain attempt by Verlaine to achieve reconciliation with his wife), was that on 2 July 1873 in Brussels, Verlaine, in a drunken fit, fired a pistol shot at Rimbaud and wounded him in the hand, for which he was condemned and sent to prison for two years. During his period in gaol, he was converted, or reconverted, to Roman Catholicism, and wrote a number of religious poems which were later published in the collection *Sagesse* (1881). On his release Verlaine went once again to England, where he spent the next two years teaching in English schools in Lincolnshire and Bournemouth. From 1877 to 1879 he was a master in a school in Rethel, in northern France, but he seems to have fallen back into his old way of life, for he was dismissed for his intemperate habits. When he left, he was accompanied by one of his pupils, Lucien Létinois. The pair went off to England and on their return the following year, Verlaine, with his mother's help, bought a farm on which he established Lucien and his parents. This venture soon failed and Verlaine was deeply grieved at Lucien's death in 1883. After vainly seeking rehabilitation in his post as municipal clerk, Verlaine settled into another farm, which was sold up in 1885, in which year he was divorced by his wife and sent to prison for a month on a charge of violence towards his mother, whom he had attempted to strangle. She died the following year, leaving Verlaine in poverty. From now on, his poetic work was written, according to the title of one of his collections, *parallèlement*: some of his poems were devoted purely to spiritual love, the others (soon greatly to outweigh the former) to love most carnal.

Verlaine shared the last years of his life in Paris between cafés and hotel rooms (often cheap and sordid) and the numerous hospitals to which he returned again and again as, through debauchery and alcoholism, his health steadily deteriorated; he suffered from diabetes and heart trouble, and leg ulcers and arthritis gave him a permanent limp. More than three of the last ten years of his life were spent in hospital. Meanwhile two squalid women, Philomène Boudin, a former peasant girl who had ended on the Paris pavement, and Eugénie Krantz, a superannuated *belle de nuit* from the Second Empire, struggled for possession of him—and whatever they could find in his purse.

In fact, his financial circumstances now improved with time and in compensation for his ill-health he was by way of becoming a famous poet. Indeed, ever since 1885, as a result of sales of his books—poetry, criticism and memoirs—state pensions and various private subscriptions, when his living conditions had permitted, his Wednesday 'At Homes' had attracted young poets who, like himself, were anxious to assert the freedom, independence and importance of poetry in a world becoming, they felt, oppressively materialistic and to oppose the deterministic trends of the rising naturalistic school of Zola and his followers; they were also opposed to the strong antilyrical tendencies of some of the Parnassians. The popular title of these poets was the *décadents* (see under Laforgue); but Verlaine's *décadence* was far from Laforgue's early pessimistic despair; even although he did share his junior's interest in intense and complex sensations and tormented feelings (both largely inherited from their joint admiration for Baudelaire), Verlaine was always more life-affirming in his poetry than Laforgue, perhaps because of his highly developed sensuality.

On Leconte de Lisle's death Verlaine was elected *prince des poètes*; and he also undertook a number of successful lectures in Belgium, Holland and England. But his health finally broke down and on 8 February 1896 he was found dead on the floor of his hotel room in Paris. He was only fifty-four years old.

Verlaine is perhaps one of the most purely lyrical and purely musical of all French poets; all his poetry is, usually directly, the expression of his own sensibility. As for lyricism, we remember that he wrote: *l'art . . . c'est d'être absolument soi-même*; and as for musicality, one of his best-known lines is *de la musique avant toute chose*. But Verlaine, as his pathetic life story shows, was not a simple man by any means, though he had a thirst for innocence and simplicity; and his superficially artless lyrical musicality conceals the subtlest art.

He started, indeed, as a poet with the strongest admiration for the strict cult of traditional form and a great deal of imitation of his contemporary and elder Parnassians: such lines as:

> *Ainsi que Çavitri faisons-nous impassibles,*
> *Mais, comme elle, dans l'âme ayons un haut dessein.*

(from the poem *Çavitri*) or:

> *Courtisane au sein dur, à l'œil opaque et brun*
> *S'ouvrant avec lenteur comme celui d'un boeuf,*
> *Ton grand torse reluit ainsi qu'un marbre neuf.*

(from *Un Dahlia*) are sufficient evidence of having read closely Leconte de Lisle or Baudelaire (in an early mood); and there are many other imitations, so plain as to be almost parodies or pastiches; and this emotional poet felt able to write an attack on expansive lyricism:

> *Libre à nos Inspirés, cœurs qu'une œillade enflamme,*
> *D'abandonner leur être aux vents comme un bouleau;*
> *Pauvres gens! l'Art n'est pas d'éparpiller son âme.*

In fact, although Verlaine was lyrical, he was always most conscious that lyricism is not gush and that *naiveté* in verse needs to be carefully organised. His chief inspiration, indeed, came from a poet who also reveals his deepest feelings but in carefully controlled form: Baudelaire; indeed, in part, much of Verlaine's early verse may be described as the rewriting, in a minor key, of Baudelaire's spleen poems; he shares with Baudelaire a lack of willpower and an inability to cope with normal life, but the relative weakness of his temperament leads to a feminine indecisiveness that is shown by gentler, more passive melancholy, a vaguer sadness, an enhanced emphasis on yearning, a more complex sentimentality, a less vigorous reaction in general; where Baudelaire is sometimes declamatory and strident, Verlaine whispers and persuades and confides in discreet undertone. Like Baudelaire, he uses description to convey a subjective mood, though occasionally, particularly in the heyday of his affair with Rimbaud (and no doubt under the latter's influence), as well as in some of the poems referring to his fiancée and wife, there is a note of fresh gaiety that Baudelaire was never or hardly ever able to command. Indeed, although many of Verlaine's most popular poems exist in an allusive atmosphere of half shade or veiled light, in *nuance* rather than in *couleur*, it would be a mistake to restrict Verlaine's range solely to this mood: there are excellent poems in *Sagesse* of considerable vigour and directness, written in a style almost conversational.

Similarly, in his constant concern to make his verse musical, he by no means resorts to the same devices throughout his career. At the beginning, under the influence of Baudelaire (and through him, of Edgar Allan Poe), a large amount of the melody of his verse is obtained by repetition: the repetition of whole lines, parts of lines or of words, and the use of refrains (which help to give a folklike or songlike character to many of his poems, for example in *Romances sans paroles*) were very apparent in his earliest verse; also, and even more particularly in his later verse, he uses constant alliteration and assonance; but in reaction against deliberate search for effect by the use of excessively rich rhyme that characterised a number of his contemporaries (especially Théodore Banville, who in his *Petit traité de versification française* of 1872 stated dogmatically that *la rime est tout le vers*), Verlaine was quite happy to use weaker rhyming and even, occasionally, to reduce rhyme to assonance, although he never went so far as *vers libristes* like Laforgue, who eliminated it altogether in some of their poetry. One way in which he was much more of an innovator was in his composition of poems exclusively in feminine rhymes (or, less commonly, exclusively masculine rhymes); these feminine rhymes have a softening effect appropriate to the gentle mood he often wished to create. He frequently uses *rimes croisées* or *embrassées* in preference to the more usual *rimes plates*.

It was not only in sound that Verlaine achieved his effect: he was also one of the most brilliant virtuosi in rhythm who has ever written in French. In his early poems, beside the solid alexandrine, he wrote some of his best poetry in the shorter metres, from four to seven syllables long, though he seemed at all times capable of handling any length of line. He was particularly fond of the relatively uncommon *impair* line, of an odd number of syllables: it is a halting or skipping metre and Verlaine knew exactly when to use it. Later on in *Sagesse*, he returned to more frequent use of the weightier alexandrine, but here again as with all the other metres requiring a cæsura and a number of tonic accents, he breaks up the rhythm to create either a flowing or a jerky effect; he is also fond of *rejet* and *enjambement*, again to create an expressive and specifically musical effect; like Hugo, he uses the socalled 'Romantic' trimetre (see Notes on French versification, p. xxiii) and finally, when varying the tonic accents, he is fond of letting it fall on the mute 'e', a considerable boldness which again results in a muffling effect appropriate to the tone of much of his poetry. His use of different stanza forms is equally versatile, but with a marked preference for the quatrain.

Verlaine thus forged a perfect instrument for the expression of himself, in all his moods, particularly his most fleeting. His ability to suggest sensation or render a fleeting impression has never been equalled in French poetry. He is not an intellectual, indeed hardly a coherent aesthetician. Apart from his own personal contribution as a poet, he played no great part in the extraordinary poetic ferment of the eighties and nineties, when so many reviews were founded and so many eager discussions took place in the literary cafés of the *rive gauche* with the purpose of rejecting certain idols of the age. The first of these—positivism—the philosophical system founded by Auguste Comte (1798–1857) which recognised only demonstrable, observable facts, led on to the determinism of Hippolyte Taine (1828–93), who in turn provided the philosophical basis for the second bugbear of the young *décadents* and *symbolistes:* naturalism. The chief exponent of this was the novelist Emile Zola, 1840–1902, who fortunately tempered rather rigid theory with imaginative practice. Strict naturalism attached great importance to the close study of material phenomena and tended to look on literature as a branch of experimental science, with heavy emphasis on the influence of heredity and environment on personality and character. Verlaine's contribution to this antipositivism and antinaturalism was more practical than theoretical; it was, indeed, not dissimilar from Lamartine's: he reintroduced lyricism and musicality, an admirable vehicle for half tones, intermittent aspirations, vague desires and feelings, subtle and complicated sensations. He has been described by Valéry as a *primitif organisé*; and this phrase admirably sums up his unique contribution to French poetry—as long as we realise that the organisation extended only to the practice of his poetry, never to his life and only intermittently to his theory.

MAIN POETICAL WORKS

Poèmes saturniens, 1867
Les Fêtes galantes, 1870
La Bonne Chanson, 1872
Romances sans Paroles, 1873
Sagesse, 1881
Jadis et naguère, 1885
Amour, 1888
Parallèlement, 1889
Dédicaces, 1890
Bonheur, 1891
Liturgies intimes, 1891
Flégies, 1893
Odes en son Honneur, 1893
Dans les Limbes, 1894
Invectives, 1896

There exist a *Pléiade* edition of the *Œuvres poétiques complètes* and a *Classiques Garnier* edition of the *Œuvres poétiques*.

CRITICAL AND BIOGRAPHICAL WORKS

A. Adam, *Verlaine, l'homme et l'œuvre*, Paris, 1965
C. Cuénot, *Le Style de Verlaine*, Paris, 1963
P. Martino, *Paul Verlaine*, Paris, 1951
J. Richer, *Paul Verlaine*, Paris, 1953
E. M. Zimmermann, *Magies de Verlaine*, Paris, 1967
G. Zayed, *La Formation littéraire de Verlaine*, Droz, 1962

Paul Verlaine

Mon Rêve familier

Je fais souvent ce rêve étrange et pénétrant
D'une femme inconnue, et que j'aime, et qui m'aime,
Et qui n'est, chaque fois, ni tout à fait la même
Ni tout à fait une autre, et m'aime et me comprend.

Car elle me comprend, et mon cœur, transparent
Pour elle seule, hélas! cesse d'être un problème
Pour elle seule, et les moiteurs de mon front blême,
Elle seule les sait rafraîchir, en pleurant.

Est-elle brune, blonde ou rousse?—Je l'ignore.
10 Son nom? Je me souviens qu'il est doux et sonore
Comme ceux des aimés que la Vie exila.

Son regard est pareil au regard des statues,
Et pour sa voix, lointaine, et calme, et grave, elle a
L'inflexion des voix chères qui se sont tues.

Soleils couchants

Une aube affaiblie
Verse par les champs
La mélancolie
Des soleils couchants.
La mélancolie
Berce de doux chants
Mon cœur qui s'oublie
Aux soleils couchants.
Et d'étranges rêves,
10 Comme des soleils
Couchants sur les grèves,
Fantômes vermeils,
Défilent sans trêves,
Défilent, pareils
A de grands soleils
Couchants sur les grèves.

Crépuscule du Soir mystique

Le Souvenir avec le Crépuscule
Rougeoie et tremble à l'ardent horizon
De l'Espérance en flamme qui recule
Et s'agrandit ainsi qu'une cloison
Mystérieuse où mainte floraison
—Dahlia, lys, tulipe et renoncule—
S'élance autour d'un treillis, et circule
Parmi la maladive exhalaison
De parfums lourds et chauds, dont le poison
10 —Dahlia, lys, tulipe et renoncule—
Noyant mes sens, mon âme et ma raison,
Mêle dans une immense pâmoison
Le Souvenir avec le Crépuscule.

Promenade sentimentale

Le couchant dardait ses rayons suprêmes
Et le vent berçait les nénuphars blêmes;
Les grands nénuphars entre les roseaux
Tristement luisaient sur les calmes eaux.
Moi j'errais tout seul, promenant ma plaie
Au long de l'étang, parmi la saulaie
Où la brume vague évoquait un grand
Fantôme laiteux se désespérant,
Et pleurant avec la voix des sarcelles
10 Qui se rappelaient en battant des ailes
Parmi la saulaie où j'errais tout seul
Promenant ma plaie; et l'épais linceul
Des ténèbres vint noyer les suprêmes
Rayons du couchant dans ses ondes blêmes
Et les nénuphars, parmi les roseaux,
Les grands nénuphars sur les calmes eaux.

Paul Verlaine

Chanson d'Automne

Les sanglots longs
Des violons
  De l'automne
Blessent mon cœur
D'une langueur
  Monotone.

Tout suffocant
Et blême, quand
  Sonne l'heure
10 Je me souviens
Des jours anciens
  Et je pleure.

Et je m'en vais
Au vent mauvais
  Qui m'emporte
Deçà, delà,
Pareil à la
  Feuille morte.

Clair de Lune

Votre âme est un paysage choisi
Que vont charmant masques et bergamasques
Jouant du luth et dansant et quasi
Tristes sous leurs déguisements fantasques.

Tout en chantant sur le mode mineur
L'amour vainqueur et la vie opportune,
Ils n'ont pas l'air de croire à leur bonheur
Et leur chanson se mêle au clair de lune.

Au calme clair de lune triste et beau,
10 Qui fait rêver les oiseaux dans les arbres
Et sangloter d'extase les jets d'eau,
Les grands jets d'eau sveltes parmi les marbres.

Paul Verlaine

Colloque sentimental

Dans le vieux parc solitaire et glacé,
Deux formes ont tout à l'heure passé.

Leurs yeux sont morts et leurs lèvres sont molles,
Et l'on entend à peine leurs paroles.

Dans le vieux parc solitaire et glacé,
Deux spectres ont évoqué le passé.

—Te souvient-il de notre extase ancienne?
—Pourquoi voulez-vous donc qu'il m'en souvienne?

—Ton cœur bat-il toujours à mon seul nom?
10 Toujours vois-tu mon âme en rêve?—Non.

—Ah! les beaux jours de bonheur indicible
Où nous joignions nos bouches!—C'est possible.

—Qu'il était bleu, le ciel, et grand, l'espoir!
—L'espoir a fui, vaincu, vers le ciel noir.

Tels ils marchaient dans les avoines folles,
Et la nuit seule entendit leurs paroles.

Paul Verlaine

La Lune blanche

La lune blanche
Luit dans les bois;
De chaque branche
Part une voix
Sous la ramée . . .

O bien-aimée.

L'étang reflète,
Profond miroir,
La silhouette
Du saule noir
10 Où le vent pleure . . .

Rêvons, c'est l'heure.

Un vaste et tendre
Apaisement
Semble descendre
Du firmament
Que l'astre irise . . .

C'est l'heure exquise.

Paul Verlaine

Il pleure dans mon Cœur

Il pleure dans mon cœur
Comme il pleut sur la ville,
Quelle est cette langueur
Qui pénètre mon cœur?

O bruit doux de la pluie
Par terre et sur les toits!
Pour un cœur qui s'ennuie
O le chant de la pluie!

Il pleure sans raison
10 Dans ce cœur qui s'écœure,
Quoi! nulle trahison?
Ce deuil est sans raison.

C'est bien la pire peine
De ne savoir pourquoi,
Sans amour et sans haine,
Mon cœur a tant de peine.

Le Piano que baise . . .

Son joyeux, importun d'un clavecin sonore.
PÉTRUS BOREL

Le piano que baise une main frêle
Luit dans le soir rose et gris vaguement,
Tandis qu'avec un très léger bruit d'aile

Un air bien vieux, bien faible et bien charmant
Rôde discret, épeuré quasiment,
Par le boudoir longtemps parfumé d'Elle.

Qu'est-ce que c'est que ce berceau soudain
Qui lentement dorlote mon pauvre être?
Que voudrais-tu de moi, doux chant badin?

10 Qu'as-tu voulu, fin refrain incertain
Qui vas tantôt mourir vers la fenêtre
Ouverte un peu sur le petit jardin?

O triste, triste...

O triste, triste était mon âme
A cause, à cause d'une femme.

Je ne me suis pas consolé
Bien que mon cœur s'en soit allé,

Bien que mon cœur, bien que mon âme
Eussent fui loin de cette femme.

Je ne me suis pas consolé,
Bien que mon cœur s'en soit allé.

Et mon cœur, mon cœur trop sensible
10 Dit à mon âme: Est-il possible,

Est-il possible,—le fût-il—
Ce fier exil, ce triste exil?

Mon âme dit à mon cœur: Sais-je
Moi-même que nous veut ce piège

D'être présents bien qu'exilés,
Encore que loin en allés?

Dans l'interminable

Dans l'interminable
Ennui de la plaine
La neige incertaine
Luit comme du sable.

Le ciel est de cuivre
Sans lueur aucune
On croirait voir vivre
Et mourir la lune.

Comme des nuées
10 Flottent gris les chênes
Des forêts prochaines
Parmi les buées.

Le ciel est de cuivre
Sans lueur aucune
On croirait voir vivre
Et mourir la lune.

Corneille poussive
Et vous, les loups maigres,
Par ces bises aigres
20 Quoi donc vous arrive?

Dans l'interminable
Ennui de la plaine
La neige incertaine
Luit comme du sable.

Walcourt

Briques et tuiles,
O les charmants
Petits asiles
Pour les amants!

Houblons et vignes,
Feuilles et fleurs,
Tentes insignes
Des francs buveurs!

Guingettes claires,
10 Bières, clameurs,
Servantes chères
A tous fumeurs!

Gares prochaines,
Gais chemins grands . . .
Quelles aubaines,
Bons juifs errants!

Green

Voici des fruits, des fleurs, des feuilles et des branches,
Et puis voici mon cœur, qui ne bat que pour vous.
Ne le déchirez pas avec vos deux mains blanches,
Et qu'à vos yeux si beaux l'humble présent soit doux.

J'arrive tout couvert encore de rosée
Que le vent du matin vient glacer à mon front.
Souffrez que ma fatigue, à vos pieds reposée,
Rêve des chers instants qui la délasseront.

Sur votre jeune sein laissez rouler ma tête
10 Toute sonore encor de vos derniers baisers;
Laissez-la s'apaiser de la bonne tempête,
Et que je dorme un peu puisque vous reposez.

Spleen

Les roses étaient toutes rouges,
Et les lierres étaient tout noirs.

Chère, pour peu que tu te bouges,
Renaissent tous mes désespoirs.

Le ciel était trop bleu, trop tendre,
La mer trop verte et l'air trop doux.

Je crains toujours,—ce qu'est d'attendre!
Quelque fuite atroce de vous.

Du houx à la feuille vernie
10 Et du luisant buis je suis las,

Et de la campagne infinie
Et de tout, hors de vous, hélas!

Kaléidoscope

Dans une rue, au cœur d'une ville de rêve,
Ce sera comme quand on a déjà vécu:
Un instant à la fois très vague et très aigu . . .
O ce soleil parmi la brume qui se lève!

O ce cri sur la mer, cette voix dans les bois!
Ce sera comme quand on ignore des causes:
Un lent réveil après bien des métempsycoses:
Les choses seront plus les mêmes qu'autrefois

Dans cette rue, au cœur de la ville magique
10 Où des orgues moudront des gigues dans les soirs,
Où les cafés auront des chats sur les dressoirs,
Et que traverseront des bandes de musique.

Ce sera si fatal qu'on en croira mourir:
Des larmes ruisselant douces le long des joues,
Des rires sanglotés dans le fracas des roues,
Des invocations à la mort de venir,

Des mots anciens comme un bouquet de fleurs fanées!
Les bruits aigres des bals publics arriveront,
Et des veuves avec du cuivre après leur front,
20 Paysannes, fendront la foule des traînées

Qui flânent là, causant avec d'affreux moutards
Et des vieux sans sourcils que la dartre enfarine,
Cependant qu'à deux pas, dans des senteurs d'urine,
Quelque fête publique enverra des pétards.

Ce sera comme quand on rêve et qu'on s'éveille!
Et que l'on se rendort et que l'on rêve encor
De la même féerie et du même décor,
L'été, dans l'herbe, au bruit moiré d'un vol d'abeille.

Le Ciel est, par-dessus le Toit

Le ciel est, par-dessus le toit,
    Si bleu, si calme!
Un arbre, par-dessus le toit,
    Berce sa palme.

La cloche dans le ciel qu'on voit
    Doucement tinte.
Un oiseau sur l'arbre qu'on voit
    Chante sa plainte.

Mon Dieu, mon Dieu, la vie est là,
10   Simple et tranquille.
Cette paisible rumeur-là
    Vient de la ville.

—Qu'as-tu fait, ô toi que voilà
    Pleurant sans cesse,
Dis, qu'as-tu fait, toi que voilà,
    De ta jeunesse?

Paul Verlaine

Je ne sais pourquoi

Je ne sais pourquoi
Mon esprit amer
D'une aile inquiète et folle vole sur la mer.
Tout ce qui m'est cher,
D'une aile d'effroi
Mon amour le couve au ras des flots. Pourquoi, pourquoi?

Mouette à l'essor mélancolique,
Elle suit la vague, ma pensée,
A tout les vents du ciel balancée
10 Et biaisant quand le marée oblique,
Mouette à l'essor mélancolique.

Ivre de soleil
Et de liberté,
Un instinct la guide à travers cette immensité.
La brise d'été
Sur le flot vermeil
Doucement la porte en un tiède demi-sommeil.

Parfois si tristement elle crie
Qu'elle alarme au lointain le pilote,
20 Puis au gré du vent se livre et flotte
Et plonge, et l'aile toute meurtrie
Revole, et puis si tristement crie!

Je ne sais pourquoi
Mon esprit amer
D'une aile inquiète et folle vole sur la mer.
Tout ce qui m'est cher,
D'une aile d'effroi
Mon amour le couve au ras des flots. Pourquoi, pourquoi?

L'Espoir luit...

L'espoir luit comme un brin de paille dans l'étable.
Que crains-tu de la guêpe ivre de son vol fou?
Vois, le soleil toujours poudroie à quelque trou.
Que ne t'endormais-tu, le coude sur la table?

Pauvre âme pâle, au moins cette eau du puits glacé,
Bois-la. Puis dors après. Allons, tu vois, je reste,
Et je dorloterai les rêves de ta sieste,
Et tu chantonneras comme un enfant bercé.

Midi sonne. De grâce éloignez-vous, madame.
10 Il dort. C'est étonnant comme les pas de femme
Résonnent au cerveau des pauvres malheureux.

Midi sonne. J'ai fait arroser dans la chambre.
Va, dors! L'espoir luit comme un caillou dans un creux.
Ah, quand refleuriront les roses de septembre!

Art poétique

De la musique avant toute chose,
Et pour cela préfère l'Impair
Plus vague et plus soluble dans l'air,
Sans rien en lui qui pèse ou qui pose.

Il faut aussi que tu n'ailles point
Choisir tes mots sans quelque méprise:
Rien de plus cher que la chanson grise
Où l'Indécis au Précis se joint.

C'est des beaux yeux derrière des voiles,
10 C'est le grand jour tremblant de midi,
C'est par un ciel d'automne attiédi,
Le bleu fouillis des claires étoiles!

Car nous voulons la Nuance encor,
Pas la Couleur, rien que la nuance!
Oh! la nuance seule fiance
Le rêve au rêve et la flûte au cor!

Fuis du plus loin la Pointe assassine,
L'Esprit cruel et le Rire impur,
Qui font pleurer les yeux de l'Azur,
20 Et tout cet ail de basse cuisine!

Prends l'éloquence et tords-lui son cou!
Tu feras bien, en train d'énergie,
De rendre un peu la Rime assagie,
Si l'on n'y veille, elle ira jusqu'où?

Oh! qui dira les torts de la Rime?
Quel enfant sourd ou quel nègre fou
Nous a forgé ce bijou d'un sou
Qui sonne creux et faux sous la lime?

De la musique encore et toujours!
30 Que ton vers soit la chose envolée
Qu'on sent qui fuit d'une âme en allée
Vers d'autres cieux à d'autres amours.

Que ton vers soit la bonne aventure
Éparse au vent crispé du matin
Qui va fleurant la menthe et le thym. . . .
Et tout le reste est littérature.

Arthur Rimbaud

Jean-Nicholas-Arthur Rimbaud was born in Charleville, on the borders of France and Belgium, in 1854, the son of an infantry captain of whom he saw very little, as his father and mother were not on good terms. Mme Rimbaud, the devout daughter of a small peasant farmer, was grimly determined that her obviously gifted son should make a successful mark in life (but hardly in the way in which he eventually did so). Rimbaud was a brilliant schoolboy, though his poetry later gave hints of a smouldering resentment beneath the surface, and in 1869, in addition to numerous school prizes, he obtained a first prize for Latin verse offered by the French Academy. Amazingly precocious and a voracious reader, his first piece of verse was published when he was fifteen; and in that same year of 1869 he sent off other poems to the Parnassian (see p. xiv) poet Banville. At about this time too, he began to show signs of unhappiness and discontent, an unrest no doubt fostered by the outbreak of the Franco-Prussian War in 1870. In that year, for unknown motives, he twice ran away from home (once to Paris and once to Brussels); and the same thing happened in 1871, the first time in January, shortly after Charleville was occupied by the Prussians, the second time when he ran away to Paris at the time of the popular revolt of the *Commune*, in which he may have participated but which he in any case enthusiastically supported. He had been reading a good deal of socialist theory (Proudhon), history (Michelet) in addition, according to Verlaine, to strange books of eastern tales and scientific works, including alchemy. He clearly had an insatiable intellectual curiosity and a taste for the unusual. It was at this time that he wrote the two letters to friends, one to a young schoolmaster at Charleville, Izambard, who had encouraged his reading and literary efforts, the other to a young poet Démeny, in which he expounded his new aesthetic theories (see below).

At the end of August of the same year, 1871, having sent some poems to Verlaine, whose work he greatly admired, he was invited by the latter to Paris where he arrived in the autumn. Together they launched on a dissolute life which was at the same time one of great intellectual turmoil and poetic ferment. The following year, Verlaine having realised that he could no longer come together again with his wife (though her memory haunted him for years and he was to make further attempts later on to achieve a reconciliation) the pair of them ran off to Brussels and then England where they lived in sordid lodgings. But it seems that they were never short of alcohol, and drink led to bitter drunken quarrels. After various comings and goings in England, France and Belgium, disputes and reconciliations, in July 1873, Rimbaud was shot at and slightly wounded by Verlaine.

This sobering experience sent Rimbaud home to convalesce for a few months, during which time he completed the prose poem later published as *Une Saison en enfer*, in which he gave an account of his life with Verlaine, his spiritual and intellectual strivings and the renunciation of the whole experience. Rimbaud returned briefly to England but he had become restless and footloose and his life of wandering now began. In 1875 he was in Germany, where he met Verlaine again in Stuttgart; he then moved on to Italy, whence he was repatriated when he fell ill. The following year he was in Vienna but was deported; in May he was in Holland where he joined the Dutch colonial army and was sent to Batavia; but after three weeks he deserted and returned to Europe in a British ship. In 1877 he was an interpreter in a circus in Hamburg and went on to Sweden and Denmark. In the spring of 1878 he was again in Hamburg and in the autumn of the same year he at last succeeded in reaching the Middle East via Switzerland and Genoa; at the end of the year he was employed by a French firm as foreman in a stone quarry in Cyprus. In 1879, having fallen ill once more, he returned home (it is touching but rather pathetic to see that he never seems properly to have severed the umbilical cord). He was back in Cyprus in 1880 and then moved on to Egypt and Aden. He spent the last ten years of his short life in Aden, Harrar, Cairo and Abyssinia as a general trader who also extended his activities to gun-running and perhaps even to slave-trading; and it is sad to see the former poet in his correspondence completely indifferent to the fate of his works and so greatly concerned at making money. In 1891, as he began to suffer from pains in his right leg (it was, in fact, a cancerous growth in his knee), he returned from Aden to Marseilles, where his leg was amputated. In July he was home again to convalesce, but not for long. Driven by his insatiable wanderlust and longing for the sun, he set off south again but got no further than a hospital in Marseilles where, after a sudden conversion to his childhood faith, he died on 10 November 1891.

One striking aspect of Rimbaud, one of the strangest of poets, is his youth: he was writing poetry of quality at the age of sixteen and the greater part of his work was completed before he was twenty. It is not surprising therefore if his poetry frequently had the energetic, uncompromising and trenchant note of youth. Indeed, he seems often to have retained or recaptured something of the fresh vivid imaginative vision of childhood, often disconcerting and bewildering. Rimbaud's youthfulness, too, inevitably restricted his breadth of experience and memories of reading play a large part in his poetry, although certain childhood and adolescent experiences at school and at home also marked him deeply; in fact, he turned his lack of adult experience into a virtue, just as his semipeasant origins and cultural isolation in the provinces gave him a personal earthiness and individuality that marked him out from the largely Paris-bred and aristocratic or, at least, bourgeois French poets who preceded him in the century.

France's defeat in 1870 and its consequences were a major contributory factor in making Rimbaud a poet in revolt; yet as an examination of his early work shows, these events acted more as a catalytic agent to precipitate a revolt already latent and more than half conscious. His relationship with his mother on which *Les Poètes de sept ans* sheds a good deal of light, was also an important factor. Although he continually turned to her in moments of need, she came to represent all that against which Arthur revolted: bourgeois complacency, smug piety, conventionality, hypocrisy, *l'esprit de routine*, the institution of the family itself; and on the defeat of France and in the resulting disorder, Rimbaud's revolt spread to patriotism, to war and the whole social system.

Most of the poems of Rimbaud before the summer of 1871 give an account of this revolt in direct vigorous terms, often scathing and brutal, sometimes almost hysterical. It would be difficult to observe a religious ceremony in crueller detail than Rimbaud in the first lines of *Les Premières communions*:

> *Vraiment, c'est bête, ces églises des villages*
> *Ou quinze laids marmots encrassant les piliers*
> *Écoutent, grasseyant les divins babillages,*
> *Un noir grotesque dont fermentent les souliers . . .*

Nor could he find solace in love, although he would have liked to do so:

> *Impéteux, avec des douceurs virginales*
> *Et noires,*[1] *fier de ses premiers entêtements,*
> *Pareils aux jeunes mers, pleurs de nuits estivales,*
> *Qui se retournent sur des lits de diamants:*[2]
> *Le jeune homme, devant les laideurs de ce monde*
> *Tressaille dans son cœur largement irrité,*
> *Et plein de la blessure éternelle et profonde,*
> *Se prend à désirer sa sœur de charité . . .*

Yet although, as Rimbaud vividly expresses it, woman is a *monceau d'entrailles, pitié douce*, he does not believe in her as the longed-for consoler. She had, he thought, already suffered too much through man's thoughtlessness and brutality, and this has debased the whole relationship between the sexes. Here again, as in art, Rimbaud makes it plain (in his *lettres du voyant*, see below) that a completely fresh start must be made to establish a more equitable and natural society (cf. Laforgue's attitude to the subject in *Dimanches*, p. 292 and the notes thereto).

Plein de la blessure éternelle et profonde: in these words is summed up the final stage in Rimbaud's revolt, the stage when, after rejecting society, he wants to combat the whole human state. Mankind itself must be changed and the whole of life reorientated and Rimbaud saw the poet as being the instrument of this change. So, in a few exciting weeks, he worked out an original and epoch-making theory of literature, the theory of *le voyant*, of the poet as seer and prophet, although 'worked out' is perhaps too strong a term for the two disjointed and rhapsodic *lettres du voyant* which provide our main evidence as to his aims.

The basis of the theory is self-knowledge. Human personality is not what it seems and after hundreds of years of misunderstanding and misinterpretation a complete revaluation of it is necessary: *On a tort de dire; je pense. On devrait dire; on me pense. Car Je est un autre.* As soon as we examine ourselves closely, we realise that our personality contains depths of which we are normally unaware and which provide, to a far greater extent than superficial analysis would suggest, the mainsprings of our life, in conduct as well as in art. The thoughts which we take to be our own spring from something within us that

[1] The bold juxtaposition—and the surprise of the *rejet*—show Rimbaud's original vision and poetic skill at this early age of sixteen.

[2] The boldness, grandeur, and suggestive imprecision of this image is already typically Rimbaldian.

we cannot control because we do not know what it is. It is this unknown self that we must try to learn about. In this penetration into the depths of his personality the poet will meet strange and horrible things; but he must resolutely note all that he discovers and render it as concretely and physically as words allow: *Il devra faire sentir, palper, écouter ses inventions.* He must also respect the integrity of his experience: *Si ce qu'il rapporte de là-bas a forme, il donne forme; si c'est informe, il donne de l'informe.* Colours, scents, shapes that occur to him in his exploration of these depths must be rendered as vividly and as exactly as possible, with the same incoherence or irrationality as they appear —a doctrine that reinforced still further Rimbaud's emphasis on sense impressions, already marked in his early poetry, though in these first poems always subordinated to a coherent, straightforward effect. Now he talks of *une langue . . . résumant tout, parfums, sons, coloeurs, de la pensée accrochant la pensée et tirant*—a suggestion of association of ideas that could lead to a kind of stream of consciousness (cf. *Mémoire*). It is a conception which clearly has great affinities with the *correspondances* of Baudelaire, for whom Rimbaud had immense admiration as *le premier voyant, roi des poètes, un vrai Dieu,* although he found his form too conventional. Rimbaud greatly restricts the role of the controlling intelligence and places more emphasis on the nonrational, sensorial aspect of the poet's imagination. The important thing is to produce something new and unknown; Rimbaud wants to do in art what Baudelaire wrote in *Le Voyage: Plonger . . . au fond de l'inconnu pour trouver du nouveau,* the descent in Rimbaud's case being into himself.

His manner of making this descent was also highly original: it is much more than an attempt at self-analysis: *Il s'agit de se faire l'âme monstrueuse.* And Rimbaud makes this famous statement: *Le poète se fait voyant par un long, immense et raisonné dérèglement de tous les sens. Toutes les formes d'amour, de souffrance, de folie . . . il épuise en lui tous les poisons pour n'en garder que les quintessences.* Every form of intoxication by drugs and alcohol; every type of experience; every possible observation; every distortion of normal vision; every possible exploitation (including the mortification) of the senses of smell, touch and hearing must be used to create in the poet a state favourable to the perception of the inner life (and its relationship with the outer world) in a completely novel way. Pushed to its extreme you reach a mental and physical state in which ordinary distinctions between the inner and outer world vanish, leaving the poet in a state of visionary hallucination, which, having been reached, must, says Rimbaud, then be deliberately cultivated by the poet to provide a completely new vision of all things.

This deliberate disorganisation of the senses is not to be undertaken with any purpose of pleasure-seeking or self-indulgence. The poet is not seeking happiness but ascetically seeking knowledge. As Rimbaud says, it is *ineffable torture, où il a besoin de toute la foi, de toute la force surhumaine, où il devient entre tous le grand malade, le grand criminel, le grand maudit,—et le suprême savant.* He becomes an outcast of organised society, and indeed an outlaw from any normal conception of life. The revolt is not purely destructive but in order to lead to a new and truer conception of mankind in which due weight will be given to all the fresh findings of the poet on the nature of man and his relations with his fellows and the surrounding world. Rimbaud's purpose is moral as well as artistic: if and when we can recognise and understand all the hitherto unknown and neglected aspects of humanity and come to terms with reality in all its complexity, if we can realise that the poet's monstrous discoveries are something natural, then the poet will, in Rimbaud's words, be a *multiplicateur de progrès*. Mind and body will achieve a harmony unknown since the Greeks, for, despite the apparently subjective nature of his experiences, Rimbaud believed that the poet is merely a more privileged and richer personality than normal people and not a freak, so that in spite of the individual nature of his methods he will be discovering truths of universal validity. *Le poète définirait la quantité d'inconnu s'éveillant en son temps dans l'âme universelle*; he will be an *énormité devenant norme absorbée par tous*. Rimbaud is always conscious of his social responsibility as a poet and of his duty to communicate his findings to others. It is an attempt to accept life and its full responsibilities which contrasts with the life denial of so many poets of the *décadent* and *symboliste* persuasion.

These theories obviously entailed a new aesthetic: *les inventions d'inconnu réclament des formes nouvelles*; and so we find his poetry becoming less sentimental and less directly descriptive, his imagery more and more imaginatively strange, his diction increasingly energetic (all these characteristics are exhibited in, for example, *Le Bateau ivre*). As his grasp of his method becomes stronger, his poetics become even more original. He shows a growing liking (perhaps under Verlaine's influence, see above) for the *impair* metre, of five feet especially; and he mixes his metres freely. Rhyme is sometimes replaced by assonance. His range of tone increases, helped by the widening of his poetic vocabulary. His metaphors become even more bold and his tone more allusive, to such an extent that he is able to desert more and more the realm of normal experience and create a complete imaginary poetic universe of his own, sometimes rendering concisely a moment of ecstasy, at others the detailed and circumstantial account of a dreamlike state. Finally, he finds verse of any sort too cramping and turns to prose poetry, published by Verlaine in 1886 under the significant title of *Les Illuminations*. Meanwhile, however, the experiment of *dérèglement de tous les sens* undertaken with Verlaine came to a sudden end and Rimbaud retreated home, where he recounts the course of his experiments and their ultimate failure in *La Saison en enfer* (1873); moments of hallucination and exaltation do not provide a way of life; imaginative experience alone is not complete enough to bring about a fundamental reorganisation of life.

None the less, the residue of Rimbaud's theories is a number of most fruitful aesthetic ideas for later poets and some astoundingly successful poems, particularly reproductions of visionary states. These are mainly in prose and have no place in this anthology, but much of his later verse (that is, poetry written from 1871 onwards) contains elements of this visionary quality and has the power of reviving in the reader a vision of the world, in which imagination and reality, things read and experienced are strangely mingled; in which contradictions in logic are acceptable to the imagination, ordinary concepts of time and space do not operate and everything is seen (and vividly rendered in concrete images) with an innocent eye, that sees what is before it undistorted by normal rational preoccupations, in which everything is both wonderful and normal. Following Rimbaud we can arrive, although only for a while, if not at the

Unknown, then at least at the rich and strange, and, as Rimbaud said, even though the poet may end by failing to understand his own visions, at least nothing can take their memory from him; and when the poet finally fails in his *bondissement par les choses inouïes et innommables*, other poets will take up the task. This indeed was to happen in the twentieth century: it is a tribute to Rimbaud's vigour and richness that he provided inspiration for such completely different poets as the surrealist Paul Éluard and the Roman Catholic apologist Claudel; and as such an inspirer and inventor, he stands more than any other poet of his generation, save possibly Laforgue, at the beginning of the new era of the twentieth century which was to be so excitingly ushered in by Guillaume Apollinaire.

MAIN POETICAL WORKS

Verse works were published collectively in posthumous editions. Excellent modern edition is the *Classiques Garnier*; complete edition in *La Pléiade*.

CRITICAL AND BIOGRAPHICAL WORKS

C. Chadwick, *Études sur Rimbaud*, Paris, 1960

W. M. Frohock, *Rimbaud's poetic practice*, Cambridge, Mass., 1963

C. A. Hackett, *Rimbaud*, Studies in modern European literature and thought, 1957

J. P. Houston, *The Design of Rimbaud's poetry*, Yale University Press, 1963

E. M. Starkie, *Arthur Rimbaud*, Oxford University Press, 1961

Sensation

Par les soirs bleus d'été, j'irai dans les sentiers,
Picoté par les blés, fouler l'herbe menue:
Rêveur, j'en sentirai la fraîcheur à mes pieds.
Je laisserai le vent baigner ma tête nue.

Je ne parlerai pas, je ne penserai rien:
Mais l'amour infini me montera dans l'âme,
Et j'irai loin, bien loin, comme un bohémien,
Par la Nature,—heureux comme avec une femme.

Les Effarés

Noirs dans la neige et dans la brume,
Au grand soupirail qui s'allume,
Leurs culs en rond,

A genoux, cinq petits,—misère!—
Regardent le Boulanger faire
Le lourd pain blond.

Ils voient le fort bras blanc qui tourne
La pâte grise et qui l'enfourne
Dans un trou clair.

10 Ils écoutent le bon pain cuire.
Le Boulanger au gras sourire
Grogne un vieil air.

Ils sont blottis, pas un ne bouge,
Au souffle du soupirail rouge
Chaud comme un sein.

Quand pour quelque médianoche,
Façonné comme une brioche
On sort le pain,

Quand, sous les poutres enfumées,
20 Chantent les croûtes parfumées
Et les grillons,

Que ce trou chaud souffle la vie,
Ils ont leur âme si ravie
Sous leurs haillons,

Ils se ressentent si bien vivre,
Les pauvres Jésus pleins de givre,
Qu'ils sont là tous,

Collant leurs petits museaux roses
Au treillage, grognant des choses
30 Entre les trous,

Tout bêtes, faisant leurs prières
Et repliés vers ces lumières
Du ciel rouvert,

Si fort, qu'ils crèvent leur culotte
Et que leur chemise tremblote
Au vent d'hiver.

Au Cabaret-Vert, cinq heures du soir

Depuis huit jours, j'avais déchiré mes bottines
Aux cailloux des chemins. J'entrais à Charleroi.
— *Au Cabaret-Vert*: je demandai des tartines
De beurre et du jambon qui fût à moitié froid.

Bienheureux, j'allongeai les jambes sous la table
Verte: je contemplai les sujets très naïfs
De la tapisserie.—Et ce fut adorable,
Quand la fille aux tétons énormes, aux yeux vifs,

—Celle-là, ce n'est pas un baiser qui l'épeure!—
10 Rieuse, m'apporta des tartines de beurre,
Du jambon tiède, dans un plat colorié,

Du jambon rose et blanc parfumé d'une gousse
D'ail,—et m'emplit la chope immense, avec sa mousse
Que dorait un rayon de soleil arriéré.

Arthur Rimbaud

Le Dormeur du Val

C'est un trou de verdure où chante une rivière
Accrochant follement aux herbes des haillons
D'argent; où le soleil, de la montagne fière,
Luit: c'est un petit val qui mousse de rayons.

Un soldat jeune, bouche ouverte, tête nue,
Et la nuque baignant dans le frais cresson bleu
Dort; il est étendu dans l'herbe, sous la nue,
Pâle dans son lit vert où la lumière pleut.

Les pieds dans les glaïeuls, il dort. Souriant comme
10 Sourirait un enfant malade, il fait un somme:
Nature, berce-le chaudement: il a froid.

Les parfums ne font pas frissonner sa narine;
Il dort dans le soleil, la main sur sa poitrine
Tranquille. Il a deux trous rouges au côté droit.

Ma Bohème

Je m'en allais, les poings dans mes poches crevées;
Mon paletot aussi devenait idéal;
J'allais sous le ciel, Muse! et j'étais ton féal;
Oh! là là! que d'amours splendides j'ai rêvées!

Mon unique culotte avait un large trou.
—Petit Poucet rêveur, j'égrenais dans ma course
Des rimes. Mon auberge était à la Grande-Ourse.
—Mes étoiles au ciel avaient un doux frou-frou.

Et je les écoutais, assis au bord des routes,
10 Ces bons soirs de septembre où je sentais des gouttes
De rosée à mon front, comme un vin de vigueur;

Où, rimant au milieu des ombres fantastiques,
Comme des lyres, je tirais les élastiques
De mes souliers blessés, un pied près de mon cœur!

Arthur Rimbaud

Les Poètes de sept Ans

Et la Mère, fermant le livre du devoir,
S'en allait satisfaite et très fière, sans voir,
Dans les yeux bleus et sous le front plein d'éminences,
L'âme de son enfant livrée aux répugnances.

Tout le jour il suait d'obéissance; très
Intelligent; pourtant des tics noirs, quelques traits
Semblaient prouver en lui d'âcres hypocrisies!
Dans l'ombre des couloirs aux tentures moisies,
En passant il tirait la langue, les deux poings
10 A l'aine, et dans ses yeux fermés voyait des points.
Une porte s'ouvrait sur le soir: à la lampe
On le voyait, là-haut, qui râlait sur la rampe,
Sous un golfe de jour pendant du toit. L'été
Surtout, vaincu, stupide, il était entêté
A se renfermer dans la fraîcheur des latrines:
Il pensait là, tranquille et livrant ses narines.

Quand, lavé des odeurs du jour, le jardinet
Derrière la maison, en hiver, s'illunait,
Gisant au pied d'un mur, enterré dans la marne
20 Et pour des visions écrasant son œil darne,
Il écoutait grouiller les galeux espaliers.
Pitié! Ces enfants seuls étaient ses familiers
Qui, chétifs, fronts nus, œil déteignant sur la joue,
Cachant de maigres doigts jaunes et noirs de boue
Sous des habits puant la foire et tout vieillots,
Conversaient avec la douceur des idiots!
Et si, l'ayant surpris à des pitiés immondes,
Sa mère s'effrayait; les tendresses, profondes,
De l'enfant se jetaient sur cet étonnement.
30 C'était bon. Elle avait le bleu regard,—qui ment!

A sept ans, il faisait des romans sur la vie
Du grand désert, où luit la Liberté ravie,
Forêts, soleils, rives, savanes!—Il s'aidait
De journaux illustrés où, rouge, il regardait
Des Espagnoles rire et des Italiennes.
Quand venait, l'œil brun, folle, en robes d'indiennes,
—Huit ans,—la fille des ouvriers d'à côté,
La petite brutale, et qu'elle avait sauté,
Dans un coin, sur son dos, en secouant ses tresses,
40 Et qu'il était sous elle, il lui mordait les fesses,
Car elle ne portait jamais de pantalons;
—Et, par elle meurtri des poings et des talons,
Remportait les saveurs de sa peau dans sa chambre.

Il craignait les blafards dimanches de décembre,
Où, pommadé, sur un guéridon d'acajou,
Il lisait une Bible à la tranche vert-chou;
Des rêves l'oppressaient chaque nuit dans l'alcôve.
Il n'aimait pas Dieu; mais les hommes, qu'au soir fauve,
Noirs, en blouse, il voyait rentrer dans le faubourg
50 Où les crieurs, en trois roulements de tambour,
Font autour des édits rire et gronder les foules.
—Il rêvait la prairie amoureuse, où des houles
Lumineuses, parfums sains, pubescences d'or,
Font leur remuement calme et prennent leur essor!

Et comme il savourait surtout les sombres choses,
Quand, dans la chambre nue aux persiennes closes,
Haute et bleue, âcrement prise d'humidité,
Il lisait son roman sans cesse médité,
Plein de lourds ciels ocreux et de forêts noyées,
60 De fleurs de chair aux bois sidérals déployées,
Vertige, écroulements, déroutes et pitié!
—Tandis que se faisait la rumeur du quartier,
En bas—seul, et couché sur des pièces de toile
Écrue, et pressentant violemment la voile!

Arthur Rimbaud

Voyelles

A noir, E blanc, I rouge, U vert, O bleu: voyelles,
Je dirai quelque jour vos naissances latentes:
A, noir corset velu des mouches éclatantes
Qui bombinent autour des puanteurs cruelles,

Golfes d'ombre; E, candeurs des vapeurs et des tentes,
Lances des glaciers fiers, rois blancs, frissons d'ombelles;
I, pourpres, sang craché, rire des lèvres belles
Dans la colère ou les ivresses pénitentes;

U, cycles, vibrements divins des mers virides,
10 Paix des pâtis semés d'animaux, paix des rides
Que l'alchimie imprime aux grands fronts studieux;

O, suprême Clairon plein des strideurs étranges,
Silences traversés des Mondes et des Anges:
—O l'Oméga, rayon violet de Ses Yeux!

Bateau ivre

Comme je descendais des Fleuves impassibles,
Je ne me sentis plus guidé par les haleurs:
Des Peaux-Rouges criards les avaient pris pour cibles,
Les ayant cloués nus aux poteaux de couleurs.

J'étais insoucieux de tous les équipages,
Porteur de blés flamands ou de cotons anglais.
Quand avec mes haleurs ont fini ces tapages,
Les Fleuves m'ont laissé descendre où je voulais.

Dans les clapotements furieux des marées,
10 Moi, l'autre hiver, plus sourd que les cerveaux d'enfants,
Je courus! Et les Péninsules démarrées
N'ont pas subi tohu-bohus plus triomphants.

La tempête a béni mes éveils maritimes.
Plus léger qu'un bouchon j'ai dansé sur les flots
Qu'on appelle rouleurs éternels de victimes,
Dix nuits, sans regretter l'œil niais des falots!

Plus douce qu'aux enfants la chair des pommes sures,
L'eau verte pénétra ma coque de sapin
Et des taches de vins bleus et des vomissures
20 Me lava, dispersant gouvernail et grappin.

Et dès lors, je me suis baigné dans le Poème
De la Mer, infusé d'astres, et lactescent,
Dévorant les azurs verts; où, flottaison blême
Et ravie, un noyé pensif parfois descend;

Où, teignant tout à coup les bleuités, délires
Et rythmes lents sous les rutilements du jour,
Plus fortes que l'alcool, plus vastes que nos lyres,
Fermentent les rousseurs amères de l'amour!

Je sais les cieux crevant en éclairs, et les trombes
30 Et les ressacs et les courants: je sais le soir,
L'Aube exaltée ainsi qu'un peuple de colombes,
Et j'ai vu quelquefois ce que l'homme a cru voir!

J'ai vu le soleil bas, taché d'horreurs mystiques,
Illuminant de longs figements violets,
Pareils à des acteurs de drames très-antiques
Les flots roulant au loin leurs frissons de volets!

J'ai rêvé la nuit verte aux neiges éblouies,
Baiser montant aux yeux des mers avec lenteurs,
La circulation des sèves inouïes,
40 Et l'éveil jaune et bleu des phosphores chanteurs!

J'ai suivi, des mois pleins, pareille aux vacheries
Hystériques, la houle à l'assaut des récifs,
Sans songer que les pieds lumineux des Maries
Pussent forcer le mufle aux Océans poussifs!

J'ai heurté, savez-vous, d'incroyables Florides
Mêlant aux fleurs des yeux de panthères aux peaux
D'hommes! Des arcs-en-ciel tendus comme des brides
Sous l'horizon des mers, à de glauques troupeaux!

J'ai vu fermenter les marais énormes, nasses
50 Où pourrit dans les joncs tout un Léviathan!
Des écroulements d'eaux au milieu des bonaces,
Et les lointains vers les gouffres cataractant!

Glaciers, soleils d'argent, flots nacreux, cieux de braises!
Échouages hideux au fond des golfes bruns
Où les serpents géants dévorés des punaises
Choient, des arbres tordus, avec de noirs parfums!

J'aurais voulu montrer aux enfants ces dorades
Du flot bleu, ces poissons d'or, ces poissons chantants.
—Des écumes de fleurs ont bercé mes dérades
60 Et d'ineffables vents m'ont ailé par instants.

Parfois, martyr lassé des pôles et des zones,
La mer dont le sanglot faisait mon roulis doux
Montait vers moi ses fleurs d'ombre aux ventouses jaunes
Et je restais, ainsi qu'une femme à genoux. . . .

Presqu'île, ballotant sur mes bords les querelles
Et les fientes d'oiseaux clabaudeurs aux yeux blonds.
Et je voguais, lorsqu'à travers mes liens frêles
Des noyés descendaient dormir, à reculons! . . .

Or moi, bateau perdu sous les cheveux des anses,
70 Jeté par l'ouragan dans l'éther sans oiseau,
Moi dont les Monitors et les voiliers des Hanses
N'auraient pas repêché la carcasse ivre d'eau;

Libre, fumant, monté de brumes violettes,
Moi qui trouais le ciel rougeoyant comme un mur
Qui porte, confiture exquise aux bons poètes,
Des lichens de soleil et des morves d'azur;

Qui courais, taché de lunules électriques,
Planche folle, escorté des hippocampes noirs,
Quand les juillets faisaient crouler à coups de triques
80 Les cieux ultramarins aux ardents entonnoirs;

Moi qui tremblais, sentant geindre à cinquante lieues
Le rut des Béhémots et les Maelstroms épais,
Fileur éternel des immobilités bleues,
Je regrette l'Europe aux anciens parapets!

J'ai vu des archipels sidéraux! et des îles
Dont les cieux délirants sont ouverts au vogueur:
—Est-ce en ces nuits sans fonds que tu dors et t'exiles,
Million d'oiseaux d'or, ô future Vigueur?—

Mais, vrai, j'ai trop pleuré! Les Aubes sont navrantes.
90 Toute lune est atroce et tout soleil amer:
L'âcre amour m'a gonflé de torpeurs enivrantes.
O que ma quille éclate! O que j'aille à la mer!

Si je désire une eau d'Europe, c'est la flache
Noire et froide où vers le crépuscule embaumé
Un enfant accroupi plein de tristesses, lâche
Un bateau frêle comme un papillon de mai.

Je ne puis plus, baigné de vos langueurs, ô lames,
Enlever leur sillage aux porteurs de cotons,
Ni traverser l'orgueil des drapeaux et des flammes,
100 Ni nager sous les yeux horribles des pontons.

Arthur Rimbaud

Chanson de la plus haute Tour

Oisive jeunesse
A tout asservie,
Par délicatesse
J'ai perdu ma vie.
Ah! Que le temps vienne
Où les cœurs s'éprennent.

Je me suis dit: laisse,
Et qu'on ne te voie:
Et sans la promesse
10 De plus hautes joies.
Que rien ne t'arrête,
Auguste retraite.

J'ai tant fait patience
Qu'à jamais j'oublie;
Craintes et souffrances
Aux cieux sont parties.
Et la soif malsaine
Obscurcit mes veines.

Ainsi la Prairie
20 A l'oubli livrée,
Grandie, et fleurie
D'encens et d'ivraies
Au bourdon farouche
De cent sales mouches.

Ah! Mille veuvages
De la si pauvre âme
Qui n'a que l'image
De la Notre-Dame!
Est-ce que l'on prie
30 La Vierge Marie?

Oisive jeunesse
A tout asservie,
Par délicatesse
J'ai perdu ma vie.
Ah! Que le temps vienne
Où les cœurs s'éprennent!

L'Éternité

Elle est retrouvée.
Quoi?—L'Eternité.
C'est la mer allée
Avec le soleil.

Ame sentinelle,
Murmurons l'aveu
De la nuit si nulle
Et du jour en feu.

Des humains suffrages,
10 Des communs élans
Là tu te dégages
Et voles selon.

Puisque de vous seules,
Braises de satin,
Le Devoir s'exhale
Sans qu'on dise: enfin.

Là pas d'espérance,
Nul orietur.
Science avec patience,
20 Le supplice est sûr.

Elle est retrouvée.
Quoi?—L'Éternité.
C'est la mer allée
Avec le soleil.

Arthur Rimbaud

Mémoire

I

L'eau claire; comme le sel des larmes d'enfance,
L'assaut au soleil des blancheurs des corps de femme;
la soie, en foule et de lys pur, des oriflammes
sous les murs dont quelque pucelle eut la défense;

l'ébat des anges;—Non . . . le courant d'or en marche,
meut ses bras, noirs, et lourds, et frais surtout, d'herbe. Elle
sombre, ayant le Ciel bleu pour ciel-de-lit, appelle
pour rideaux l'ombre de la colline et de l'arche.

II

Eh! l'humide carreau tend ses bouillons limpides!
10 L'eau meuble d'or pâle et sans fond les couches prêtes.
Les robes vertes et déteintes des fillettes
font les saules, d'où sautent les oiseaux sans brides.

Plus pure qu'un louis, jaune et chaude paupière
le souci d'eau—ta foi conjugale, ô l'Épouse!—
au midi prompt, de son terne miroir, jalouse
au ciel gris de chaleur la Sphère rose et chère.

III

Madame se tient trop debout dans la prairie
prochaine où neigent les fils du travail: l'ombrelle
aux doigts; foulent l'ombelle; trop fière pour elle;
20 des enfants lisant dans la verdure fleurie

leur livre de maroquin rouge! Hélas, Lui, comme
mille anges blancs qui se séparent sur la route,
s'éloigne par-delà la montagne! Elle, toute
froide, et noire, court! après le départ de l'homme!

IV

Regret des bras épais et jeunes d'herbe pure!
Or des lunes d'avril au cœur du saint lit! Joie
des chantiers riverains à l'abandon, en proie
aux soirs d'août qui faisaient germer ces pourritures!

Qu'elle pleure à présent sous les remparts! l'haleine
30 des peupliers d'en haut est pour la seule brise.
Puis, c'est la nappe, sans reflets, sans source, grise:
un vieux, dragueur, dans sa barque immobile, peine.

V

Jouet de cet œil d'eau morne, je n'y puis prendre,
ô canot immobile! oh! bras trop courts! ni l'une
ni l'autre fleur: ni la jaune qui m'importune,
là; ni la bleue, amie à l'eau couleur de cendre.

Ah! la poudre des saules qu'une aile secoue!
Les roses des roseaux dès longtemps dévorées!
Mon canot, toujours fixe; et sa chaîne tirée
40 Au fond de cet œil d'eau sans bords,—à quelle boue?

Jules Laforgue

Jules Laforgue was born in Montevideo, the capital of Uruguay, in 1860. As a boy his father had emigrated from the district round Tarbes in the Western Pyrenees and after running a private school for a while had ended up as a bank employee. In 1866 he brought Jules back to Tarbes and then returned to Uruguay. Young Laforgue seems to have been a rather lonely and unhappy schoolboy; paradoxically, in view of his later agnosticism, the only prize that came his way when a boarder at the Tarbes *lycée*, was for religious instruction. In 1875 his father and mother returned to France with the rest of their family—there were now eleven children; but two years later, Jules's mother died in childbirth; and that same year, having continued to study, rather unsuccessfully, at the Lycée Fontanes in Paris (where the English master was Mallarmé), he gave up all thought of trying to qualify for university entrance by means of the *baccalauréat*. This did not, however, mean giving up his studies; we know that he spent much time in the Bibliothèque Nationale (the French equivalent of the British Museum Library) where he read widely in a variety of subjects, including medicine, astronomy and philosophy. The combination of the last two was to provide a sound basis for some despairing metaphysical poetry on the cosmos in his early verse (he was always fascinated by the moon). He also attended the lectures on art by the critic and philosopher Taine, from whom he learned the important lesson that all beauty is relative, not absolute, and based on the determinism of *la race*, *le milieu et le moment*. The former of these ideas inspired him to think of creating his own highly individual aesthetics, while the latter depressed without daunting him, as a limited truth.

As his father had gone back to Tarbes, where he died in 1881, Laforgue spent two lonely and poverty-stricken years in Paris; later, looking back, he was to wonder how he had managed to survive without succumbing. But they were also very active and intellectually and poetically fruitful years. In particular, in frequenting the literary cafés of the time (particularly those that prided themselves on illustrating the title of *décadents*—see below), he made the acquaintance of a number of important literary figures, including the poet Gustave Kahn (who was to share with Laforgue the claim to be the first French poet to use completely free verse), and Paul Bourget, a critic and poet who was later to become a fashionable Roman Catholic novelist. Bourget always proved an excellent friend. His role at this time was, among other things, to introduce Laforgue to English poetry—an interest which was greatly to influence Laforgue when he came to admire and translate the North American poet Walt Whitman who himself wrote in a free verse.

Towards the end of his study in Paris, Laforgue managed to obtain a post as secretary to an art critic and dealer, Ephrussi, and was thus able to become knowledgeable about modern art, which at this time was represented by the Impressionists. These painters greatly contributed to enforcing Laforgue's conviction that he must place himself in the vanguard of innovation in poetry; later, we find him, too, creating poems out of series of impressions, sketching rather than elaborating and suggesting rather than spelling things out in full.

Meanwhile he was assiduously and eagerly frequenting various literary clubs of the time, which met in cafés on the Left Bank (*Le Club des Hydropathes*—or haters of water, presumably for drinking purposes—was one of the best-known) where poetry recitals and literary discussions went on until all hours; it was here that *symboliste* and *décadent* feeling was being generated against the excessive formality and anti-lyrical emphasis of the Parnassians. Laforgue was writing the poetry which was to be published, posthumously, under the title of *Le Sanglot de la terre*. It was a rather adolescent mixture of post-Baudelairean spleen and lassitude, which Laforgue considered *décadent*, exercised on themes of intense cosmic anguish, indeed despair, of fear of death, of solitary disparagement of love and informed throughout by the pessimism of being an outsider.

In 1881, through Bourget's good offices, he obtained the post of French reader at the court of the Empress Augusta of Germany, and for the next five years he followed her court in its solemn peregrinations from Coblentz, Baden-Baden, Potsdam and Berlin, with occasional breaks for holidays in Germany and Paris, where he maintained contact with a few good friends. His duties, such as reading the French newspapers to the Empress in the morning and providing her with suggestions for French reading, were not arduous and he was well-paid. Appropriately, from being a poor student he became a carefully dressed man of the world, adopting Baudelaire's form of dandyism in wearing sober dark suits and white linen, with the extra Laforguian touch of a frequent top hat. But beneath the dandy's exterior and behind his gently cynical letters to his friends, there lurked a lonely heart and body, a man devoured by boredom which he tried to alleviate in various ways, particularly by his developing interest in the visual arts and above all in working out and illustrating his original conception of poetry. Yet he was never able to remove from his shoulder the chip that seems to have settled there during his unhappy adolescence. He had one or two rather unsatisfactory feminine encounters where he seems to have been shy, proud and uncertain; but the chance of a new life appeared when he decided to throw up his job and marry an English girl, Leah Lee, a curate's daughter from whom he had been taking English lessons in Berlin and who represented the purity, even incorporality (she was completely flat-chested) that he had perhaps always been idealistically pursuing. He married her in England in 1886 before returning to Paris in the following year, once again short of money and with few prospects of a job. That winter he had a persistent cough which he took, without avail, to various doctors. He died of tuberculosis on 20 August 1887 and only a few months later his wife followed him into the grave.

Laforgue's work falls into two main parts, the first represented by his early poems most of which remained unpublished in his lifetime and a good number of which were not published until nearly a hundred years after being written; the second comprising his later works, notably *Les Complaintes* and *L'Imitation de Notre-Dame-la-Lune* as well as the *Derniers vers* which, although not published in his lifetime, were being prepared for publication at the moment of his untimely death.

Like Mallarmé, Verlaine and Rimbaud, Laforgue's early admiration was for Baudelaire, but like Verlaine he was primarily interested only in certain aspects of Baudelaire and perhaps more interested in his temperament than his art. Baudelaire, Laforgue wrote in an early critical article, was the first to tell, completely, everything possible about himself and his life in Paris. He was—and this is Laforgue's highest praise—the complete *décadent. Décadentisme* was a term originally applied to poets who began to break away from the rigorous tenets of the Parnassian school and describes an attitude inherited from certain aspects of Baudelaire's poetry. The decadent is a man who lives on his nerves, a complicated and subtle person interested in all refinements of the senses, tormented by spleen and mortality, a curious spectator of, or even participant in, the shady and feverish complexities of modern life, alternating between languor and hysteria, fascinated by the strange medley of squalor and refinement of Paris, haunted by the problem of evil, a man both exquisitely hypersensitive and yet attracted to the base, vibrating excitedly to every feeling and every sensation offered by the life of his time and neurotically conscious of his own weakness, powerlessness and lassitude. He is a character who may be studied in certain novelists of the time, notably in Huysmans and the early Barrès. Laforgue sums up this *décadent* conception of Baudelaire in these words: *Ni grand cœur ni grand esprit. Mais quels nerfs plaintifs! Quelles narines ouvertes à tout!* It is of course, a one-sided conception of Baudelaire, leaving out his metaphysical concerns as well as his theory of *correspondances*; but those were the aspects that led to *symbolisme* rather than *décadentisme*.

Laforgue rejects any ideal of beauty in the classical sense of an aspiration towards balance and harmony: the artist must be resolutely modern and personal and far from seeking universality and stability (cf. Gautier's *L'Art*), the poet's task is to realise his essential ephemerality as an individual and the continual change that is taking place, not only in himself but in the society of his time: *Mon clavier est perpétuellement changeant, il n'y en a pas un autre identique au mien, tous les claviers sont légitimes.*

Other influences added their contribution to Laforgue's aesthetics, above all his study of German philosophers, particularly Schopenhauer and Hartmann. The pessimistic Schopenhauer drew attention to the illusory nature of external phenomena. External reality is the mere creation of our senses and if no one were there to perceive it, the world would cease to exist—the extreme idealist position. A study of external phenomena, therefore, can never lead to truth. What is fundamental in the world, its underlying law, is a blind urge to exist, a ruthless will of which mankind is the powerless instrument. It is this senseless will forcing mankind to continue to perpetuate life on this planet which makes Schopenhauer see the world as a perpetual vale of tears in which the only positive reality is pain; everything is at the mercy of chance and error; toil, suffering and disappointment are the only rules. It also led Schopenhauer to place woman, as the chief means of the blind perpetuation of the race, very low in his scale of civilisation. Indeed, it is likely that this fearful determinism is so powerful that the only deliverance will be found in art, in a rejection of the satisfaction of the will, of all desires, hopes and pains in favour of a disinterested contemplation and reproduction of them. Life is never beautiful but a reproduction or recreation of it can be. Laforgue, it is true, does not adopt all Schopenhauer's ideas but he absorbed the spirit of them from the general pessimistic atmosphere of the time. Certain similarities between the German philosopher and Laforgue also spring from the common source of Buddhism, for which there was considerable interest at the time (cf. Leconte de Lisle's poem *Midi*, p. 176). Buddhism, like Schopenhauer's philosophy, contains the concept of the illusory nature of external phenomena and an encouragement to find peace in a mystic union with the universe, an idea to which Laforgue refers in his poetry.

More direct was the influence of another German philosopher, Hartmann, whose main work *The Philosophy of the Unconscious* (*Die Philosophie des Unbewussten*) was published in French in 1877. For Hartmann, whose influence on Laforgue is noticeable from the early 1880s onwards, mankind is at the mercy of a cosmic Unconscious, which controls our actions, however conscious we may think ourselves to be. This Unconscious uses man as a means of realising itself and the world is in a perpetual state of becoming more conscious; a similar idea of the evolution of the world towards greater consciousness, the realisation of the *Idee* behind all things, is found in the earlier German philosopher Hegel, whose influence permeates the whole of French *symboliste* thinking and particularly that of Mallarmé. Hartmann's conception of a supreme force using us as a means to an end clearly has its pessimistic side but Laforgue was able to achieve through it not only a certain peace of mind but a justification for art: since we are in the hands of the Unconscious, let us accept ourselves as we are and if our fate is to be a poet, let us further the aims of the Unconscious by giving it full importance in our works, thus helping it to reveal itself, to become more conscious. Expressed in aesthetic terms, Laforgue insists on the importance for the poet of listening to his instinctive genius. He finds here also a justification for his search for novelty and his insistence on being modern, for the poet, in the forefront of humanity and art, is one of the important factors in the evolution of mankind. We are not surprised to discover that Darwin's theory of the evolution of species had a great influence on Laforgue.

There thus occurs a change in Laforgue's attitude to life and art. In his early poems, reprinted posthumously in the *Sanglot de la terre*, we find him deeply pessimistic, appalled by the anguish of his solitude, overwhelmed by the thought of his infinitesimal importance in the scheme of the universe, terrified by the immense forces in which he is caught up and swept willy-nilly to ultimate extinction; in the *Complaintes*, the *Imitation de Notre-Dame-la-Lune*, and *Les Derniers Vers*, though still unhappy and often bitter, he has succeded in achieving a *modus vivendi*; he has been able to justify his existence and see the part he must play in the universe. The cosmic preoccupations and plaintively tragic attitude of his first manner turn to the ironic bitter-sweet tone of the *Complaintes*. He expresses this clearly in his letters: *L'envie de pousser des cris sublimes aux oreilles de mes contemporains . . . m'est passeé, et je me borne à tordre mon coeur pour le faire s'égoutter en perles curieusement taillées*. He compares himself to a virtuoso, a strummer on a guitar; and elsewhere he writes: *Maintenant, je suis dilettante en tout, avec parfois de petits accès de nausée universelle. Je regarde passer le Carnaval de la vie*. He now views his earlier mystical yearnings and metaphysical outpourings as a *ramassis de petites banalités sales*. *Je trouve stupide de faire la grosse voix et de jouer de l'éloquence*, he writes; *aujourd' hui que je suis plus sceptique et je m'emballe moins aisément et que, d'autre part, je possède ma langue d'une façon plus minutieuse, plus clownesque, j'écris de petits poemès de fantaisie n'ayant qu'un but: faire de l'original à tout prix.* The *angoisses metaphysiques* have been replaced by *chagrins domestiques* and the metaphysically minded adolescent has become a clown and an ironist, although a clown with a breaking heart and an ironist who, like Figaro, hastens to laugh at things for fear of having to cry about them. His fundamental and morbid sensitivity remain, and the mask of the dandy still hides the tenderness and shyness of the disappointed and introspective idealist.

The new attitude is mirrored in a new style that has come to be considered as typically Laforguean. While *Le Sanglot de la terre* was largely in orthodox alexandrines and conventional fixed forms, including the sonnet, he now turned to experiment with many metres and verse forms ranging from the relatively mild innovations of the *Complaintes*, which can be described as *vers libérés*, to the completely free versification of the *Derniers vers*. Laforgue was one of the first, if not the first, French poet to make a complete break from traditional French versification and to write in *vers libres*, thereby opening a sluice-gate through which was to pour not only the free verse of his immediate contemporaries or juniors but that of countless successors. His importance as precursor is immense and since *vers libres* are now fully accepted as a legitimate form of poetry his contribution has proved decisive and permanent. Novel aesthetics require new forms and as an important part of the revolt against Parnassianism was the desire to experiment in sounds, it was an obvious step to dislocate traditional metre and rhyme which under the influence of Leconte de Lisle and his followers had become rather rigid; in particular, the most important of their theoreticians, Théodore de Banville (*Petit traité de versification française* 1873) had greatly inflated rich rhyming (cf. Verlaine's attack on rhyme in his *Art poétique*, p. 255); although it is worth noting that Mallarmé, a great musician in verse, always found conventional forms completely adequate.

Laforgue, however, was the thoroughgoing innovator and experimenter; and to his novel metres, stanza forms and neglect of rhyme, he added novelty of vocabulary and syntax, so that, in a sense, he created his own language, albeit always with a functional purpose in mind; he never sought, as did some of his contemporaries, an esoteric or learned effect for its own sake. His range of vocabulary was wide and in addition to colloquial, philosophical and scientific (particularly medical) terms and technical expressions of all kinds (often rare ones), he also coined words. One of his amusing novelties was the portmanteau word, formed by telescoping two words into one to create an original compound meaning. Thus *éléphantaisiste*, from *éléphant* and *fantaisie* suggests peculiarly pedestrian humour; *ennuiversel*, from *ennui* and *universel* is all-pervadingly boring; and so on. He invented words of all sorts, a common device being the formation of verbs from other parts of speech: *angéluser* (from *angélus*), *s'arlequiner* (to dress up like a clown) *feu-d'artificer* (to flare like fireworks); he also formed words from different parts of speech—*spleenicosité*, *rêvoir* (a place for dreaming) *lunologue* (a moon expert) and so on. With the addition of certain personal tricks of syntax such as the use of an infinitive after verbs not usually governing an infinitive, the use of adjectives as nouns, the placing of adjectives in front of nouns which they would normally follow as well as other devices, we can see that he was able to construct a personal and varied instrument on which to strike any tone, learned or simple, direct or allusive, scientific or lyrical, analytical or impressionistic, clear or obscure, lively or melancholy, exclamatory or sustained (in his later verse, the exclamatory greatly predominates). The whole is generally spiced with sarcasm, self-irony and humour and for comic effect he did not disdain to use the pun.

Is he, with all this, a symbolist poet? He bears certain of the marks; his idealism, his distrust of rhetoric, his rejection of straight description, his disquiet, his affection for autumnal or wintry seasons, his pessimism, his preference for art over life, his allusiveness, his prosodic innovations: all these are found in poetry of this period of the late seventies and eighties, although it must be remarked that none of them is specifically related to the use of symbol and they merely represent a general *Zeitgeist* predominating in France at that time. Certainly, the slightest acquaintance with Laforgue's work shows that his allusiveness is strictly relative and that there is no poetry of his where symbols dominate a poem as in Mallarmé or Baudelaire. Some of the characteristics mentioned above could, indeed, with considerable justification be considered as Parnassian or even Romantic. A belief in the illusory nature of external phenomena is as much Leconte de Lisle's as Mallarmé's, as is a belief in the superiority of art over life. Parnassians and so-called symbolists, as well as *décadents*, were pessimistic; nor does Laforgue seem to have shared the sometimes excessive musical preoccupations of certain symbolists or to have been greatly concerned with synaesthesia. His humour sets him apart from the Parnassian high seriousness and the symbolists' self-regard. Indeed, as soon as you try to define symbolism, except in the narrowest terms, as those who consistently use symbols (and this would tend to reduce the symbolists to one only—Mallarmé), you realise that Symbolism and Parnassianism overlap; the diversity amongst so-called *Symbolistes* themselves, as amongst *Parnassiens*, is such as to make a general definition rather difficult. It is more rewarding to study each individual poet's work and, when relating him to his contemporaries, to be cautious in attaching labels.

MAIN POETICAL WORKS

Complaintes, 1885
L'Imitation de Notre-Dame-la-Lune, 1886
Le Sanglot de la terre (posthumous)
Derniers vers (posthumous)
The most complete modern edition is *Poésies complètes* in the Livre de Poche edition.

CRITICAL AND BIOGRAPHICAL WORKS

M. Collie, *Laforgue*, Oliver and Boyd, 1963
J. M. Durry, *Jules Laforgue*, Paris, 1950
L. Guichard, *Jules Laforgue*, Paris, 1950
W. Ramsey, *Jules Laforgue and the ironic inheritance*, Oxford University Press, 1953
P. Reboul, *Laforgue*, Connaissance des Lettres, Paris, 1960
F. Ruchon, *Jules Laforgue, sa vie, son œuvre*, Geneva, 1924

Méditation grisâtre

Sous le ciel pluvieux noyé de brumes sales,
Devant l'Océan blême, assis sur un îlot,
Seul, loin de tout, je songe, au clapotis du flot,
Dans le concert hurlant des mourantes rafales.

Crinière échevelée, ainsi que des cavales,
Les vagues se tordant arrivent au galop
Et croulent à mes pieds avec de longs sanglots
Qu'emporte la tourmente aux haleines brutales.

Partout le grand ciel gris, le brouillard et la mer,
10 Rien que l'affolement des vents balayant l'air.
Plus d'heures, plus d'humains, et solitaire, morne,

Je reste là, perdu dans l'horizon lointain
Et songe que l'espace est sans borne, sans borne,
Et que le Temps n'aura jamais . . . jamais de fin.

Soir de Carnaval

Paris chahute au gaz. L'horloge comme un glas
Sonne une heure. Chantez! dansez! la vie est brève,
Tout est vain,—et, là-haut, voyez, la lune rêve
Aussi froide qu'au temps où l'homme n'était pas.

Ah! quel destin banal! Tout miroite et puis passe,
Nous leurrant d'infini par le Vrai, par l'Amour;
Et nous irons ainsi, jusqu'à ce qu'à son tour
La terre crève aux cieux, sans laisser nulle trace.

Où réveiller l'écho de tous ces cris, ces pleurs,
10 Ces fanfares d'orgueil que l'histoire nous nomme,
Babylone, Memphis, Bénarès, Thèbes, Rome,
Ruines où le vent sème aujourd'hui des fleurs?

Et moi, combien de jours me reste-t-il à vivre?
Et je me jette à terre, et je crie et frémis,
Devant les siècles d'or pour jamais endormis
Dans le néant sans cœur dont nul Dieu ne délivre!

Et voici que j'entends, dans la paix de la nuit,
Un pas sonore, un chant mélancolique et bête
D'ouvrier ivre-mort qui revient de la fête
20 Et regagne au hasard quelque ignoble réduit.

Oh! la vie est trop triste, incurablement triste!
Aux fêtes d'ici-bas j'ai toujours sangloté:
'Vanité, vanité, tout n'est que vanité!'
—Puis je songeais: où sont les cendres du Psalmiste!

Soleil couchant

Le soleil s'est couché, cocarde de l'azur!
C'est l'heure où le fellah, près de sa fellahine,
Accroupi sur sa natte, avec son doigt impur,
De son nombril squameux épluche la vermine.

Dans la barbe d'argent du crasseux pèlerin
Dont le chauve camail est orné de coquilles,
Ivre et fou de printemps, le pou chante un refrain,
Plus heureux que le roi de toutes les Castilles.

Sur les rives du Nil, le goitreux pélican
10 Songe à la vanité morne de toutes choses
Avec des airs bourrus, comme Monsieur Renan;
Sur une patte, auprès, rêvent les flamants roses.

Déjà sortent du fleuve, étincelant miroir,
Les crocodiles bruns. Sur les berges vaseuses
Ils viennent aspirer, dans la fraîcheur du soir,
Les souffles d'air chargés de senteurs capiteuses.

Cependant qu'à Paris, sur sa porte arrêté,
Le ventre en bonne humeur, mon gros propriétaire
Ricane du bohème au jabot non lesté,
20 Tourne béatement ses pouces—et digère.

Farce éphémère

Non! avec ses Babels, ses sanglots, ses fiertés,
L'Homme, ce pou rêveur d'un piètre mondicule,
Quand on y pense bien est par trop ridicule,
Et je reviens aux mots tant de fois médités.

Songez! depuis des flots sans fin d'éternités,
Cet azur qui toujours en tous les sens recule,
De troupeaux de soleils à tout jamais pullule,
Chacun d'eux conduisant des mondes habités . . .

Mais non! n'en parlons plus! c'est vraiment trop risible!
10 Et j'ai montré le poing à l'azur insensible!
Qui m'avait donc grisé de tant d'espoirs menteurs?

Éternité! pardon. Je le vois, notre terre
N'est, dans l'universel hosannah des splendeurs,
Qu'un atome où se joue une farce éphémère.

Apothéose

En tous sens, à jamais, le Silence fourmille
De grappes d'astres d'or mêlant leurs tournoiements.
On dirait des jardins sablés de diamants,
Mais, chacun, morne et très-solitaire, scintille.

Or, là-bas, dans ce coin inconnu, qui pétille
D'un sillon de rubis mélancoliquement,
Tremblote une étincelle au doux clignotement:
Patriarche éclaireur conduisant sa famille.

Sa famille: un essaim de globes lourds fleuris.
10 Et sur l'un, c'est la terre, un point jaune, Paris,
Où, pendue, une lampe, un pauvre fou qui veille:

Dans l'ordre universel, frêle, unique merveille.
Il en est le miroir d'un jour et le connaît.
Il y rêve longtemps, puis en fait un sonnet.

Jules Laforgue

Pierrots

C'est, sur un cou qui, raide, émerge
D'une fraise empesée *idem*
Une face imberbe au cold-cream,
Un air d'hydrocéphale asperge.

Les yeux sont noyés de l'opium
De l'indulgence universelle,
La bouche clownesque ensorcèle
Comme un singulier géranium.

Bouche qui va du trou sans bonde
10 Glacialement désopilé,
Au transcendental en-allé
Du souris vain de la Joconde.

Campant leur cône enfariné
Sur le noir serre-tête en soie,
Ils font rire leur patte d'oie
Et froncent en trèfle leur nez.

Ils ont comme chaton de bague
Le scarabée égyptien,
A leur boutonnière fait bien
20 Le pissenlit des terrains vagues.

Ils vont, se sustentant d'azur,
Et parfois aussi de légumes,
De riz plus blanc que leur costume,
De mandarines et d'œufs durs.

Ils sont de la secte du Blême,
Ils n'ont rien à voir avec Dieu.
Et sifflent: 'Tout est pour le mieux
Dans la meilleur' des mi-carêmes!'

Jules Laforgue

Complainte des Pianos qu'on entend dans les Quartiers aisés

Menez l'âme que les Lettres ont bien nourrie,
Les pianos, les pianos, dans les quartiers aisés!
Premiers soirs, sans pardessus, chaste flânerie,
Aux complaintes des nerfs incompris ou brisés.

Ces enfants, à quoi rêvent-elles,
Dans les ennuis des ritournelles?

— « Préaux des soirs,
Christs des dortoirs!

« Tu t'en vas et tu nous laisses,
10 Tu nous laiss's et tu t'en vas,
Défaire et refaire ses tresses,
Broder d'éternels canevas. »

Jolie ou vague? triste ou sage? encore pure?
O jours, tout m'est égal? ou, monde, moi je veux?
Et si vierge, du moins, de la bonne blessure,
Sachant quels gras couchants ont les plus blancs aveux?

Mon Dieu, à quoi donc rêvent-elles?
A des Roland, à des dentelles?

— « Cœurs en prison,
20 Lentes saisons!

« Tu t'en vas et tu nous quittes,
Tu nous quitt's et tu t'en vas!
Couvent gris, chœurs de Sulamites,
Sur nos seins nuls croisons nos bras. »

Fatales clés de l'être un beau jour apparues;
Psitt! aux hérédités en ponctuels ferments,
Dans le bal incessant de nos étranges rues;
Ah! pensionnats, théâtres, journaux, romans!

Allez, stériles ritournelles,
30 La vie est vraie et criminelle.

— « Rideaux tirés,
Peut-on entrer?

« Tu t'en vas et tu nous laisses,
Tu nous laiss's et tu t'en vas,
La source des frais rosiers baisse,
Vraiment! Et lui qui ne vient pas . . . »

Il viendra! Vous serez les pauvres cœurs en faute,
Fiancés au remords comme aux essais sans fond,
Et les suffisants cœurs cossus, n'ayant d'autre hôte
40 Qu'un train-train pavoisé d'estime et de chiffons.

Mourir? peut-être brodent-elles,
Pour un oncle à dot, des bretelles?

— « Jamais! Jamais!
Si tu savais!

« Tu t'en vas et tu nous quittes,
Tu nous quitt's et tu t'en vas,
Mais tu nous reviendras bien vite
Guérir mon beau mal, n'est-ce pas? »

Et c'est vrai! l'Idéal les fait divaguer toutes,
50 Vigne bohême, même en ces quartiers aisés.
La vie est là: le pur flacon des vives gouttes
Sera, *comme il convient*, d'eau propre baptisé.

Aussi, bientôt, se joueront-elles
De plus exactes ritournelles.

« — Seul oreiller!
Mur familier!

« Tu t'en vas et tu nous laisses,
Tu nous laiss's et tu t'en vas.
Que ne suis-je morte à la messe!
60 O mois, ô linges, ô repas! »

Jules Laforgue

Complainte
de Lord Pierrot

Au clair de la lune,
Mon ami Pierrot,
Filons, en costume,
Présider là-haut!

Ma cervelle est morte.
Que le Christ l'emporte!
Béons à la Lune,
La bouche en zéro.

Inconscient, descendez en nous par réflexes;
10 Brouillez les cartes, les dictionnaires, les sexes.

Tournons d'abord sur nous-même, comme un fakir!
(Agiter le pauvre être avant de s'en servir.)

J'ai le cœur chaste et vrai comme une bonne lampe;
Oui, je suis en taille-douce, comme une estampe.

Vénus, énorme comme le Régent,
Déjà se pâme à l'horizon des grèves;
Et c'est l'heure, ô gens nés casés, bonnes gens,
De s'étourdir en longs trilles de rêves!
Corybanthe, aux quatre vents tous les draps!
20 Disloque tes pudeurs, à bas les lignes!
En costume blanc, je ferai le cygne,
Après nous le Déluge, ô ma Léda!
Jusqu'à ce que tournent tes yeux vitreux
Que tu grelottes en rires affreux,
Hop! enlevons sur les horizons fades
Les menuets de nos pantalonnades!
Tiens! l'Univers
Est à l'envers . . .

—Tout cela vous honore,
30 Lord Pierrot, mais encore?

—Ah! qu'une, d'elle-même, un beau soir sût venir,
Ne voyant que boire à mes lèvres, ou mourir!

Je serais, savez-vous, la plus noble conquête
Que femme, au plus ravi du Rêve, eût jamais faite!

D'ici là, qu'il me soit permis
De vivre de vieux compromis.

Où commence, où finit l'humaine
Ou la divine dignité?

Jonglons avec les entités,
40 Pierrot s'agite et Tout le mène!
Laissez faire, laisser passer;
Laissez passer, et laissez faire
Le semblable, c'est le contraire,

Et l'univers c'est pas assez!
Et je me sens, ayant pour cible
Adopté la vie impossible,
De moins en moins localisé!

—Tout cela vous honore,
Lord Pierrot, mais encore?

50 —Il faisait, ah! si chaud, si sec.
Voici qu'il pleut, qu'il pleut, bergères!
Les pauvres Vénus bocagères
Ont la roupie à leur nez grec!

—Oh! de moins en moins drôle;
Pierrot sait mal son rôle?

—J'ai le cœur triste comme un lampion forain . . .
Bah! j'irai passer la nuit dans le premier train;

Sûr d'aller, ma vie entière,
Malheureux comme les pierres. (*Bis.*)

Jules Laforgue

Dimanches

Bref, j'allais me donner d'un 'Je vous aime'
Quand je m'avisai non sans peine
Que d'abord je ne me possédais pas bien moi-même.

(Mon Moi, c'est Galathée aveuglant Pygmalion!
Impossible de modifier cette situation.)

Ainsi donc, pauvre, pâle et piètre individu
Qui ne croit à son Moi qu'à ses moments perdus,
Je vis s'effacer ma fiancée
Emportée par le cours des choses,
10 Telle l'épine voit s'effeuiller,
Sous prétexte de soir sa meilleure rose.

Or, cette nuit anniversaire, toutes les Walkyries du vent
Sont revenues beugler par les fentes de ma porte:
Væ soli!
Mais, ah! qu'importe?
Il fallait m'en étourdir avant!
Trop tard! ma petite folie est morte!
Qu'importe *Væ soli!*
Je ne retrouverai plus ma petite folie.

20 Le grand vent bâillonné,
S'endimanche enfin le ciel du matin.
Et alors, eh! allez donc, carillonnez,
Toutes cloches des bons dimanches!
Et passez layettes et collerettes et robes blanches
Dans un frou-frou de lavandes et de thym
Vers l'encens et les brioches!
Tout pour la famille, quoi! *Væ soli!* C'est certain.

La jeune demoiselle à l'ivoirin paroissien
Modestement rentre au logis.
30 On le voit, son petit corps bien reblanchi
Sait qu'il appartient
A un tout autre passé que le mien!

Mon corps, ô ma sœur, a bien mal à sa belle âme . . .
Oh! voilà que ton piano
Me recommence, si natal maintenant!
Et ton cœur qui s'ignore s'y ânonne
En ritournelles de bastringues à tout venant,
Et ta pauvre chair s'y fait mal . . .
A moi, Walkyries!
40 Walkyries des hypocondries et des tueries!

Ah, que je te les tordrais avec plaisir,
Ce corps bijou, ce cœur à ténor,
Et te dirais leur fait, et puis encore
La manière de s'en servir
De s'en servir à deux.
Si tu voulais seulement m'approfondir ensuite un peu!

Non, non! C'est sucer la chair d'un cœur élu,
Adorer d'incurables organes
S'entrevoir avant que les tissus se fanent
50 En monomanes, en reclus!

Et ce n'est pas sa chair qui me serait tout.
Et je ne serais pas qu'un grand cœur pour elle,
Mais quoi s'en aller faire les fous
Dans des histoires fraternelles!
L'âme et la chair, la chair et l'âme,
C'est l'esprit édénique et fier
D'être un peu l'Homme avec la Femme.

En attendant, oh! garde-toi des coups de tête,
Oh! file ton rouet et prie et reste honnête.

60 —Allons, dernier des poètes,
Toujours enfermé tu te rendras malade!
Vois, il fait beau temps, tout le monde est dehors,
Va donc acheter deux sous d'ellébore,
Ça te fera une petite promenade.

Jules Laforgue

L'Hiver qui vient

Blocus sentimental! Messageries du Levant! . . .
Oh, tombée de la pluie! Oh! tombée de la nuit,
Oh! le vent! . . .
La Toussaint, la Noël et la Nouvelle Année,
Oh, dans les bruines, toutes mes cheminées! . . .
D'usines. . . .

On ne peut plus s'asseoir, tous les bancs sont mouillés;
Crois-moi, c'est bien fini jusqu'à l'année prochaine,
Tous les bancs sont mouillés, tant les bois sont rouillés,
10 Et tant les cors ont fait ton ton, ont fait ton taine! . . .
Ah! nuées accourues des côtes de la Manche,
Vous nous avez gâté notre dernier dimanche.

Il bruine;
Dans la forêt mouillée, les toiles d'araignées
Ploient sous les gouttes d'eau, et c'est leur ruine.

Soleils plénipotentiaires des travaux en blonds Pactoles
Des spectacles agricoles,
Où êtes-vous ensevelis?
Ce soir un soleil fichu git au haut du coteau,
20 Git sur le flanc, dans les genêts, sur son manteau.
Un soleil blanc comme un crachat d'estaminet
Sur une litière de jaunes genêts,
De jaunes genêts d'automne.
Et les cors lui sonnent!
Qu'il revienne . . .
Qu'il revienne à lui!
Taïaut! Taïaut! et hallali!
O triste antienne, as-tu fini! . . .
Et font les fous! . . .
30 Et il gît là, comme une glande arrachée dans un cou,
Et il frissonne, sans personne! . . .

Allons, allons, et hallali!
C'est l'Hiver bien connu qui s'amène;
Oh! les tournants des grandes routes,
Et sans petit Chaperon Rouge qui chemine! . . .

Oh! leurs ornières des chars de l'autre mois,
Montant en don quichottesques rails
Vers les patrouilles des nuées en déroute
Que le vent malmène vers les transatlantiques bercails!
40 Accélérons, accélérons, c'est la saison bien connue, cette fois
Et le vent, cette nuit, il en a fait de belles!
O dégâts, ô nids, ô modestes jardinets!
Mon cœur et mon sommeil: ô échos des cognées! . . .

Tous ces rameaux avaient encor leurs feuilles vertes,
Les sous-bois ne sont plus qu'un fumier de feuilles mortes;
Feuilles, folioles, qu'un bon vent vous emporte
Vers les étangs par ribambelles,
Ou pour le feu du garde-chasse,
Ou les sommiers des ambulances
50 Pour les soldats loin de la France.

C'est la saison, c'est la saison, la rouille envahit les masses,
La rouille ronge en leurs spleens kilométriques
Les fils télégraphiques des grandes routes où nul ne passe.

Les cors, les cors, les cors—mélancoliques! . . .
Mélancoliques! . . .
S'en vont, changeant de ton,
Changeant de ton et de musique,
Ton ton, ton taine, ton ton! . . .
Les cors, les cors, les cors! . . .
60 S'en sont allés au vent du Nord.

Je ne puis quitter ce ton: que d'échos! . . .
C'est la saison, c'est la saison, adieu vendanges! . . .
Voici venir les pluies d'une patience d'ange,
Adieu vendanges, et adieu tous les paniers,
Tous les paniers Watteau des bourrées sous les marronniers.
C'est la toux dans les dortoirs du lycée qui rentre,
C'est la tisane sans le foyer,
La phtisie pulmonaire attristant le quartier,
Et toute la misère des grands centres.

70 Mais, lainages, caoutchoucs, pharmacie, rêve,
Rideaux écartés du haut des balcons des grèves
Devant l'océan de toitures des faubourgs,
Lampes, estampes, thé, petits-fours,
Serez-vous pas mes seules amours! . . .

(Oh! et puis, est-ce que tu connais, outre les pianos,
Le sobre et vespéral mystère hebdomadaire
Des statistiques sanitaires
Dans les journaux?)

Non, non! c'est la saison et la planète falote!
80 Que l'autan, que l'autan
Effiloche les savates que le Temps se tricote!
C'est la saison, oh déchirements! c'est la saison!
Tous les ans, tous les ans,
J'essaierai en chœur d'en donner la note.

Solo de Lune

Je fume, étalé face au ciel,
Sur l'impériale de la diligence,
Ma carcasse est cahotée, mon âme danse
Comme un Ariel;
Sans miel, sans fiel, ma belle âme danse,
O routes, coteaux, ô fumées, ô vallons,
Ma belle âme, ah! récapitulons.

Nous nous aimions comme deux fous,
On s'est quitté sans en parler,
10 Un spleen me tenait exilé,
Et ce spleen me venait de tout. Bon.

Ses yeux disaient: 'Comprenez-vous?
'Pourquoi ne comprenez-vous pas?'
Mais nul n'a voulu faire le premier pas,
Voulant trop tomber *ensemble* à genoux.
(Comprenez-vous?)

Où est-elle à cette heure?
Peut-être qu'elle pleure . . .
Où est-elle à cette heure?
20 Oh! du moins, soigne-toi je t'en conjure!

O fraîcheur des bois le long de la route,
O châle de mélancolie, toute âme est un peu aux écoutes,
Que ma vie
Fait envie!
Cette impériale de diligence tient de la magie.

Accumulons l'irréparable!
Renchérissons sur notre sort!
Les étoiles sont plus nombreuses que le sable
Des mers où d'autres ont vu se baigner son corps;
30 Tout n'en va pas moins à la Mort,
Y a pas de port.

Des ans vont passer là-dessus,
On s'endurcira chacun pour soi,
Et bien souvent et déjà je m'y vois,
On se dira: 'Si j'avais su . . .'
Mais mariés, de même, ne se fût-on pas dit:
'Si j'avais su, si j'avais su! . . .'
Ah! rendez-vous maudit!
Ah! mon cœur sans issue! . . .
40 Je me suis mal conduit.
Maniaques de bonheur,
Donc, que ferons-nous? Moi de mon âme,
Elle de sa faillible jeunesse!
O vieillissante pécheresse,
Oh! que de soirs je vais me rendre infâme
En ton honneur!

Ses yeux clignaient: 'Comprenez-vous?
'Pourquoi ne comprenez-vous pas?'
Mais nul n'a fait le premier pas
50 Pour tomber ensemble à genoux. Ah! . . .

La lune se lève,
O route en grand rêve! . . .

On a dépassé les filatures, les scieries,
Plus que les bornes kilométriques,
De petits nuages d'un rose de confiserie,
Cependant qu'un fin croissant de lune se lève.
O route de rêve, ô nulle musique . . .

Dans ces bois de pins où depuis
Le commencement du monde
60 Il fait toujours nuit,
Que de chambres propres et profondes!
Oh! pour un soir d'enlèvement!
Et je les peuple et je m'y vois,
Et c'est un beau couple d'amants,
Qui gesticulent hors la loi.

Et je passe et les abandonne,
Et me recouche face au ciel,
La route tourne, je suis Ariel,
Nul ne m'attend, je ne vais chez personne,
70 Je n'ai que l'amitié des chambres d'hôtel.

La lune se léve,
O route en grand rêve!
O route sans terme,
Voici le relais,
Où l'on allume les lanternes,
Où l'on boit un verre de lait,
Et fouette postillon,
Dans le chant des grillons,
Sous les étoiles de juillet.

80 O clair de Lune,
Noce de feux de Bengale noyant mon infortune,
Les ombres des peupliers sur la route, . . .
Le gave qui s'écoute, . . .
Qui s'écoute chanter, . . .
Dans ces inondations du fleuve du Léthé, . . .

O Solo de lune,
Vous défiez ma plume,
Oh! cette nuit sur la route;
O Étoiles, vous êtes à faire peur,
90 Vous y êtes toutes! toutes!
O fugacité de cette heure . . .
Oh! qu'il y eût moyen
De m'en garder l'âme pour l'automne qui vient! . . .

Voici qu'il fait très très-frais,
Oh! si à la même heure,
Elle va de même le long des forêts,

Noyer son infortune
Dans les noces du clair de lune! . . .
(Elle aime tant errer tard!)
100 Elle aura oublié son foulard,
Elle va prendre mal, vu la beauté de l'heure!
Oh! soigne-toi je t'en conjure!
Oh! je ne veux plus entendre cette toux!

Ah! que ne suis-je tombé à tes genoux!
Ah! que n'as-tu défailli à mes genoux!
J'eusse été le modèle des époux!
Comme le frou-frou de ta robe est le modèle des frou-frou.

Paul Valéry

Paul Valéry was born at Sète in 1871 of Corsican and Italian parents. The poet himself has written eloquently of the vivid and ever-changing bustle of this small Mediterranean port where he spent a boyhood dedicated *au culte inconscient de trois ou quatre déités incontestables: la Mer, le Ciel, le Soleil*, 'divinities' which were to play an important part in his major works. Later, the family moved to Montpellier, where Valéry attended the *lycée* and later studied law at the University. He was unenthusiastic about formal study, covering his exercise books with sketches and verses, which as a student he began to publish in small reviews. Through a reading of Huysmans' *A Rebours*, he discovered Verlaine and Rimbaud, and above all Mallarmé, with whom he entered into correspondence.

Outwardly, he seemed destined for a literary career, but he was beset by doubts. On the one hand, the example of Mallarmé seemed to forbid any poetry less intransigently ambitious, and on the other hand he was already conceiving that project which was to determine his life's work, the study of *la conscience de moi-même pour elle-même*, demanding an intellectual rigour to which he felt literature was hostile. Personal circumstances exacerbated the situation, an unhappy infatuation provoking a violent reaction against all that was not subject to the rigid control of the intellect. A crisis-point was reached one night in Genoa in 1892: *Nuit effroyable—passée sur mon lit—orage partout—ma chambre éblouissante par chaque éclair—Et tout mon sort se jouait dans ma tête. Je suis entre moi et moi . . .* The outcome was decisive; though he did not immediately cease writing verse, henceforth poetry and everything pertaining to the emotions were to be subordinated to the idol of the intellect and the study of its workings.

Early in 1894 he moved to Paris, installing himself in a small room decorated only with a blackboard and a photograph of a human skeleton, to begin a life of intellectual asceticism. Mathematics and physics seemed to offer the best model for the private researches on which he embarked; his books were few and mainly scientific, and visitors found the blackboard covered with calculations. The main instruments of his investigations however were the *Cahiers* or notebooks which he now commenced; rising early every morning, he would note down ideas in an attempt to catch his own thought in the process of formation. He remained faithful to his *Cahiers* for half a century, leaving at his death 257 volumes ranging over every conceivable subject, but never losing sight of their author's central preoccupation. During this period he also wrote two works which can be seen partly as justification of his youthful decision. The *Introduction à la methode de Léonard de Vinci* uses the historical figure as pretext for an analysis of the creative mind and sketches a theory of an intellectual method; *La Soirée avec Monsieur Teste* portrays a hero imagined as the final product of the quest Valéry was pursuing.

In 1900 Valéry married, and obtained a post as private secretary to Édouard Lebey, a director of the Agence Havas; required for only a few hours each day, he was able to devote himself to his own studies. He did not cease to frequent literary circles—until Mallarmé's death in 1898 he had been a faithful attender at the famous *mardis* of the elder poet—and at the same time cultivated artistic circles, counting Degas and Renoir among his friends. He was known everywhere as a brilliant conversationalist, but was almost forgotten as poet.

In 1912 André Gide and the publisher Gaston Gallimard urged Valéry to permit publication of his early poems; he agreed to revise them, and promised a short introductory poem. As he wrote, the poet was reborn in him, and a projected forty lines became the 512 lines of *La Jeune Parque*. The poem took four years to complete, emerging slowly from drafts which would fill a large volume, and as war broke over France, Valéry began to see its classical alexandrines as a profession of faith in a threatened culture.

La Jeune Parque was eventually published in 1917, followed in 1920 by the *Album de vers anciens* and in 1922 by his main poetic work, *Charmes*. From this brief creative burst date also two works in the form of Socratic dialogues; *Eupalinos* discusses the notion of form, the problems of artistic creation and the choice between *connaître* and *faire*; *L'Âme et la danse* contrasts the *ennui* engendered by the intellectual life with the liberating metamorphoses of the art of dance. Valéry was quickly recognised as an important literary figure; he was elected to the Académie Française in 1925, received honours from many countries, and counted among his admirers and acquaintances such diverse figures as R. M. Rilke, Pirandello, Ortega y Gasset, Rabindranath Tagore, James Joyce, Stravinsky, Bergson and Einstein.

Recognition came opportunely, as with the death of Lebey in 1922 he was obliged to live by his talents, accepting the invitations to lecture and the commissions for articles and prefaces which now poured in. Many of these essays were collected in his lifetime under the title *Variété*, and he even began to publish extracts from his private notebooks; the whole series was published in facsimile after his death. Election to the Chair of Poetry at the Collège de France in 1937 set the seal on his status as unofficial *poète d'État*. Towards the end of his life he turned back to more purely literary activities, leaving an unfinished drama, *Mon Faust*, in which a form of spiritual autobiography can be discerned. He died in 1945, and was given a state funeral at the instance of General de Gaulle. He lies buried in the *Cimetière Marin* at Sète; on his grave are the lines from that poem:

O récompense après une pensée
Qu'un long regard sur le calme des dieux!

Few cases of literary affiliation are as clear as that which leads from Mallarmé to Valéry. And yet in some senses Valéry reversed the conclusions of the older poet. Where Mallarmé had sought an exit from the impasse of nihilism in the transcendental value of the work of art, Valéry's scepticism with regard to language would not permit him to find in its manipulation a supreme value. All his great poetry was written in a brief period in a long career dedicated to other ends, and although it is by his poetry that he is chiefly known, it represents a compromise of the personal myth which sustained those other ends.

The philosophical gesture which is at the heart of that myth is one of refusal—*refus indéfini d'être quoi que ce soit*—representing a radical separation of the enquiring mind from the world around it and even from the accidents of the poet's own personality and emotional life, as a precondition of a rigorous study of the mind itself and that supremely human quality of self-consciousness. In his *Introduction à la méthode de Léonard de Vinci*, Valéry explored the possibility of such an enquiry, adopting the motto of the historical Leonardo, *Hostinato rigore* (*obstinée rigueur*), and praising, not the creative acts by which we recognise genius, but the *mind* and *method* which make them possible. A man who had fully mastered the workings of his own mind, Valéry thought, would not only have raised himself to a superior position by virtue of an infinitely heightened self-consciousness, but would also be in possession of a method applicable to all forms of intellectual enquiry. *Facil cosa è farsi universale!* (*Il est aisé de se rendre universel!*)

It is from this initial hypothesis that there flows all that part of Valéry's work (in quantity by far the greater part) which could be called non-literary, at least in the traditional sense. It is in the more purely literary part of his writings, in which Valéry considers the existential implications of such a standpoint, that the hypothesis takes on the character of a personal myth and becomes the subject of an intense personal drama. For the ideal of a perfect consciousness, existing in some kind of 'pure' state, could only be a myth, unrealisable in practice. Since the mind itself is the principal object of enquiry, the quest is doomed to an infinite regression: *Je suis étant, et me voyant; me voyant me voir, et ainsi de suite*, says M. Teste. And at the end of the quest, the *Moi pur*, as Valéry called that final irreducible spark of consciousness, could only be conceived of as akin to the mathematical notions of zero and infinity. Further, for one who has developed his mental powers to this degree, the whole of the visible world, easily reduced to the categories invented by the mind, threatens to dissolve within the hall of mirrors which is the brain, becoming merely the means by which the *Moi pur* knows itself as the sole entity not reducible to its own systems and classifications. *Pour une présence d'esprit aussi sensible à elle-même, et qui se ferme sur elle-même par le détour de 'l'Univers', tous les événements de tous les genres, et la vie, et la mort, et les pensées, ne lui sont que des* figures *subordonnées. Comme chaque* chose visible *est à la fois étrangère, indispensable et inférieure à la* chose qui voit, *ainsi l'importance de ces figures, si grande qu'elle apparaisse à chaque instant, pâlit à la réflexion devant la seule persistance de l'attention elle-même. Tout le cède à cette universalité pure, à cette généralité insurmontable que la conscience se sent être.* The end result of this reversal of the Symbolists' subjective idealism, tending here not to the recreation of the universe, but simply to its annulment, is an absolute *tædium vitae—cet ennui . . . qui n'a d'autre substance que la vie même, et d'autre cause seconde que la clairvoyance du vivant .. . . . La vie noircit au contact de la vérité, comme fait le douteux champignon au contact de l'air.*

But if such is the conclusion to which Valéry's initial gesture of refusal tends, there is a further refusal always waiting to annul the consequences of the first. The immobility of the self-regarding consciousness is perpetually broken by the *Non!* which resounds at the end of *Le Cimetière marin*, by the injunction *Il faut tenter de vivre!* Man is part of life, and the law of life is perpetual change; man is body as well as mind, and through the body he participates in the world which, ceasing thereby to be the mere prism through which consciousness recognises its own existence, the shimmering surface in which Narcissus sees his own reflection, is returned to its infinite particularity, a source of sensuous delight to which the sensibility responds. Thus there is in Valéry's work a perpetual dialectic of extreme self-absorption and the dynamic of life, between *connaître* and *être*, being and becoming, immobility and movement. Such is the substance of his two major poems, *La Jeune Parque* and *Le Cimetière marin*.

The reader might well expect such poems to be aridly philosophical, but in fact these two are also the most impassioned of Valéry's works. Nothing is simply *thought*; all is intensely *felt*, and communicated to the reader as emotion. Moreover, Valéry spared no pains, in the enormous labours which gave birth to these poems, to make them as sensuously direct as possible. It is here that those early 'divinities' of sun, sea and sky came to his aid; in *La Jeune Parque*, the sea is a constant presence, imparting moods varying from the radiant to the sinister, and in *Le Cimetière marin*, the successive stages of this drama of consciousness are not only played out against a background of sombre cemetery, pitiless sun and evermoving waves—these elements themselves provide the impetus for the poet's passionate meditations.

In some respects, the reader is less likely to be puzzled by these two long poems than by some of the shorter and apparently simpler poems of *Charmes*. Certainly, there are many obscurities of detail in the longer ones; *La Jeune Parque* once enjoyed the reputation of being the most difficult poem in the French language, and its structure still gives rise to discussion. But patient and sensitive reading will elucidate most difficulties, and the reader is unlikely to mistake the *general* nature of the dramas unfolded. In the case of the short poems, on the other hand, the surface meaning is often luminously clear, but although some—*Les Grenades* and *Palme*, for example—are literally self-explanatory, the reader will often feel in some doubt as to the general import of the poem. In *Les Pas*, for example, a clearly recognisable scene is described—the poet listening to the approaching steps of a lover—but it is apparent that some more oblique meaning is intended. Some critics assume that the woman approaching symbolises poetic inspiration (indeed, the whole of *Charmes* has been interpreted as an extended allegory of poetic creation), but to do so is to restrict unnecessarily the suggestiveness of the poem, and reduce it to a mere cipher. A close look at *Les Pas* will reveal that in fact the woman, known only as *ombre divine*, hardly enters the picture; the emphasis is on the poet waiting, and this gives the clue to Valéry's personal kind of symbolism. The poem is symbolic, not in the sense that some object or person within it symbolises something else, but in that the situation itself offers a *pattern of experience*. There is no need to restrict interpretation to either the erotic or the poetic level; the range of experience is wide enough to include both. *Mes vers ont le sens qu'on leur prête*, wrote Valéry. But that is not to say that the reader may make what he wishes of the poem, which has its own precision on its own terms; the experience of waiting, whatever the object of that waiting, observes the same psychological laws, its delights and hesitations are the same. If one wishes to say what Valéry's short poems are 'about', one must always try to make one's descriptions as general as possible. As one critic has written, these poems are 'gestures of relationship' between the poet and the world around him, and the nature of those gestures is determined 'not by the nature of the object, but by the nature of experiencing the object'.

Like Mallarmé, Valéry meditated long and fruitfully on the poet's art. In his early years, he adopted the notion of Edgar Allan Poe that the poet was merely a *froid savant* manipulating the reader's emotions; in later life he modified this position, but continued to scorn facile theories of inspiration, and to emphasise the necessities of conscious craftsmanship and hard work. *Les dieux nous donnent* pour rien *tel premier vers; mais c'est à nous de façonner le second.* Valéry's work has been described as the 'rational exploration of irrationality', and his poetics show the same dual nature, being an attempt to master as consciously as possible the art of arousing the reader's emotions. On the one hand, the poem must keep the intellect engaged—*Un poème doit être une fête de l'Intellect*—while on the other it must evoke powerful responses below the intellectual level. Again, the simple use of the elemental divinities of his youth, together with other such images of universal appeal, contribute to this latter end, but this is far from exhausting the poet's resources. The dense web of associations which Valéry's poetry can evoke may be studied in the sumptuous 'hymn to Spring' from *La Jeune Parque* (lines 222–42). Three series of images are superimposed here—the visceral, centring on the *sang* of the heroine and the *entrailles* of the earth; the marine, centring on the description of the forest as *flottante*, the branches of the trees as *archipels*; and the atmospheric, composed of wind, sea and sky. The whole passage is lent an extraordinary movement by the vocabulary—*mouvements*, *ruisselle*, *meuvent*, *montent*, *frémir*, *vibrant*, *ramer*, *flottante*, *départs*, *fleuve*—evoking the upsurge of Spring in nature and in the heroine's sensibility.

Rhythm too is one of the most important ways in which a poem appeals to the reader's emotions, and Valéry, who insisted on the discipline of form and metre, reveals himself a virtuoso in his handling of many diverse though traditional verse forms. He claimed that the themes of *Le Cimetière marin* were dictated by the decasyllabic line he had chosen, and while this can only have been true in the sense of a personal necessity, it is clear that this relatively little-used line was admirably adapted to the grave meditation of that poem, just as, for instance, the five-syllable line echoes the insubstantiality of the evanescent vision of *Le Sylphe*, and the alternation of long and short lines incarnates the alternate élan and disillusion of *Au Platane*.

The skilful exploitation of such devices as alliteration, assonance and internal rhyme is also a marked feature of Valéry's work; study of his drafts reveals the extent to which his creative imagination was prompted by those *similitudes amies* which are found among words, and it is often the sheer music of his verse which lingers in the memory, as in the following lines from *Fragments du Narcisse*:

O douceur de survivre à la force du jour,
Quand elle se retire enfin rose d'amour,
Encore un peu brûlante, et lasse, mais comblée,
Et de tant de trésors tendrement accablée
Par de tels souvenirs qu'ils empourprent sa mort,
Et qu'ils la font heureuse agenouiller dans l'or,
Puis s'étendre, se fondre, et perdre sa vendange,
Et s'éteindre en un songe en qui le soir se change.[1]

[1] Compare a Mallarmé sunset poem: *Victorieusement fui* . . . p. 231.

Valéry said of these lines, not only that they were those which had cost him most effort and which he regarded as the most perfect he had written, but also that they were *absolument vides d'idées*. A lively controversy sprang up around this and similar statements, much of it based on misconception. The passage may not contain ideas in the sense that many poems of, say, Vigny, appear to, but it is not *meaningless*—its superbly modulated music expresses a *mood* and a *feeling*. Elsewhere, Valéry defined poetry as *une hésitation prolongée entre le son et le sens*—a salutary reminder, from perhaps the most intellectually gifted of all French poets, that poetry is made, not with ideas, but with the sound and meaning of words.

Valéry's poetic output is slight, and in a sense limited in range and technique. At a time when many poets were reacting against the apparently 'ivory-tower' preoccupations of the Symbolist period, and seeking to find poetry in all areas of human experience, Valéry remained faithful to a personal obsession. At a time when poets were experimenting with all kinds of verse forms, from the 'calligrammatic' experiments of Apollinaire to the baroque immensity of Claudel, Valéry renewed the classical search for perfection of form, developing from the Mallarméan arabesque of *La Fileuse* through the dramatic monologue of *La Jeune Parque* to the deceptive simplicity of *Charmes*, recalling sometimes the seventeenth or even the sixteenth century. For Valéry, as for his first master Mallarmé, form came to have an almost philosophical significance, though the two arrived at this conclusion by different routes. *Toute forme distrait l'esprit du néant*; all man's intellectual and artistic activity, Valéry thought, is ultimately a pursuit of form, and poetry the *exercice*, as he was fond of calling it, in which the complexities of human nature and experience could be given abiding shape. He remained faithful to the view that a poem was never completely finished, but merely interrupted in its never-ending search for perfection; that *obstinée rigueur* which had once turned him away from poetry finally bore fruit in a handful of poems which are among the finest in the language.

MAIN POETICAL WORKS

La Jeune Parque, 1917
Album de vers anciens 1890–1900, 1920
Charmes, 1922

CRITICAL AND BIOGRAPHICAL WORKS

J. Duchesne-Guillemin, *Études de 'Charmes' de Paul Valéry*, Brussels, L'Écran du Monde, 1947

J. R. Lawler, *Lecture de Valéry. Une Étude de 'Charmes'*, Paris, Presses Universitaires de France, 1963

F. Scarfe, *The Art of Paul Valéry. A Study in Dramatic Monologue*, London, Heinemann, 1964

P. O. Walzer, *La Poésie de Valéry*, Geneva, Cailler, 1953

The above works deal exclusively or principally with Valéry's poetry; the reader wishing to gain an introduction to the remainder of his work should consult the following:

Paul Valéry

M. Raymond, *Paul Valéry ou la tentation de l'esprit*, Neuchâtel, La Baconnière, 1946 and 1964

A. W. Thomson, *Valéry*, *Writers and Critics* series, Edinburgh and London, Oliver and Boyd, 1965

DISCOGRAPHY

Poèmes de Valéry, dits par Jean Vilar (Véga, *E.P.*)

Paul Valéry

La Fileuse

Lilia . . . , neque nent

Assise, la fileuse au bleu de la croisée
Où le jardin mélodieux se dodeline;
Le rouet ancien qui ronfle l'a grisée.

Lasse, ayant bu l'azur, de filer la câline
Chevelure, à ses doigts si faibles évasive,
Elle songe, et sa tête petite s'incline.

Un arbuste et l'air pur font une source vive
Qui, suspendue au jour, délicieuse arrose
De ses pertes de fleurs le jardin de l'oisive.

10 Une tige, où le vent vagabond se repose,
Courbe le salut vain de sa grâce étoilée,
Dédiant magnifique, au vieux rouet, sa rose.

Mais la dormeuse file une laine isolée;
Mystérieusement l'ombre frêle se tresse
Au fil de ses doigts longs et qui dorment, filée.

Le songe se dévide avec une paresse
Angélique, et sans cesse, au doux fuseau crédule,
La chevelure ondule au gré de la caresse . . .

Derrière tant de fleurs, l'azur se dissimule,
20 Fileuse de feuillage et de lumière ceinte:
Tout le ciel vert se meurt. Le dernier arbre brûle.

Ta sœur, la grande rose où sourit une sainte,
Parfume ton front vague au vent de son haleine
Innocente, et tu crois languir . . . Tu es éteinte

Au bleu de la croisée où tu filais la laine.

Paul Valéry

La Jeune Parque (Fragments)

La terre ne m'est plus qu'un bandeau de couleur
Qui coule et se refuse au front blanc de vertige . . .
Tout l'univers chancelle et tremble sur ma tige,
La pensive couronne échappe à mes esprits,
La Mort veut respirer cette rose sans prix
Dont la douceur importe à sa fin ténébreuse!

Que si ma tendre odeur grise ta tête creuse,
O Mort, respire enfin cette esclave de roi:
220 Appelle-moi, délie! . . . Et désespère-moi,
De moi-même si lasse, image condamnée!
Écoute . . . N'attends plus . . . La renaissante année
A tout mon sang prédit de secrets mouvements:
Le gel cède à regret ses derniers diamants . . .
Demain, sur un soupir des Bontés constellées,
Le printemps vient briser les fontaines scellées:
L'étonnant printemps rit, viole . . . On ne sait d'où
Venu? Mais la candeur ruisselle à mots si doux
Qu'une tendresse prend la terre à ses entrailles . . .
230 Les arbres regonflés et recouverts d'écailles
Chargés de tant de bras et de trop d'horizons,
Meuvent sur le soleil leurs tonnantes toisons,
Montent dans l'air amer avec toutes leurs ailes
De feuilles par milliers qu'ils se sentent nouvelles . . .
N'entends-tu pas frémir ces noms aériens,
O Sourde! . . . Et dans l'espace accablé de liens,
Vibrant de bois vivace infléchi par la cime,
Pour et contre les dieux ramer l'arbre unanime,
La flottante forêt de qui les rudes troncs
240 Portent pieusement à leurs fantasques fronts,
Aux déchirants départs des archipels superbes,
Un fleuve tendre, ô Mort, et caché sous les herbes?

Quelle résisterait, mortelle, à ces remous?
Quelle mortelle?
Moi si pure, mes genoux
Pressentent les terreurs de genoux sans défense . . .
L'air me brise. L'oiseau perce de cris d'enfance
Inouïs . . . l'ombre même où se serre mon cœur,

Et, roses! mon soupir vous soulève, vainqueur
Hélas! des bras si doux qui ferment la corbeille . . .
250 Oh! parmi mes cheveux pèse d'un poids d'abeille
Plongeant toujours plus ivre au baiser plus aigu,
Le point délicieux de mon jour ambigu . . .
Lumière! . . . Ou toi, la Mort! Mais le plus prompt me prenne! . . .
Mon cœur bat! mon cœur bat! Mon sein brûle et m'entraîne!
Ah! qu'il s'enfle, se gonfle et se tende, ce dur
Très doux témoin captif de mes réseaux d'azur . . .
Dur en moi . . . mais si doux à la bouche infinie! . . .

Chers fantômes naissants dont la soif m'est unie,
Désirs! Visages clairs! . . . Et vous, beaux fruits d'amour,
260 Les dieux m'ont-ils formé ce maternel contour
Et ces bords sinueux, ces plis et ces calices,
Pour que la vie embrasse un autel de délices,
Où mêlant l'âme étrange aux éternels retours,
La semence, le lait, le sang coulent toujours?
Non! L'horreur m'illumine, exécrable harmonie!
Chaque baiser présage une neuve agonie . . .
Je vois, je vois flotter, fuyant l'honneur des chairs
Des mânes impuissants les millions amers . . .
Non, souffles! Non, regards, tendresses . . . mes convives,
270 Peuple altéré de moi suppliant que tu vives,
Non, vous ne tiendrez pas de moi la vie! . . . Allez,
Spectres, soupirs la nuit vainements exhalés,
Allez joindre des morts les impalpables nombres!
Je n'accorderai pas la lumière à des ombres,
Je garde loin de vous, l'esprit sinistre et clair . . .
Non! Vous ne tiendrez pas de mes lèvres l'éclair! . . .
Et puis . . . mon coeur aussi vous refuse sa foudre.
J'ai pitié de nous tous, ô tourbillons de poudre!

Grands Dieux! Je perds en vous mes pas déconcertés!

280 Je n'implorerai plus que tes faibles clartés,
Longtemps sur mon visage envieuse de fondre,
Très imminente larme, et seule à me répondre,
Larme qui fais trembler à mes regards humains
Une variété de funèbres chemins;
Tu procèdes de l'âme, orgueil du labyrinthe.
Tu me portes du cœur cette goutte contrainte,
Cette distraction de mon suc précieux
Qui vient sacrifier mes ombres sur mes yeux,

Tendre libation de l'arrière-pensée!
290 D'une grotte de crainte au fond de moi creusée
Le sel mystérieux suinte muette l'eau.
D'où nais-tu? Quel travail toujours triste et nouveau
Te tire avec retard, larme, de l'ombre amère?
Tu gravis mes degrés de mortelle et de mère,
Et déchirant ta route, opiniâtre faix,
Dans le temps que je vis, les lenteurs que tu fais
M'étouffent . . . Je me tais, buvant ta marche sûre . . .
—Qui t'appelle au secours de ma jeune blessure?

Mais blessures, sanglots, sombres essais, pourquoi?
300 Pour qui, joyaux cruels, marquez-vous ce corps froid,
Aveugle aux doigts ouverts évitant l'espérance!
Où va-t-il, sans répondre à sa propre ignorance,
Ce corps dans la nuit noire étonné de sa foi?
Terre trouble . . . et mêlée à l'algue, porte-moi,
Porte doucement moi . . .

Au Platane

Tu penches, grand Platane, et te proposes nu,
Blanc comme un jeune Scythe,
Mais ta candeur est prise, et ton pied retenu
Par la force du site.

Ombre retentissante en qui le même azur
Qui t'emporte, s'apaise,
La noire mère astreint ce pied natal et pur
A qui la fange pèse.

De ton front voyageur les vents ne veulent pas;
10 La terre tendre et sombre,
O Platane, jamais ne laissera d'un pas
S'émerveiller ton ombre!

Ce front n'aura d'accès qu'aux degrés lumineux
Où la sève l'exalte;
Tu peux grandir, candeur, mais non rompre les nœuds
De l'éternelle halte!

Pressens autour de toi d'autres vivants liés
Par l'hydre vénérable;
Tes pareils sont nombreux, des pins aux peupliers,
20 De l'yeuse à l'érable,

Qui, par les morts saisis, les pieds échevelés,
Dans la confuse cendre,
Sentent les fuir les fleurs, et leurs spermes ailés
Le cours léger descendre.

Le tremble pur, le charme, et ce hêtre formé
De quatre jeunes femmes,
Ne cessent point de battre un ciel toujours fermé,
Vêtus en vain de rames.

Ils vivent séparés, ils pleurent confondus
30 Dans une seule absence,
Et leurs membres d'argent sont vainement fendus
A leur douce naissance.

Quand l'âme lentement qu'ils expirent le soir
Vers l'Aphrodite monte,
La vierge doit dans l'ombre, en silence, s'asseoir,
Toute chaude de honte.

Elle se sent surprendre, et pâle, appartenir
A ce tendre présage
Qu'une présente chair tourne vers l'avenir
40 Par un jeune visage . . .

Mais toi, de bras plus purs que les bras animaux,
Toi qui dans l'or les plonges,
Toi qui formes au jour le fantôme des maux
Que le sommeil fait songes,

Haute profusion de feuilles, trouble fier
Quand l'âpre tramontane
Sonne, au comble de l'or, l'azur du jeune hiver
Sur tes harpes, Platane,

Ose gémir! . . . Il faut, ô souple chair du bois,
50 Te tordre, te détordre,
Te plaindre sans te rompre, et rendre aux vents la voix
Qu'ils cherchent en désordre!

Flagelle-toi! . . . Parais l'impatient martyr
Qui soi-même s'écorche,
Et dispute à la flamme impuissante à partir
Ses retours vers la torche!

Afin que l'hymne monte aux oiseaux qui naîtront,
Et que le pur de l'âme
Fasse frémir d'espoir les feuillages d'un tronc
60 Qui rêve de la flamme,

Je t'ai choisi, puissant personnage d'un parc,
Ivre de ton tangage,
Puisque le ciel t'exerce, et te presse, ô grand arc,
De lui rendre un langage!

O qu'amoureusement des Dryades rival,
Le seul poète puisse
Flatter ton corps poli comme il fait du Cheval
L'ambitieuse cuisse! . . .

—Non, dit l'arbre. Il dit: *Non!* par l'étincellement
70 De sa tête superbe,
Que la tempête traite universellement
Comme elle fait une herbe!

Les Pas

Tes pas, enfants de mon silence,
Saintement, lentement placés,
Vers le lit de ma vigilance
Procèdent muets et glacés.

Personne pure, ombre divine,
Qu'ils sont doux, tes pas retenus!
Dieux! . . . tous les dons que je devine
Viennent à moi sur ces pieds nus!

Si, de tes lèvres avancées,
10 Tu prépares pour l'apaiser,
A l'habitant de mes pensées
La nourriture d'un baiser,

Ne hâte pas cet acte tendre,
Douceur d'être et de n'être pas,
Car j'ai vécu de vous attendre
Et mon cœur n'était que vos pas.

La Ceinture

Quand le ciel couleur d'une joue
Laisse enfin les yeux le chérir
Et qu'au point doré de périr
Dans les roses le temps se joue,

Devant le muet de plaisir
Qu'enchaîne une telle peinture,
Danse une Ombre à libre ceinture
Que le soir est près de saisir.

Cette ceinture vagabonde
10 Fait dans le souffle aérien
Frémir le supreme lien
De mon silence avec ce monde . . .

Absent, présent . . . Je suis bien seul,
Et sombre, ô suave linceul.

La Dormeuse

Quels secrets dans son cœur brûle ma jeune amie,
Ame par le doux masque aspirant une fleur?
De quels vains aliments sa naïve chaleur
Fait ce rayonnement d'une femme endormie?

Souffle, songes, silence, invincible accalmie,
Tu triomphes, ô paix plus puissante qu'un pleur,
Quand de ce plein sommeil l'onde grave et l'ampleur
Conspirent sur le sein d'une telle ennemie.

Dormeuse, amas doré d'ombres et d'abandons,
10 Ton repos redoutable est chargé de tels dons,
O biche avec langueur longue auprès d'une grappe,

Que malgré l'âme absente, occupée aux enfers,
Ta forme au ventre pur qu'un bras fluide drape,
Veille; ta forme veille, et mes yeux sont ouverts.

Le Sylphe

Ni vu ni connu
Je suis le parfum
Vivant et défunt
Dans le vent venu!

Ni vu ni connu,
Hasard ou génie?
A peine venu
La tâche est finie!

Ni lu ni compris?
10 Aux meilleurs esprits
Que d'erreurs promises!

Ni vu ni connu,
Le temps d'un sein nu
Entre deux chemises!

Paul Valéry

Les Grenades

Dures grenades entr'ouvertes
Cédant à l'excès de vos grains,
Je crois voir des fronts souverains
Éclatés de leurs découvertes!

Si les soleils par vous subis,
O grenades entre-bâillées,
Vous ont fait d'orgeuil travaillées
Craquer les cloisons de rubis,

Et que si l'or sec de l'écorce
10 A la demande d'une force
Crève en gemmes rouges de jus,

Cette lumineuse rupture
Fait rêver une âme que j'eus
De sa secrète architecture.

Le Vin perdu

J'ai, quelque jour, dans l'Océan,
(Mais je ne sais plus sous quels cieux)
Jeté, comme offrande au néant,
Tout un peu de vin précieux . . .

Qui voulut ta perte, ô liqueur?
J'obéis peut-être au devin?
Peut-être au souci de mon cœur,
Songeant au sang, versant le vin?

Sa transparence accoutumée
10 Après une rose fumée
Reprit aussi pure la mer . . .

Perdu ce vin, ivres les ondes! . . .
J'ai vu bondir dans l'air amer
Les figures les plus profondes . . .

Paul Valéry

Le Cimetière marin

Μή, φίλα ψυχά, βίον ἀθάνατον
σπεῦδε, τὰν δ' ἔμπρᾳκτον
ἄντλεῖ μαχᾶνὰν

PINDARE. *Pythiques III*

Ce toit tranquille, où marchent des colombes,
Entre les pins palpite, entre les tombes;
Midi le juste y compose de feux
La mer, la mer, toujours recommencée!
O récompense après une pensée
Qu'un long regard sur le calme des dieux!

Quel pur travail de fins éclairs consume
Maint diamant d'imperceptible écume,
Et quelle paix semble se concevoir!
10 Quand sur l'abîme un soleil se repose,
Ouvrages purs d'une éternelle cause,
Le Temps scintille et le Songe est savoir.

Stable trésor, temple simple à Minerve,
Masse de calme, et visible réserve,
Eau sourcilleuse, Œil qui gardes en toi
Tant de sommeil sous un voile de flamme,
O mon silence!... Edifice dans l'âme,
Mais comble d'or aux mille tuiles, Toit!

Temple du Temps, qu'un seul soupir résume,
20 A ce point pur je monte et m'accoutume,
Tout entouré de mon regard marin;
Et comme aux dieux mon offrande suprême,
La scintillation sereine sème
Sur l'altitude un dédain souverain.

Comme le fruit se fond en jouissance,
Comme en délice il change son absence
Dans une bouche où sa forme se meurt,
Je hume ici ma future fumée,
Et le ciel chante à l'âme consumée
30 Le changement des rives en rumeur.

Beau ciel, vrai ciel, regarde-moi qui change!
Après tant d'orgueil, après tant d'étrange
Oisiveté, mais pleine de pouvoir,
Je m'abandonne à ce brillant espace,
Sur les maisons des morts mon ombre passe
Qui m'apprivoise à son frêle mouvoir.

L'âme exposée aux torches du solstice,
Je te soutiens, admirable justice
De la lumière aux armes sans pitié!
40 Je te rends pure à ta place première:
Regarde-toi! . . . Mais rendre la lumière
Suppose d'ombre une morne moitié.

O pour moi seul, à moi seul, en moi-même,
Auprès d'un cœur, aux sources du poème,
Entre le vide et l'événement pur,
J'attends l'écho de ma grandeur interne,
Amère, sombre et sonore citerne,
Sonnant dans l'âme un creux toujours futur!

Sais-tu, fausse captive des feuillages,
50 Golfe mangeur de ces maigres grillages,
Sur mes yeux clos, secrets éblouissants,
Quel corps me traîne à sa fin paresseuse,
Quel front l'attire à cette terre osseuse?
Une étincelle y pense à mes absents.

Fermé, sacré, plein d'un feu sans matière,
Fragment terrestre offert à la lumière,
Ce lieu me plaît, dominé de flambeaux,
Composé d'or, de pierre et d'arbres sombres,
Où tant de marbre est tremblant sur tant d'ombres:
60 La mer fidèle y dort sur mes tombeaux!

Chienne splendide, écarte l'idolâtre!
Quand solitaire au sourire de pâtre,
Je pais longtemps, moutons mystérieux,
Le blanc troupeau de mes tranquilles tombes,
Éloignes-en les prudentes colombes,
Les songes vains, les anges curieux!

Ici venu, l'avenir est paresse.
L'insecte net gratte la sécheresse;
Tout est brûlé, défait, reçu dans l'air
70 A je ne sais quelle sévère essence . . .
La vie est vaste, étant ivre d'absence,
Et l'amertume est douce, et l'esprit clair.

Les morts cachés sont bien dans cette terre
Qui les réchauffe et sèche leur mystère.
Midi là-haut, Midi sans mouvement
En soi se pense et convient à soi-même . . .
Tête complète et parfait diadème,
Je suis en toi le secret changement.

Tu n'as que moi pour contenir tes craintes!
80 Mais repentirs, mes doutes, mes contraintes
Sont le défaut de ton grand diamant . . .
Mais dans leur nuit toute lourde de marbres,
Un peuple vague aux racines des arbres
A pris déjà ton parti lentement.

Ils ont fondu dans une absence épaisse,
L'argile rouge a bu la blanche espèce,
Le don de vivre a passé dans les fleurs!
Où sont des morts les phrases familières,
L'art personnel, les âmes singulières?
90 La larve file où se formaient des pleurs.

Les cris aigus des filles chatouillées,
Les yeux, les dents, les paupières mouillées,
Le sein charmant qui joue avec le feu,
Le sang qui brille aux lèvres qui se rendent,
Les derniers dons, les doigts qui les défendent,
Tout va sous terre et rentre dans le jeu!

Et vous, grande âme, espérez-vous un songe
Qui n'aura plus ces couleurs de mensonge
Qu'aux yeux de chair l'onde et l'or font ici?
100 Chanterez-vous quand serez vaporeuse?
Allez! Tout fuit! Ma présence est poreuse,
La sainte impatience meurt aussi!

Maigre immortalité noire et dorée,
Consolatrice affreusement laurée,
Qui de la mort fais un sein maternel,
Le beau mensonge et la pieuse ruse!
Qui ne connaît, et qui ne les refuse,
Ce crâne vide et ce rire éternel!

Pères profonds, têtes inhabitées,
110 Qui sous le poids de tant de pelletées,
Êtes la terre et confondez nos pas,
Le vrai rongeur, le ver irréfutable
N'est point pour vous qui dormez sous la table,
Il vit de vie, il ne me quitte pas!

Amour, peut-être, ou de moi-même haine?
Sa dent secrète est de moi si prochaine
Que tous les noms lui peuvent convenir!
Qu'importe! Il voit, il veut, il songe, il touche!
Ma chair lui plaît, et jusque sur ma couche,
120 A ce vivant je vis d'appartenir!

Zénon! Cruel Zénon! Zénon d'Elée!
M'as-tu percé de cette flèche ailée
Qui vibre, vole, et qui ne vole pas!
Le son m'enfante et la flèche me tue!
Ah! le soleil . . . Quelle ombre de tortue
Pour l'âme, Achille immobile à grands pas!

Non, non! . . . Debout! Dans l'ère successive!
Brisez, mon corps, cette forme pensive!
Buvez, mon sein, la naissance du vent!
130 Une fraîcheur, de la mer exhalée,
Me rend mon âme . . . O puissance salée!
Courons à l'onde en rejaillir vivant!

Oui! Grande mer de délires douée,
Peau de panthère et chlamyde trouée
De mille et mille idoles du soleil,
Hydre absolue, ivre de ta chair bleue,
Qui te remords l'étincelante queue
Dans un tumulte au silence pareil,

Le vent se lève! . . . il faut tenter de vivre!
140 L'air immense ouvre et referme mon livre,
La vague en poudre ose jaillir des rocs!
Envolez-vous, pages tout éblouies!
Rompez, vagues! Rompez d'eaux réjouies
Ce toit tranquille où picoraient des focs!

Palme

De sa grâce redoutable
Voilant à peine l'éclat,
Un ange met sur ma table
Le pain tendre, le lait plat;
Il me fait de la paupière
Le signe d'une prière
Qui parle à ma vision:
—Calme, calme, reste calme!
Connais le poids d'une palme
10 Portant sa profusion!

Pour autant qu'elle se plie
A l'abondance des biens,
Sa figure est accomplie,
Ses fruits lourds sont ses liens.
Admire comme elle vibre,
Et comme une lente fibre
Qui divise le moment,
Départage sans mystère
L'attirance de la terre
20 Et le poids du firmament!

Ce bel arbitre mobile
Entre l'ombre et le soleil,
Simule d'une sibylle
La sagesse et le sommeil.
Autour d'une même place
L'ample palme ne se lasse
Des appels ni des adieux . . .
Qu'elle est noble, qu'elle est tendre!
Qu'elle est digne de s'attendre
30 A la seule main des dieux!

L'or léger qu'elle murmure
Sonne au simple doigt de l'air,
Et d'une soyeuse armure
Charge l'âme du désert.
Une voix impérissable
Qu'elle rend au vent de sable
Qui l'arrose de ses grains,
A soi-même sert d'oracle,
Et se flatte du miracle
Que se chantent les chagrins. 40

Cependant qu'elle s'ignore
Entre le sable et le ciel,
Chaque jour qui luit encore
Lui compose un peu de miel.
Sa douceur est mesurée
Par la divine durée
Qui ne compte pas les jours,
Mais bien qui les dissimule
Dans un suc où s'accumule
Tout l'arome des amours. 50

Parfois si l'on désespère,
Si l'adorable rigueur
Malgré tes larmes n'opère
Que sous ombre de langueur,
N'accuse pas d'être avare
Une Sage qui prépare
Tant d'or et d'autorité:
Par la sève solennelle
Une espérance éternelle
Monte à la maturité! 60

Ces jours qui te semblent vides
Et perdus pour l'univers
Ont des racines avides
Qui travaillent les déserts.
La substance chevelue
Par les ténèbres élue
Ne peut s'arrêter jamais,
Jusqu'aux entrailles du monde,
De poursuivre l'eau profonde
Que demandent les sommets. 70

Patience, patience,
Patience dans l'azur!
Chaque atome de silence
Est la chance d'un fruit mûr!
Viendra l'heureuse surprise:
Une colombe, la brise,
L'ébranlement le plus doux,
Une femme qui s'appuie,
Feront tomber cette pluie
80 Où l'on se jette à genoux!

Qu'un peuple à présent s'écroule,
Palme! . . . irrésistiblement!
Dans la poudre qu'il se roule
Sur les fruits du firmament!
Tu n'as pas perdu ces heures
Si légère tu demeures
Après ces beaux abandons;
Pareille à celui qui pense
Et dont l'âme se dépense
90 A s'accroître de ses dons!

Chanson à part

Que fais-tu? De tout.
Que vaux-tu? Ne sais,
Présages, essais,
Puissance et dégoût . . .
Que vaux-tu? Ne sais . . .
Que veux-tu? Rien, mais tout.

Que sais-tu? L'ennui.
Que peux-tu? Songer.
Songer pour changer
10 Chaque jour en nuit.
Que sais-tu? Songer
Pour changer d'ennui.

Que veux-tu? Mon bien.
Que dois-tu? Savoir,
Prévoir et pouvoir
Qui ne sert de rien.
Que crains-tu? Vouloir.
Qui es-tu? Mais rien!

Où vas-tu? A mort.
20 Qu'y faire? Finir,
Ne plus revenir
Au coquin de sort.
Où vas-tu? Finir.
Que faire? Le mort.

PICASSO

Guillaume Apollinaire

Wilhelm Apollinaire Kostrowitzky (to be known as Guillaume Apollinaire, his mother's nickname for him which he himself adopted later) was born in Rome in 1880 as the illegitimate offspring of a stormy liaison between his adventurous irascible and emotional mother (an Italo–Pole of Latvian extraction) and a dashing Italian aristocrat, an ex-officer and compulsive gambler. Guillaume grew up in the cosmopolitan atmosphere of Rome, Monaco, Cannes and Nice (becoming a polyglot cosmopolitan in the process), and came to Paris, which was to be his adoptive and dearly loved home, in 1899. He spent a couple of penurious years (occasionally doing a midnight flit because he was unable to pay the rent) trying to earn a precarious living as a secretary and ghost-writer; later on in his career he was to turn to publishing libertine books as well as writing pornography in his efforts to keep his robust body and resilient soul together. In 1901 he left Paris to become tutor to a German family, a task which established him mainly in the Rhineland and enabled him to visit central Europe (Austria and Czechoslovakia, at that time part of the Austro-Hungarian Empire), where he spent an exciting formative and creative year. Of particular importance was a brief, impulsive and ultimately unsuccessful love affair with an English girl, Annie Playden, who was governess in the same household as himself. He was to write some of his best love poetry as a result of this encounter and made two fruitless visits to London in 1903 and 1904 to try to persuade the reluctant Annie that jealous, tender, violent and erratic as he was, he would be a suitable match for her.

In 1902 on his return to Paris from Germany Apollinaire flung himself vigorously into the riotous bohemian literary life of the capital and started publishing poems and short stories in various reviews, one of which, the short-lived *Festin d'Ésope*, he founded himself in 1903. He continued to subsist precariously as a bank clerk and, when the bank failed, as a stock-exchange consultant whose clients were probably hardly to be envied. By 1904 he had started writing for the important *Mercure de France* and began to build up a solid and remunerative reputation as journalist and critic. He was also beginning to frequent the avant-garde artistic circles of Montmartre (whose members later emigrated to Montparnasse and made this quarter of Paris the centre of modern painting for a quarter of a century). It was a wild life, and indeed some of his friends, including Derain and Vlaminck, were nicknamed *fauves* (wild beasts), not because of their lives but because of the violent composition and bold colours of their painting. In 1905 he met and became friendly with Picasso. Apollinaire developed a great interest in cubism, in which the poet's conception of space and of the objects in it take predominance over the appearance of the objects themselves. This was the beginning of non-representational painting. He also shared Picasso's interest in Negro art and championed one of the earliest French neo-primitive painters, le Douanier Rousseau. Apollinaire, too, was to distort reality and provide almost simultaneous images of things in his poetry; and some of his poetry has an artless—or apparently artless—

directness that could be looked on as an uncultured approach; he had an affection for the crudity of posters and popular art—some of his favourite reading was that of the famous detective stories recounting the adventures of Fantômas: a homely directness is as much part of his art as odd erudition.

In 1908, his love for Annie now behind him (she had taken refuge in the United States), Apollinaire met, through Picasso, the vivacious and whimsical French paintress Marie Laurencin, and launched on a lively, indeed at times tumultuous, relationship which was not finally to end until 1913, when she decided to seek happiness with someone else. To be near her he moved in 1909 to Auteuil, not far from the Eiffel Tower and the Pont Mirabeau. In 1911 an unfortunate and disquieting incident took place when he was arrested and held for a few days by the police on suspicion of having been implicated in the theft of some statuettes from the Louvre; an experience which, like Verlaine, he turned into poetry. The years between 1907 and 1914 were of unceasing literary and critical activity and experiment for Apollinaire. In 1909 he published his first long poem, *La Chanson du mal aimé* (although it has been suggested that he was more *mal aimant* than *mal aimé*); he was also an active art critic for *L'Intransigeant*; in 1913, the same year in which his first and most famous major collection of poetry, *Alcools*, appeared, he wrote an extensive article entitled *Les Peintres cubistes, meditations esthétiques*. In 1914 appeared his first calligrammatic poem, that is a poem in which the shape of the words on the page gave a graphic representation of the theme of the poem—a genre which has never been very popular, probably because it presents great difficulties in reading and understanding that are not really compensated for by the visual impression.

On the outbreak of war, Apollinaire moved to Nice; as a foreigner, he was not liable for conscription but he soon volunteered and joined the artillery, for motives that were probably not all patriotic, since it was probably partly in pique at finding his advances spurned by the young woman for whom he later wrote the poems addressed to 'Lou'; after he had joined up she capriciously changed her mind and they had a violently sensual but shortlived affair while he was undergoing his military training. In addition to writing his poems for Lou, Apollinaire indulged in a voluminous correspondence with a girl whom he met at the same time, to whom he wrote from the front and to whom he became engaged; he met her only once again, when he was on leave in Oran, in Algeria. He had meanwhile been commissioned in the infantry; but in the spring of 1916, while sitting in the trenches, he was struck in the right temple by a shell splinter. He survived but had to be trepanned and despite the fact that he was now serving in Paris and able to renew his former literary and artistic activities, he never fully recovered his old verve, although he continued in the forefront of modernism and was now its recognised leader. In 1917 he gave his famous lecture on *L'Esprit nouveau* and in 1918 published *Calligrammes*. In May of that same year, he married Jacqueline Kolb who had nursed him during his stay in hospital; but in November he was struck down by the epidemic of Spanish influenza and, by a strange coincidence, died as the crowds in the streets were crying *A bas Guillaume*—not against him but against Kaiser William. He left behind a legend, a reputation and a work that has not since ceased to grow in stature.

With his upbringing and heredity, it is hardly surprising if Apollinaire was a highly complex personality Friends and enemies speak of his charm, courtesy and gentleness; those who knew him well were also aware of a manic or even hypermanic streak. He was a brilliant and compulsive talker and great story-teller full of fun and jokes (very much what is called a *mystificateur*), an excellent mimic, always ready to utter and defend a paradox. Indeed, he was well able to do so since, from an early age, he was a voracious and indiscriminate reader, sometimes of somewhat out of the way works on medieval magic, the Cabbala, hagiology, demonology, the history of religions and so on, rather than the standard works of literature: his intellectual baggage was heterogeneous, designed to satisfy an endlessly curious mind eager to pick up information —preferably odd information—from any source, and to store it in an admirably capacious memory. What is more, if he needed a fact that he didn't know he was quite capable of inventing it. In a word, he had a permanent and insatiable sense of wonder, which ranged from the largest to the smallest things. Temperamentally he was a problem for himself and for others, particularly in matters of love where, like his mother, he was inherently unstable; passionate, jealous and impetuous, he was also subject to fits of depression but capable of tenderness. He insisted strongly on a double standard: blind obedience, loyalty and faithfulness from his women (he had a sadistic touch as well), but the right to wander himself. He overflowed with physical and mental energy, at least until stricken by his war wound; until then, he even liked war itself. He had a sturdy body and robust appetite—he was in fact greedy, and became corpulent. In a word, he had a great capacity for both physical and mental enjoyment, sometimes to the point of excess. His sense of time was erratic, his absent-mindedness notorious. But despite a certain naiveté, he could be sharp enough in his own interests, and petty as well as magnanimous.

This quicksilver temperament he poured into his works; as he once wrote in a letter in 1913: *Chacun de mes poèmes est une commémoration d'un événement de ma vie*, although not of course, a direct transcription of it. Although Apollinaire's poetry is full of small details of ordinary life—indeed, one of his most important contributions was the insistence that banality can be a source of poetry—these details never add up to a straightforward anecdote but are used with an emotional charge to create an atmosphere far from purely realistic. Apollinaire was fond of leading the reader up the garden path by starting as if he was going to tell a story and then either abandoning it or moving into a world of fancy and illogicality—whilst always suggesting human feelings behind the fancy and beneath the playful surface.

With his energy, subtlety and excitability it is not surprising to find Apollinaire in the avant-garde of literary and artistic movements of the time; he is a modern intrigued by innovation and experiment, although it can be argued that he was at times merely eager to attach himself to some 'ism' or other with enthusiasm rather than work out his own system of aesthetics. This certainly applies to his shortlived adherence to the Italian movement of *Futurismo*, with its complete rejection of the past and cult of the machine, brute force, speed and blind sexual urges, all of which were basically anathema to the sentimental, tender, humanist side of Apollinaire. Undoubtedly he was something of a weathercock. Nevertheless, after his early, rather derivative neo-symbolist poems (see Introduction, p. xvi), there does appear a tone that can be described as Apollinairean, which suggests certain invariables of theme and their treatment in his works, even if the proportion of these permanent characteristics varies greatly from poem to poem. One reason for this family resemblance springs probably from his method of composition. As he wrote in a letter in 1913, he composed *généralement en marchant et en chantant deux ou trois airs qui me sont venus naturellement*; and elsewhere he describes these tunes as *la manifestation du rythme de mon existence*. Thus we can account for the songlike element in his poetry.

One other constant element that appears strongly even in his quite early poetry and becomes overpoweringly predominant in his later verse, and one which he picked out as essentially modern in his *Esprit nouveau* lecture in 1917, is the element of surprise—surprise of all sorts—for example in the creation of modern myths and his choice of imagery, taking into account such discoveries as the aeroplane, wireless telegraphy and the gramophone as well as the frequent crudities of popular art (e.g. in advertising and the cinema). As a result of modern inventions man's conception of time will now be completely altered and poetry must help man to understand the new approach. Thus for example we find Apollinaire jumping about in time and playing on discontinuity and sudden changes of mood and emotion, sometimes almost to the extent of suggesting he had no fixed centre to his personality at all, especially when the absurd and ridiculous stand side by side with moments of apparent emotion.

From these considerations Apollinaire might appear, if not one of the great innovators, at least, by a sort of mimetism, in the forefront of poetic innovation; the slightest familiarity with some of his poems confirms this view. In many ways, however, he was a traditionalist, and even in his *Esprit nouveau* lecture he makes it clear that this new spirit *prétend avant tout hériter des classiques un solide bon sens, un esprit critique assuré, des vues d'ensemble sur l'univers et dans l'âme humaine, et le sens du devoir qui dépouille les sentiments et en limite ou plutôt en contient les manifestations*. Many of his poems are concerned with age-old themes, especially the love of women and the flight of time. It is typical that one of the most obvious aspects of modernity in his poetry—the absence of punctuation—was the result of a decision taken on the spur of the moment, almost as an afterthought, and that beside his bold imagery and free verse we find poetry which is not only close to conventional metre and rhyme but is also couched in language of great simplicity and directness. This discrepancy, which lies at the very heart of his temperament, now violent, now tender, now straightforward, now devious, now grave, now gay, has caused some critics to accuse him of superficiality or even triviality; one critic even compared him to a rag merchant. Some of this mud may stick; at times the reader is uneasily aware of a kind of fashionable cleverness, an unnecessary use of erudition, an ingenuity seemingly directed at pulling the reader's leg and baffling him needlessly; yet this very need to confuse and mystify is an integral part of Apollinaire's make-up and his attention to trivia can be seen as an honest attempt to give due importance to all facets of reality—after all, so much of reality is inevitably banal. Apollinaire's great achievement, once he had found his authentic personal tone, is to have created an amazingly versatile vehicle for his own full self-expression. Passionate rhetoric was not his way; his gift was for tenderness and melancholy combined with endless curiosity—directed both towards himself and towards others—and, strangely, with high spirits, alert observation, great powers of empathy and joy of the mind and the senses. Some of his experiments proved dead-ends, but he still remains even now as one of the great and ever-popular lyric poets of his century. Perhaps he is best summed up in his own words to a friend: *Je cherche un lyrisme neuf et humaniste à la fois*; and his success in doing this certainly outweighs his excessive and sometimes meaningless incongruities.

MAIN POETICAL WORKS

Alcools, 1913
Calligrammes, 1918
Il y a, 1925 (posthumous)
Poèmes à Lou, 1947 (posthumous); definitive edition in La Pléiade edition, 1956
Le Guetteur mélancolique, 1952 (posthumous)
Poèmes à Madeleine, 1952 (posthumous); definitive edition in La Pléiade edition, 1956

CRITICAL AND BIOGRAPHICAL WORKS

M. Adéma, *Apollinaire*, Paris, 1952
F. J. Carmody, *The Evolution of Apollinaire's Poetry 1901–1914*, University of California Press, 1963
M. Davies, *Apollinaire*, Oliver and Boyd, 1964
M. J. Durry, *Alcools*, 3 vols (a remarkable work to which the editor wishes particularly to acknowledge his debt)
P. Pia, *Apollinaire par lui-même*, Paris, 1954
A. Rouveyre, various works on Apollinaire, 1945, 1952, 1955

L'Adieu

J'ai cueilli ce brin de bruyère
L'automne est morte souviens-t'en
Nous ne nous verrons plus sur terre
Odeur du temps brin de bruyère
Et souviens-toi que je t'attends

Mai

Le mai le joli mai en barque sur le Rhin
Des dames regardaient du haut de la montagne
Vous êtes si jolies mais la barque s'éloigne
Qui donc a fait pleurer les saules riverains

Or des vergers fleuris se figeaient en arrière
Les pétales tombés des cerisiers de mai
Sont les ongles de celle que j'ai tant aimée
Les pétales flétris sont comme ses paupières

Sur le chemin du bord du fleuve lentement
10 Un ours un singe un chien menés par des tziganes
Suivaient une roulotte traînée par un âne
Tandis que s'éloignait dans les vignes rhénanes
Sur un fifre lointain un air de régiment

Le mai le joli mai a paré les ruines
De lierre de vigne vierge et de rosiers
Le vent du Rhin secoue sur le bord les osiers
Et les roseaux jaseurs et les fleurs nues des vignes

Nuit rhénane

Mon verre est plein d'un vin trembleur comme une flamme
Écoutez la chanson lente d'un batelier
Qui raconte avoir vu sous la lune sept femmes
Tordre leurs cheveux verts et longs jusqu'à leurs pieds

Debout chantez plus haut en dansant une ronde
Que je n'entende plus le chant du batelier
Et mettez près de moi toutes les filles blondes
Au regard immobile aux nattes repliées

Le Rhin le Rhin est ivre où les vignes se mirent
10 Tout l'or des nuits tombe en tremblant s'y refléter
La voix chante toujours à en râle-mourir
Ces fées aux cheveux verts qui incantent l'eté

Mon verre s'est brisé comme un éclat de rire

Automne malade

Automne malade et adoré
Tu mourras quand l'ouragan soufflera dans les roseraies
Quand il aura neigé
Dans les vergers

Pauvre automne
Meurs en blancheur et en richesse
De neige et de fruits mûrs
Au fond du ciel
Des éperviers planent
10 Sur les nixes nicettes aux cheveux verts et naines
Qui n'ont jamais aimé

Aux lisières lointaines
Les cerfs ont bramé

Et que j'aime ô saison que j'aime tes rumeurs
Les fruits tombant sans qu'on les cueille
Le vent et la forêt qui pleurent
Toutes leurs larmes en automne feuille à feuille
Les feuilles
Qu'on foule
20 Un train
Qui roule
La vie
S'écoule

Guillaume Apollinaire

Les Colchiques

Le pré est vénéneux mais joli en automne
Les vaches y paissant
Lentement s'empoisonnent
Le colchique couleur de cerne et de lilas
Y fleurit tes yeux sont comme cette fleur-là
Violâtres comme leur cerne et comme cet automne
Et ma vie pour tes yeux lentement s'empoisonne

Les enfants de l'ecole viennent avec fracas
Vêtus de hoquetons et jouant de l'harmonica
10 Ils cueillent les colchiques qui sont comme des mères
Filles de leurs filles et sont couleur de tes paupières
Qui battent comme les fleurs battent au vent dément

Le gardien du troupeau chante tout doucement
Tandis que lentes et meuglant les vaches abandonnent
Pour toujours ce grand pré mal fleuri par l'automne

Annie

Sur la côte du Texas
Entre Mobile et Galveston il y a
Un grand jardin tout plein de roses
Il contient aussi une villa
Qui est une grande rose

Une femme se promène souvent
Dans le jardin toute seule
Et quand je passe sur la route bordée de tilleuls
Nous nous regardons

10 Comme cette femme est mennonite
Ses rosiers et ses vêtements n'ont pas de boutons
Il en manque deux à mon veston
La dame et moi suivons presque le même rite

Cors de Chasse

Notre histoire est noble et tragique
Comme le masque d'un tyran
Nul drame hasardeux ou magique
Aucun détail indifférent
Ne rend notre amour pathétique

Et Thomas de Quincey buvant
L'opium poison doux et chaste
A sa pauvre Anne allait rêvant
10 Passons passons puisque tout passe
Je me retournerai souvent

Les souvenirs sont cors de chasse
Dont meurt le bruit parmi le vent

Les Fiancailles

A Picasso

I

Le printemps laisse errer les fiancés parjures
Et laisse feuilloler longtemps les plumes bleues
Que secoue le cyprès où niche l'oiseau bleu

Une Madone à l'aube a pris les églantines
Elle viendra demain cueillir les giroflées
Pour mettre aux nids des colombes qu'elle destine
Au pigeon qui ce soir semblait le Paraclet

Au petit bois de citronniers s'enamourèrent
D'amour que nous aimons les dernières venues
10 Les villages lointains sont comme leurs paupières
Et parmi les citrons leurs coeurs sont suspendus

II

Mes amis m'ont enfin avoué leur mépris
Je buvais à pleins verres les étoiles
Un ange a exterminé pendant que je dormais

Les agneaux les pasteurs des tristes bergeries
De faux centurions emportaient le vinaigre
Et les gueux mal blessés par l'épurge dansaient
Étoiles de l'éveil je n'en connais aucune
Les becs de gaz pissaient leur flamme au clair de lune
10 Des croque-morts avec des bocks tintaient des glas
À la clarté des bougies tombaient vaille que vaille
Des faux cols sur des flots de jupes mal brossées
Des accouchées masquées fêtaient leurs relevailles
La ville cette nuit semblait un archipel
Des femmes demandaient l'amour et la dulie
Et sombre sombre fleuve je me rappelle
Les ombres qui passaient n'étaient jamais jolies

III

Je n'ai plus même pitié de moi
Et ne puis exprimer mon tourment de silence
Tous les mots que j'avais à dire se sont changés en étoiles
Un Icare tente de s'élever jusqu'à chacun de mes yeux
Et porteur de soleils je brûle au centre de deux nébuleuses
Qu'ai-je fait aux bêtes théologales de l'intelligence
Jadis les morts sont revenus pour m'adorer
Et j'espérais la fin du monde
Mais la mienne arrive en sifflant comme un ouragan

IV

J'ai eu le courage de regarder en arrière
Les cadavres de mes jours
Marquent ma route et je les pleure
Les uns pourrissent dans les églises italiennes
Ou bien dans de petit bois de citronniers
Qui fleurissent et fructifient
En même temps et en toute saison
D'autres jours ont pleuré avant de mourir dans des tavernes
Où d'ardents bouquets rouaient
10 Aux yeux d'une mulâtresse qui inventait la poésie
Et les roses de l'électricité s'ouvrent encore
Dans le jardin de ma mémoire

V

Pardonnez-moi mon ignorance
Pardonnez-moi de ne plus connaître l'ancien jeu des vers
Je ne sais plus rien et j'aime uniquement

Les fleurs à mes yeux redeviennent des flammes
Je médite divinement
Et je souris des êtres que je n'ai pas créés
Mais si le temps venait où l'ombre enfin solide
Se multipliait en réalisant la diversité formelle de mon amour
J'admirerais mon ouvrage

VI

J'observe le repos du dimanche
Et je loue la paresse
Comment comment réduire
L'infiniment petite science
Que m'imposent mes sens
L'un est pareil aux montagnes au ciel
Aux villes à mon amour
Il ressemble aux saisons
Il vit décapité sa tête est le soleil
10 Et la lune son cou tranché
Je voudrais éprouver une ardeur infinie
Monstre de mon ouïe tu rugis et tu pleures
Le tonnerre te sert de chevelure
Et tes griffes répètent le chant des oiseaux
Le toucher monstrueux m'a pénétré m'empoisonne
Mes yeux nagent loin de moi
Et les astres intacts sont mes maîtres sans épreuve
La bête des fumées a la tête fleurie
Et le monstre le plus beau
20 Ayant la saveur du laurier se désole

VII

A la fin les mensonges ne me font plus peur
C'est la lune qui cuit comme un œuf sur le plat
Ce collier de gouttes d'eau va parer la noyée
Voici mon bouquet de fleurs de la Passion
Qui offrent tendrement deux couronnes d'épines
Les rues sont mouillées de la pluie de naguère
Des anges diligents travaillent pour moi à la maison
La lune et la tristesse disparaîtront pendant
Toute la sainte journée
10 Toute la sainte journée j'ai marché en chantant
Une dame penchée à sa fenêtre m'a regardé longtemps
M'éloigner en chantant

VIII

Au tournant d'une rue je vis des matelots
Qui dansaient le cou nu au son d'un accordéon
J'ai tout donné au soleil
Tout sauf mon ombre

Les dragues les ballots les sirènes mi-mortes
A l'horizon brumeux s'enfonçaient les trois-mâts
Les vents ont expiré couronnés d'anémones
O Vierge signe pur du troisième mois

IX

Templiers flamboyants je brûle parmi vous
Prophétisons ensemble ô grand maître je suis
Le désirable feu qui pour vous se dévoue
Et la girande tourne ô belle ô belle nuit

Liens déliés par une libre flamme Ardeur
Que mon souffle éteindra O Morts à quarantaine
Je mire de ma mort la gloire et le malheur
Comme si je visais l'oiseau de la quintaine

Incertitude oiseau feint peint quand vous tombiez
10 Le soleil et l'amour dansaient dans le village
Et tes enfants galants bien ou mal habillés
Ont bâti ce bûcher le nid de mon courage

A la Santé

III

Dans une fosse comme un ours
Chaque matin je me promène
Tournons tournons tournons toujours
Le ciel est bleu comme une chaîne
Dans une fosse comme un ours
Chaque matin je me promène

Dans la cellule d'à côté
On y fait couler la fontaine
Avec les clefs qu'il fait tinter
10 Que le geôlier aille et revienne
Dans la cellule d'à côte
On y fait couler la fontaine

v

Que lentement passent les heures
Comme passe un enterrement

Tu pleureras l'heure où tu pleures
Qui passera trop vitement
Comme passent toutes les heures

Le Pont Mirabeau

Sous le pont Mirabeau coule la Seine
Et nos amours
Faut-il qu'il m'en souvienne
La joie venait toujours après la peine

Vienne la nuit sonne l'heure
Les jours s'en vont je demeure

Les mains dans les mains restons face à face
Tandis que sous
Le pont de nos bras passe
10 Des éternels regards l'onde si lasse

Vienne la nuit sonne l'heure
Les jours s'en vont je demeure

L'amour s'en va comme cette eau courante
L'amour s'en va
Comme la vie est lente
Et comme l'Espérance est violente

Vienne la nuit sonne l'heure
Les jours s'en vont je demeure

Passent les jours et passent les semaines
20 Ni temps passé
Ni les amours reviennent
Sous le pont Mirabeau coule la Seine

Vienne la nuit sonne l'heure
Les jours s'en vont je demeure

Le Voyageur

A Fernand Fleuret

Ouvrez-moi cette porte où je frappe en pleurant

La vie est variable aussi bien que l'Euripe

Tu regardais un banc de nuages descendre
Avec le paquebot orphelin vers les fièvres futures
Et de tous ces regrets de tous ces repentirs
Te souviens-tu

Vagues poissons arqués fleurs surmarines
Une nuit c'etait la mer
Et les fleuves s'y répandaient

10 Je m'en souviens je m'en souviens encore

Un soir je descendis dans une auberge triste
Auprès du Luxembourg
Dans le fond de la salle il s'envolait un Christ
Quelqu'un avait un furet
Un autre un hérisson
L'on jouait aux cartes
Et toi tu m'avais oublié

Te souviens-tu du long orphelinat des gares
Nous traversâmes des villes qui tout le jour tournaient
20 Et vomissaient la nuit le soleil des journées
O matelots ô femmes sombres et vous mes compagnons
Souvenez-vous-en

Deux matelots qui ne s'étaient jamais quittés
Deux matelots qui ne s'étaient jamais parlé
Le plus jeune en mourant tomba sur le côté

O vous chers compagnons
Sonneries électriques des gares chant des moissonneuses
Traîneau d'un boucher régiment des rues sans nombre
Cavalerie des ponts nuits livides de l'alcool
30 Les villes que j'ai vues vivaient comme des folles

Te souviens-tu des banlieues et du troupeau plaintif des paysages

Les cyprès projetaient sous la lune leurs ombres
J'écoutais cette nuit au déclin de l'été
Un oiseau langoureux et toujours irrité
Et le bruit éternel d'un fleuve large et sombre

Mais tandis que mourants roulaient vers l'estuaire
Tous les regards tous les regards de tous les yeux
Les bords étaient déserts herbus silencieux
Et la montagne à l'autre rive était très claire

40 Alors sans bruit sans qu'on pût voir rien de vivant
Contre le mont passèrent des ombres vivaces
De profil ou soudain tournant leurs vagues faces
Et tenant l'ombre de leurs lances en avant

Les ombres contre le mont perpendiculaire
Grandissaient ou parfois s'abaissaient brusquement
Et ces ombres barbues pleuraient humainement
En glissant pas à pas sur la montagne claire

Qui donc reconnais-tu sur ces vieilles photographies
Te souviens-tu du jour où abeille tomba dans le feu
50 C'était tu t'en souviens à la fin de l'été

Deux matelots qui ne s'étaient jamais quittés
L'aîné portait au cou une chaîne de fer
Le plus jeune mettait ses cheveux blonds en tresse

Ouvrez-moi cette porte où je frappe en pleurant

La vie est variable aussi bien que l'Euripe

Guillaume Apollinaire

Zone

A la fin tu es las de ce monde ancien

Bergère ô tour Eiffel le troupeau des ponts bêle ce matin

Tu en as assez de vivre dans l'antiquité grecque et romaine

Ici même les automobiles ont l'air d'être anciennes
La religion seule est restée toute neuve la religion
Est restée simple comme les hangars de Port-Aviation

Seul en Europe tu n'est pas antique ô Christianisme
L'Européen le plus moderne c'est vous Pape Pie X
Et toi que les fenetres observent la honte te retient
10 D'entrer dans une église et de t'y confesser ce matin
Tu lis les prospectus les catalogues les affiches qui chantent
 tout haut
Voilà la poésie ce matin et pour la prose il y a les journaux
Il y a les livraisons à 25 centimes pleines d'aventures policières
Portraits des grands hommes et mille titres divers

J'ai vu ce matin une jolie rue dont j'ai oublié le nom
Neuve et propre du soleil elle était le clairon
Les directeurs les ouvriers et les belles sténo-dactylographes
De lundi matin au samedi soir quatre fois par jour y passent
Le matin par trois fois la sirène y gémit
20 Une cloche rageuse y aboie vers midi
Les inscriptions des enseignes et des murailles
Les plaques les avis à la façon des perroquets criaillent
J'aime la grâce de cette rue industrielle
Située à Paris entre la rue Aumont-Thiéville et l'avenue des Ternes

Voilà la jeune rue et tu n'es encore qu'un petit enfant
Ta mère ne t'habille que de bleu et de blanc
Tu es très pieux et avec le plus ancien de tes camarades René Dalize
Vous n'aimez rien tant que les pompes de l'église
Il est neuf heures le gaz est baissé tout bleu vous sortez du
 dortoir en cachette
30 Vous priez toute la nuit dans la chapelle du collège
Tandis qu'éternelle et adorable profondeur améthyste

Tourne à jamais la flamboyante gloire du Christ
C'est le beau lys que tous nous cultivons
C'est la torche aux cheveux roux que n'éteint pas le vent
C'est le fils pâle et vermeil de la douloureuse mère
C'est l'arbre toujours touffu de toutes les prières
C'est la double potence de l'honneur et de l'éternité
C'est l'étoile à six branches
C'est Dieu qui meurt le vendredi et ressuscite le dimanche
40 C'est le Christ qui monte au ciel mieux que les aviateurs
Il détient le record du monde pour la hauteur

Pupille Christ de l'oeil
Vingtième pupille des siècles il sait y faire
Et changé en oiseau ce siècle comme Jésus monte dans l'air
Les diables dans les abîmes lèvent la tête pour le regarder
Ils disent qu'il imite Simon Mage en Judée
Ils crient s'il sait voler qu'on l'appelle voleur
Les anges voltigent autour du joli voltigeur
Icare Enoch Elie Apollonius de Thyane
50 Flottent autour du premier aéroplane
Ils s'écartent parfois pour laisser passer ceux que transporte la
Sainte-Eucharistie
Ces prêtres qui montent éternellement élevant l'hostie
L'avion se pose enfin sans refermer les ailes
Le ciel s'emplit alors de millions d'hirondelles
A tire-d'aile viennent les corbeaux les faucons les hiboux
D'Afrique arrivent les ibis les flamants les marabouts
L'oiseau Roc célébré par les conteurs et les poètes
Plane tenant dans les serres le crâne d'Adam la premiere tête
L'aigle fond de l'horizon en poussant un grand cri
60 Et d'Amérique vient le petit colibri
De Chine sont venus les pihis longs et souples
Qui n'ont qu'une seule aile et qui volent par couples
Puis voici la colombe esprit immaculé
Qu'escortent l'oiseau-lyre et le paon ocellé
Le phénix ce bûcher qui soi-même s'engendre
Un instant voile tout de son ardente cendre
Les sirènes laissant les périlleux détroits
Arrivent en chantant bellement toutes trois
Et tous aigle phénix et pihis de la Chine
70 Fraternisent avec la volante machine

Maintenant tu marches dans Paris tout seul parmi la foule
Des troupeaux d'autobus mugissants près de toi roulent
L'angoisse de l'amour te serre le gosier
Comme si tu ne devais jamais plus être aimé
Si tu vivais dans l'ancien temps tu entrerais dans un monastère
Vous avez honte quand vous vous surprenez à dire une prière
Tu te moques de toi et comme le feu de l'Enfer ton rire pétille
Les étincelles de ton rire dorent le fond de ta vie
C'est un tableau pendu dans un sombre musée
80 Et quelquefois tu vas le regarder de près

Aujourd'hui tu marches dans Paris les femmes sont ensanglantées
C'était et je voudrais ne pas m'en souvenir c'était au déclin de la beauté

Entourée de flammes ferventes Notre-Dame m'a regardé à Chartres
Le sang de votre Sacré-Coeur m'a inondé à Montmartre
Je suis malade d'ouïr les paroles bienheureuses
L'amour dont je souffre est une maladie honteuse
Et l'image qui te possède te fait survivre dans l'insomnie et dans l'angoisse
C'est toujours près de toi cette image qui passe
Maintenant tu es au bord de la Méditerranée
90 Sous les citronniers qui sont en fleur toute l'année
Avec tes amis tu te promènes en barque
L'un est Nissard il y a un Mentonasque et deux Turbiasques
Nous regardons avec effroi les poulpes des profondeurs
Et parmi les algues nagent les poissons images du Sauveur

Tu es dans le jardin d'une auberge aux environs de Prague
Tu te sens tout heureux une rose est sur la table
Et tu observes au lieu d'écrire ton conte en prose
La cétoine qui dort dans le cœur de la rose

Épouvanté tu te vois dessiné dans les agates de Saint-Vit
100 Tu étais triste à mourir le jour où tu t'y vis
Tu ressembles au Lazare affolé par le jour
Les aiguilles de l'horloge du quartier juif vont à rebours
Et tu recules aussi dans ta vie lentement
En montant au Hradchin et le soir en écoutant
Dans les tavernes chanter des chansons tchèques

Te voici à Marseille au milieu des pastèques

Te voici à Coblence à l'hôtel du Géant

Te voici à Rome assis sous un néflier du Japon

Te voici à Amsterdam avec une jeune fille que tu trouves belle
et qui est laide
110 Elle doit se marier avec un étudiant de Leyde
On y loue des chambres en latin Cubicula locanda
Je m'en souviens j'y ai passé trois jours et autant à Gouda

Tu es à Paris chez le juge d'instruction
Comme un criminel on te met en état d'arrestation

Tu as fait de douloureux et de joyeux voyages
Avant de t'apercevoir du mensonge et de l'âge
Tu as souffert de l'amour à vingt et à trente ans
J'ai vécu comme un fou et j'ai perdu mon temps
Tu n'oses plus regarder tes mains et à tous moments je voudrais
sangloter
120 Sur toi sur celle que j'aime sur tout ce qui t'a épouvanté

Tu regardes les yeux pleins de larmes ces pauvres émigrants
Ils croient en Dieu ils prient les femmes allaitent des enfants
Ils emplissent de leur odeur le hall de la gare Saint-Lazare
Ils ont foi dans leur étoile comme les rois-mages
Ils espèrent gagner de l'argent dans l'Argentine
Et revenir dans leur pays après avoir fait fortune
Une famille transporte un édredon rouge comme vous transportez
votre cœur
Cet édredon et nos rêves sont aussi irréels
Quelques-uns de ces émigrants restent ici et se logent
130 Rue de Rosiers ou rue des Écouffes dans des bouges
Je les ai vus souvent le soir ils prennent l'air dans la rue
Et se déplacent rarement comme les pièces aux échecs
Il y a surtout des Juifs leurs femmes portent perruque
Elles restent assises exsangues au fond des boutiques

Tu es debout devant le zinc d'un bar crapuleux
Tu prends un café à deux sous parmi les malheureux

Tu es la nuit dans un grand restaurant

Ces femmes ne sont pas méchantes elles ont des soucis copendant
Toutes même la plus laide a fait souffrir son amant

140 Elle est la fille d'un sergent de ville de Jersey

Ses mains que je n'avais pas vues sont dures et gercées

J'ai une pitié immense pour les coutures de son ventre

J'humilie maintenant à une pauvre fille au rire horrible ma bouche

Tu es seul le matin va venir
Les laitiers font tinter leurs bidons dans les rues

La nuit s'éloigne ainsi qu'une belle Métive
C'est Ferdine la fausse ou Léa l'attentive

Et tu bois cet alcool brûlant comme ta vie
Ta vie que tu bois comme une eau-de-vie

150 Tu marches vers Auteuil tu veux aller chez toi à pied
Dormir parmi tes fétiches d'Océanie et de Guinée
Ils sont des Christ d'une autre forme et d'une autre croyance
Ce sont les Christ inférieurs des obscures espérances

Adieu Adieu

Soleil cou coupé

Guillaume Apollinaire

Les Fenêtres

Du rouge au vert tout le jaune se meurt
Quand chantent les aras dans les forêts natales
Abatis de pihis
Il y a un poème à faire sur l'oiseau qui n'a qu'une aile
Nous l'enverrons en message téléphonique
Traumatisme géant
Il fait couler les yeux
Voilà une jolie jeune fille parmi les jeunes Turinaises
Le pauvre jeune homme se mouchait dans sa cravate blanche
10 Tu soulèveras le rideau
Et maintenant voilà que s'ouvre la fenêtre
Araignées quand les mains tissaient la lumière
Beauté pâleur insondables violets
Nous tenterons en vain de prendre du repos
On commencera à minuit
Quand on a le temps on a la liberté
Bigorneaux Lotte multiples Soleils et l'Oursin du couchant
Une vieille paire de chaussures jaunes devant la fenêtre
Tours
20 Les Tours ce sont les rues
Puits
Puits ce sont les places
Puits
Arbres creux qui abritent les Câpresses vagabondes
Les Chabins chantent des airs à mourir
Aux Chabines marronnes
Et l'oie oua-oua trompette au nord
Où les chasseurs de ratons
Raclent les pelleteries
30 Étincelant diamant
Vancouver
Où le train blanc de neige et de feux nocturnes fuit l'hiver
O Paris
Paris Vancouver Hyères Maintenon New-York et les Antilles
Du rouge au vert tout le jaune se meurt
La fenêtre s'ouvre comme une orange
Le beau fruit de la lumière

Guillaume Apollinaire

Il pleut

il pleut des voix de femmes comme si elles étaient mortes même dans le souvenir

cest vous aussi quil pleut merveilleuses rencontres de ma vie ô gouttelettes

et ces nuages cabrés se prennent a hennir tout un univers de villes auriculaires

écoute sil pleut tandis que le regret et le dédain pleurent une ancienne musique

écoute tomber les liens qui te retiennent en haut et en bas

Guillaume Apollinaire

La Nuit d'Avril 1915

A L de C.-C

Le ciel est étoilé par les obus des Boches
La forêt merveilleuse où je vis donne un bal
La mitrailleuse joue un air à triples-croches
Mais avez-vous le mot
                                        Eh! oui le mot fatal
Aux créneaux Aux créneaux Laissez là les pioches

Comme un astre éperdu qui cherche ses saisons
Cœur obus éclaté tu sifflais ta romance
Et tes mille soleils ont vidé les caissons
Que les dieux de mes yeux remplissent en silence

10 Nous vous aimons ô vie et nous vous agaçons

Les obus miaulaient un amour à mourir
Un amour qui se meurt est plus doux que les autres
Ton souffle nage au fleuve où le sang va tarir
Les obus miaulaient
                                        Entends chanter les nôtres
Pourpre amour salué par ceux qui vont périr

Le printemps tout mouillé la veilleuse l'attaque
Il pleut mon âme il pleut mais il pleut des yeux morts

Ulysse que de jours pour rentrer dans Ithaque
Couche-toi sur la paille et songe un beau remords
20 Qui pur effet de l'art soit aphrodisiaque

Mais
    orgues
        aux fétus de la paille où tu dors
L'hymne de l'avenir est paradisiaque

Paul Éluard

Paul Éluard, whose real name was Eugène Grindel, was born in 1895 into a prosperous family living in Saint-Denis, just north of Paris. As a young man he spent a long period at a sanatorium in Clavadel, Switzerland, where he prepared his first collection of poems. Here he met Gala, a Russian girl, whom he married in 1917. During the First World War, as a medical orderly Éluard witnessed the colossal suffering of wounded soldiers of both armies. In 1918 he made the acquaintance of the critic and literary theorist Jean Paulhan, who was impressed by Éluard's *Poèmes pour la paix*. In April 1919 Éluard was introduced to the young poets Breton, Soupault, and Aragon, and joined wholeheartedly in the activities of Paris Dada, bringing out his own little review *Proverbe* in 1920. This was crammed with verbal permutations and contortions, encouraged by Paulhan, and was designed to break language down to its fundamental constituents so that a new start could be made with the 'pure' words that had stood up to this treatment. While his companions engaged feverishly in the experiments in automatism that were to lead to the decisive definition of Surrealism, Éluard worked more patiently at the task of purifying his own poetic voice; even at this early stage, he was producing some immediately accessible poems.

In 1924, the year of the *Manifeste du surréalisme*, Éluard dedicated *Mourir de ne pas mourir* to Breton, calling it his 'last book', and promptly left Paris for a world cruise. Though he visited places like Tahiti and Singapore, none of this exoticism affected his poetry, the journey representing a purely gratuitous hiatus in his career. After six months' absence, he rejoined his friends in Paris and participated energetically in the surrealist scandals, signing for example the 1925 tract that threatened society with imminent revolution and the open letter attacking the Catholic poet Paul Claudel. Éluard resumed his verbal experiments with a collection of surrealist proverbs written with Benjamin Péret, and containing such succinct formulations as *Un rêve sans étoiles est un rêve oublié* and *Il faut battre sa mère pendant qu'elle est jeune*. When the surrealists scandalised popular opinion by speaking out against French chauvinism during the Riff war, Éluard found himself, along with four others, enthusiastically joining the French Communist Party. This was but the first step towards total commitment.

In the years following, Éluard produced some of his best surrealist poetry: *Capitale de la Douleur* (1926) and *L'Amour la poésie* (1929). Though sometimes obscure and wistful, the poems were beginning to achieve that elemental purity that Éluard had been seeking all along. For some time his relationship with Gala had lapsed, and the poems of this period often evoke an unreal love for an idealised dream-girl, young and innocent. One day in 1929, on the rue Lafayette, he met the beautiful incarnation of this phantom, an impoverished dancer called Maria Benz. Known as Nusch, she brought into Éluard's life both love and compassion, as her sympathies for the working class from which she had emerged began subtly to work on him. Continuing to support the important surrealist principle of collective activity, Éluard collaborated in 1930 with Breton and René Char in a book of poems, *Ralentir travaux*, and with Breton in *L'Immaculée conception*. When in 1932 Aragon left the surrealist group to become a full-time communist, Éluard joined in condemning his action. Already the surrealists were criticising the myopic cultural policy of the party, and it was not long before Éluard, along with other surrealists, was excluded from membership. What with the rise of Stalinism on the one hand and on the other the ugly threat of a Fascist takeover in France in the 1934 riots, surrealist politics was far from being quiescent at this time.

With his marriage to Nusch in 1934, Éluard reached a stage of total confidence in his love and in his responsibility as a poet. At the 1936 surrealist exhibition in London, he gave a lecture, *L'Evidence poétique*, in which he announced his conception of the poet, no longer an élitist dilettante, but a man fully engaged in the class struggle: *Le temps est venu où tous les poètes ont le droit et le devoir de soutenir qu'ils sont profondément enfoncés dans la vie des autres hommes, dans la vie commune. . . . Nous sommes tous sur le même rang. . . . Toutes les tours d'ivoire seront démolies, toutes les paroles seront sacrées.*

At the same time as his love poetry was reaching exquisite heights with collections such as *Facile* (1935), which was illustrated with photographs of Nusch, Éluard's political perspectives were drawing into clear focus. His sympathies with the oppressed were at once engaged when the Spanish Civil War broke out in 1936, and the news of the brutal bombardment of the village of Guernica by Nazi planes prompted the bitter response *La Victoire de Guernica*, one of the poems which sealed his commitment as a political writer who conceived of his work as an effective contribution to the cause of the people.

Amid growing confusion and menace on the international scene, Breton and Éluard quarrelled over the publication of one of the latter's poems in the Stalinist review *Commune*, at which Éluard brusquely left the surrealist group, severing relations that had lasted nearly twenty years. Henceforth the response to public events became crucial to him, as he turned more and more to *poésie de circonstance* and direct communication with a large audience of readers. The poems of *Chanson complète* (1939), for example, whilst retaining some surrealist colour, announce the unadorned clarity of statement typical of the later Éluard. After the rapid collapse of France at the onset of the war with Germany, Éluard joined the Resistance, combating as he had always done the forces of oppression and inhumanity. In 1942, at a time when Communists were being shot or deported, Éluard rejoined the French Communist Party, now declared illegal. Next he joined the clandestine *Comité national des écrivains* and found himself working in collaboration with Aragon, after nearly ten years of estrangement. In 1942 the Royal Air Force dropped copies of Éluard's pamphlet *Poésie et vérité 1942* across France; this contained the renowned poem *Liberté*, which was soon being whispered by all concerned in the Resistance movement. The practical efficacy of this poetry was indisputable, yet Éluard was accused by his former surrealist companion Péret of debasing his poetry to the level of propaganda.

When the Liberation came, Éluard found himself the most popular poet in France. But rather than cease activity as a militant, he worked harder than ever to promote the cause of international Communism. The title of the 1946 volume *Poésie ininterrompue* suggests a continuous effort that must be seen against the background of Éluard's tireless journeys across Europe to address workers' meetings and party conferences. His fixity of purpose faltered only with the sudden death of Nusch in November 1946, which thrust him to the brink of suicide. *Le Temps déborde* (1947) records this despair. But gradually, thanks above all to the intercession of a woman called Jacqueline, whose erotic appeal served to divert his grief (*Corps mémorable*, 1947), Éluard was able to recover his equilibrium and submerge personal anguish in collective optimism, moving once more *de l'horizon d'un homme à l'horizon de tous*. The urgent vibrancy of his earlier poetry began to lapse however as his public activities as a communist intellectual redoubled. With his fellow communist Picasso he attended the 1948 World Peace Congress at Wroclaw, and travelled in Greece in support of the anti-fascist cause; but the poems he wrote were largely of indifferent quality. In 1951 he married Dominique, in whose honour he wrote the poems of *Le Phénix* to celebrate the rebirth of love and joy; the impression is one of a feeble pastiche of the earlier masterpieces inspired by Nusch. The end was indeed near: in November 1952, Paul Éluard died of a heart attack. The French Government wanted to spite the communists and refused permission for a national funeral; nonetheless, the immense crowds that gathered to pay homage at the Père-Lachaise cemetery amply demonstrated the extent of popular affection for Éluard in France.

The virtue of Éluard's poetry lies in its confident demonstration that the unsettling mobility of surrealist language can eventually disclose a meaningful harmony. In this respect, Éluard must count as a kind of 'classical' surrealist, the one least inclined to revel in chaos. The best of his poems are buoyant and fresh, and fulfil his wish to reconcile poetic language with the simplicity of proverbs and ordinary speech. What obscurities there are seem not to impede the reader's view of a basically even surface. Furthermore this unhesitating continuum is one that vibrates with genuine feeling. What has been called Éluard's 'facility' is not offhandedness but an inventive spontaneity maintained at the proper pitch by an attentive concern for the processes whereby words are chosen and images ordered. The plain statements that from time to time float up out of the surrealist complexities are the very opposite of complacent truisms.

The central concern of Éluard's poetry is love. With no sense of shame or fear, he expresses the wonderful radiance of the experience. In the eyes of the lover, the world is made anew and the surrealist vision of a changed existence is actualised. A shared love is a privileged state that gives the sense of being in contact with *la vie immédiate*—life as it should be lived, with no limitations on one's consciousness of its rich variety, as reflected in the imagination. With the ardent frankness of a latterday Romantic, Éluard describes his love for a woman whose beauty coexists with that of the unfolding images of the external world.

Il fallait bien qu'un visage
Réponde à tous les noms du monde.

Woman incarnates the vital principle, and holds a key to the mysteries of creation. It is thanks to her mediation that the poet can view the world in its potential unity and discover which things he must express in order to communicate to others his sense of present insufficiency and future plenitude. Thus Éluard's love poetry creates as it were the dream of a terrestrial paradise.

This intimation of a better world, though springing from an authentically erotic emotion, became more and more closely associated with communist ideals as Éluard grew older. Whereas his earliest surrealist poems are more like a game, an *alchimie du verbe* that seeks to change life through the magical operations of language alone, the pressure of actual events on his poetry during the 1930s made him gradually turn to the specific solution offered by the organised efforts of the Communist Party, which, as the surrealists had learnt during the 1920s, was nothing if not plain-speaking. Éluard, like Aragon before him, came to see it as his necessary task to address his poetic talents to the communist cause, writing *poésie engagée* that would at once add materiality to his individual imaginings and create a proper link with his fellowmen. He came to conceive of his private love for Nusch as but part of a vaster emotion that he called *fraternisation*: *La solitude des poètes, aujourd'hui, s'efface. Voici qu'ils sont des hommes parmi les hommes, voici qu'ils ont des frères.* The principle of the surrealist image, to bring together separate realities, obtains in Éluard's relationships to both wife and political comrades. The 'rapports lointains et justes' become the basis of his conception of a golden age when all men will join together to found a new life:

> *Notre espace certain notre air pur est de taille*
> *A combler le retard creusé par l'habitude*
> *Nous aborderons tous une mémoire nouvelle*
> *Nous parlerons ensemble un langage sensible.*

So homogeneous is Éluard's poetic universe that any description of his imagery risks turning in circles. If one accepts that *tout est comparable à tout*, any one image is likely to be equivalent to any other. Though a basic division can be made between, on the one hand, images of fraternity and hope, and, on the other, images of loneliness and despair, the latter are relatively infrequent: references to darkness, night, coldness, sharpness are constantly eclipsed by the brighter images associated with the positive themes. Here, light is the central factor. It represents all that is pure and fresh, and is inseparable from the discovery of love. Hence the beauty of the beloved is repeatedly stressed through references to light, her eyes above all being the source of the poet's unashamed confidence.

> *Ses yeux sont des tours de lumière*
> *Sous le front de sa nudité.*

In these *yeux fertiles* the poet perceives the limitless clarity of a world renewed by love and beauty, an idea developed in the image of the shared look, which denotes the supreme communion of lovers in a universe they have made their own.

> *Entre des yeux qui se regardent la lumière déborde*
> *L'écho le plus lointain rebondit entre nous.*

The image of the mirror is a variation on this essential theme of sharing, and similar images (reflections, echoes; glass, crystal, water) suggest the creative energy of love. The woman who emerges from Éluard's ecstatic lines seems to be one with the elements she reflects:

Et sur mon corps ton corps étend
La nappe de son miroir clair.

Woman's intimate presence provides a focus for the intuition of a unity in creation that poetry can embrace. Her body thus serves as mirror of all that is—as the ever-changing image of the richness of the universe, she is indeed the embodiment of the analogical principle central to surrealist thought: *Tu es la ressemblance.* Whilst Éluard can be sure of her love, he can never hope to fix her being; she is metamorphosis itself. Hers is the fluidity that bathes all parts of Éluard's rich poetic universe. She is involved in the stars, the birds and the plants that are contained in the landscape of love. Indeed, she *becomes* that landscape, upon which the poet gazes in innocent wonder:

Je suis devant ce paysage féminin
Comme un enfant devant le feu.

An external world not inanimate but trembling with joyful life, this is the setting in which most of Éluard's poems come to fruition, under the warm light of the feminine presence. When that light fades, as during the poems written during the crisis with Gala, or on Nusch's death, or in response to political events that shook his confidence, Éluard's poetry can take on a frantic urgency of considerable force. Yet his main achievement has been to fashion a poetic language capable of sustaining an ultimately very simple vision of a peaceful, plentiful world in which violence has no place, a world reflected in a woman's eyes, and described again and again so that men should not forget what it is they are struggling to achieve.

MAIN POETICAL WORKS

Poèmes pour la paix, 1918
Les Nécessités de la vie et les conséquences des rêves, 1921
Répétitions, 1922
Mourir de ne pas mourir, 1924
Au défaut du silence, 1926
Capitale de la douleur, 1926
Les Dessous d'une vie ou la pyramide humaine, 1926
L'Amour la poésie, 1929
La Vie immédiate, 1932
La Rose publique, 1934
Facile, 1935
Les Yeux fertiles, 1936
Les Mains libres, 1937
Cours naturel, 1938
Chanson complète, 1939
Le Livre ouvert I, 1940
Le Livre ouvert II, 1942

Poésie et vérité 1942, 1942
Au Rendez-vous allemand, 1944
Une longue réflexion amoureuse, 1945
Poésie ininterrompue, 1946
Le dur Désir de durer, 1946
Le Temps déborde, 1947
Corps mémorable, 1947
Poèmes politiques, 1948
Une Leçon de morale, 1949
Le Phénix, 1951
Poésie ininterrompue II, 1953

CRITICAL AND BIOGRAPHICAL WORKS

Luc Decaunes, *Paul Éluard*, Editions Subervie, Rodez, 1964
Raymond Jean, *Paul Éluard par lui-même*, Editions du Seuil, 1968
Atle Kittang, *D'Amour de poésie: l'univers des métamorphoses dans l'œuvre surréaliste de Paul Éluard*, Lettres Modernes, 1969
Raoul Pantanella, *L'Amour et l'engagement dans l'œuvre poétique de Paul Éluard*, La Pensée universitaire, Aix, 1962

Max Ernst

Dans un coin l'inceste agile
Tourne autour de la virginité d'une petite robe
Dans un coin le ciel délivré
Aux épines de l'orage laisse des boules blanches.

Dans un coin plus clair de tous les yeux
On attend les poissons d'angoisse.
Dans un coin la voiture de verdure de l'été
Immobile glorieuse et pour toujours.

A la lueur de la jeunesse
10 Des lampes allumées très tard
La première montre ses seins que tuent des insectes rouges.

La Parole

J'ai la beauté facile et c'est heureux.
Je glisse sur le toit des vents
Je glisse sur le toit des mers
Je suis devenue sentimentale
Je ne connais plus le conducteur
Je ne bouge plus soie sur les glaces
Je suis malade fleurs et cailloux
J'aime le plus chinois aux nues
J'aime la plus nue aux écarts d'oiseau
10 Je suis vieille mais ici je suis belle
Et l'ombre qui descend des fenêtres profondes
Épargne chaque soir le cœur noir de mes yeux.

Paul Éluard

L'Amoureuse

Elle est debout sur mes paupières
Et ses cheveux sont dans les miens,
Elle a la forme de mes mains,
Elle a la couleur de mes yeux,
Elle s'engloutit dans mon ombre
Comme une pierre sur le ciel.

Elle a toujours les yeux ouverts
Et ne me laisse pas dormir.
Ses rêves en pleine lumière
10 Font s'évaporer les soleils,
Me font rire, pleurer et rire,
Parler sans avoir rien à dire.

Ta Chevelure d'Oranges dans le Vide du Monde

Ta chevelure d'oranges dans le vide du monde
Dans le vide des vitres lourdes de silence
Et d'ombre où mes mains nues cherchent tous tes reflets.

La forme de ton cœur est chimérique
Et ton amour ressemble à mon désir perdu.
Ô soupirs d'ambre, rêves, regards.

Mais tu n'as pas toujours été avec moi. Ma mémoire
Est encore obscurcie de t'avoir vue venir
Et partir. Le temps se sert de mots comme l'amour.

Je te l'ai dit pour les Nuages

Je te l'ai dit pour les nuages
Je te l'ai dit pour l'arbre de la mer
Pour chaque vague pour les oiseaux dans les feuilles
Pour les cailloux du bruit
Pour les mains familières
Pour l'œil qui devient visage ou paysage
Et le sommeil lui rend le ciel de sa couleur
Pour toute la nuit bue
Pour la grille des routes
10 Pour la fenêtre ouverte pour un front découvert
Je te l'ai dit pour tes pensées pour tes paroles
Toute caresse toute confiance se survivent.

Nusch

Les sentiments apparents
La légèreté d'approche
La chevelure des caresses.

Sans soucis sans soupçons
Tes yeux sont livrés à ce qu'ils voient
Vus par ce qu'ils regardent.

Confiance de cristal
Entre deux miroirs
La nuit tes yeux se perdent
10 Pour joindre l'éveil au désir.

Paul Éluard

Telle Femme, Principe de vie, interlocutrice idéale

Veux-tu voir
La forme obscure du soleil
Les contours de la vie
Ou bien te laisser éblouir
Par le feu qui mêle tout
Le flambeau passeur de pudeurs
En chair en or ce beau geste

L'erreur est aussi inconnue
Que les limites du printemps
10 La tentation est prodigieuse
Tout se touche tout te traverse
Ce ne fut d'abord qu'un tonnerre d'encens
Ce que tu aimes le plus
La louange belle à quatre
Belle nue immobile
Violon muet mais palpable
Je te parle de voir

Je te parlerai de tes yeux
Sois sans visage si tu veux
20 De leur couleur contre le gré
Des pierres lumineuses
Décolorées
Devant l'homme que tu conquiers
Son enthousiasme aveugle
Règne naïvement comme une source
Dans le désert

Entre les plages de la nuit et les vagues du jour
Entre la terre et l'eau
Nulle ride à combler
30 Nul chemin possible

Entre tes yeux et les images que j'y vois
Il y a tout ce que j'en pense
Moi-même indéracinable
Comme une plante qui s'amasse

Qui simule un rocher parmi d'autres rochers
Ce que je porte de certain
Toi tout entière
Tout ce que tu regardes
Tout

40 Ceci est un bateau
Qui va sur une rivière douce
Il porte des femmes qui jouent
Et des graines qui patientent
Ceci est un cheval qui descend la colline
Ou bien une flamme qui s'élève
Un grand rire pieds nus dans une cour misérable
Un comble de l'automne des verdures amadouées
Un oiseau acharné à mettre des ailes à son nid
Un matin qui disperse des lampes de rosée
50 Pour éveiller les champs
Ceci est une ombrelle
Et ceci la toilette
D'une dentellière plus séduisante qu'un bouquet
Au son des cloches de l'arc-en-ciel

Ceci déjoue l'immensité
Ceci n'a jamais assez de place
La bienvenue est toujours ailleurs
Avec la foudre avec le flot
Qui s'accompagnent
60 De méduses et d'incendies
Complaisants à merveille
Ils détruisent l'échafaudage
Surmonté d'un triste drapeau de couleur
Une étoile limite
Dont les doigts sont paralysés

Je parle de te voir
Je te sais vivante
Tout existe tout est visible
Il n'y a pas une goutte de nuit dans tes yeux

70 Je vis dans une lumière exclusive la tienne.

Tu te lèves l'eau se déplie

Tu te lèves l'eau se déplie
Tu te couches l'eau s'épanouit

Tu es l'eau détournée de ses abîmes
Tu es la terre qui prend racine
Et sur laquelle tout s'établit

Tu fais des bulles de silence dans le désert des bruits
Tu chantes des hymnes nocturnes sur les cordes de l'arc-en-ciel
Tu es partout tu abolis toutes les routes

Tu sacrifies le temps
10 A l'éternelle jeunesse de la flamme exacte
Qui voile la nature en la reproduisant

Femme tu mets au monde un corps toujours pareil
Le tien

Tu es la ressemblance.

A Pablo Picasso

I

Bonne journée j'ai revu qui je n'oublie pas
Qui je n'oublierai jamais
Et des femmes fugaces dont les yeux
Me faisaient une haie d'honneur
Elles s'enveloppèrent dans leurs sourires

Bonne journée j'ai vu mes amis sans soucis
Les hommes ne pesaient pas lourd
Un qui passait
Son ombre changée en souris
10 Fuyait dans le ruisseau

J'ai vu le ciel très grand
Le beau regard des gens privés de tout
Plage distante où personne n'aborde

Bonne journée qui commença mélancolique
Noire sous les arbres verts
Mais qui soudain trempée d'aurore
M'entra dans le cœur par surprise.

15 mai 1936.

II

Montrez-moi cet homme de toujours si doux
Qui disait les doigts font monter la terre
20 L'arc-en-ciel qui se noue le serpent qui roule
Le miroir de chair où perle un enfant
Et ces mains tranquilles qui vont leur chemin
Nues obéissantes réduisant l'espace
Chargées de désirs et d'images
L'une suivant l'autre aiguilles de la même horloge

Montrez-moi le ciel chargé de nuages
Répétant le monde enfoui sous mes paupières
Montrez-moi le ciel dans une seule étoile
Je vois bien la terre sans être ébloui
30 Les pierres obscures les herbes fantômes
Ces grands verres d'eau ces grands blocs d'ambre des paysages
Les jeux du feu et de la cendre
Les géographies solennelles des limites humaines

Montrez-moi aussi le corsage noir
Les cheveux tirés les yeux perdus
De ces filles noires et pures qui sont d'ici de passage et d'ailleurs à mon gré
Qui sont de fières portes dans les murs de cet été
D'étranges jarres sans liquide toutes en vertus
Inutilement faites pour des rapports simples
40 Montrez-moi ces secrets qui unissent leurs tempes
A ces palais absents qui font monter la terre.

30 août 1936.

Je n'ai envie que de t'aimer

Je n'ai envie que de t'aimer
Un orage emplit la vallée
Un poisson la rivière

Je t'ai faite à la taille de ma solitude
Le monde entier pour se cacher
Des jours des nuits pour se comprendre

Pour ne plus rien voir dans tes yeux
Que ce que je pense de toi
Et d'un monde à ton image

10 Et des jours et des nuits réglés par tes paupières.

Novembre 1936

Regardez travailler les bâtisseurs de ruines
Ils sont riches patients ordonnés noirs et bêtes
Mais ils font de leur mieux pour être seuls sur terre
Ils sont au bord de l'homme et le comblent d'ordures
Ils plient au ras du sol des palais sans cervelle.

*

On s'habitue à tout
Sauf à ces oiseaux de plomb
Sauf à leur haine de ce qui brille
Sauf à leur céder la place.

*

10 Parlez du ciel le ciel se vide
L'automne nous importe peu
Nos maîtres ont tapé du pied
Nous avons oublié l'automne
Et nous oublierons nos maîtres.

*

Ville en baisse océan fait d'une goutte d'eau sauvée
D'un seul diamant cultivé au grand jour
Madrid ville habituelle à ceux qui ont souffert
De cet épouvantable bien qui nie être en exemple
Qui ont souffert
20 De la misère indispensable à l'éclat de ce bien.

*

Que la bouche remonte vers sa vérité
Souffle rare sourire comme une chaîne brisée
Que l'homme délivré de son passé absurde
Dresse devant son frère un visage semblable

Et donne à la raison des ailes vagabondes.

Passionnément

I

J'ai vraiment voulu tout changer

Sur l'herbe du ciel dans la rue
Parmi les linges des maisons
Partout
Elle jouait comme on se noie
Puis elle restait immobile
Pour que je referme sur elle
Les lourdes portes de l'impossible.

II

Le rire après jouer ayant mis à la voile
10 La table fut un papillon qui s'échappa.

III

Elle déchira sa robe
Elle embrassa
Une toilette neuve et nue.

IV

Dans les caves de l'automne
Elle fut tour à tour
La fleur neigeuse de la foudre
Et le charbon.

V

Dans la ville la maison
Et dans la maison la terre
20 Et sur la terre une femme
Enfant miroir œil eau et feu.

VI

Sa jeunesse lui donnait
Le pouvoir de vivre seule
Je n'ai pas su limiter
Mon cœur à sa seule poitrine.

VII

Rien que ce doux petit visage
Rien que ce doux petit oiseau
Sur la jetée lointaine où les enfants faiblissent

A la sortie de l'hiver
30 Quand les nuages commencent à brûler
Comme toujours
Quand l'air frais se colore

Rien que cette jeunesse qui fuit devant la vie.

La Victoire de Guernica

I

Beau monde des masures
De la mine et des champs

II

Visages bons au feu visages bons au froid
Aux refus à la nuit aux injures aux coups

III

Visages bons à tout
Voici le vide qui vous fixe
Votre mort va servir d'exemple

IV

La mort cœur renversé

V

Ils vous ont fait payer le pain
10 Le ciel la terre l'eau le sommeil
Et la misère
De votre vie

VI

Ils disaient désirer la bonne intelligence
Ils rationnaient les forts jugeaient les fous
Faisaient l'aumône partageaient un sou en deux
Ils saluaient les cadavres
Ils s'accablaient de politesses

VII

Ils persévèrent ils exagèrent ils ne sont pas de notre monde

VIII

Les femmes les enfants ont le même trésor
20 De feuilles vertes de printemps et de lait pur
Et de durée
Dans leurs yeux purs

IX

Les femmes les enfants ont le même trésor
Dans les yeux
Les hommes le défendent comme ils peuvent

X

Les femmes les enfants ont les mêmes roses rouges
Dans les yeux
Chacun montre son sang

XI

La peur et le courage de vivre et de mourir
30 La mort si difficile et si facile

XII

Hommes pour qui ce trésor fut chanté
Hommes pour qui ce trésor fut gâché

XIII

Hommes réels pour qui le désespoir
Alimente le feu dévorant de l'espoir
Ouvrons ensemble le dernier bourgeon de l'avenir

XIV

Parias la mort la terre et la hideur
De nos ennemis ont la couleur
Monotone de notre nuit
Nous en aurons raison.

Identités

à Dora Maar

Je vois les champs la mer couverts d'un jour égal
Il n'y a pas de différences
Entre le sable qui sommeille
La hache au bord de la blessure
Le corps en gerbe déployée
Et le volcan de la santé

Je vois mortelle et bonne
L'orgueil qui retire sa hache
Et le corps qui respire à pleins dédains sa gloire
10 Je vois mortelle et désolée
Le sable qui revient à son lit de départ
Et la santé qui a sommeil
Le volcan palpitant comme un cœur dévoilé
Et les barques glanées par les oiseaux avides
Les fêtes sans reflet les douleurs sans écho
Des fronts des yeux en proie aux ombres
Des rires comme des carrefours
Les champs la mer l'ennui tours silencieuses tours sans fin

Je vois je lis j'oublie
20 Le livre ouvert de mes volets fermés.

Nous sommes

Tu vois le feu du soir qui sort de sa coquille
Et tu vois la forêt enfouie dans la fraîcheur

Tu vois la plaine nue aux flancs du ciel traînard
La neige haute comme la mer
Et la mer haute dans l'azur

Pierres parfaites et bois doux secours voilés
Tu vois des villes teintes de mélancolie
Dorée des trottoirs pleins d'excuses
Une place où la solitude a sa statue
10 Souriante et l'amour une seule maison

Tu vois les animaux
Sosies malins sacrifiés l'un à l'autre
Frères immaculés aux ombres confondues
Dans un désert de sang

Tu vois un bel enfant quand il joue quand il rit
Il est bien plus petit
Que le petit oiseau du bout des branches

Tu vois un paysage aux saveurs d'huile et d'eau
D'où la roche est exclue où la terre abandonne
20 Sa verdure à l'été qui la couvre de fruits

Des femmes descendant de leur miroir ancien
T'apportent leur jeunesse et leur foi en la tienne
Et l'une sa clarté la voile qui t'entraîne
Te fait secrètement voir le monde sans toi.

*

C'est avec nous que tout vivra

Bêtes mes vrais étendards d'or
Plaines mes bonnes aventures
Verdure utile villes sensibles
A votre tête viendront des hommes

30 Des hommes de dessous les sueurs les coups les larmes
Mais qui vont cueillir tous leurs songes

Je vois des hommes vrais sensibles bons utiles
Rejeter un fardeau plus mince que la mort
Et dormir de joie au bruit du soleil.

Au premier Mot limpide

Au premier mot limpide au premier rire de ta chair
La route épaisse disparaît
Tout recommence

La fleur timide la fleur sans air du ciel nocturne
Des mains voilées de maladresse
Des mains d'enfant

Des yeux levés vers ton visage et c'est le jour sur terre
La première jeunesse close
Le seul plaisir

10 Foyer de terre foyer d'odeurs et de rosée
Sans âge sans saisons sans liens

L'oubli sans ombre.

Mourir

Plus une plainte plus un rire
Le dernier chant s'est abattu
Sur la campagne informe et noire

Solitude aux hanches étroites
Marraine des trésors perdus
Il n'y a de murs que pour moi

Mille misères conjuguées
Peuvent faire le plus grand rêve
Mourir fortes mourir d'espoir

10 Moi mon image s'est fanée
Unique à sa propre lumière
J'oublie et je suis oublié

Entre les murs l'ombre est entière
Et je descends dans mon miroir
Comme un mort dans sa tombe ouverte.

Le Coin du Cœur disaient-ils gentiment

Le coin du cœur disaient-ils gentiment
Le coin d'amour et de haine et de gloire
Répondions-nous et nos yeux reflétaient
La vérité qui nous servait d'asile

Nous n'avons jamais commencé
Nous nous sommes toujours aimés
Et parce que nous nous aimons
Nous voulons libérer les autres
De leur solitude glacée
10 Nous voulons et je dis je veux
Je dis tu veux et nous voulons
Que la lumière perpétue
Des couples brillants de vertu
Des couples cuirassés d'audace
Parce que leurs yeux se font face

Et qu'ils ont leur but dans la vie des autres.

Paul Éluard

Notre Mouvement

Nous vivons dans l'oubli de nos métamorphoses
Le jour est paresseux mais la nuit est active
Un bol d'air à midi la nuit le filtre et l'use
La nuit ne laisse pas de poussière sur nous

Mais cet écho qui roule tout le long du jour
Cet écho hors du temps d'angoisse ou de caresses
Cet enchaînement brut des mondes insipides
Et des mondes sensibles son soleil est double

Sommes-nous près ou loin de notre conscience
10 Où sont nos bornes nos racines notre but

Le long plaisir pourtant de nos métamorphoses
Squelettes s'animant dans les murs pourrissants
Les rendez-vous donnés aux formes insensées
A la chair ingénieuse aux aveugles voyants

Les rendez-vous donnés par la face au profil
Par la souffrance à la santé par la lumière
A la forêt par la montagne à la vallée
Par la mine à la fleur par la perle au soleil

Nous sommes corps à corps nous sommes terre à terre
20 Nous naissons de partout nous sommes sans limites.

L'Extase

Je suis devant ce paysage féminin
Comme un enfant devant le feu
Souriant vaguement et les larmes aux yeux
Devant ce paysage où tout remue en moi
Où des miroirs s'embuent où des miroirs s'éclairent
Reflétant deux corps nus saison contre saison

J'ai tant de raisons de me perdre
Sur cette terre sans chemins et sous ce ciel sans horizon
Belles raisons que j'ignorais hier
10 Et que je n'oublierai jamais
Belles clés des regards clés filles d'elles-mêmes
Devant ce paysage où la nature est mienne

Devant le feu le premier feu
Bonne raison maîtresse
Étoile identifiée
Et sur la terre et sous le ciel hors de mon cœur et dans mon cœur
Second bourgeon première feuille verte
Que la mer couvre de ses ailes
Et le soleil au bout de tout venant de nous

20 Je suis devant ce paysage féminin
Comme une branche dans le feu.

24 novembre 1946.

« La Poésie doit avoir pour but la Vérité Pratique »

à mes amis exigeants

Si je vous dis que le soleil dans la forêt
Est comme un ventre qui se donne dans un lit
Vous me croyez vous approuvez tous mes désirs

Si je vous dis que le cristal d'un jour de pluie
Sonne toujours dans la paresse de l'amour
Vous me croyez vous allongez le temps d'aimer

Si je vous dis que sur les branches de mon lit
Fait son nid un oiseau qui ne dit jamais oui
Vous me croyez vous partagez mon inquiétude

10 Si je vous dis que dans le golfe d'une source
Tourne la clé d'un fleuve entr'ouvrant la verdure
Vous me croyez encore plus vous comprenez

Mais si je chante sans détours ma rue entière
Et mon pays entier comme une rue sans fin
Vous ne me croyez plus vous allez au désert

Car vous marchez sans but sans savoir que les hommes
Ont besoin d'être unis d'espérer de lutter
Pour expliquer le monde et pour le transformer

D'un seul pas de mon cœur je vous entraînerai
20 Je suis sans forces j'ai vécu je vis encore
Mais je m'étonne de parler pour vous ravir
Quand je voudrais vous libérer pour vous confondre
Aussi bien avec l'algue et le jonc de l'aurore
Qu'avec nos frères qui construisent leur lumière.

Le cinquième Poème visible

Je vis dans les images innombrables des saisons
Et des années
Je vis dans les images innombrables de la vie
Dans la dentelle
Des formes des couleurs des gestes des paroles
Dans la beauté surprise
Dans la laideur commune
Dans la clarté fraîche aux pensées chaude aux désirs
Je vis dans la misère et la tristesse et je résiste
10 Je vis malgré la mort

Je vis dans la rivière atténuée et flamboyante
Sombre et limpide
Rivière d'yeux et de paupières
Dans la forêt sans air dans la prairie béate
Vers une mer au loin nouée au ciel perdu
Je vis dans le désert d'un peuple pétrifié
Dans le fourmillement de l'homme solitaire
Et dans mes frères retrouvés
Je vis en même temps dans la famine et l'abondance
20 Dans le désarroi du jour et dans l'ordre des ténèbres

Je réponds de la vie je réponds d'aujourd'hui
Et de demain
Sur la limite et l'étendue
Sur le feu et sur la fumée
Sur la raison sur la folie
Malgré la mort malgré la terre moins réelle
Sur les images innombrables de la mort
Je suis sur terre et tout est sur terre avec moi
Les étoiles sont dans mes yeux j'enfante les mystères
30 A la mesure de la terre suffisante

La mémoire et l'espoir n'ont pas pour bornes les mystères
Mais de fonder la vie de demain d'aujourd'hui.

Poésie ininterrompue

[*fragment*]

Chacun a découvert son bien
Et le bien de tous est sans ombre

Il nous suffit d'être chacun pour être tous
D'être soi-même pour nous sentir entre nous

D'être sages pour être fous
Et d'être fous pour être sages

Viens à côté de moi toi qui passais au large
Je m'approche de toi moi qui sors de la foule

D'une caresse au seuil de notre nudité
10 L'univers s'impose subtil

D'une caresse au seuil de nos premiers baisers
Nous passons aux plus fines branches

Un amour qui n'a pas de but
Sinon la vie sans différences

L'extase en est légère à nos sens rassemblés
Comme l'aube à nos rêves

A nos sens rassemblés

Il nous faut voir toucher sentir goûter entendre
Pour allumer un feu sous le ciel blanc et bleu
20 Toujours le premier feu l'étoile sur la terre
Et la première fleur dans notre corps naissant

Sens de tous les instants

Il nous faut voir ne pas voir noir être confiant
Et de la vue sauvage faire une lumière
Sans fumée et sans cruauté
Tu la respires et ton souffle me libère

Mes yeux ont su te sourire

J'ai rempli la coupe d'eau
J'ai rempli la plaine d'hommes
30 Je me suis comblé d'aurore
Et de sang j'ai vu en moi

Voir se limite à la paume
Des orbites golfe idéal
Rose haute de la marée
Tous mes désirs abreuvés
Rose avouée en pleurant

Apprends à tout me dire je peux tout entendre
Ta pensée est sans honte pense à haute voix

Silence la merveille simple
40 Et de fil en aiguille
Tout s'est épanoui
Le vent obscurément nettoie
La mer et le soleil
Ton souffle gonfle mes réponses
Entends le vent je sais ce que tu dis
Et je me lie aux bruits qui te font vivre
Sur une route ou l'écho bat dans tous les cœurs
Malgré la porte et les volets fermés
Ma timide écoutons le tonnerre des bruits
50 Et les muets cherchant à dissiper leur nuit
Écoutons ce qui dort en nous d'inexprimé

Franchissons nos limites

J'étais loin j'avais faim j'avais soif d'un contact

Te toucher ressemblait aux terres fécondées
Aux terres épuisées
Par l'effort des charrues des pluies et des étés
Te toucher composait un visage de feuilles
Un corps d'herbes un corps couché dans un buisson
Ta main m'a protégé des orties et des ronces
60 Mes caresses fondaient mes rêves en un seul
Clairvoyant et aveugle un rêve de durée

Car je te touchais mieux la nuit

J'étais sauvé

D'avoir goûté le ciel la terre et la marée
Senti le sang la peau la gelée et le foin
D'avoir tout entendu touché je me montrais
Je respirais me colorais marchais parlais
Et me reproduisais

D'avoir vu clair en plein midi j'acceptais l'ombre
70 Je savais diviser et grouper les étoiles
Et les actes des hommes
Je savais être moins et bien plus que moi-même
Mes cinq sens faisaient place à l'imagination

Notes

Alphonse de Lamartine

6 Le Lac (the tenth of *Méditations poétiques*, 1820) This, perhaps the most famous of all L.'s poems, was written in 1817 when he had been vainly expecting Mme Charles to join him. Revisiting the scene, he recalls incidents of their love and notably a trip on the Lac du Bourget at Aix les Bains. He treats the age-old theme of the passage of time and memory of the past with a personal urgency and directness long absent from French poetry: it was to be a common theme in French nineteenth-century poetry, cf. Hugo's *La Tristesse d'Olympio*, Musset's *Le Souvenir*, Verlaine's *Kaléidoscope*, Laforgue's *Solo de lune* and, of course, Nerval's and Baudelaire's poetry *passim*; but notice how the natural scenery is interwoven into such poems as Baudelaire's *Harmonie du Soir* or Verlaine's *Spleen*, where the emotion is so closely integrated with the scene as to be indistinguishable from it. An analogy would be between a mixture in which, though closely joined, the elements are still somewhat separable (as in *Le Lac*) and a compound, in which the elements are fused. L. is commonly accepted, with Verlaine and Valéry as being one of the most musical of all French poets. Musicality is difficult to define, since it involves the subtle relationship of the sounds of words and their rhythm, e.g. their punctuation and accentuation within a given metre or, in the case of free verse (see under Laforgue) their rhythm without relation to metre. In these notes on *Le Lac*, some of the more obvious effects of repetition of sounds (e.g. in alliteration and assonance) or of contrast have been pointed out in order to provide a rough guide for examining similar effects in other poems by L. (or other poets). See also under Paul Valéry, who made an extremely close study of musical effects in poetry.

[ll. 1–4] Notice the repetition of the *ou* sound, creating an obsessive effect; in ll. 2–4 there is also the droning effect of the nasal *an*.

[l. 1] *Ainsi* is repeated three times in verse 3, bringing the scene vividly before us.

[ll. 1, 2] Notice the inverted balance (*chiasmus*): in l. 1 the past participle precedes, in l. 2 it follows its adverbial clause.

[l. 3] *l'océan des âges* is a good example of the lack of originality of Lamartine's imagery.

[l. 5] *O Lac!* Apostrophe, rhetorical question and periphrase are frequent in L.'s poetry, but often, as in this apostrophe to the lake, we feel that he is not merely using a hackneyed figure of speech and here he really feels the lake to be a living creature. The musical effect here is one of assonance of the deep, weighty vowel *a* (reinforced by the alliteration of *l* in the second and third words); there is also the assonance of *ei* at the cæsura with the *ère* of *carrière*.

[ll. 6, 7] Another assonance in *devait*, *revoir* and *regarde* (in addition to the alliteration in *r*). This strong, rather heavy sound is then resolved into the gently sibilant sound of the *s* in ll. 7, 8. Notice how the stanza form (three alexandrines plus half an alexandrine) enables the last line to carry an extra punch; it was a favourite form with L. and other French Romantics, as it successfully combines the gravity of the alexandrine with a certain metrical variety.

[ll. 9–12] In this stanza we can observe a contrast between the sharp assonance in *u*, *i* and *ain*, and the deeper, more resonant *o*, *on* and *an*. The *n* and *i* can be considered onomatopoeic, representing the sharp splashing of the water and the rustle of the wind.

[l. 13] *t'en souvient-il* is poetic, noble diction for *t'en souviens-tu*. A similar scene to the one about to be described occurs in Rousseau's novel *La Nouvelle Héloïse*. L.'s was far from being an untutored Muse.

[ll. 13, 14] Assonance in *on* and *an*; notice the contrast between *sur* and *sous*, the *u* being reinforced by *bruit* in the next line.

[l. 16] An assonance between *flots* and *harmonieux*. *Harmonieux* is a transferred epithet (it is the *bruit* which is harmonious) which humanises the lake.

[l. 17] *inconnus* provides the necessary suggestion of mystery, reinforced by *charmé* (= spellbound) in the next line.

[ll. 21–36] Notice the dramatic change of stanza form giving added emphasis to the invocation.

[ll. 21–4] Again the weighty assonance in *ou*. In l. 23 notice how the heavy vowels of the first *hémistiche* are balanced by the generally lighter vowels of the second.

[l. 26] Note the dramatic repetition (cf. also ll. 33, 35, 50).

[l. 37] We are back to the obsessive *ou* sound that runs as a sort of sombre ground bass through the whole poem.

[l. 41] *Hé quoi* is pure eighteenth-century poetic diction, but rendered less banal by the insistent repetition of *quoi* in the next line.

[l. 44] shows that not all of L.'s lines are harmonious; but the idea expressed is one of anguish, so harmony is probably inappropriate.

[ll. 53–64] Notice the sustained period, an important feature of early Romantic verse, which is often rhetorical; and the cumulative effect of the sustained repetition of *dans* in ll. 53–9, of *que* in ll. 61–4, of *tout* in ll. 63, 64, and of *on* in l. 63, all leading up to the grandiose conclusion.

8 *L'Isolement* (the first *Méditation*) Written shortly after Mme Charles's death when L. had withdrawn in his sorrow to Milly, his family home in Burgundy, close to Mâcon, this poem, in addition to its personal expression of mixed anguish and hope also prefigures other forms of the Romantic's feeling of isolation.

[l. 1] Wild mountain scenery suits the grandiose nature of this meditation.

[l. 2] *Au coucher*, a favourite (melancholy) time of day for many French nineteenth-century poets.

[l. 4] rather suggests 'padding'.

[ll. 5–8] Note the sibilant alliteration of the first two lines (counterbalanced by the two hard *g*'s and hard *c*), followed by the gentle *l* alliteration of the last two.

[l. 9] The *bois sombres* were favourites of Châteaubriand.

[l. 11] *le char vaporeux* is a rather stilted periphrase for the moon rising in the clouds. Moonlight is another period hallmark.
[ll. 13, 14] Religious feeling is added to nature feeling to sustain and complete the solemn note. The soaring Gothic steeple is appropriate to the aspirations of the Romantics.
[l. 22] *l'aquilon* is *style noble* for the north wind.
[ll. 29–36] The pathos, self-pity and self-delusion of these lines is typical of the period as of the poet; it is found in varying degrees in Hugo, Vigny and Musset. It is, of course, a literary pose, no doubt felt at the time; but in fact, the early Romantics were frequently active people, keen on travel and, later, devoted to the cause of political and social reform. L. is deliberately striking a pathetic note, acting on his statement that *seul le pathétique est infaillible*.
[l. 28] has become proverbial.
[ll. 41–4] Note the repetition question at the beginning of the lines.
[ll. 50–1] An alliteration in *v* is resolved into the flowing sibilants of *s* which are brought up short by the alliteration in *f*.
[l. 50] *vallons* is what is known in French as a *pluriel de grandeur*; Rimbaud was very fond of it.

9 *Le Vallon* (the fifth *Méditation*) was written in 1819 for a friend. The note of sustained melancholy is not uncommon for the time but the association of mood and scene is undoubtedly touching and the scene is quite closely observed.

[l. 25] An excellent example amongst many of L.'s ability to coin a memorable sentiment.
[ll. 35, 36] For once here is an image both exact and evocative.
[ll. 37–52] cf. ll. 22–35 of *La Maison du Berger* of Vigny (pp. 52–3).
[l. 55] Pythagoras's remark here referred to meant that it was better to hear the echo of a storm than the storm itself. L. interprets this statement through his own admiration for the storms and gloomy scenes of Ossian.
[l. 59] A rather less banal periphrase for the moon.
[l. 61] *Dieu, pour le concevoir*, etc. L. in this period of fervour and spirituality associates God not only with nature but with love, in a way reminiscent of Petrarch.

11 *L'Automne* (the last of the *Méditations*, written in 1819) The association of sadness (albeit gentle sadness) with autumn is very frequent with the Romantics.

[ll. 1, 2] Note the eighteenth-century style of apostrophe and the inversion. However, as in *Le Vallon* the scene is described with some exactness of detail.
[l. 5] *solitaire*: a favourite state in order to meditate.
[ll. 13, 14] L. was twenty-nine when he wrote this line—rather an early age to take farewell of life; cf. also ll. 20, 31. It is a typical Romantic conceit, as is the nostalgic looking back to (untasted) joys.
[l. 22] *Nectar* and *fiel* are both eighteenth-century *mots nobles*, as is *zéphire* in l. 29.

[ll. 25–8] The longing for the love of an unknown twin soul is Romantic; cf. Baudelaire's *À une Passante* (p. 213) and Verlaine's *Mon Rêve familier* (p. 243).

12 *Ischia* (from the *Nouvelles Méditations Poétiques*, 1823) started in 1820 and finished two years later) Vigny wrote *à propos* of these poems of Lamartine, *verve de cœur* [*et*] *fécondité d'émotion qui feront toujours admirer* [*Lamartine*] *parcequ'il est en rapport avec tous les coeurs*. L. had hired a cottage in Ischia in the Bay of Naples whilst *en poste* at the French Embassy in Naples itself. The *clair de lune*, was, of course, a favourite Romantic theme.

[l. 1] A grandiose first line.
[l. 2] *Phébé*, the moon, a classical reference in the eighteenth-century manner.
[ll. 21–4] a lyrical, harmonious verse; *charme* here means to 'cast a spell', a poetic archaism.
[l. 29] An apostrophe; L. uses frequent rhetorical devices.
[l. 30] *tous les sens*: L. picks up the idea of *volupté* of l. 26. The Romantics found physical pleasure in nature and this whole poem is full of sensuous impressions of sight, smell and hearing.
[l. 54] *l'étoile des mers* is the Virgin Mary, the patron saint of sailors to whom many images and churches are dedicated.
[l. 67] A cape on the mainland at the northern end of the Bay of Naples.
[l. 73] *Celui* etc. L. now launches on a typically Romantic period.
[l. 89] The Elysian fields; presumably the suggestion is that this region is an earthly paradise.
[l. 96] *Élise*. L. had recovered from his love affair with Mme Charles and was now happily married to Elisa, née Birch. *Et cependant* . . . In this poem, the thought of death is relatively fleeting.

15 *Chant d'Amour* (from *Nouvelles Méditations Poétiques*) This was one of Vigny's favourite poems. Notice the extremely varied stanza and metre forms of this poem, which is full of sensuous imagery. Notice the constant personification, the frequent tone of plaintive pathos mixed with exhilaration and the general intensity of the tone. There is at times an almost oratorical note. L. here uses repetition very effectively to create intensity; cf. ll. 22–3 (*aussi*); l. 26 (*laisse-moi, laisse-moi*); l. 124 (*baisse, oh! baisse*); l. 170 (*Soulève, oh! soulève*); ll. 175, 178 (*laisse*). The ideas of this poem, although often concretely expressed, tend to be poetic commonplaces, though they have the merit of simplicity and naturalness (e.g. l. 217, the idea that for L. his love will never grow old); and some of the images are trite (l. 205, the cold breath of time) and his epithets rather general; but the harmonious flow keeps the reader under his spell, even if, as in some music, the spell dies away once the piece is finished. L.'s verse is, *en bloc*, not memorable; however, the spell returns on rereading.

[l. 1] introduces a long, balanced period.
[l. 7] *ce roseau*, a periphrase for a flute; the whole poem strikes a pastoral note.
[ll. 22, 23] *purs* and *doux* are common Lamartinian adjectives, cf. ll. 43, 47, 53, 56, 94. The effect can be slightly cloying.
[l. 112] King Solomon fetched pearls from Ophir.

[l. 162] *Philomèle* was turned, in Greek mythology, into a nightingale.
[l. 194] The familiar Romantic association of love and death (cf. ll. 223–8).

21 *L'Occident* (from the second book of *Harmonies*, 1830) This poem, written probably in Italy in the 1820s shows us a Lamartine more pantheist, i.e. one seeing God forming part of nature, than deist, i.e. one seeing God as existing outside the created world.

[l. 1] *s'apaisait* . . . In spite of the pessimism of this poem, there is here, as in many of the *Harmonies*, a serenity and an acceptance which contrast with much of the occasionally facile melancholy of L.'s earlier work, but they lack its tension and pathos.
[ll. 1–12] cf. poems on sunsets by Hugo, Gautier, and others.

23 *La Vigne et la Maison* After L. had long since stopped writing much poetry (although still producing a good deal of prose in an endeavour to keep pace with his debts), he was seized while at Milly in the autumn of 1857 by an inspiration to write this poem. In it he at last comes to terms with life by realising that living is not a matter of solitary communion with nature or even of an attempt to relive the past by revisiting the scene of former happiness, but of human affection, particularly maternal and family affection. There is the suggestion at the end of the poem of hope of reunion with loved ones. Notice how, as in the previous poem, L. has produced his best poetry after a period of idealisation; this, as has been pointed out in the Introduction, may lead to falsity of fact, but does not necessarily imply insincerity. The dialogue form of the poem gives added drama by confronting the ageing poet with his ageless soul, but the rôles allotted to each part are rather loosely defined, and towards the end of the poem L. seems to abandon the fiction of a dialogue. The culmination of the poem, the eulogy of the family would seem to belong more appropriately to the poet and his soul rather than to the poet's soul alone. The admirable general simplicity and delicacy and exactness of much of the detail show that L., more than in much of his other poetry, is seeing the vine and the house vividly in his mind's eye. Notice how, throughout the poem, L. avoids monotony by changes of metre. The stanza-forms are also varied.

[l. 11] A periphrase for hair which, however, being neither too complicated nor merely *style noble*, does not jar as much as for example the pompous pseudo-classical periphrase *le char vaporeux de la reine des ombres*, and even has a certain suggestive as well as a dignified quality.
[l. 18] *nouer*, to set.
[l. 26] *remontant*, restringing.
[ll. 29–34] The serenity of such lines is to be contrasted with the exaggerated melancholy of L. when younger.
[ll. 175, 177] *montagne*, *montagnes*. A poor rhyme, for words should not rhyme with themselves, nor should singulars rhyme with plurals.
[l. 200] *fiancées*, L.'s adored and adoring sisters.
[l. 206] *vieillard morne*. L.'s father was rather an austere man.
[ll. 230, 231] See remarks on Fourier, p. 68.

Alfred de Vigny

37 *Moïse.* Written in 1822, this poem appeared in *Poèmes antiques et modernes*, in 1826, in the section entitled *Livre Mystique*. For V., the subtitle denoted a poem in which a philosophic thought is illustrated in epic or dramatic form. *Moïse*, in spite of continual borrowing from the Old Testament, is merely a convenient symbol for V.'s expression of the isolation of the man of genius. It was one of V.'s favourite poems.

[ll. 1–5] The opening sets an appropriately solemn and grandiose scene as the Hebrew wait outside the Promised Land.
[l. 6] *Nébo*, a mountain east of the Dead Sea.
[ll. 11, 13, 16] These are the names of tribes of Israel.
[l. 20] *lentisque*, the mastic tree; a touch of local colour.
[l. 28] *l'aquilon*, a *mot noble* for the north wind.
[l. 30] *érables*, maple trees.
[l. 32] Moses is going up Mount Sinai
[l. 41] The Levites are priests.
[ll. 49, 50] These lines, with variations, recur throughout the rest of the poem as a fatal and pitiful refrain.
[l. 56] The book is the Pentateuch.
[l. 59] Horeb is a mountain in the Sinai Desert.
[l. 65] Perhaps a reference to the fact that Moses had taken with him the bones of Joseph.
[ll. 66, 68, 71] Moses, in attributing God-like powers to himself, reveals V.'s high conception of the rôle of the man of genius.
[l. 82] *le fleuve aux grandes eaux* is presumably the Red Sea.
[ll. 91, 96] are allusions to certain verses of Exodus.

40 *Le Cor* (from *Poèmes antiques et modernes*, 1826, the section entitled *Livre Moderne*) Written in the Pyrenees in 1825, *Le Cor* represents the common attraction of the time towards picturesque evocations of past episodes of national history, particularly medieval history. There was also a marked interest in ballads from the period. The charm of this poem springs, however, less from the historical interest than from V.'s imaginative method of relating the story to a personal memory inspired by hearing a hunting horn and by the magnificence of the Pyrenean scene. The incident is taken from the medieval epic, *La Chanson de Roland*.

[ll. 1–4] Notice the discreetly skilful accumulation of images suggesting desolation and melancholy.
[l. 8] *Paladins*, the peers of Charlemagne's court, of whom Roland was one.
[ll. 9–12] These lines provide the contrasting tone to the first two verses.
[l. 27] *Roncevaux*, the pass where the rearguard action was fought in A.D. 778 by Roland to protect Charlemagne's retreat.
[l. 29] With no unnecessary detail, V. introduces the dramatic crisis of the story.

[l. 32] *le More*. It is legend that made Roland's opponents Moors; they were, in fact, Basques.
[ll. 49–52] A touch of human and local colour.
[l. 56] Turpin was Archbishop of Rheims.
[l. 64] Notice the clumsy inversion, which combines with the too obvious local colour of the archaism of *destrier* to produce rather an irritating line.
[l. 68] *Obéron*, the King of the Fairies.
[ll. 72–6] V., as these lines show, was unafraid of rhetoric or striking an attitude of pathos.

42 *La Mort du Loup* (from *Les Destinées*, 1864) This is the earliest poem of *Les Destinées*, written shortly after the break with Marie Dorval. Contrast the relative restraint of this poem with the attitudinising of *Le Cor*. It could, however, be argued that, although providing a link between sections I and III, section II is somewhat irrelevant to the specific purpose of the poem and clashes markedly in tone with section I.

[l. 5] *brandes*, heather.
[l. 6] *landes*, heath or moor.
[ll. 9, 10] The *enjambement* emphasises the action of holding the breath.
[l. 16] *coudes* is a vivid personification.
[l. 23] *loups-cerviers* are lynxes rather than wolves; V. was often careless of detail.
[l. 34] *se jouaient* is an archaism for *jouaient*.
[l. 40] *demi-dieux* because both are sons of Mars.
[l. 73] A very clumsy line.
[l. 81] A splendidly forceful and economical line which has become proverbial. Note the powerful alliteration in *p* and *l*.
[l. 82] *énergiquement* occupies no less than five syllables of the *hémistiche*, thus showing its importance. The alliteration and resonance of *longue* and *lourde* echo the weighty meaning.

44 *La Colère de Samson* (from *Les Destinées*) In this poem V. combines the theme of man's weakness and woman's perfidy. Written in 1839, it was not published in his lifetime, no doubt for reasons of discretion and propriety. His severity towards women is much mitigated in the *Maison du Berger*. V. skilfully adapts the biblical story to make a poem both historical and personal.

[ll. 1–4] A concise, vigorous and ominous setting.
[l. 8] One of several touches of local colour.
[l. 28] *Anubis*, the dog-headed god of the Egyptians.
[l. 34] Ironically, the words of Samson condemning Delilah are soothing to her.
[ll. 39–48] The psychological penetration of these lines is remarkable.
[l. 50] *leurs lacs*, their traps.
[l. 55] V. conceives woman as the consoler of man; but it was hardly Marie Dorval's fault if she did not share this conception of women's rôle.
[l. 80] V. foretells an interminable and implacable war between the sexes.
[l. 136] V. here reveals that his hatred of women springs from hurt vanity they expose his weaknesses, and this offends his pride.

48 *Le Mont des Oliviers* (from *Les Destinées*) Based on a work by the German writer, J. P. Richter, this poem was written between 1840 and 1844, when it was first published. The end, *le Silence*, was added in 1862, and may be considered V.'s last word on the religious question: man must rely on himself and work out his own destiny. A comparison with Nerval's *Christ aux Oliviers* shows that, apart from differences of approach, Nerval's Christ is slightly more concerned about Himself and V.'s about the fate of mankind, whom He represents.

[l. 8] The gesture described lends atmosphere.

[l. 22] A reference to the birth of Christ.

[ll. 35–46] There is here obvious sympathy for Christianity, viewed primarily from the moral and social aspects.

[ll. 87 *et seq.*] A review of the problems inherent in a religious belief.

[l. 131] V. seems here to believe in the divinity of Christ, but in l. 144 Jesus is only referred to as *le Fils de l'Homme*. It is His humanity and not His divinity that interests V. and his final attitude is one of respect and gratitude for Christian morality.

52 *La Maison du Berger* (from *Les Destinées*) First published in 1844, *La Maison du Berger* represents the fruit of the work and preoccupations of a number of years; it was probably conceived in 1840. In it V. expresses his views on women and their role, on nature, on modern industrial society, on Parliamentary government, on progress, on morality and on poetry. Notice the seven-line verse, rhyming *ababccb*. *Lettre à Éva*. Eva is Eve, the eternal woman, no doubt a composite figure of various women whom Vigny had known and, at the same time, Women in general.

[ll. 1–42] express the theme of the artist's isolation and the consolation that can be offered by nature. These lines contain some of V.'s greatest poetry. Notice the balanced vigour of the period: *Si ton cœur . . . , si ton âme . . . , si ton corps . . .* , and the images in l. 2, ll. 8–11, as well as the music of l. 11.

[l. 5] *plaie immortelle* is the eternal doubt of mankind.

[l. 6] An example of the great importance V. attached to love.

[II. 13, 14] The poet sees himself as a convict branded by social convention. This and the whole beginning of the poem is almost a manifesto of the sense of isolation of the poet of the period.

[ll. 15–21] V. here expresses his own aristocratic reserve.

[ll. 29–42] These lovely lines reveal V.'s deep love of nature.

[l. 47] *divine faute*. Love is thought of as a weakness; but a God-given one.

[ll. 64–133] This long attack on modern commercial and industrial civilisation symbolised by the railway has, as its specific source, a serious railway accident at Versailles in 1842. The general attack is on materialism and on a blind belief in material progress. Notice how much more laboured, abstract and prosaic this section is than, for example, the appreciation of natural beauty in ll. 29–42.

[ll. 92–8] In this verse, V. recognises that, kept in its proper place as a servant of mankind, industrial progress can be beneficial.

[l. 93] *actions*, company shares; a reference to the sending of telegraphic messages.

[l. 96] *caducée*, a herald's wand, especially the one carried by the messenger-god Hermes, also the god of commerce.
[l. 103] *une mère éplorée*. V. may be thinking of his own mother's death.
[ll. 127 *et seq.*] V. states his conception of the role of the poet which is essentially contemplative and philosophical.
[ll. 148–68] Poetry is the quintessence of knowledge, and V. attacks those who do not sufficiently respect their dignity as poets; in particular, in ll. 160, 161 he attacks superficial and erotic love poetry.
[l. 163] *Un vieillard*, the mocking, pleasure-loving Anacreon.
[l. 170] V. is here thinking of Lamartine, who had given up writing poetry to devote himself to politics; and from this reference to Lamartine, V. goes on to pour scorn on demagogic parliamentary government.
[l. 194] *vapeurs aux cent bras*, machinery replacing hand labour.
[l. 214] Mankind is only now beginning to find means to prevent conflict, *les coups mutuels*.
[l. 217] *Terme*, the great god Terminus, the protector of boundaries, was depicted in the form of a bust set on a boundary stone, and thus unable to move.
[l. 228] Another reference to *la divine faute* of l. 47. In the last section V. states his own beliefs as to the relation of woman and nature.
[l. 234] *il* is self-loving man who yet needs woman's approbation, which is not always forthcoming; Vigny is using *enthousiasme* in l. 236 in the original etymological sense.
[ll. 239–59] contain V.'s psychology of woman, and ll. 260–6 show what he, as a man, wants from her: but we are left uncertain as to the *grand mot* of l. 266.
[l. 281] *Elle*, i.e. nature. V. is now going to judge nature severely from the moral point of view; cf. *La Tristesse d'Olympio* of Hugo.
[ll. 323 to end] V. here recovers the vigorous yet plaintive note of the first part of the poem.
[l. 335] cf. *As You Like It*, Rosalind's speech in Act IV, sc. 1.

61 *La Bouteille à la Mer* (from *Les Destinées*) This, originally intended to be the final poem of *Les Destinées*, was written in 1846 and 1847, but not published until 1853. In it, by means of a personal modern myth, V. expresses his confidence in the future. The poet must work, not for immediate success or popularity, but for posterity. It is a pity that a poem with, in itself, an interesting message, should start as awkwardly and pompously as the first verse. Is this because V. is himself not quite convinced of the truth of what he says? And in any case, is not the tone generally too deliberately didactic and moralising to make a good poem?

[l. 3] *le camail*, hood.
[l. 5] *Chatterton*, etc. Three examples of poets who died young. Malfilâtre and Gilbert were eighteenth-century French poets.
[l. 37] *la Terre-de-Feu*, Tierra del Fuego.
[l. 49] *milan*, a kite (the bird).
[ll. 52 and 65] Surely unnecessary and pompous periphrases for champagne?
[l. 57] *mettre en panne*, to heave to.
[l. 112] A reference to Noah's Ark and the dove.

[l. 125] *flamme*, pennant. V. is anxious to give a nautical flavour.
[l. 132] *sarigue*, an opossum.
[ll. 159, 160] V. considers that the future belongs to science, and that scientists rather than generals will be its heroes; but the statement contains none of that poetry that is found in his utterances on women and nature in *La Maison du Berger* and on suffering and evil in *Le Mont des Oliviers*. His message and expression do not form that indissoluble unity that is the prerequisite of all poetry. Here, his ideas might have been equally well or better expressed in prose.

In general, this poem is full of unnecessary detail (eg. ll. 57–63) that contributes little to the force of the poem and indeed, may be considered as diluting it.

Victor Hugo

73 *Clair de Lune* (from *Les Orientales*, written in 1827 and 1828 and published in 1829) *Les Orientales*, from which this poem is taken, is the first work in which H.'s talent for visual poetry and his affection for the exotic and the picturesque find their expression. It is a forerunner of the descriptive poetry of Gautier and Leconte de Lisle. In it, he created a genre which was a revelation to his contemporaries, already interested in the East by reason of the Greek War of Independence as well as through the works of Byron, Chateaubriand and certain poems of Lamartine and Vigny. In it, too, for the first time, H. shows to the full his metrical virtuosity and his colourful, brilliant vocabulary. If today this local colour may appear superficial and facile, it can still appeal to the young imagination; a similar attitude probably underlies modern tourism. The subject of moonlight is a favourite theme of the period; and lovers today still react similarly to a moon-lit night.

[l. 2] *La fenêtre enfin libre*. It is dark and the harem can now show itself at the window.

73 *Soleils couchants* (from *Les Feuilles d'Automne*, 1831) *Les Orientales* were largely impersonal and picturesque poetry. In *Les Feuilles d'Automne*, his next collection, a personal note, the expression of personal reactions to love, nature, religion and society make their appearance and dominate the next collections of verse: *Les Chants du Crépuscule* (1835), *Les Voix Intérieures* (1837), *Les Rayons et les Ombres* (1840). This note reaches its apogee in *Les Contemplations* (1856). In *Soleils couchants*, H. continues to describe, as in the *Orientales*, but he himself appears in the poem and makes his comments on his description. He was at this stage in his life a great admirer of sunsets, a characteristic for which the impertinent young Musset poked fun at him.

[ll. 2, 3] A typical love of the old.
[ll. 11, 12] A grandiose and imaginative image.

[l. 15] H. loved the humble cottage as much as the splendid castle, and particularly the antithesis between the two.
[ll. 20–4] A brilliant image, perhaps a trifle strained through being carried on too long. But notice the extraordinary power and vividness of H.'s vision and imagination, which, in his best poetry, are always combined.
[ll. 37–42] Another magnificently sustained image.
[l. 46] The essential mystery of nature was a constant theme of H.; he never lost his faculty of wonder.

75 *Lorsque l'enfant paraît* (from *Les Feuilles d'Automne*, 1831) H. was a great lover of young children; indeed, throughout his life he retained a freshness of approach to life and an energy and liveliness that had something childlike in it. The pairs of alexandrines alternating with hexasyllabics provide a pleasant variety of tone, with the hexasyllable preventing the alexandrine from being too solemn.

[ll. 7, 8] An example of that rather pompous oratory into which H. was not unwont to fall.
[l. 25] A striking extended metaphor. Notice that he is not content with one metaphor, but uses another in the last three lines of the verse. This is another characteristic of H.; he is not content to say something well just once. It is true that some of his rhetorical periods are splendid in their sweep; but too much repetition can become tiresome, as can mere enumeration, which he also constantly used.
[l. 51] One may feel that this line is sheer padding, for the purposes of the metrical and rhyme scheme; a not infrequent happening with H., which is one of the causes of the continual juxtaposition of good and bad in his poetry.

76 *Puisque j'ai mis ma lèvre* (from *Les Chants du Crépuscule*, 1835) Love poetry of a sort is frequent, but deeply felt love poetry is very rare in H. More of an amorist than a lover, he tends to write love poetry that is usually either badinage or sentimental, and a certain physical tenderness is more common than real affection. He did, however, undoubtedly feel great and lasting passion for the actress, Juliette Drouet, whom he met in 1833, and for whom this poem was written. Notice that, in spite of the somewhat *style noble* of the first line, the poem is of great simplicity.

[l. 2] A certain melancholy attitudinising in this line. For an extremely robust and healthy man, H., influenced no doubt by the melancholy of *René*, of Lamartine and Vigny, tends to be rather too easily elegiac in tone, for inadequate reasons.
[l. 10] A reference, no doubt, to the enforced clandestine nature of his relationship with Juliette.

77 *Tristesse d'Olympio* (from *Les Rayons et les Ombres*, 1840) This poem, based on memories of happy days spent with Juliette Drouet in the country near Paris, is a major poem, in which H. expresses views on nature, love and memory, constant themes of his and of his period (cf. Lamartine, Vigny, Musset). In spite of the fact that nature effaces the traces of human love and is indifferent to human feelings, H. expresses his confidence in the durability of human memory. There is, in this poem, a virility and even a kind of restrained joyfulness and confidence which is a happy contrast to some of H.'s more mawkish utterances.

[l. 4] *encens*, an example of what might be considered the more conventional, over-poetic word, which contrasts with the simplicity of other sections of the poem.

[l. 22] Notice how the tonic accent falls very strongly and with great effect on *pâle*.

[ll. 41, 42] *face divine*, *divin miroir*. H. was fond of the device of chiasmus, the transposition of adjectives; it is a variant on another of his favourite devices, antithesis.

[l. 49] The descriptive portion ended, Olympio's lament goes into the solemn alexandrine.

[l. 58] Like many lovers, they had carved their initials on the trunk of a tree.

[ll. 67, 68] A charming detail which reveals a H. less solemn and pompous than often imagined.

[ll. 87, 88] H. was constantly preoccupied with the after-life, particularly in his later philosophical and religious poetry.

[ll. 101–4] Rhetoric, no doubt: but very effective for a solemn moment.

[ll. 113, 117, 121] Notice the sustained period: *Est-ce que*. . . .

[l. 130] *frissonnants*, an apposite and yet original adjective.

82 *Souvenir de la Nuit du Quatre* (from *Les Châtiments*, 1853) From his exile in Jersey after Napoleon III's *coup d'état*, H. launched his bitter and eloquent attack on the new *régime* in the form of *Les Châtiments*, a collection of violent satirical poems printed in Brussels in 1853. The poems range in form from the song to the epic. The one here reprinted is an excellent example of H.'s direct narrative style and of his pity for the poor, enhanced here by the fact that the victim of the incident described is a child. His eloquence is the more effective by being reserved for the last few lines only. December 4th is two days after the *côup d'état* by which Napoleon III attained power.

[l. 55] Ironically, Napoleon's protestations of service to the country are referred to as a mere by-product of his ambition.

[l. 56] Napoleon's palace was at St Cloud.

83 *Mes deux Filles*. *Les Contemplations*, the collection from which this and the next seven poems are taken, contains, by common consent, the richest and most varied of all H.'s non-epic poetry. It is largely the result of a great burst of poetical activity in 1854 and 1855, although it contains poems from earlier periods. The book is divided into two main sections, *Autrefois* (1830–43) and *Aujourd'hui* (1843–55), the dividing line being the death, by drowning, of H.'s beloved daughter, Léopoldine, shortly after her marriage. Each section is divided into three books: *Aurore*, *L'Âme en fleur*, *Luttes et rêves*, *Pauca Mea*, *En marche* and *Au bord de l'infini*. These titles give some idea of the main trend of each book. The first concerns the theme of youth, including the stirrings of the poet's adolescent heart as well as his literary ambitions; the second is mainly concerned with playful and joyful love-poetry; the third deals more with social and humanitarian matters; in the fourth (the first of

Aujourd'hui and which takes its title from Virgil: *Pauca mea carmina*) the poet tells of his great grief at losing his daughter; the fifth book shows the poet, more resigned and more mature through suffering, meditating on the spectacle of nature; finally, H. reaches *le bord de l'infini*, and his meditation (influenced at this period of his life by a strong belief in spiritualism) takes a philosophic and religious turn. *Les Contemplations* are particularly remarkable for containing vast visionary glimpses of eternity as well as poems of simple, homely detail. It is not inconceivable that H. was deliberately trying to emphasise the earthy and the petty sides of his nature as a defence against being carried away, sometimes almost panic-stricken, into the unbridled visions of his vivid imagination. *Mes deux filles* is from *Aurore* and as this book is devoted to youth, H. includes this charming poem on his two daughters. It shows how H. can be delicate as well as grandiose in his visual imagination. It is notable that more care is lavished on the setting than on the two girls, i.e. H. is, in a way that is not dissimilar from certain poets of the Symbolist period, more interested in suggesting a mood than telling a story or explicitly stating an emotion.

84 *Elle était déchaussée* (from *Aurore*) A poem of careless young desire, of great simplicity, in a charming natural setting, which is suggested by a few details.

[l. 15] Notice the charming and surprising juxtaposition of *effarée* and *heureuse*.

85 *Mon Bras pressait* (from *L'îme en fleur*) A perfect example of H.'s simple love lyric, written for Juliette Drouet, and dated from the Forest of Fontainebleau. The mood is delicate in the first verse (*frêle*, *souple*, *jeune*) and opens out to grandiose proportions. The admirable economy leads to a masterly suggestive understatement.

[l. 9] As for Lamartine, love for H. was akin to religion.

85 *Demain, dès l'Aube* (from *Pauca Mea*) H. is making a pilgrimage to his dead daughter's grave. A poem of a simplicity that leaves everything to the imagination of the reader. Grief could not be expressed in greater understatement: but the one or two images are all the more telling (particularly l. 8). Notice the continual association of nature with what he intends to do.

85 *Paroles sur la Dune* (from *En Marche*) This is one of the saddest of the *Contemplations*.

[l. 4] *deuils*. H.'s mother, father, brother, first-born and daughter were all dead.
[l. 15] *vautour aquilon*, cf. *pâtre promontoire* in l. 40 of *Pasteurs et Troupeaux*.
[l. 20] A familiar antithesis between nature and mankind.
[ll. 35, 36] Notice the effective chiasmus or inverted repitition of *ne suis-je ... hélas, hélas ... ne suis-je ...*
[l. 48] This poem contains few images, and such a striking one as this is all the more effective by contrast.
[l. 49] *Je pense*, implying concentration, contrasts with the *je songe* of l. 12.
[ll. 51, 52] The final touch is delicate, in deliberate contrast to the gloom of

the previous lines. Notice how H. is content to state the contrast without pointing any moral or labouring the point.

87 *La Source tombait* (dated 1854, from *En Marche*) Here we see H. using nature to point a moral lesson; but the lesson is not laboured and much less banal than Gautier's *La Source* (see p. 163). Our attention is held by the few suggestive details and the dialogue form; every adjective counts (*affreuse*, *fatal*, *immense*, *amer*, *vaste*); but the modest source (unjustly accused in l. 4) only reveals its character, unexpectedly, in the last line.

87 *Pasteurs et Troupeaux* (from *En Marche*) H.'s love of nature extended from the infinitely great to the infinitely small. In this poem he contrasts two scenes of the Jersey landscape, the one charming and a trifle wistful, the other fearsome and grandiose. Such antitheses form an essential part of H.'s vision of the world.

[l. 8] Bullfinch and greenfinch.
[l. 9] *fauvette*, the blackcap; a charming fancy.
[l. 11] *bourrus*, rough, an adjective usually confined to a figurative use for people; but *pierre bourrue* is ragstone.
[l. 22] *chaume*, thatch, used here for cottage.
[l. 40] *pâtre promontoire*, a very bold image, in which two nouns are used together, each serving to describe the other. In his poetry at this time. H. used this device frequently. It achieves, through conciseness, great vigour and vividness.
[ll. 44–6] The poem ends almost on a note of horror.
[l. 46] *moutons*, not only the sheep guarded by the *pâtre promontoire*, but also used in the sense in which we speak of *white horses* on the sea.

89 *A la Fenêtre pendant la Nuit* (from *Au bord de l'infini*) This unquiet, questioning night poem, dated 1854, leads on to H.'s even more grandiose later visionary poetry, e.g. *Le Satyre*. It is an excellent example of style and imagery matching the content: e.g. the anxiety is shown in the broken stanza form (two pairs of alexandrines with feminine rhymes separated by a masculine six-syllable line rhyming with another, completing the *sixain*). It should be compared with similar cosmic poems by e.g. Musset (*L'Espoir*); Leconte de Lisle (*L'Illusion suprême*); Laforgue (*Apothéose*).

[l. 1] A typical Hugolian antithesis; note the simple and direct setting of the scene; contrast with Lamartine's more imprecise and longwinded *Ischia*. H. sees the scene in personal detail and renders it expressively (l. 2, *huileux; moires*).
[l. 3] Note the personalisation of the ocean.
[l. 5] *Sans suite* introduces the note of questioning and mystery that is the key-note of the poem.
[l. 7] In contrast, here is an image that is suggestive rather than precise. H. can strike any tone and moves quickly from one to the other.
[l. 22] Note the dramatic effect of considering Aldebaran and Saturn as mere ghosts, perhaps illusions.
[l. 29] The seven torches are the Pleiades; it is imaginative to consider the heavens as a vast cathedral.

[l. 33] This cosmic questioning is throughout the poem related to mankind.
[l. 43] *lèvres profondes*, a bold, suggestive image.
[l. 51] *soucieux* is a favourite adjective of H.'s.
[ll. 68, 69] H. was, like many French nineteenth-century poets, deeply convinced of the unity of all creation.
[l. 82] *terrible*. Note how from this moment H.'s imagination takes on a note of apocalyptic horror: cf. such words as *sombre* (l. 85), *effarés* (l. 90), *éperdus* (l. 91), *étranges* (l. 100), *démons* (l. 102), *funèbres* (l. 103); but these gloomy adjectives are counteracted by images of light and fire; and the conclusion is neutral, grandiose rather than fearful and generally life-affirming.

92 *Booz endormi* (from *La Légende des Siècles*, 1859) Before *Les Contemplations*, and particularly after 1840, H. had already written a certain number of short epic poems, notably two inspired by medieval France; but it is mainly between 1857 and 1859 that he gave himself wholeheartedly to the writing of short epics. In April 1859 he wrote *Le Satyre*, which is the key poem of the whole collection of *La Légende des Siècles*; in August he wrote the Preface, in which he explains to the reader his purpose: *Exprimer l'humanité dans une espèce d'œuvre cyclique; la peindre successivement et simultanément sous tous ses aspects, histoire, fable, philosophie, religion, science, lesquels se résument en un seul et immense mouvement vers la lumière; faire apparaître dans une sorte de miroir sombre et clair . . . cette grande figure une et multiple, lugubre et rayonnante, fatale et sacrée: l'Homme.*

The *Légende des Siècles* was to be a monument to the advance of consciousness in mankind, embracing the past, the present and the future; and it was to be completed by two other works: one on evil, entitled *La Fin de Satan*, one on the infinite, entitled *Dieu*. These last works, incomplete, were published posthumously in 1886 and 1891 respectively. The first series of *La Légende des Siècles* was published in 1859; a new series, in which certain gaps in the earlier volume were filled, was published in 1877, the new poems being more philosophical and religious than historical. A final volume, more sombre and apocalyptic, appeared in 1883. *Booz endormi* is taken from the first section of the first series, entitled *D'Ève à Jésus*. The approach to the story is strictly personal, although the events are fairly accurately related. H., unlike Leconte de Lisle, made no attempt at erudite reconstruction in his epics. A few original sources (such as the Bible), a few general popular historical works and a seventeenth-century dictionary provided him with enough detail for his imagination to resuscitate events and scenes of past epochs with great vividness and variety of treatment. In *Booz endormi*, however, rather than on picturesque reconstruction, the emphasis is laid on creating a mood of solemnity and serenity appropriate to a religious subject. The musicality of the verse is remarkable.

[l. 14] A famous example of syllepsis.
[ll. 37–40] This dream of Booz is not Biblically accurate; Booz's vision is the tree of Jesse, the genealogical tree of Christ. The idea of the dream is taken from Jacob's vision of a ladder going to Heaven. Notice the change in rhyme scheme in the verse recounting the dream.
[l. 40] *roi*, King David; *un dieu*, Christ.
[ll. 42 *et seq.*] These remarks attributed to Booz are borrowed by H. from

Genesis 17:17, where Abraham is addressing Jehovah, when he is told he will have a son by Sara.

[l. 81] *Jérimadeth* is a name invented by H. for the purposes of the rhyme and the music of the line. The whole of the last part of the poem is extremely melodious. The last verses are devoted entirely to the creation of atmosphere and not to telling the story.

94 *Après la Bataille* (from *La Légende des Siècles*) An excellent example of a short, dramatic epic scene showing military magnanimity. Every detail counts and the scene is described with extreme economy. H. was a great admirer of his warrior father.

95 *Jour de Fête aux environs de Paris* (from *Chansons des Rues et des Bois*, dated 1859) In this collection, H. steps down from the epic attitude of *La Légende des siècles*; he describes it as: *socialisme et naturalisme mêlés*. These songs are largely in octosyllables (cf. *Émaux et camées*), with economical choice of detail. H. vividly sketches a popular scene, in which nature and man are combined, with great simplicity; any moralising is largely implicit and indirect: the scene is the important thing and humour and serenity combine to produce a little masterpiece.

[l. 2] *tambourins*. We are expecting a nature image and H. charmingly and unexpectedly introduces the village fête.

[l. 6] Medieval ruins still have their charm; notice the economical and unexpected exactness of *foudroie* in l. 5.

[l. 13] *inégales* is an unexpected but extremely precise adjective.

[l. 22] A charming conceit.

[l. 25] Note the humorous juxtaposition.

[l. 27] *échalas*, the post up which fruit is grown; here the grape-vine of Surène which was a popular source of wine for the people of Paris.

[ll. 30, 31] Another humorous touch; the donkey doesn't mind being ugly; and he is frugally content with a little grass.

[ll. 34–6] Clichy was the scene of a skirmish between the French national guard and the Prussians in 1814. Hugo is looking back to the days when Clichy was a little village not yet incorporated into Paris.

[l. 40] A brief political allusion: Paris is compared to a poor rag-and-bone dealer successfully carting away its kings.

[ll. 41, 42] A nice contrast.

[ll. 41–4] Notice the lightness of the two rhymes in this final stanza; although technically different (because of the mute *e*), they are practically indistinguishable.

96 *Sur une Barricade* (from *L'Année terrible*, 1872. A poetic record by H. of the events in Paris resulting from its siege by the Prussians and the uprising of the *Commune*.) H. himself experienced the siege but left Paris at the beginning of of the *Commune*. It is an excellent example of his ability to give epic sense to modern life (cf. Baudelaire's ideas on modernity). This poem reveals H.'s sympathy for the poor.

[l. 2] A typical Hugolian antithesis: the *sang pur* and the *sang coupable* are not more clearly identified: the first is presumably that of the victims of the vicious repression, the second that of the bloodthirsty *Commune*; but there is a hint that both may be thought equally guilty and innocent; cf. ll. 20, 21.
[l. 17] *Viala*, a thirteen-year-old Revolutionary who in 1793 prevented royalist troops from crossing the Durance, at the cost of his own life, by destroying a pontoon bridge.
[l. 32] H. was fond of sonorous classical names which he used to create an effect of grandeur. *Sterchorus* (*c.* 640–*c.* 550 B.C.) was a Sicilian poet, famous as the supposed inventor of the heroic hymn.
[l. 34] *Cinégyre* was the younger brother of the Greek dramatist Aeschylus. He distinguished himself fighting against the Persians.
[l. 35] *Tyrteé* (Tyrtaeus) a seventh-century B.C. war poet who lived in Sparta and took part in the Second Messenian War. Aeschylus wrote the play *Seven against Thebes*. The young boy caught on the barricade was worthy, says H., to be sung by poets such as these.
[ll. 38–42] The pastoral grandeur and simplicity of the final image make us aware (as Baudelaire was aware) that modern man is as heroic as anyone in antiquity.

97 *Le Satyre* (from the section of *La Légende des Siècles* devoted to the sixteenth century and entitled *Renaissance*, *Paganisme*) The myth which H. relates is his invention. The satyr represents the spirit of man opposed to the tyranny of the gods, whom he finally succeeds in dominating. The poem is divided into four parts, of which the last three are reprinted here. The first part, entitled, symbolically, *Le Bleu*, describes the gods gathered together on Mount Olympus, before whom the satyr is brought by Hercules because he has surprised Psyche bathing. The contrast between the satyr and the haughty gods is made very amusingly, and the satyr, at first overwhelmed, quickly regains his wit and invites Venus to come away with him. The gods are so amused at his impudence that Jupiter says that he will let him go, but first he must sing something for them. The satyr borrows Mercury's flute and begins. *Le Noir* represents elemental prehuman nature, and the satyr sings in praise of the forces of nature, starting from elemental chaos.

[l. 28] *Dodone*, Dodona, the seat of the oracle of Zeus in Epirus. *Citheron*, Cithaeron, a mountain range between Attica and Boeotia on which a legendary King of Thebes, Pentheus, met his death at the hands of the frenzied female votaries of the god Dionysus for having spied on their mystic rites.
[l. 29] *Hémus*, *sur l'Érymanthe*, Erymanthus, a mountain in Arcadia, where lived a boar which had to be caught alive by Hercules as one of his labours.
[l. 30] *Hymète*, Hymettus, a mountain to the east of Athens.
[l. 31] Tellus was a Roman divinity of the earth, associated with fertility rites which took place every April 15th in Rome.
[l. 80] The satyr's (and, through him, humanity's) liberation is beginning.
[l. 137] *la sibylle*, the name given to a prophetess.
[l. 139] *la thessalienne*. Thessaly was famous for its magicians.
[l. 140] A superstitious rite.
[l. 141] *Orphée*. Orpheus used to enchant animals by his song, but here,

according to the satyr, the opposite is occurring, so great is the power of the animal spirits of nature.

[l. 143] *Marsyas*, a satyr famous for his flute-playing ,who challenged Apollo to a contest and was defeated and skinned alive as a punishment. Vulcan, representing envy, is trying to remind Apollo of this incident in order to make him angry with the satyr.

[l. 185] *Antée*. Vulcan now tries to incite Hercules against the satyr by comparing the satyr to the giant Antheus, the killing of whom had been one of the labours of Hercules.

[l. 190] *sa faute*. It was H.'s belief that matter itself was evil, and therefore everything created, although partly composed of spirit, was also at the same time evil. Existence was, in itself, a fault, but a necessary one, and the basis of future regeneration lay in the progress of consciousness, which would eventually eliminate evil.

[l. 192] *Atlantide*. Atlantis, a fabulous continent which is here considered as a sort of equivalent of the Garden of Eden.

[ll. 197, 198] *Prométhée*. The hero Prometheus stole the gift of fire from the gods.

[ll. 206, 207] Cadmus, founder of Thebes, sowed dragon's teeth from which armed warriors sprang up, who fought amongst themselves until only five were left, who helped Cadmus build the citadel.

[l. 214] *Dracon*, Draco, an Athenian legislator whose laws were considered particularly severe. *Busiris*, a legendary and bloodthirsty King of Egypt, killed by Hercules.

[l. 268] *les Borées*, the north winds.

[l. 295] Matter considered again as an inevitable evil from which can spring good.

[ll. 313–15] A prophetic utterance in view of the splitting of the atom. But his conclusions in ll. 316–24 are rather optimistic. H. was referring to the invention of the steam-engine, and in ll. 328–34 refers to its adaptation for railway locomotion.

[ll. 314–46] An anticipation of the aeroplane.

[l. 370] *Le réel*, a vague word for something that H. never clearly envisaged, but only hoped for. He seems to mean mind freed from matter.

[l. 373] H. was a spiritualist at this period of his life.

[l. 378] The sphinx was a winged monster with the face of a woman and the body of a dog which preyed on Thebes until Œdipus was able to answer its riddle and free Thebes from its power.

[l. 379] *Erèbe*, Erebus, primeval Darkness, sprung from Chaos.

[l. 380] *dont on voit le fond*, i.e. they are limited whereas the real God, the Spirit, is limitless and all-pervading.

[l. 387] *Avernes*, Avernus, the underworld.

[l. 393] This God-Mind is conceived of by H. as unknowable. The mystery of life will always be impenetrable.

[l. 406] *Delphe*, Delphi, the seat of the sanctuary to Apollo in Greece; *Pise*, Pisa, a town of the province of Elis, close to Olympia, where the Olympic games were held. Hugo is saying that everything, including the gods, will pass away: only the infinite will always exist. In fact, as so often with H., this thought is a commonplace, but it is H.'s reaction to it and his grandiosely imaginative expression which interest the readers of his poetry.

[l. 410] *Polyphème*, Polyphemus, a Cyclops, the one-eyed giant of the Odyssey.

[l. 411] *Typhon*, Typhoeus, a monster with a hundred serpents' heads and eyes of fire who tried to reach Olympus and was destroyed by Zeus.

[l. 413] *Titan*. The Titans were the giant children of the primeval couple Uranos (Heaven) and Ge (Earth) and brothers to the Cyclops. *Athos*, a mountain in Greece.

[l. 417] *orient*, the *water* of a pearl, its brilliance. In the remainder of the poem, H. conceives a prodigious and fantastic symbol of Pan as the ultimate spirit of the whole universe. It is a complete and immensely vigorous expression of pantheism, made in such convincing language that one is tempted to believe that, amidst all H.'s various religious and philosophical hesitations, pantheism was perhaps his favourite, at least in his confident moods; but when suffering and depressed, he tends to seek refuge in Christianity. The last lines remind us of one of H.'s own definitions of his vision: '*Croire des choses qui ont des contours, c'est très doux. Je crois des choses qui n'ont pas de contours. Cela me fatigue.*' This uncertainty may explain the sort of panic horror that so often seems to seize H. when faced by the creations of his exuberant imagination.

Gérard de Nerval

114 *El Desdichado* (from *Les Chimères*) Originally entitled *Le Destin*, this sonnet, written in 1853, is an attempt by N. to struggle with Fate and, by coming to grips with his personality, to discover, by an evocation of significant moments of his past, who and what he is. The Spanish title, meaning *the disinherited*, was the motto adopted by the hero of Scott's novel, *Ivanhoe*, when disinherited.

[l. 1] The melancholy and even despairing tone is struck from the beginning, but with simplicity and without rhetoric. *Ténébreux*, a most suggestive word, meaning here an inhabitant of darkness. *Veuf*, because all his lovers have left him or died.

[l. 2] *le prince d'Aquitaine*. N. liked to trace his descent back to nobility from Périgord, in the former province of Aquitaine and, as a believer in metempsychosis, was fond of such identifications. *À la tour abolie*, perhaps a reference to the *Desdichado* who had been deprived of his castle.

[l. 3] *ma seule étoile*. The actress Jenny Colon had died in 1842, and his early love Adrienne had long since been dead. *Mon luth constellé*, etc. Instead of being brilliantly adorned with stars, his lute carries on it a black sun. There is a reference here to an actual experience of N., who had once seen the sun as black. N. is saying that for him eternal darkness is beginning.

[l. 4] *la Mélancolie*, not only melancholy in the abstract, but a reference to a famous picture of *Melancholia* by the medieval German painter Dürer, which N. knew.

[l. 5] *consolé.* N. is now going back into the past and trying to find moments when he was not an *inconsolé.*

[l. 6] *le Pausilippe.* N. is here referring to an incident (probably imagined) recounted in one of his short stories called *Octavie*, that was supposed to have taken place during one of his trips to Italy. He had met a young English girl and arranged to meet her the following day. He then spent the night in the house of a gipsy girl who was embroidering church vestments, and who suddenly reminded him of Jenny Colon. In the morning he went to Posilippo, a high cliff close to Naples and, in his despair, was thinking of committing suicide when the thought of his rendezvous with the English girl prevented him. Notice how the extraordinary compression and allusiveness of this line creates a sense of expectation and mystery.

[l. 7] *La fleur*, etc. In a manuscript of this poem, N. had written against this line *ancolie* (columbine), a symbol of sadness in the language of flowers.

[l. 8] *et la treille*, etc. N.'s rendezvous with the English girl was in a vine-arbour. On one of the manuscripts of the poem, N. indicated that he was thinking of the garden of the Vatican. Remembered and imaginary events often combined in his mind.

[l. 9] N. now establishes further surprising identifications of himself, or at least tries to establish them. First with the god of love and of the sun, Phoebus Apollo, and at the same time with two heroes from his own country. *Lusignan* was a famous family, founded, according to legend, by a fairy. *Biron* was a friend and supporter of Henri IV; his name occurs in a Valois folk-song to which N. refers in one of his stories. Both families are associated with the Valois, and N. seems to be wondering in this verse whether he has any affiliation with them.

[l. 10] N. relates in his short story, *Sylvie*, that his first and only meeting with Adrienne took place when he was taking part, with some young girls, in country dancing and singing folk-songs, in the park of a château dating from the time of Henry IV (hence perhaps the reference to Biron). Suddenly he found himself dancing opposite the tall and lovely Adrienne in the middle of the circle of dancers. They were told to kiss and, as they did so, N. pressed her hand. From that time she represented for Nerval the perfect woman, at once wife and mother: *mirage de la gloire et de la beauté.* l. 10 refers then to Adrienne's kiss, which is still burning on his forehead. *Reine* because she was queen of the dance; and also, he learned, belonged to a family related to the Valois Kings of France.

[l. 11] By a typically abrupt transition, N. returns to his Italian experience. There is a grotto at Posilippo.

[l. 12] *l'Achéron*, one of the rivers of the Underworld. The allusion seems to be to his fits of madness and recovery from them; see also l. 13.

[l. 13] In yet another identification, N. becomes Orpheus in search of his Eurydice in the underworld of classical antiquity. The allusion is discreet, suggestive and irrational, in a way which the *Symbolistes* were going constantly to use.

[l. 14] It has been suggested that *la sainte* is Adrienne, who became a nun;

whilst the *fée* might be a reference to Sylvie. In the story of that name, Sylvie represents the simple, happy young country girl, in contrast to the mysterious Adrienne, who was of noble lineage and who died, as a nun, while still young. In the margin of a manuscript of his poem, N. wrote *Mélusine* beside this line. There is a legend that this fairy, the ancestress of the family of Lusignan, had the power to turn into a serpent, and was one day discovered in this guise in the castle of Lusignan. Since that time she had haunted the castle, and when misfortune is about to befall the family gives warning by eerie cries. It will be seen that, as so often in N., there is continual hesitation between several possible associations and meanings; it is one of the chief sources of the richness of his poetry. Notice, too, how the contrast in sound between *soupirs* and *cris* and *sainte* and *fée*, combined with the alliteration in *s*, addes to the effect of the line. N.'s poetry owes much of its quality to the peculiarly subtle relationship of sounds and rhythms; this music is perhaps particularly notable in the next sonnet.

114 *Artémis* (from *Les Chimères*) Artemis is the personification, in Greek myth, of the uncanny, secret aspects of nature; she is the virgin huntress, withdrawn and pure; the analogy with Adrienne is plain.

[l. 1] *la Treizième*. In a manuscript of this poem, there has been written against this line, *l'heure pivotale*. The thirteenth hour is the hour which can continue the old series or else begin a new one; it is both a beginning and an end, it can look towards the past or the future; in fact, it is a figuration of eternity, as N. says in l. 2. Notice how the poem starts with the ambiguity of not knowing whether the thirteenth is the thirteenth hour or the thirteenth woman. Remember also that thirteen is a magic number.

[l. 3] He is seeking still for his lost Adrienne and all her successive reincarnations; and still seeking himself in l. 4. Notice in the first six lines how the continual repetition of the *è* sound underlines the idea of eternal recurrence.

[l. 5] *Aimez qui . . .*, i.e. love the one who . . . *la bière*, the bier. Notice the obsessive repetition of *aimer*. l. 5 may be a reference to his mother and, indeed, all of N.'s loves are in a sense an attempt to find a substitute for his mother, who had died when he was very young.

[l. 6] Although Adrienne and Jenny are dead, their spirits still love Gérard, he says, and he still loves them.

[l. 7] Another ambiguity: we discover that Gérard is really in love with Death: *O délice! ô tourment!* Death is a delight because he will at last be able to be reunited with Adrienne; but also a torment because of the uncertainty of what exists after death; or he may be saying that it is a torment to have to wait so long before he can see his lover again.

[l. 8] *Rose trémière*, the hollyhock, is the flower carried by the mysterious Aurélia in N.'s short story of that name and who is another reincarnation of Adrienne-Jenny Colon.

[ll. 9–14] In the sestet of the sonnet, N., following the transition introduced by the idea of death, moves from love of women to religion, which were inextricably connected in his mind. The women he has loved become assimilated, in a confused and hallucinatory fashion, with saints. Hence the title, *Artémis*, considered both as a representative of femininity and a goddess.

[l. 9] The *sainte napolitaine* is probably *Ste Rosalie*, a portrait of whom stood in the room of the young gipsy sorceress whom he visited in Naples (see notes on *El Desdichado*). This portrait was crowned with roses. *Mains pleines de feux* can be taken figuratively or it could refer to the gipsy whom he identifies with Ste Rosalie, and who was using gold thread to embroider the church vestments. Notice the repetition in this line of the sounds *ain* and *aine*.
[l. 10] *fleur de sainte Gudule*. The allusion is obscure, but the association is perhaps with the Church of Ste Gudule in Brussels, in which town N. last saw Jenny Colon; the reference may be to a rose-window in that church.
[l. 11] All these saints are fused into one, and N. asks the fatal question which had so long tormented him: Have you found salvation through your Christian belief? (cf. *Le Christ aux Oliviers*.)
[l. 12] The *roses blanches* could be Christianity and *nos dieux* the gods of Egyptian and Greek paganism, whose rites and mysteries so continually obsessed N.; Christianity attacks paganism.
[l. 13] The *fantômes blancs* are perhaps the angels. The *ciel qui brûle* could be a reference to religious persecution and fanaticism.
[l. 14] *la sainte de l'abîme* must be the strange goddess, Artémis, the symbol of the mysteries of pagan belief. For Christians she would be *la sainte de l'abîme*, an evil inhabitant of Hell.

115 *Delfica* (from *Les Chimères*) The first of the *Chimères*, this sonnet affirms N.'s interest in paganism in less tormented tones than the last sonnet. The title is a reference to the Apollonian oracle at Delphi, the most important of the ancient Greek oracles. This oracle is said to have foretold that the reign of Jesus would be followed by the triumph of Apollo.

[l. 1] *Dafné*, Daphne, a nymph loved by Apollo. She is identified also in l. 5 with an English girl N. pretended to have known in Naples (*v.* notes on *El Desdichado*).
[ll. 2, 3] This list of northern and Mediterranean tree suggests a symbolic significance. The laurel was sacred to Apollo, the olive to Minerva, the myrtle to Aphrodite. The sycamore is said to be the tree beneath which the Holy Family once took refuge. The willow has Old Testament associations.
[l. 4] *cette chanson d'amour* seems, in this context, to be the song that unites the religions of antiquity and Christianity into one harmony. N. cherished the hope that the best of Christianity could be combined with the best of paganism to form one synthetic religion.
[ll. 5–8] N. is perhaps referring to a visit to the Temple of Isis in Pompeii in the company of Octavia, the young Englishwoman, to whom he explained the Isis cults and ceremonies. Isis is the mother of Artemis, the mother of nature, the mistress of the elements and the source of all time, who contains in herself all the other gods and goddesses; she is the mother and spouse of all things. N. sees in his love of women an approach to the ideal goddess, Isis. This poem was originally (although wrongly) dated *Tivoli 1843* and the *péristyle immense* may be a reference to the so-called Temple of the Sibyl at Tivoli, near Rome.
[l. 6] In the course of the visit to Pompeii, Octavia, the English girl whom N. was showing round, bit into a lemon.

[l. 7] N. often telescopes in his poetry and his prose incidents that were widely separated in time or even entirely imaginary; he tends to be synchronic. He is here mingling two quite separate memories. The oracle of the Cumaean sibyl was delivered from a grotto, and there may be an association of ideas between this and l. 12.
[l. 8] *Où du dragon*, etc. Perhaps an allusion to the legend of Cadmus (see note on *Le Satyre*, ll. 206–7). The *dragon vaincu* may symbolise paganism which has been overthrown. There may also be a reference to the Delphic oracle in Greece, where Apollo is said to have killed a dragon preventing access to his sanctuary at Delphi and then caused the prophetic power of the dragon to be transferred to his own oracle.
[l. 12] *la sybille*, etc. Cumae, a town near Naples, was the seat of a famous oracle in Roman times.
[l. 13] Constantine's arch is, in fact, in Rome; but the allusion is probably to Constantine's edict of A.D. 313 making Christianity the official religion of the Roman Empire.
[l. 14] *le sévère portique*, presumably Constantine's arch; the allusion seems to mean that the time is not ripe for the overthrow of the austere religion of Christianity.

115 *Le Christ aux Oliviers* (from *Les Chimères*) First published in 1844, this series of five sonnets is based, as was Vigny's poem on the same subject, on a text by the German writer, Jean-Paul Richter. It is to be noticed how much less dense, succinct and allusive these sonnets are than those of more personal inspiration. A good deal is translated directly from the German.

[l. 28] The spiral at the bottom of which is Hell.
[l. 30] Cf. Mallarmé's conception of the world of appearances as being the creation and plaything of chance and doomed to final destruction.
[ll. 35, 36] Between the pagan world which is ending and the new Christian era.
[l. 40] *cet ange*, the Devil, the fallen angel.
[l. 42] This line is the only indication that Christ has concern for the fate of humanity; otherwise, contrary to Vigny's Christ, He is mainly concerned with His own personal fate.
[l. 43] *l'éternelle victime*. Christ is considered as only one of a series of reincarnations of God sacrificed for the sake of humanity; *v.* ll. 58–60.
[l. 46] Humanity is indifferent to Christ; the only person who may pay attention to Him, Jesus thinks, is Judas.
[ll. 49, 50] Notice that Judas is considered by Christ as a friend who will put an end to His torment, and he is admired by Him because he at least has the courage of his villainy.
[ll. 58–60] One constant element in all religions that interested N. was the sacrifice of an incarnate God. Icarus, in Greek legend, made himself wings and flew, but, going too near the sun, the wax attaching the feathers to him melted and he fell into the sea and was drowned. The action is considered here symbolically by N.: Icarus is man, aspiring to be god, who is punished by Apollo, the sun-god, for his temerity. Similarly, Phaethon was the son of Helios, the sun, who tried on one occasion to drive his father's fiery chariot

in the sky and, failing to control it, was struck down by a thunderbolt of Zeus. Atys or Attis was loved by Cybele, an Asiatic goddess, the Great Mother, who, when he wished to marry, caused him to die. She then repented, and at her request Zeus made his spirit go into a pine-tree and violets sprang from his blood. Atys is *meurtri* because, made mad by Cybele, he mutilated himself. The myth symbolises the cycle of plant life.
[l. 64] With the triumph of Christianity, the gods of Olympus are threatened.
[l. 65] *Jupiter Ammon:* Ammon was an Egyptian god, identified by the Greeks with Zeus (Jupiter). He had a famous oracle in Libya.
[l. 70] N. here expresses belief in God, who, however, like Vigny's, does not reveal Himself.

118 *Vers dorés* (from *Les Chimères*) The epigraph to this sonnet, first published in 1845, is a translation of a saying from Pythagoras, whose doctrines, particularly that of transmigration of souls, much attracted N. N. expresses here beliefs similar to those of Hugo in *Le Satyre*, and there are similarities between this sonnet and *Correspondances* of Baudelaire. N. wrote in *Aurélia*: *Tout vit, tout agit, tout se correspond.*

[l. 1] Is a criticism of excessive rationalism.
[l. 4] Man has not yet made sufficient effort to probe the secret of the universe.
[l. 7] Even so-called inanimate matter has life and is related with other things.
[l. 8] A salutary corrective to man's pride in his intelligence. N. offers in himself a fascinating amalgam of interest and sympathy for many of the aspirations of eighteenth-century rationalism, combined with a deep religious sense and attraction towards magic and the occult.

Alfred de Musset

123 *Chanson* (from *Premières poésies*, 1852) An early poem in which M. reveals his knowledge of male psychology, in particular his own peculiar mixture of fickleness and masochism. It is a poem remarkable for its simplicity and unpretentiousness. He is clearsightedly intelligent, disabused and not in the least bitter, self-pitying or overdramatic. Repetition is skilfully used.

123 *Lucie* (from *Poésies nouvelles*, 1852)

[ll. 1–6] Are engraved on M.'s tombstone in the Paris cemetery.
[ll. 8 *et seq.*] This romantic piano playing contrasts strongly with Laforgue's attitude to hearing girls playing the piano in *Complainte des pianos*.
[l. 37] Again the association of pain and love. M. with Baudelaire and Nerval seems to have been the Romantic most affected by music.
[l. 39] M., like Lamartine and Nerval, was a great Italophile.
[l. 52] In Shakespeare's *Othello*, Desdemona sings the willow song.

125 *La Nuit de Mai* (May 1835) Written after the break-up of his friendship with George Sand, the *Nuits* are generally considered, for their passion, vigour, penetration and delicacy, Musset's poetic *chef-d'œuvre*, if one is prepared to accept their rhetoric and the Romantic conception of love as a devouring and exclusive passion. Notice how Musset's split nature finds expression in the dialogue form, which lends variety and dramatic interest to what could have been a mere shapeless sentimental outpouring.

[ll. 24–33] The broken rhythm and certain alliterations (e.g. in *t*) render the agitation of the poet. The musical quality of the *Nuit de Mai* is high throughout.
[ll. 74–9] These Greek place-names are from Homer.
[ll. 86 *et seq.*] It is significant that, in this moment of high inspiration, the Muse suggests mainly themes that can be described as Romantic.
[l. 93] Tarquin, who raped Lucretia.
[ll. 97–101] The description is vigorously succinct.
[l. 144] Inspiration and suffering are both God-given and closely related.
[ll. 153–81] The 'pelican' passage is one of the most famous of all French Romantic analogies.

130 *La Nuit d'Août* (August, 1836) This poem was written by M. in one night of frenzied inspiration. It is a poetic liquidation and judgment of his relations with George Sand, although he was to return to the subject in a more serene but far less joyous mood in the poem *Souvenir*.

[l. 2] The sun has entered the summer solstice.
[l. 82] *C'est ton cœur . . .* This is a basic Romantic assumption.
[l. 92] *les bois d'Auteuil*, where M. as a young man used to walk and compose poetry.

134 *L'Espoir en Dieu* (from *Poésies nouvelles*) A philosophical poem; it is closely and lucidly argued in easily flowing alexandrines, of well varied accent. M. also produces the occasional striking image and lapidary formulation. Note particularly his constant use of the question. The impression of personal involvement is felt throughout and the whole poem clearly expresses M.'s complex and tormented personality.

[l. 4] *Epicurus* was considered by Lucretius as a demi-god.
[ll. 37–44] M.'s conception of Christianity is very austere.
[ll. 53, 54] The strict doctrine of predestination.
[l. 75] *Astarte* here stands for the goddess of love, Aphrodite.
[l. 105] This is the doctrine of Manichaeism (with which Baudelaire's attitude to life shows some sympathy).
[l. 108] The doctrine of theism.
[l. 112] A reference to the religious and political thinker Lamennais.
[l. 113] The doctrine of metempsychosis or transmigration of souls was more important for Nerval.
[l. 117] Pyrrho was a sceptic; for Zeno cf. Valéry's *Cimetière marin* ll. 121–3.
[ll. 139 *et seq.*] M. considers the problem of evil. He remains inconclusive and hypothetical; cf. similar themes in Vigny's *Le Mont des Oliviers* (p. 48) and Nerval's *Le Christ aux Oliviers* (p. 115).

140 *Souvenir* (1841) Reminded of George Sand on the occasion of a visit to the Forest of Fontainebleau in 1840 (see the first stanzas of *Souvenir*), as well as by glimpsing her in a Paris theatre shortly afterwards, M. was inspired to write this poem, which should be compared with *Le Lac* and *La Tristesse d'Olympio*. It may be felt to lack the musicality of the first or the rich concreteness of the latter. But there are remarkable images and an admirably honest intelligence; the tone is confident and serene; all bitterness has vanished.

[ll. 57, 58] A paraphrase of a passage from Dante's *Inferno*, Canto V, ll. 121–123.

[ll. 77–80] *Françoise*, Francesca da Rimini. The reference is to ll. 133–8 of Canto V of the *Inferno*, where Francesca tells how her lover, Paolo, first kissed her.

[l. 92] Notice the spelling of *pié* to make a *rime pour l'œil*.

[ll. 113–16] Are a paraphrase of a passage of a story by Diderot entitled *Jacques le Fataliste*.

[l. 140] M., like many of his contemporaries, was an enthusiastic reader of Shakespeare.

[l. 144] *mort chéri*, the love that was dead.

[l. 166] *riant adieu* refers back to l. 151. It was the last time he had seen her.

146 *Mimi Pinson* This name has become proverbial to describe a lighthearted semptress. One suspects that the reality of the poor semptress's life was more sordid than is suggested by this poem, written by an aristocratic dandy; but the youthful, playful and irresponsible tone is very much M.'s. The poem originally formed part of a short story. It is easy to prefer M.'s gay little songs to his sometimes excessively emotional poetry.

[l. 21] *carabins*, medical students.

[ll. 39, 40] In French one says of someone sensible that *il n'a pas la tête loin du bonnet*.

[l. 53] *les trois jours*, of the 1830 Revolution.

[l. 55] *casaquin*, a uniform tunic.

[l. 56] *poinçon*, an embroiderer's piercer.

148 *Sonnet* (first published in *Poésies nouvelles*) Written in 1849 for his friend the actress Mme Allan. It shows effectively restrained simplicity, regret, dignity and clearsightedness.

Théophile Gautier

154 *Soleil couchant* (from *Poésies*) Compare this poem with Hugo's *Soleils couchants*. G.'s is more minutely sketched, less broadly imaginative, less personal and less dramatic, but not unsubtle in creating a general impression with small details. G. was fond of Paris scenes in his poetry.

[l. 7] A most banal line.

154 *Sonnet* (from *La Comédie de la Mort*, 1838) There was a great upsurge of popular interest in historical studies and in foreign civilisations as part of the Romantic curiosity, particularly from about 1840 onwards (cf. Leconte de Lisle). G. was particularly interested in the Far East (his daughter Judith even more so). In this sonnet he shows the interest in delicate, miniature craft which was to become most important in his conception of art for art's sake (cf. also Mallarmé, *Las de l'amer repos*). Here, the description is of a beautiful woman (for whom Gautier had always a weakness); the description almost entirely physical, charming and delicate.

[l. 4] G. was fond of precious stones—a liking shared by more than one Parnassian poet; there is sumptuousness as well as delicacy.
[l. 6] Rather trite conceit.
[l. 9] Close notation of colour, as is l. 11.
[l. 14] We finish on an exotic and luxurious scent.

155 *Hippopotame* (from *La Comédie de la Mort*, 1838) This semi-humorous vignette of the slightly ridiculous hippopotamus should be contrasted with Leconte de Lisle's ferocious and dangerous beasts.

[l. 4] Humorous hyperbole.
[ll. 5–7] Admire the great economy.
[l. 9] *kriss*, *zagaies*, the obligatory but exact local colour (*kriss*, a Malayan knife, *zagaie*, an African spear).
[l. 11] *cipayes*, sepoys—we have been taken to India, Malaya and Africa in two lines. The idea of a hippopotamus laughing is an amusing humanisation of an ugly beast—which G. obviously likes.
[ll. 13–16] The obvious moral; G. often finishes his poems by pointing a lesson, despite his art for art theories. Examine the caesuras and accents of this octosyllabic poem, which influenced T. S. Eliot.

155 *Niobé* (from *La Comédie de la Mort*) Niobé, according to the Greek myth retold by Ovid in Book 6 of his Metamorphoses, was turned into marble after seeing all her children killed before her eyes. This relatively early poem should be compared with the extract from Leconte de Lisle's early poem on the same theme. There are great similarities: both poets take Niobé as the symbol of human suffering and both emphasise physical detail; but G.'s poem is much more concise, suggestive rather than explicit, more imaginative (cf. l. 6), less dramatic (Niobé is already a statue in his sonnet). Although G., like Leconte de Lisle, was a great admirer of Greek antiquity (particularly its statuary) there is a Christian undertone lacking in Leconte de Lisle's purely humanistic and pagan approach.

[l. 1] Note the emphasis on stonyness, which is contrasted with the flowing of tears throughout the poem.
[ll. 5–8] Note the effectiveness of the (unanswered) questions following on the purely descriptive first verse.
[l. 12] Is this a functional or purely decorative detail?
[l. 14] *mère des sept douleurs*, *Mater dolorosa*, the Virgin Mary.
[l. 15] The contrast is drawn between pagan Greece and the Christian Calvary.

[l. 16] A grandiose image develops out of the idea of flowing tears; Leconte de Lisle's conclusion is less imaginative and more reflective.

156 *La Fontaine du Cimetière* (from *España*, 1845) The idea of death haunted G.; here it is most vividly and dramatically expressed. Notice how the note of gloom and sadness is sustained throughout the poem, e.g. *morne*, *nu comme un sillon fauché*, *l'oubli*, *maladives*, *humidité froide*, *noire*, *tristement*, *soupirs*, *pleurs*, *éplorée*, *frisson*.

[l. 6] A striking summing-up of the anonymity preserved by the graveyard. The whole desolate scene is most effectively economical; every detail counts, as in ll. 7–12.
[l. 12] has a vague suggestion of the dead still haunting the grave-yard. The dead are merely alseep and might awake.
[ll. 16–18] Everything is rather secret and mysterious: the spring is miserly, the surface of the water *incertaine*, the tears *furtifs*.
[ll. 20, 22, 24] G. introduces a suggestion of brightness (*clairs*, *cristal*, *diamant*) dramatically and surprisingly nullified by the last half of the final line.

157 *Clair de Lune sentimental* (from *Émaux et Camées*, 1852 and later editions) This poem is part of four poems dealing with the carnival in Venice, where G. had met one of the great loves of his life, Marie Mattei; note how, although personal emotion is expressed, it is discreet and even ironical.

[ll. 1–4] The poem starts objectively and gaily, to set the scene.
[ll. 5, 6] There is a suggestion of clowning, suddenly counterbalanced by ll. 7, 8. Note the original and suggestive image of l. 7.
[ll. 9–12] The appropriate melancholy and delicate half-tones are introduced.
[ll. 14–16] In an early version, these lines read:

De mille choses d'autrefois.
On dirait qu'une voix connue
Vive parmi toutes ces voix.

Note how, in reworking the verse, G. has removed the excessive sentimentality and introduced suggestive concreteness. Notice the alliteration in *v* and the assonance in *ou*: G. uses sound effects as well as continually varying the rhythm by his placing of the caesura and subsidiary accents.
[l. 17] *vibrant*, G. was attracted to all that throbs, quivers or shimmers.
[l. 20] An original and charming image for a silvery voice.
[ll. 21, 22] *tendre* and *moqueur* are two key-words to describe G.'s temperament as it appears in his poetry.
[l. 24] *plaisir mortel:* a dramatic juxtaposition.
[ll. 25–8] Again the *on* assonance.
[l. 28] Note, after the images of sound, the dramatic note of colour.
[l. 32] The contrast between sadness and gaiety is maintained till the end in another surprising juxtaposition: something charming would not normally hurt.

158 *Affinités secrètes* (from *Émaux et Camées*, 1852 and later editions) First published in 1849, this poem bears the subtitle, *Madrigal Panthéiste*. The 'secret affinities' between marble and flesh, pearls and teeth, roses and lips, doves and lovers, offer, on a more superficial, intellectual plane, analogies with Baudelaire's *correspondances* and show that Gautier's ideal of beauty is more complex and suggestive than might be thought. He once wrote: *l'art pour l'art n'est pas la forme pour la forme mais la forme pour l'idée*, i.e. the essence embodied in a form.

[l. 6] A reference to the fact that Aphrodite (Venus) was born from the waves. Gautier, rather preciously, says that the waves are wet with tears because Venus has left them.
[l. 9] *Généralife*, the Moorish garden and palace at Granada in Spain.
[l. 11] *Boabdil*, the last Moorish King of Granada from 1487 to 1492.
[l. 61] Notice the effectiveness of the discreet and mysterious personal allusion coming at the very end of the poem.

160 *Lacenaire* (from *Émaux et Camées*, 1852 and later editions) First published in 1851, *Lacenaire* is the second of two *études de mains* (notice the use of the painter's vocabulary). The first was a study of a plaster cast of a lovely female hand, which G. imagines to have been that of Cleopatra or Aspasia, the famous and beautiful friend of Pericles. He first describes the hand and reconstructs its owner's sumptuous, voluptuous and adventurous life. He then places beside it the contrasting hand of Lacenaire, a well-known thief and murderer of the time, who was also a poet. G.'s skill in turning an insignificant subject into an interesting poem is illustrated in this poem. By G.'s transposition, the ugly and trivial is turned into a work of art: first by treating the hand as a museum piece, as something at one remove from life. It is a general tendency of G.'s approach to poetry to reduce all life to a sort of museum for private contemplation or for the contemplation of a few *cognoscenti*. Hence the smallness of his scenes: genre scenes, a small corner of a landscape or a street-scene, a little brook, a cottage, a daisy, a cloud, perhaps a frog or a lark or a blackbird; the obelisk of the Place de la Concorde in Paris, an ambassador's ball, a garret, a blind man at a corner. In this poem, a second method of transposition is generalisation: Lacenaire's hand is seen as a sort of symbol of many vices and, as such, undergoes a sort of idealisation which tempers the horrid nature of the hand and its original owner. This generalisation is increased by the historical comparisons, and the nastiness of the subject is thus removed into the past, increasing the museum-piece effect.

[ll. 8, 9] Notice the careful choice of the significant, plastic detail, concisely expressed.
[l. 25] *Caprées*. Caprée is the old name for Capri, where Suetonius alleges orgies to have taken place with which the Roman Emperor Tiberius was associated.
[l. 26] *tripots et des lupanars*, gambling hells and houses of ill fame.
[l. 28] This line shows that G. was capable, though rarely, of a sudden, imaginative comparison.
[l. 34] *la varlope*, a jack-plane.
[l. 37] This praise of honest manual labour comes strangely from the pen of the physically indolent Gautier; although this fact need not, of course, affect the poetic value of the line.

161 *A une Robe rose* (from *Émaux et Camées*) This poem, addressed to Mme Sabatier, should be compared with Baudelaire's *Harmonie du Soir* addressed to the same woman: the difference in conception is most striking; Baudelaire is much more idealising, G. very frank.

[l. 1] Note the direct, vigorous attack.
[l. 2] A surprising verb: normally a dress covers, not uncovers, the person wearing it.
[l. 3] *gorge en globe*, rather an ordinary unimaginative image, despite the alliteration.
[l. 4] *paien*, suggests both moral freedom and statuesque beauty. G. was a great admirer of Greek art and civilisation (cf. Leconte de Lisle).
[ll. 5–8] Note the musicality (alliteration in *f*, assonance in *ai* and *ei*, alliteration in *ss* and the final jerky alliteration in *t*, echoing the fluttering); l. 7, *caresse vermeille* is an image based on synesthesia (mingling of touch and colour; see notes on B.'s sonnet *Correspondances*).
[l. 10] Once more G.'s predilection for vibration; note the alliteration.
[Verses 4, 5 and 6] Note how, after the statements of the first three verses, G. introduces variety by asking questions.
[l. 18] The classical reference is to Venus rising from the waves, of which there is a well-known painting by Botticelli; it is typical of G. to allude to other arts in his descriptions.
[l. 19] *bouton de sein, éclore*, a mixed image; *bouton* is a bud, while *bouton de sein* is the nipple.
[l. 23] The *non* makes a vigorous break in the verse. Mme Sabatier had been an artist's model.
[l. 26] could be taken as a sort of statement of G.'s *art poétique*: the imposition of his own vision on reality.
[ll. 27, 28] Napoleon I's sister, who married Prince Borghese, posed for a half-nude statue by the well-known Italian sculptor Canova (1757–1821).
[ll. 29–32] The poem ends on a typically fanciful conceit which discreetly reveals the poet's personal feelings (*mes désirs inapaisés*); but the feelings are more physical than tender.

162 *Carmen* (from *Émaux et Camées*, 1863 and later editions) First published in 1861, this poem is an example of G.'s concise and concrete art at its best. The use of *enjambement* throughout is notable.

[l. 9] *ambre fauve*, an excellent example of G.'s colour sensibility.
[l. 17] *moricaude*, very swarthy, like a Moor.
[l. 20] *rend la flamme*, revives.

163 *La Source* (from *Émaux et Camées*) A poem full of charming and delicate physical detail; the conceit of making the spring tell its own story and reveal its own desires and feelings is effective in arousing our interest; but some of the details are rather extraneous and G.'s preoccupation with death brings the poem to a rather banal (if dramatically adequate) conclusion. Cf. Hugo's poem *La Source tombait du Rocher* (p. 87).

164 *Premier Sourire du Printemps* (one of the later *Émaux et Camées*) A light-

hearted poem. The conceit of personifying nature is charming and the details are amusingly if rather preciously described.

[ll. 1, 2] Here is a hint of Baudelairean disquiet at mankind's unsatisfactory nature; but Baudelaire was equally unhappy about nature itself.
[l. 17] G. introduces an auditive image amongst his many visual descriptions.
[ll. 21–4] This scene is both closely observed and, in the last two lines, delicately imaginative; *muguets*, lilies-of-the-valley.

165 *L'Art* (from *Émaux et Camées*, 1858 and later editions) This poem, first published in 1857, contains G.'s artistic credo. It is one of the few poems in *Émaux et Camées* not written in octosyllabic quatrains. Each verse or, occasionally, pair of verses, expresses one particular quality of art: verse 1 stresses the importance of effort, of *la difficulté vaincue*, verse 2 emphasises simple conciseness, verse 3 exactness and personal use of metre, verse 4 concentration, verse 5 the value of variety, verse 6 the importance of grace and charm as well as power, verse 7 subtlety, verse 8 durability, verse 9 points out the importance of colour as well as of a certain strangeness, verse 10 admits a certain Christian inspiration, seen in its plastic aspects; in verse 11 art is shown as a defence against mortality and the individual is placed higher than society; in verse 12 even the smallest and most trivial things are shown to have an often unsuspected value—this would include modern subjects; in verse 13 literature is considered not only the highest form of art, but as more durable than religions; and in the last verse the point is made that art must be personal and imaginative, but expressed in correct form.

[l. 8] *cothurne*, the special thick-soled footwear of actors in Greek tragedy.
[l. 18] *carrare*, marble from the Tuscan town of Carrara.
[l. 21] *Syracuse*, a town of Greek origin in Sicily, particularly famous for its coins.
[l. 29] *aquarelle*, watercolour.
[l. 36] *blasons*, of heraldry.
[l. 37] *nimbe trilobe*, a frame divided into three sections; *nimbe*, halo.

Leconte de Lisle

172 *Niobé* This is an early poem of L. de L., first printed 1847 (with an optimistic ending which L. de L. removed after the 1848 Revolution) and reprinted in *Poèmes Antiques*, 1852. This is an extract from a much longer poem. It reveals L. de L.'s interest in plasticity, but is at times clumsy and laboured.

[l. 1] *les*, her dead children.
[l. 2] A banal image rendered in a clumsy inversion.
[l. 8] *Paros*, a Greek island famous for white marble; *neige de Paros* is quite an effective periphrase.
[l. 12] *superbe*, *sévère*, are rather banal epithets.

[l. 19] L. de L.'s style is frequently exclamatory; this line is the beginning of a long period reminiscent of the Romantics; but have not the French (following the Latins) always had a liking for an exclamatory period?
(ll. 26–8] *chancelle*, *brisés*, *épuisés* are the exact and telling words.
[l. 29] *beauté, cette flamme éternelle*, a permanent belief of L. de L. (cf. Gautier, Baudelaire).
[ll. 31–4] An imaginative conception; *le songe indestructible* is the personal ideal of the whole Romantic and post-Romantic generation: here, specifically Niobé is the individual consciousness.
[l. 37] *Tantalide*, of the family of Tantalus; Niobé was his daughter.
[l. 41] *Euménides*, the Fates who relentlessly pursue the humans in the *demeures livides* (l. 42), i.e. the underworld.
[l. 44] This anguished query was followed in the original version by an optimistic conclusion which L. de L. excised in his final version after his unhappy experience of the 1848 Revolution. (Cf. Gautier's poem on the same subject, p. 155.)

173 *Hypatie* (another early poem, first published, like *Niobé*, in the Fourierist *La Phalange*, and later in *Poèmes Antiques*) Hypatie represents L. de L.'s ideal Greece; she was a pagan who was martyred in the fourth century A.D. by the Christians, under the suspicion of having encouraged persecution of the Christians in Alexandria.

[ll. 1–10] These lines speak of the defeat of paganism by Christianity: cf. Nerval, *Delfica* (p. 115), l. 9.
[l. 16] L. de L. expresses his nostalgia for an heroic past, full of energy and a belief in beauty.
[l. 19] *Olympe*, the home of the Greek gods.
[l. 29] *sacrés portiques*, the Greek pagan temples.
[l. 31] *Pythonisse*, the Delphic oracle, through whom Apollo spoke and prophesied.
[l. 34] L. de L. dreamt of an alliance between knowledge and beauty.
[l. 37] *lotos* shows the influence of Hinduism (see notes on *L'Illusion suprême*).
[l. 43] *Galiléens qui, etc.*; Christians admiring her courage and beauty looked on her as a sort of angel.
[l. 48] L. de L. seems to support Hypatie in her rejection of those who believe in the Promised Land.
[l. 60] Paganism is represented as having no sense of sin.
[l. 61] A direct attack on Jesus Christ. L. de L. usually attacks the Church rather than Christ.
[l. 63] The Greeks possessed both supreme wisdom and supreme beauty.
[l. 66] cf. l. 37.
[l. 68] The marble of the Greek island of Paros considered as representing true beauty.

175 *Midi* (from *Poèmes Antiques*)

[ll. 1–20] A vigorous and closely observed picture of a hot summer noon; but imagination is also present, e.g. l. 10 and l. 20.

[l. 23] Cf. Vigny's attitude towards nature in *La Maison du Berger*.

[ll. 28–32] L. de L. returns again and again to the delight of becoming absorbed in a mystical trance with the universe, in order to attain complete union with nature and complete forgetfulness of self, the Nirvana of Buddhism. From the first, de L. was much interested by Indian religion in various forms, and devoted many poems to it. Indeed, Indian civilisation seems to have been rated by him as high as the Greek. This search for Nirvana springs from his hatred of modern life.

[l. 31] This line recalls Vigny's attitude towards city life.

176 *Les Hurleurs* (first published 1855; finally in *Poèmes Barbares*, 1871) This poem, which is a poignant expression of anguish at life's mystery, is said to be based on a personal experience of L. de L. as a young man.

[ll. 1–8] The scene is concisely and vigorously set. Note the predominant *on* nasals in ll. 4, 5.

[l. 9] Presumably *la colère de Dieu*.

[l. 14] Africa is actively personified.

[l. 31] L. de L. saw animals as possessing *une âme*, like humans.

[l. 34] *soleils* refers to the passage of time, as in English we say 'many moons'.

177 *Christine* (first published 1855, finally in *Poèmes Barbares*, 1871) The violence and tragedy of Scandinavian folk song and epic inspired L. de L. to write some of his most attractive poetry. The erudition that mars much of his *Poèmes Barbares* for our modern tastes is minimal; nor does he force his own ideas into the poem. He is content to tell the tragic tale; but he supplies the necessary physical detail demanded by a reader to set the scene (cf. Fairlie, *L. de L.'s Poems on the Barbarian Races*, especially pp. 72–6); this detail is not found in the original poems which he has used as his starting point, although he follows the story faithfully. Notice the verse form in decasyllables (a relatively uncommon metre),with a final pentasyllable.

[ll. 21–5] The simplicity, economy and choice of telling detail of this stanza could hardly be bettered.

[ll. 36–40] The introduction of colour, leading from pink lips to red blood, is most effective.

[l. 63] *sommeil divin*, the sleep of death towards which much of L. de L.'s poems look longingly; but here there is a suggestion of an after-life, usually rejected.

179 *Le Cœur de Hialmar* (from *Poèmes Barbares*) Another Scandinavian tale, for which L. de L. found his main source in a book entitled *Chants populaires du Nord*, translations of popular songs from Iceland, Denmark, Sweden, Norway, the Faroes and Finland, published with an introduction by Marmier in 1842. L. de L. has combined other sources into a vivid and picturesque artistic whole. This poem reveals his love of the bloodthirsty, his emphasis on physical violence, his admiration for heroic resistance to death, with the implied contrast between spontaneous force and grandeur and modern pettiness, weakness and decadence. *Le Cœur de Hialmar*, in its economy, its simplicity, its appeal to the senses (particularly the sense of sight) and its selective detail, is one of

L. de L.'s most impressive *poèmes barbares*, where, in contrast to some of his longer poems (too long to anthologise), he does not overpower the reader with excessive erudition.

180 *Les Eléphants* (first published 1855, finally in *Poésies Barbares*, 1871) A typical animal poem by L. de L. showing his admiration for physical force and instinct.

[l. 2] *flambe*, the impression of intense heat throughout the poem is overpowering; and the physical detail is striking, if economical.
[l. 7] *bleues*, the only cool touch in the poem. The free and varied placing of accents in the first two verses repays examination.
[l. 21] Is L. de L. thinking of himself, trying to lead his contemporaries to a saner view of life? The capital of *Pèlerins* in l. 28 suggests a symbolic significance.
[l. 29] A telling detail: instinct (and their leader) guide them; they do not need to look; but there is no explicit moralising and we should not force a lesson into the poem, which stands as a vivid spectacle in its own right.

182 *Le Rêve du Jaguar* (from *Poèmes Barbares*) L. de L. was fascinated by wild beasts, just as he was attracted by the violence of primitive peoples. In this poem, however, the attraction is primarily aesthetic: he admires the muscular beauty of the jaguar as much as its strength. The tropical landscape which he evokes so vividly by selected detail is one with which he had been familiar as a young man in the Île de la Réunion, in the Indian Ocean. His familiarity with wild beasts came, more prosaically, from watching them in the Paris Zoo; and, of course, he relies on his imaginative powers, which come out well in ll. 20–2. The whole poem is colourfully visual, although other senses (e.g. of touch in l. 11) are also involved.

182 *Le Sommeil du Condor* (from *Poèmes Barbares*) L. de L. is here exercising his descriptive talent on mountain scenery; he was fond of desolate, icy landscapes.

[l. 1] *Cordillères*, the Andes.
[l. 4] *familières* is hardly the *mot propre*; it seems brought in rather for the rhyme.
[l. 8] It is a striking idea to think of all this scene as reflected in the eyes of the condor and the conception of night as a vast rising sea is grandiose.
[l. 21] *croix australe*, the Southern Cross.
[ll. 25–8] A typically grandiose final picture.

183 *Solvet saeclum* (first published 1861, included in *Poèsies Barbares*, 1862 and *Poèmes Barbares*, 1871) The title comes from the *Dies irae* (the Day of Wrath). This is one of L. de L.'s most powerfully expressed cosmic poems, anticipating and even longing for complete annihilation. Notice the variation in accent, and the constant use of exclamation.

[l. 3] Note the effective vigorous repetition in the line broken 5/4/3.
[l. 18] cf. *Christine*, l. 63.

184 *La Vérandah* (from *Poèmes Barbares*) There are many poems in the *Poèmes*

Barbares which are, in no possible sense of the word, barbarous, just as in the *Poèmes Tragiques* not all the poems show a feeling of tragedy. This extremely melodious poem, first published in the *Parnasse contemporain* of 1866, shows quite a different side of L. de L., as a languorous, indolent sensualist. Notice the rhyme scheme and the inverted refrain, which gives this poem an incantatory effect. The whole atmosphere is of serene and gentle delight.

[l. 15] *ambre*, the amber mouthpiece.

185 *Sacra Fames* (from *Poèmes Tragiques*, 1884) Hunger is seen as the law of the world; but notice how a dramatic contrast is created by the quiet, peaceful beginning. The music and particularly the skilful rhythms of this poem repay examination.

[l. 1] The capital letter of *Mer* ensures grandeur and universality, as does the capital of *Ciel* in l. 2.
[ll. 18, 20] These are the names of constellations.
[l. 27] The shark is accompanied by smaller, parasite fish, imaginatively thought of here as pilots for the massive, relentless master.
[ll. 33–6] The conclusion is scientific: we are all neither innocent nor guilty but the mere tools of the laws of nature.

186 *La Dernière Vision* (from *Poèmes Barbares*) Published in the *Parnasse contemporain*, this poem is one of several showing de L.'s despairing vision of the end of the world. The dry, direct, intellectual tone, with little imagery or detail, suits the emptiness and desolation of the picture. Notice that though this poem is charged with emotion, it is a generalised, impersonal horror, lacking both the complaining note of similar poems by Laforgue and the imaginative apocalyptic horror of some of Hugo's visions.

[l. 11] *sinistre anathème*, the curse of having to live.
[ll. 41–4] Once more, this nothingness is conceived as bringing final peace.

188 *L'Illusion suprême* (first published 1880, included in *Poèmes Tragiques*, 1884) This, perhaps L. de L.'s masterpiece, is remarkable for the outstandingly beautiful and touching picture of the tropics (L. de L.'s memories of Réunion Island) and for the expression of his conception of life as illusion. Already in the 1850s, L. de L. was deeply influenced by Hinduism and especially by the doctrine that all external appearance is mere illusion or Maya, a mere mirage: as he wrote in *La Vision de Brahma* (1858): *toute chose est le rêve d'un rêve*, the creation of our own desire. The sage should therefore recognise that life is empty appearance and strive to reduce his desires; but nevertheless, L. de L. is too fond of external beauty to forget his memories of his tropical childhood, although he realises how fragile they are and that they will die with him.

[l. 1] Note the grandiose yet not grandiloquent opening; there is here both a suggestion of Hugo (less verbose) and Vigny (more imaginative).
[l. 14] Christ is dead as man will die.
[ll. 21–4] Note the alliteration (continued in the next verse); the simple primary colours; the exotic touches.
[l. 34] *calaous*, a sort of native percussion instrument.
[l. 35] *varangue*, a verandah.

[l. 43] *Tamatave*, a harbour in Madagascar.
[l. 45] *Saint-Gilles* is a volcanic ravine on Reunion Island, about which L. de L. wrote an early poem, *La Ravine de Saint-Gilles*.
[l. 55] *mornes*, hills or mountains in the tropics.
[l. 57] L. de L. was haunted by an early adolescent love he experienced on his native island.
[l. 83] L. de L. thought that religions as well as reality were the creation of man's hopes and desires and would die like the civilisations that created them; they represent a mere moment in man's aspirations, but are valid as such.

Charles Baudelaire

198 *Bénédiction* An account of the poet's vocation and fate and particularly of his isolation. B. once wrote of feeling, from his childhood, a *sentiment de destinée éternellement solitaire* (cf. Vigny's *Moïse*, p. 37). *Bénédiction* is the first poem of the first section of *Les Fleurs du Mal*, entitled *Spleen et Idéal*, a vivid phrase to express the dualism which B. finds running through life between mind and matter, good and evil. *Spleen* is the physical counterpart of *ennui*, both its cause and its effect. It should be noted, however, that this is not exactly the traditional clearcut distinction between good and evil, mind and matter. As we see in the sonnet *Correspondances*, nothing is either completely mind or completely matter; in the same way, evil contains a certain beauty. B. once wrote that he found within himself a double and simultaneous urge towards higher and lower things and felt both an ecstasy and a horror towards life (cf. *Élévation*). Notice the careful composition of *Bénédiction* in two parts, each subdivided into two.

[ll. 21–8] A charming picture of the young poet. At this stage of childhood B. seems very close to the belief that God may be seen in natural beauty although later he grew to hate nature, particularly human nature. He once wrote of women: *la femme est naturelle, c'est-à-dire abominable.* His own personal ideal of man became that of the dandy, who, by an effort of will, strives to be as artificial as he can, to subjugate all natural instincts and to be as different as possible from the mediocrity of the ordinary man (cf. Gautier's rejection of utilitarianism). The last four stanzas, however, suggest that God's real contribution to genius is to make him suffer.
[ll. 37–52] This passage reveals one side of B.'s conception of woman, whom he sees as ferocious, vain and selfish. He once wrote this horrifying sentence: *La volupté unique de l'amour gît dans la certitude de faire le mal.*
[ll. 65, 66] Pain is something elevating, beyond the normal conception of heaven and hell; cf. the expression *je ne peux pas y mordre*, it is beyond my reach.
[ll. 67, 68] Poetry is a sort of crown of glory, formed of all time and space.
[l. 69] *Palmyre*, an ancient city of Asia Minor.
[ll. 73–6] A summing up of many of B.'s main themes: an aspiration towards

light, a longing for primitive innocence (with the corollary of a feeling of horror for many aspects of modern life, particularly industrial, urban life), the idea of mortality as but a pale reflection of eternal spirit.

200 *Élévation* This poem represents one aspect of B.'s inspiration, who writes: *Il y a dans tout homme . . . deux postulations simultanées*—the one heavenwards, the other downwards. Here, the upward movement prevails—the ecstasy of life as opposed to its horror. There is in this poem a striking *correspondance* between the feeling of immateriality of the mind and the weightlessness of a body in water. Note the simplicity and nobility of the language.

[l. 20] B. here expresses a feeling of oneness with nature that is very romantic but which he was far from feeling at all times.

201 *Correspondances* A poem which stands at the beginning of the poetic movement known as *Symbolisme*. B. establishes in it two main *correspondances* or relationships. First, everything on earth is the symbol of some spiritual reality; nothing is completely material, everything contains some spirit. Secondly, inasmuch as everything is representative, in its way, of the spiritual essence of the universe, all things are related to each other: scents, colours, sounds—all possess equivalents. This theory is known as synaesthesia, whereby, for example, a colour can suggest a sound or a scent a colour. B. was himself most sensitive to perfumes (cf. ll. 12–14), perhaps because the sense of smell is the most evocative to the memory.

[l. 2] *confuses*, an important word, because it makes it plain that this relationship between spirit and matter is a mysterious one. Art based on *correspondances* will thus be an art of ambiguity and suggestion, not of straightforward statement.

[l. 4] *familiers* because man himself as part of nature is part mind, part matter, and thus has affinities with all the rest of creation.

[l. 6] *unité* is another key-word. This unity is that of all pervading spirit; cf. l. 12, where the perceptions of the senses are considered capable of infinite extension.

201 *L'Ennemi* (first published in 1855) B. is looking back on his past. The sustained comparison between life and a garden lends great concreteness. The enemy is clearly Time, a universal theme but the Romantics tended to be very sensitive to time at an early age (B. was only in his mid-thirties when he wrote this poem).

[ll. 12–14] These lines are notable for the timbre of nasals (*an* and *on*) balanced by the light vowels *i* and *u* and dominated by the repetition of *douleur* (and the following assonance in *ou*).

202 *Hymne à la Beauté* B. conceives of beauty as something essentially ambiguous, containing elements of the infernal and the divine.

[l. 1] Notice the effective direct and vigorous *entrée en matière*.

[ll. 11, 12] Beauty is conceived as a despotic and amoral force.

[l. 15] *breloques*, lucky charms or trinkets.

[l. 17] *éphémère*, may-fly.

[l. 22] Notice the surprising juxtaposition of adjectives.
[ll. 21–8] B. here reveals that he is seeking relief from *spleen* and *ennui* in beauty. The urgent, exclamatory and anguished tone is a hall-mark of much of B.'s poetry.

203 *Parfum exotique* A poem about Jeanne Duval, known as *la Vénus noire* to distinguish B.'s friendship with her from another, primarily more spiritual friendship with Madame Sabatier, nicknamed *la Vénus blanche*. B.'s long relationship with the graceful and swarthy Jeanne, who was of mixed blood, gave him many moments of pleasure, passion and tenderness as well as of hatred, boredom and disgust. In her declining years he showed her great kindness and understanding. In *Parfum exotique* it is noticeable that she merely provides the poet with a starting-point, a *correspondance* for an escape to an imaginary exotic land. As a young man, B. had been sent for his health's sake on a voyage to the Indian Ocean, of which, as here, memories are found in several of his poems.
[ll. 7, 8] The ideal of an Edenic paradise.
[l. 11] *fatigués*, a most evocative word.
[ll. 12–14] No less than four senses mingle: scent, hearing, sight and touch.

203 *La Chevelure* Another poem dealing with his long relationship with Jeanne Duval, which lasted, off and on, for more than fifteen years; the theme is similar to *Parfum Exotique*. B. once wrote: *Mon âme voyage sur le parfum comme l'âme des autres hommes sur la musique.*
[l. 2] An archaic word which B. liked for its sound and its sense.
[l. 11] Cf. also Leconte de Lisle's exotic tropical dream.
[l. 24] This praise of creative leisure contrasts with B.'s frequent feeling of having wasted time.
[ll. 34, 35] Notice B.'s obsession with *memories* of pleasure as contrasted with present pleasure: his enjoyment was fixed through memory and the imagination: emotion recollected in tranquillity but expressed with present urgency.

204 *Le Balcon* Another poem inspired by Jeanne Duval, showing the credit side of his relationship with her. It is poetry of serene memories of peace and love. The emphasis, far from being on the physical, is laid on the impalpable, almost spiritual, pleasures—the pleasures of evenings spent beside the fire, the gentle breath of the loved one in the dark, the late sun of warm evenings.
[l. 1] *mère des souvenirs*, a significant title. B. feared the rawness of the present; he was happier living in the past or the future, when he could idealise reality in his imagination. Notice the lilting effect of the refrains in each verse.
[l. 7] *au balcon*. The balcony of B.'s flat in the Île St Louis in Paris.
[l. 18] Even in such moments of peaceful happiness, B. cannot forget that love of women can be as much a pain as a pleasure and that women are deceitful creatures.
[l. 19] *fraternelles*. He feels also a brotherly love for his mistress.
[l. 27] *gouffre*. B. was obsessed with the idea of oblivion, not only the oblivion of death, but the feeling of horror that in life he might suddenly fall into such

a gulf. This is a common occurrence in nightmares, and some of B.'s obsessions have a nightmarish quality.
[l. 30] Again an appeal to three different faculties—the mind, the nose, the touch.

205 *Harmonie du Soir* Notice the construction of this poem, where the second and fourth lines of each verse become the first and third lines of the following verse, a form similar to a Malayan form called the *pantoum*, already used by Gautier. This poem is an excellent example of *correspondances* (sounds, scents and sights intermingle) and also of symbolism, where, with no precise logical development, no story, no didacticism, an emotion or mood is suggested, developed and varied by a series of associated images; nothing is abstract, but there is no clearcut situation.
[ll. 1, 2, 4] Notice the alliteration in *v*. The tonic accents are very varied.
[l. 6] Notice the intimate association between the animate and inanimate, the heart and the violin.
[ll. 5, 8] *encensoir*, a censer, and *reposoir*, a mobile altar, enhance the solemnity of the poem with their religious associations.
[l. 16] The final consolation is the memory of an unnamed *toi*. Only in this last line does the poet appear personally in the poem.

206 *L'Invitation au Voyage* A poem of escape, not of desperate escape, but relaxed and gentle. Notice the *impair* metre of five- and seven-syllable lines. The country concerned would seem, from various details and also from a prose-poem by B. of the same name, to be Holland.

[l. 11] B. was most sensitive to the expressiveness of eyes.
[ll. 13, 14] These lines reveal the tormented poet's real longing.

207 *Je t'adore à l'égal . . .* An early poem dating from the beginning of B.'s relationship with Jeanne Duval, perhaps even when she was resisting his wooing.

[l. 5] *ironiquement*, a significant word for the Romantic generation, particularly the later Romantics in whom self-consciousness was always alert to judge their emotions (e.g. Verlaine, Laforgue).
[l. 8] Note the bold image, baroque in its rather horrible comparison.
[l. 9] Love was always near hate for B., just as beauty was both *infernal* and *divin*. This ambiguity of feeling is one of B.'s hallmarks to which the modern reader is particularly sensitive.

207 *Causerie* Autumn is a favourite season in B.'s poetry, and here again he sets the fashion for his successors. Notice that the first line is not merely a comparison: the woman concerned actually becomes for the poet *un beau ciel d'automne*. The abrupt beginning is typical of B.

[l. 11] After his despair at his apathy, the smell of perfume suddenly revives him; he awakes to beauty, the beauty of his companion, but realises that it will eventually cause him sorrow. All the same, this beauty cannot be resisted; it is the *dur fléau des âmes* (*fléau*, a flail).

208 *Chant d'Automne* Another autumnal poem composed of a series of associated images.

[l. 6] The *enjambement* is very effective.
[l. 7] *enfer polaire*, a striking and original combination of words.
[l. 21] Once more a desire for a maternal or sisterly affection.
[l. 25] After a short interlude of serenity, B. is suddenly reminded of death.

209 *La Musique* B. was fond of music and one of the earliest French admirers of Wagner. Notice the original metre of alternating alexandrines and five syllable lines. The poem is in the form of an irregular sonnet.

[ll. 5, 6, 9, 10] B. actually identifies himself with a ship which becomes not a mere object of comparison but something real.
[ll. 11, 12, 13] The *enjambement* sweeps impetuously on, with a pause at the most impressive moment—*sur l'immense gouffre*.

209 *Le Cygne* Note the subtle and careful construction of this poem and how B. introduces allusions to contemporary events into the poem.

[l. 1] The oblique allusion to Andromache is a spur to the reader's imagination. Only slowly does it become apparent that the swan has made him think of Andromache because both are exiles.
[l. 4] *Simoïs*, the name of a Trojan river. After the death of her husband, Hector, in the Trojan War, Andromache was married to Pyrrhus, son of Achilles, and taken into bondage. In her exile, to remind herself of her homeland, she gave the name of Simois to a river in Thessaly, the home of her second husband.
[l. 6] The Carrousel of the Louvre Palace in Paris was the scene of considerable demolition and rebuilding in the course of the nineteenth century.
[ll. 9–12] A description of the old quarter before the demolitions.
[l. 25] Ovid states in one of his poems that man, unlike animals, has the power to look upwards at the skies.
[ll. 37–40] The Racinian simplicity (and associated idea of nobility) of these lines contrasts most effectively with the modern picturesque detail of ll. 9–12 or ll. 41, 42.
[l. 47] An excellent image of resignation and despair.
[l. 52] As frequently in B.'s poetry, he ends his poem in a way that leaves infinite possibilities of continuing for oneself the poet's *rêverie*.

211 *Les Aveugles* One whole section of *Les Fleurs du Mal* is called *Tableaux parisiens*, in which B. considers aspects (usually disagreeable and even repulsive) of the contemporary Paris scene. Here again, in fact, he finds a *correspondance* with his own tormented personality. The construction of this poem is particularly noteworthy: in the first verse, we see the blind men, described in general terms, and all the more horrible because the description leaves room for conjecture; in the second verse, their particular infirmity is considered and commented on; in the first tercet, B. opens up, typically, a wide horizon to infinity, increasing his effect by contrast with the rowdy, stupid, pleasure-loving city; and, finally, in the last two lines, he appears himself and leaves us on a dreadful question-mark.

[l. 2] *mannequins*, tailor's dummies.
[l. 13] The dramatic command, *vois!* compels the reader's participation.

212 *Le Crépuscule du Soir* (from *Tableaux parisiens*) A poem of tragic gravity, very romantic in its preoccupation with crime and vice. Although the association of crime and night is hardly original, B. renews the theme by his vividly concrete treatment of it.

[l. 1] A surprising contrast: *charmant* but *criminel.*
[l. 4] *impatient*, a most suggestive and unexpected adjective.
[ll. 7–10] Notice the heavy assonance in *ou* and the urgent alliteration in *s*.
[ll. 11, 12] A sharp anti-bourgeois note in the comparison between *démons malsains* and *gens d'affaires.*
[l. 13] Note the interplay of *v*'s and nasals (the nasals continue into l. 14).
[l. 21] A strange verb for a kitchen; but strange things happen in kitchens; all these details are vivid and telling.
[ll. 37, 38] B. had never known *la douceur du foyer* and frequently suffered remorse over what he often felt was his wasted life. But he universalises his own sorrow.

213 *Brumes et Pluies* (from *Tableaux parisiens*) The whole music of this poem is based on repetitions which create an overpowering effect of monotony, e.g. the nasals of ll. 1, 2 the *v*'s of ll. 3, 4, the *m*'s and *t*'s of l. 7. B. brilliantly sustains the paradox that he can only really appreciate nature in its cold, wet moods of harshness and desolation.

[l. 8] A strikingly suggestive image.
[ll. 13, 14] A movingly sad (and moral) admission: B. seeks venal love out of sheer loneliness and desperation.

213 *A une Passante* (from *Tableaux parisiens*) A Parisian scene evoking with admirable economy a particularly poignant emotion: a glimpse of happiness that will never be. This poem could be compared with Verlaine's dream of an ideal woman in *Le Rêve familier*.

[l. 4] Notice the details of fashionable dress, giving the modern touch B. considered such an important part of beauty.

214 *Recueillement* In an atmosphere of peace, B., despairing of ridding himself of his ever-present suffering, tries to tame and soften it by the memory of past years, whose sorrow is tempered by time, and by the hope of a peaceful night, the forerunner of eternal oblivion (as is suggested by the use of the word *linceul*, a shroud).

[ll. 9–13] The imprecision and complexity of the imagery enhances the solemnity and mystery.
[l. 10] *balcons du ciel* are perhaps clouds.
[l. 12] *arche*, the arch, perhaps of a bridge (B.'s flat overlooked the Seine); but there may be also the suggestion of the beggars seeking an uneasy night's rest under the arches along the quayside in Paris.

214 *Le Reniement de Saint Pierre* Although appearing in the section *Révolte* (a most Romantic theme), which is the penultimate section of *Les Fleurs du Mal*—the final section, which includes *Le Voyage* (see below), was called *La Mort*—this is a fairly early poem dating from 1852 or thereabouts. It should be compared with similar poems by Vigny (*Le Mont des Oliviers*) and Nerval (*Le Christ aux Oliviers*). Baudelaire is much more boldly—yet humanly—blasphemous in his view of God as a sadistic tyrant: yet his thought of God creating man in this image reveals his deep psychological insight in discerning the natural—and indeed, normal—sadism (and its mirror-image masochism) inherent in human nature.

[l. 9] Note the beginning of a vigorously sustained period.
[ll. 13–16] Note the harsh alliteration in *cr* emphasising the bitterly ironic tone. Christ is seen throughout as representing the sufferings and disappointments of mankind. The concreteness of the whole poem is remarkable.
[l. 30] A terse summing-up of a central cause of revolt and despair in the whole Romantic generation of peots and political thinkers; and in many later generations.
[l. 32] This last line has a vigorous existential quality; poetically energetic, it is perhaps over-neat.

215 *Le Voyage* The final poem of *Les Fleurs du Mal*, where all attempts to excape are summed up and rejected, and where the poet, exhausted by the torments of living, comes to regard death, if not as a final deliverance, at least as something new, which may perhaps relieve his incurable *taedium vitae*. The careful structure of the poem reveals B.'s composition at its supreme best. It is interesting to compare this poem with Rimbaud's *Bateau ivre* (p. 269), for which it could have provided the starting point.

[l. 6] Perhaps a reminiscence of his own journey to the Indian Ocean.
[l. 10] *l'horreur*, etc. A vivid phrase for suggesting an unhappy childhood.
[l. 12] Circe, the enchantress, who changed the companions of Odysseus into swine.
[ll. 21, 22] Notice the complete contrast in imagery.
[l. 33] *Icarie*, a reference to a novel *Voyage en Icarie* of Cabet (1842), describing a sort of Utopia.
[l. 47] *Capoue*, Capua, a town in Southern Italy, where Hannibal halted in winter quarters in B.C. 215, and which has become the symbol of pleasure and debauch.
[l. 70] *engrais*, manure, an extremely bold word to use in poetry of such gravity.
[l. 107] Baudelaire himself took refuge in drug-taking, which he describes as a *paradis artificiel*. Here, he seems to consider such drug-takers as at least admirable by reason of their originality. *Opium* can, of course, be taken in the widest possible sense of any intoxication, including that of poetry.
[ll. 113, 114] B. is not afraid of breaking up his alexandrine into the most colloquial expressions.
[l. 117] A deliberately contrasting comparison.
[l. 119] *rétiaire*. A gladiator of the Roman circus who was furnished with a net to entangle his adversary. B. was fond of the occasional use of rare words, which can create a great effect of contrast.

[l. 129] *Le Lotus*, a reference to the *Odyssey*. Odysseus landed on an island of people who drugged themselves by eating the lotus.
[l. 134] *Pylades*, the faithful friend of Orestes and husband of Electra, Orestes' sister. Here he symbolises all friendship. He is calling from eternity, telling the poet to join him; and Electra, symbolising the loved one, is doing the same.

Stéphane Mallarmé

228 *Las de l'amer Repos* An early poem which nevertheless contains interesting glimpses of M.'s constant preoccupations, e.g. his fear of being distracted by the simple charms of natural beauty from creating his ideal world of art, his fear also of being not strong enough or persevering enough to carry through his grandiose poetic projects.
[l. 1] This *repos* is bitter because he realises he should be creating fame (*gloire*) for himself through his poetry.
[l. 4] *pacte dur*, the poet's pact with himself to 'spurn delights and live laborious days'.
[l. 5] *veillée*, night work. M. suffered constantly from insomnia.
[l. 7] *stérilité* expresses his ever-present fear of poetic impuissance.
[ll. 8–10] When morning comes, exclaims the poet, addressing his own poetic meditations (*ô Rêves*), what shall I be able to show when its pale light (*roses livides*) comes to frighten me? Although during the night (the *veillée* of l. 5) I shall have had thoughts of roses of my own, I shall have been unable to cultivate them (i.e. make them into a poem), because my ground is *avare et froid*; all that I shall be able to produce is so many empty holes in the immense graveyard of my brain.
[l. 11] *Art vorace*, suggests the personal art (devouring the soul) of lyrical poetry; it will be replaced by a poetry based on descriptions and emotion filtered through the past (cf. the ideal of Parnassianism, l. 19).
[ll. 21, 22] By transposing the sentence, we interpret M. as saying that he will be *serein, comme la mort dans le rêve du seul sage*: serene as death is conceived only in the meditation of the philosopher.
[ll. 24–8] The countryside is idealised, suggested rather than depicted; note the *correspondances* of l. 28: the reeds are seen as three long eyelashes.

229 *Soupir* (first published in 1866 in *Le Parnasse contemporain*) M. is already experimenting in changing the normal order of syntax as part of a complex linguistic and musical effect. The poem, rather Baudelairean in tone (cf. *Chant d'Automne*, p. 208), is an extended comparison based on the *correspondance* between a woman's face and an autumnal landscape.

[l. 2] *taches de rousseur* are red autumnal leaves as well as freckles.
[l. 3] Her eyes are compared, by the phrase *ciel errant*, to the sun (suggested only, not explicitly mentioned).

[l. 5] His faithful soul is like a fountain aspiring to the infinite (cf. *l'Azur* in l. 13 of *Renouveau*).

[l. 8] *fauve agonie*, a transferred epithet, referring to the tawny colour of dead leaves (*agonie*, death throes).

229 Renouveau Another early poem, expressing a favourite idea of M., his preference for the stillness, deadness, whiteness and purity of winter as contrasted with the surge and movement of life in spring and summer. Living distracts him from pure contemplation; and yet the sonnet shows that, in spite of himself, he has difficulty in resisting the charms of spring.

[l. 3] *morne* is contrasted with the pureness of thought.

[l. 4] M. was haunted by the idea of being powerless to write poetry; indeed, one might say, paradoxically, that some of his best poems are expressions of his dread of being unable to express himself adequately.

[l. 5] A very bold and personal image.

[ll. 6, 7] Notice the internal rhyme in *er* in l. 6 and its repeat in l. 7.

[ll. 6, 7, 8] Notice the alliteration in *v*. All these forms of repetition (very common in Baudelaire and which both he and M. could find in Poe) serve to provide a complex, unifying, musical framework for the poem. They are too numerous for all to be mentioned.

[l. 12] He endeavours to abstract himself from his surroundings and awaits inspiration, not from the beauties surrounding him, but, like Baudelaire, from his inner emptiness and suffering, his *ennui*.

[l. 13] *Azur* represents the idea of infinity. Notice the originality of making a concrete noun and an abstract noun depend on the same preposition *sur*.

230 Brise marine A poem of escape.

[l. 7] M. in his lonely night vigils is terrified at the potentiality of a blank sheet of paper: will he be able to write on it something that will satisfy him?

[l. 8] His wife and daughter.

[l. 11] *Un Ennui* means here a *person* who is bored. This person, although already disappointed by so many hopes that have failed, still believes in the efficacy of breaking away to a completely new life (*l'adieu suprême des mouchoirs* is the action symbolising departure).

[ll. 13–15] The thought of the sea leads M. to think of shipwreck, which may be thought of as representing both the idea of release into eternity—shipwreck representing death, which will provide a final relief from all the hardships of mortal life—and also the idea of failure, of the final triumph of the blind forces of material nature. In this poem, M. seems to view the shipwreck as part of the adventure of escape, an inevitable hazard which may prevent him from reaching his longed-for destination.

[l. 16] His hope rises as he listens to the songs of the sailors, singing no doubt of the thrills and delights of travel. The first and last lines of this poem have become proverbial.

230 Sonnet This poem was written in 1877 to commemorate the death of someone's wife. M. imagines that the dead woman herself is addressing the widower.

[l. 2] A typical Mallarmean circumlocution, somewhat affected, to say that the widower cannot go out over the threshold, no doubt because of the wintry weather which also prevents him from placing any flowers on what is his wife's tomb and will one day be the tomb of them both.

[l. 4] Again it is typical of M.'s preoccupation with absence to think of a *manque* as being something positive: the tomb is covered by a lack of flowers, i.e., there are, in fact, no flowers on it.

[ll. 5–8] The husband does not want to go to bed until he has evoked the spectre of his wife in the firelight.

[ll. 9–11] Rather preciously, M. points out that if too many flowers weigh down the tombstone, the dead woman will not be able to lift it.

[ll. 12–14] So that the soul of the woman anxious to return may do so, there is no better way than for her to borrow a little of her husband's breath as he murmurs her name. In other words, his memory of her is the best way to ensure that she does not die completely.

231 *Mes Bouquins refermés* (published in 1887) This sonnet treats a subject close to M.'s heart with charm and lightness.

[l. 1] *bouquins*, a colloquialism for *livres*, sets the tone of familiarity. *Paphos*, a town on Cyprus, was associated especially with Aphrodite, the goddess of love, and was also supposedly founded by Amazons; hence the illusion in l. 14.

[l. 2] *génie*, the poet's fancy.

[ll. 5–8] M. moves from his imaginary Mediterranean landscape to the reality of the landscape around him, cold, silent and cut by a biting wind; *faux*, a scythe. I shall not, M. is saying, sing a song of regret if the snow covering the landscape makes it different from the imaginary landscape I have conjured up in the first quatrain; *très blanc ébat*, a periphrase for a snowstorm (*ébat*, a frolic). *Nénie* is a rare word meaning a funeral dirge.

[ll. 9–10] Indifferent to present reality, he takes no interest in any real fruits that he may be offered and when, by his faculty of abstraction (*docte manque*, an amazingly concise ellipsis), he imagines that the fruits are not there, they still taste the same to him.

[ll. 11–14] Even were a fruit of living flesh (presumably a periphrase for the breast of Aphrodite) to appear before him, he would prefer to think, perhaps with more desperate desire, of some absent breast, the breast of some Amazon (who used to have their right breasts removed in order to be better able to draw their bow).

[l. 12] M. indulging in this meditation, depicts himself as placing a foot on a *guivre*, a rare and archaic word for a serpent (possibly a reference to his fire-irons wrought in the shape of a serpent?). M. wants to suggest he is watching the fire; *notre amour tisonne*. *Tisonner*, used here intransitively, presumably meaning to flare up (*tisonner*, to poke the fire and a *tison* is a brand); *notre amour*, my love for an Amazon of ancient times; the *notre* makes the Amazon come to life to the reader.

231 *Le vierge, le vivace* (first published in 1885)

[ll. 1–4] These first four lines evoke a frozen lake hiding beneath its ice. *Vols qui n'ont pas fui*, presumably moments of potential poetry that M. has been unable to express adequately during the winter, the season most suitable for poetic creation. The beautiful, eternal innocence of the present is now about to release these *vols* by breaking the ice; this is the spring, which is thought of as a bird breaking the ice. The rest of the poem will show, however, that these potential poetic flights are now hopeless.

[l. 5] The mention of *un coup d'aile ivre* has, by analogy, conjured up the idea of a swan, with whom we may identify the poet. The *d'autrefois* suggests that M., haunted by his *impuissance*, thinks that, although once a poet, he is no longer worthy of the name, since he has been unable to create his ideal realm of poetry, the only one in which life is bearable (*région où vivre*), when the creative boredom (cf. *Renouveau*, l. 12) of winter should have enabled him to do so; winter, the period when the distractions of external living can be held at bay (cf. *Renouveau*, l. 2), has been *stérile*.

[ll. 9–13] give further reasons for the swan's despair at his approaching release from the ice in which he is conceived as being frozen: the inexorable laws of space, that is, materiality, bind the swan even though he tries to deny them. His white neck (note the transferred epithet) will try to shake off the deadly grip of matter; but his neck (no doubt considered as the spiritual part of the swan, the consciousness of the swan-poet) cannot deny the earthiness of his body, his wings (*plumage*) are horribly earth-bound.

[ll. 12–14] The poet-swan therefore gives up the struggle, he will become pure spirit (*fantôme*), a role to which he is predestined by his very splendour and purity (*pur éclat*). The swan therefore withdraws into his meditation, contemptuous of normal reality and lives on in a useless exile, useless either because the poet has failed to fulfil his function of creating poetry during this favourable period or else perhaps because the function of poet is considered useless by many people anyway. Notice how throughout the sonnet there runs the piercingly sharp *i* sound, appropriate to its mood of icy despair.

232 *Victorieusement fui . . .* (1885)

[l. 1] symbolises the sunset as a lovely suicide on the part of the sun as it goes down triumphantly in a splendour of fire (*tison* is a fire-brand), blood-red (*écume* is foam or spray), golden and amid stormy clouds.

[l. 3, 4] The sun himself speaks these lines and looks on the stormy, blood-red clouds of l. 2 as hangings in a funeral chamber, which is another allusion to the *suicide beau* of l. 1. The sun himself knows that he is not really dead and laughs at the thought that these funeral hangings are going to decorate an empty tomb. The tomb is described as *royal* because the sun regards himself as a king.

[ll. 5–7] It is now M.'s favourite time of midnight. No shred of light lingers in the refreshing shadow (*l'ombre qui nous fête:* typically, M. applies to shadow a verb, *fêter*, which, with its festive suggestion, would normally be considered more appropriately applied to light); all that can be seen is the proud, golden glow (*trésor présomptueux*) of a head of hair.

[l. 8] The hair does not flash like a torch, but glows calmly and tranquilly. Notice the use of the rare and abstract *nonchaloir* (cf. the English 'noncha-lant').

[l. 9] The poet discovers that this head of hair belongs to someone he knows and to whom he speaks: 'Yes; it is your hair, always a delight to see!' Notice how, by thus addressing his friend directly, M. gives the reader the feeling of actually sharing the poet's discovery of the source of the glow, of being present with the poet himself and sharing his impressions.

[l. 10] This hair is the only thing that has retained some of the sunset-glow of the sky; *puéril triomphe* is the childish glow of triumph of the sky when it thought it was causing the death of the sun in the first quatrain. The normal prose syntax would be: *Oui, la tienne qui seule retient un peu de puéril triomphe du ciel en t'en coiffant avec clarté*; *en* means *d'un peu de puéril triomphe*; the glow of sunset is thought of as having provided the poet's friend with a head-dress of light.

[ll. 11–14] The hair is compared to a gleaming helmet, such as a young empress might lay on her pillow; and her face is, as it were, roses decorating the helmet and hanging down from it. By allusiveness and elaboration, M. has turned a commonplace comparison into a vivid and unexpected vision. The sounds of this sonnet deserve close examination, e.g. the sharp *i* sounds (and two assonances in *ui*) of l. 1; the rolling *r* sounds in l. 2, with the powerful *t* sounds at the beginning and end (carried on into l. 4); the predominant *a* sound in the first line and a half of the second quatrain; the balancing *on* and *an* sounds in the last line of the same quatrain; the *reprise* of the sharp *i* sounds in the first tercet; the vigorous hard *c* sounds of the first two lines of the second tercet; and the final resolution of the poem into a roll of *r*'s reinforced by two resounding nasals in *on*, while the vowels are balanced between the dark *ou* and *o* sounds and the light *i* and *u* sounds.

232 *Toast funèbre* Written as part of a series of poems by various poets to commemorate Gautier's death in 1872. A final revised edition was published in 1887. For an exhaustive discussion of this poem, see *Les Tombeaux de Mallarmé*, by Gardner Davies.

[l. 1] M. sees in Gautier the destined emblem of the happiness which all poets seek.

[ll. 2–4] M. states that he does not believe that Gautier can ever reappear to human eyes; *le magique espoir du corridor* refers to the hope that, magically, a dead person might reappear as a ghost; *le corridor* would be the passage between life and death rather than the actual corridor along which a ghost would enter the room. *J'offre ma coupe*, etc. M. is holding a wine-glass on which is depicted a writhing golden monster, but he refuses to drink a toast to Gautier's possible reappearance, for this would be a mad greeting (*salut de la démence*). *blême*, literally pale or livid, often with a suggestion of wildness or horror.

[l. 6] *lieu de porphyre*, a periphrase for Gautier's tomb.

[ll. 7, 8] The action described was a practice in ancient Greek and Roman times.

[l. 9] *l'on ignore mal*, a litotes, meaning: we well know.

[ll. 12–15] M. qualifies the statement he has just made by supposing that Gautier's poetic fame, which is thought of as a flame, will gleam forth through the window of his tomb and shine up to the sun, which is proud to recognise in the poet's work a splendour equal to its own.

[l. 13] *l'heure commune*, etc. This expression suggests the double idea of the death of the poet, when he is reduced to ashes and the death of the sun, the sunset.

[l. 16] *Magnifique, total et solitaire.* These words apply to Gautier; but M. points out that by contrast, other, inferior mortals are afraid, through their false pride in their own importance, to face the ordeal of death, which alone can give genius its full stature and make the poet magnificent, complete but lonely. The section from l. 16 to l. 31 consists of an account of the inadequacy of ordinary mortals, referred to successively as *cette foule hagarde*, *quelqu'un de ces passants*, *hôte de son linceul vague* and *cet Homme aboli de jadis*.

[l. 17] *s'exhaler* is used in the sense of 'to admit oneself to be'.

[ll. 29, 20] These ordinary mortals, for whom M. has contempt, are merely so much dense matter, lacking any spark of idealism, of light; and when they die, they will be merely empty ghosts (unlike Gautier, who has left his work behind him).

[ll. 20, 21] M. spurns the idea of crying at the funeral of such a mediocre person, *lucide*, a transferred epithet; it is M. himself who is too clear-sighted to cry. *Mais le blason*, etc., is an absolute construction: when the funeral trappings have been draped, etc. *blason*, a coat of arms on the funeral drapery. *vains* may suggest the futility of having a splendid funeral for such a worthless person.

[l. 22] *qui ne l'alarme*, which does not move him. The omission of *pas* in the negative is a peculiarity of M.

[l. 24 *vague*, shapeless.

[l. 25] *vierge héros*, etc. This dead man now waits for fame to come to him: but ll. 26–31 describe his fate. *héros* is presumably ironical; *vierge*, because a new life is beginning.

[l. 26] *vaste gouffre* refers to *cet Homme aboli de jadis*. He is thought of as a mere empty space hurled into the nebulous void—empty because he, unlike Gautier, has not found words to create the universe by turning it into beauty. *irascible vent*, etc. Again, a lack is thought of as something positive: the words unsaid form an angry wind.

[ll. 28–30] Eternity asks the question (*hurle ce songe—songe* presumably because the dead man is so obviously inadequate to answer it): You, who have recent memories of earth, what is it? But the man, his voice already fading away into the final silence of death, replies that he does not know, and his voice is tossed about by space like a plaything.

[l. 32] *Le Maître*. M. is now going to tell us how different a genius is from the ordinary mortal, and characterise Gautier's poetic achievement, particularly the acuteness and penetration of his visual faculty. We recall Gautier's own definition of himself as a man for whom the external world exists.

[l. 33] *l'inquiète merveille de l'éden* is the tumultuous world of chance before the poet has reduced it to order (*apaisé*) in his poetry.

[ll. 34, 35] *le frisson final* is nature's final struggle to resist the poet's effort to find expression for it. The poet, through his mysterious gift of language, succeeds in re-creating, in words, the Lily and the Rose, which are given capitals to show that M. is thinking of all lilies and roses, the *idea* of these flowers rather than any specific ones. We call M.'s own famous utterance: *Je dis: une fleur! et hors de l'oubli où ma voix relègue aucun* (in the sense of 'any') *contour en tant que quelque chose d'autre que les calices sus* (i.e. any flowers other than the ones he is talking of) *musicalement se lève, idée même et suave, l'absente de tous bouquets:* the ideal flower created by the poet is too lovely ever to be found in any real bouquet.

[ll. 37, 38] The *croyance sombre* is the belief in inevitable death and decay; but genius is exempt from decay because it is immaterial and immortal.

[ll. 39 *et seq.*] The logical order of this sentence is: *Moi, soucieux de votre désir, je veux voir par l'air* (i.e. dans l'air) *une agitation solennelle de paroles survivre, pour l'honneur de ce tranquille désastre, à* (celui) *qui s'évanouit hier dans le devoir idéal que nous font les jardins de cet astre....* This *devoir idéal* is the duty that the poet has to convert the real gardens of this earth (*cet astre*) into ideal ones. M. is saying that he wants Gautier's poetry (the *agitation solennelle de paroles*) to survive its author who has just died; *tranquille désastre* is a periphrase for this death.

[l. 44] The *pourpre ivre* and *grand calice clair* refer to the Rose and the Lily of l. 35, which have been turned into poetry by Gautier.

[ll. 45–7] Gautier's clear gaze will itself make the selection of those words which describe or rather evoke these unfading flowers (unfading because ideal), choosing them from among all the passing aspects of life—*l'heure et le rayon du jour*, all that exists in time and space.

[l. 48] *vrais bosquets etc.* Real groves (cf. the *jardins de cet astre* of l. 41) can only exist properly (i.e. ideally) in the *agitation solennelle de paroles* of l. 43.

[l. 50] *rève*, which is usually employed by M. favourably in the sense of creative poetic meditation, seems here to be used pejoratively. The duty of the poet is to prevent any undigested, chance elements of life from entering into the realm of pure beauty.

[l. 51] *le matin*, etc., is the morning after his death, when his immortality is really beginning.

[ll. 54–6] The poet's work will bring fame to his name, and anything that might harm that fame, such as silence or oblivion (*la massive nuit*), will be left behind in the tomb which stands in the avenue as a tribute to his greatness.

234 *Le Tombeau d'Edgar Poe* (first published in 1876, final version, 1887) This sonnet was written as a tribute to the American poet, Poe, at the time of the unveiling of his stone monument at Baltimore.

[ll. 1–4] Death has revealed the essential Poe, who, like a warrior with a bare sword, arouses his contemporaries, who are now horrified not to have recognised the note of death already present in his poetry.

[ll. 5–8] The contemporaries are compared to a hydra-headed monster starting up at the sound of the angel-poet giving a new and purer meaning to the words of everyday life. *Oyant*, from the archaic verb *ouir*, to hear. *Donner un sens plus pur*, etc. If *pur* is taken in the sense of unprosaic, non-utilitarian, these words apply equally to Mallarmé's own use of language. Notice in l. 6 the contemptuous use of the word *tribu*. There is always, in Mallarmé, the desire to protect the sanctum of poetry from the common herd. His conception of literature was essentially aristocratic.

[ll. 7, 8] Poe was a heavy drinker, and Mallarmé states that his enemies claimed that his genius lay in this habit. *Le flot sans honneur* . . . , a striking periphrase for some dark alcoholic liquid.

[l. 9] In an English translation of this sonnet by Mallarmé, *grief* is rendered as *struggle*; this may be explained by reference to the etymology of *grief* from the Latin *gravis*, heavy and, by extension, difficult, painful. There exists a difficult and painful discord between earth and sky (*nue*, literally a cloud), between mind and body, between the crowd and the poet, which will always be enemies. Once more we see an aristocratic conception of literature which is not always distinguishable from intellectual snobbery.

[ll. 10–14] As so often, it is here important to re-establish a more normal syntax: *Si notre idée ne sculpte pas avec (ce grief) un bas-relief dont la tombe éblouissante de Poe s'orne que du moins ce granit, calme bloc chu ici-bas d'un désastre obscur montre à jamais sa borne aux noirs vols du blasphème épars dans le futur*. Mallarmé is saying: 'Let me try, by my poetic imagination, to create, in words, by using this conception of struggle between poet and public, a *bas-relief* worthy of adorning Poe's tombstone, but if I cannot, then let this tombstone itself, erected in honour of the poet once vilified, show the limits beyond which blasphemy must not go in the future.' Poe's tombstone was in fact, made of basalt, not granite, but in the expression *calme bloc ici-bas chu d'un désastre obscur*, M. pretends to consider it as a meteorite fallen from heaven and now at rest, and, as such, a fitting symbol of Poe himself, who flashed like a meteor across the literary life of America and is now calm in death.

235 *Toute l'Âme* (published in 1895) This octosyllabic sonnet is a sort of *art poétique*, although this is not clear until the end. Typically, M. wants us to guess what he is aiming at without stating it clearly.

[ll. 1–6] These lines show the essence of a cigar (its smoke) first being drawn back (*résumé*: a critic has pointed out the etymological sense of the Latin *resumere*, to take back), and then leaving the cigar in successive, intermingling smoke-rings. Notice the emphasis on *savamment*, on the skill of the smoker.

[ll. 7–8] The cigar will only give off its smoke-rings properly, will only be successfully smoked, if the ash is removed from the end of the burning cigar. Its 'fiery kiss' is a most effective periphrase for this burning end. This may be considered a symbol of the transformation of reality and the rejection of its too material elements which must take place before art can exist.

[ll. 9–14] This passage, rather unusually for M., makes plain the analogy. When poetic themes come to your lips, first exclude excessive realism.

[l. 10] *vole-t-il*, replacing *s'il vole*, a frequent turn with M.

[ll. 13, 14] Advice similar to Verlaine's *Art Poétique*: too precise a meaning will prevent your writing from being sufficiently allusive.

236 *O si chère* (dating from 1895) This sonnet was written for Méry Laurent, a woman with whom M. had a tender relationship, and who had a great many friends amongst the poets and painters of the period.

[ll. 3, 4] She makes him think of a scent rarer than any that can possibly exist (cf. the English colloquialism: so stupid that it's not true), and the perfume comes from a flower in a vase so ideal as to be invisible.

[l. 7] Her smile is as lovely as it has ever been, like a rose in a never-ending summer.

[l. 9] M. suffered from insomnia, and the night was a period of meditation for him.

[ll. 10–14] He looks on Méry as a sister—but when he kisses her hair he realises that she is a lover as well. M. loved hair and it appears frequently in his poetry as a symbol of living beauty, physical without being too material, alive without fleshliness. Notice the restfulness of this late poem, in which M. seems to have achieved harmony between mind and body.

Paul Verlaine

243 *Mon Rêve familier* (from *Melancholia* in the *Poèmes saturniens*) A sonnet in which the tormented and strange qualities of V.'s genius are apparent.

[ll. 2, 3, 4] Notice the continual repetition of words, forming a sort of irregular refrain of assonances and alliteration.

[ll. 6, 7, 8] Notice again the repetition of *elle seule.*

[l. 13] A bold *enjambement.*

[l. 14] Notice the weakening of the caesura. The alexandrine is divided into 8/4, and the tonic accent falls on the seventh syllable. The weakening of the caesura is one of V.'s aims.

243 *Soleils couchants* (from the section *Paysages tristes* of the *Poèmes saturniens,* 1867) A forerunner of later landscapes of V., this poem (which may be contrasted with poems by other poets on the same subject) is written in *impair* five-syllable verse. The frequent use of such *impair* verse was one of V.'s major contributions to modern French versification.

244 *Crépuscule du Soir mystique* (from *Poèmes saturniens*) With its vague suggestiveness and music, this poem is typical of what is contained in the adjective *verlainien.* Romantically, memory is involved in the twilight and intermingles with it. Notice the grandeur and mystery evoked by the use of capitals. Notice, too, the insistent flow caused by the continuous *enjambement* in this poem.

[l. 3] The abstract *Espérance* is rendered concrete by *en flamme.*

[l. 8] *maladive* suggests that these flowers are *Fleurs du Mal.*

[ll. 6, 10] The repetition provides the framework of the poem.

244 *Promenade sentimentale* (another *Paysage triste*) This poem is remarkable for the haunting nature of its musicality, achieved by subtle and varied repetition and alliteration. Notice the continual *enjambement* which prolongs and knits together the melodic line. The metre is the rare decasyllable, mainly cut in the middle, forming two *hémistiches impairs* of five syllables (although ll. 9 and 13 are divided 3/7).

[l. 2] *nénuphars,* water-lilies.

[l. 9] *sarcelles,* teal.

245 *Chanson d'Automne* (another *Paysage triste*) Another equally musical piece. The metre here is mixed four- and three-syllabic verse. The originality of the metre and the obsessive repetitions disguise the triteness of the theme. The half-light of winter or autumn is a favourite in V.'s poems.

[ll. 2, 3] Notice the vagueness and suggestiveness of the expression: *des violons de l'automne.*

245 *Clair de Lune* (from *Fêtes galantes*, 1870) V.'s second collection of verse consists of a personal and original evocation of that side of eighteenth-century life represented by the *fête galante*, with its atmosphere of gallantry, tenderness, languor and melancholy, as expressed particularly in the painting of Watteau and Fragonard; a nostalgic evocation of a period of civilised *douceur de vivre* in which the rustic charm of the scene serves as a foil to the artificiality and sophistication of manners and dress. Possibly V. had in mind the famous poem from Book I of Hugo's *Les Contemplations*, *la Fête chez Thérèse*, in which Hugo describes such a party where the guests are dressed up as characters from Italian comedy:

La chose fut exquise et fort bien ordonnée.
C'était au mois d'avril, et dans une journée
Si douce, qu'on eût dit qu'amour l'eût faite exprès.
Thérèse la duchesse à qui je donnerais,
Si j'étais roi, Paris, si j'étais Dieu, le monde,
Quand elle ne serait que Thérèse la blonde;
Cette belle Thérèse, aux yeux de diamant,
Nous avait conviés dans son jardin charmant.

Hugo then describes the entertainment: a comedy, with music, played in an open-air theatre, surrounded by trees from which the birds join in with the orchestra, while the audience sits on the soft green turf. And finally:

La nuit vint; tout se tut; les flambeaux s'éteignirent;
Dans les bois assombris les sources se plaignirent;
Le rossignol, caché dans son nid ténébreux,
Chanta comme un poète et comme un amoureux.
Chacun se dispersa sous les profonds feuillages;
Les folles en riant entraînèrent les sages;
L'amante s'en alla dans l'ombre avec l'amant;
Et, troublés comme on l'est en songe, vaguement,
Ils sentaient par degrés se mêler à leur âme,
A leurs discours secrets, à leurs regards de flamme,
A leur cœur, à leurs sens, à leur molle raison,
Le clair de lune bleu qui baignait l'horizon.

It will be seen that V.'s *Fêtes galantes* are more suggestive and melancholy, less descriptive and, above all, contain no story or recital of events. *Clair de Lune* forms an interesting contrast with Hugo's *Clair de Lune* from the *Orientales*.

[l. 1] A very Baudelairean beginning (cf. *mon âme est un cimetière abhorré par la lune* from the *Fleurs du Mal*).

[l. 2] *masques*, a masked person, someone taking part in a masquerade; *bergamasques*, a sort of country dance or music for such a dance, from the Italian town Bergamo.

246 *Colloque sentimental* (from *Fêtes galantes*) A much simpler but haunting poem, which acts as a conclusion to the *Fêtes galantes*. It well illustrates the eerie side of V.'s temperament.

247 *La Lune blanche* (from *La Bonne Chanson*, 1872) This is a poem dating from the happy period of V.'s engagement with his future wife Mathilde, which was to end in such a disastrous marriage. It is full of serenity, with just a touch of sadness only (suggested in l. 11).

[l. 14] Notice the importance of this word, occupying a whole line.

[l. 18] *exquise*, vaguely and delicately suggestive.

248 *Il pleure dans mon Cœur* (from the section *Ariettes oubliées* of the *Romances sans paroles*, 1873, a collection of poems written at the time of V.'s friendship with Rimbaud) While the exact extent of the mutual influence of V. and Rimbaud remains a matter of some conjecture, there is a noticeably more direct, simple and personal note in many of the poems of *Romances sans paroles*, especially in those of a songlike character. The collection is also notable as containing the first examples in V. of poems in nine- and eleven-syllable verse. *Il pleure dans mon cœur* has as its epigraph a line of a lost poem of Rimbaud: *Il pleut doucement sur la ville*.

249 *Le Piano que baise ...* (an *Ariette oubliée*, from *Romances sans paroles*) A memory of Mathilde (cf. Laforgue's attitude towards piano playing in *Dimanches*, p. 293). V.'s attitude to Mathilde's playing is ambivalent, as the epigraph suggests.

[l. 4] This line has something of the quaint charm of *Fêtes galantes*.

[ll. 7–12] Typically, all these vague questions remain unanswered; he remains *indecis*.

249 *O triste, triste* (from *Ariettes oubliées*) A reminiscence of V.'s wife.

[l. 15] i.e. present in the memory.

250 *Dans l'interminable* (from *Ariettes oubliées*)

251 *Walcourt* (from *Paysages belges* in *Romances sans paroles*) A memory of an incident during V.'s wanderings with Rimbaud; cf. Rimbaud's *Ma Bohème*, written before meeting V. V.'s poem, which consists of description with no expression of personal feeling, may well be reflecting Rimbaud's desire, at that time, to create more objective poetry.

[l. 7] An ironic use of a learned adjective applied to a lowly subject.

[l. 15] *aubaines*, strokes of good luck.

251 *Green* (from *Aquarelles* in *Romances sans paroles*)

[l. 11] *tempête* refers to the stormy nature of the love binding them.

252 *Spleen* (from *Aquarelles*, in *Romances sans paroles*) The allusiveness and disconnected nature of the images of this poem lend it a symbolist quality; its simplicity and lyrical quality are similar to some of Rimbaud's verse written at about this time; the *spleen* is, on the whole, gentler than Baudelaire's.

[l. 1] Red is an angry colour even if roses suggest love.
[l. 3] The feminine *chère* suggests an allusion to V.'s wife, who had left him; but V. was at this time also tormented by the thought of being deserted by Rimbaud.
[ll. 5, 6] The calm and serenity of sea, sky and air are illusory.
[ll. 9, 10] Mysterious lines. Why be tired of holly and box? Perhaps because their colours are tiring because they are too strong and shining; perhaps because he needs the contrasting sounds of *houx* and *buis* (and particularly the *ou* sound of *houx*, which runs as a booming leit-motif throughout the poem).
[l. 12] The last line has a violence not common in V.'s poetry; the archaic *fors de* heightens the folk-song impression.

253 *Kaléidoscope* (first published in 1883 and included in *Jadis et Naguère*, 1885) Composed in prison in Brussels, this poem excellently reflects the bewilderment of V.'s state of mind, as he takes refuge in a dream-city in the future which is strangely full of sharp memories of the past; note how the triviality of the detail is incorporated into the whole range of emotion of the poem, as it leaps startlingly from image to image like a kaleidoscope.

[l. 8] Dream will be more vivid than reality.
[ll. 10, 12] These two lines suggest London, while l. 11 (*cafés*) rather suggest Paris.
[l. 19] A strange picture (and a colloquial use of *après*): perhaps gypsies with copper ornaments on their foreheads.
[l. 20] *traînées*, prostitutes.
[l. 21] *moutards*, young boys.
[l. 22] The vigour of this horrible image is worthy of Baudelaire.
[l. 28] The last line, conventionally 'poetic', resolves the poem into a gentler, more peaceful mood. *bruit moiré* is a suggestive image mingling sound and sight.

Notice throughout this poem the extreme freedom and variety of accent within the alexandrines.

253 *Le Ciel est . . .* (from *Sagesse*) A poem of tranquillity and resignation written in prison in Brussels.

[ll. 5, 7] Notice the pathetic emphasis on *seeing*, so important to a prisoner shut in between four bare walls. In this, as in other of the poems of *Sagesse*, there is emotion often lacking in many earlier and later poems.

254 *Je ne sais . . .* (from *Sagesse*) A poem entirely in *vers impairs* of five, nine, eleven and thirteen syllables. The rhyme-scheme and verse-form are also most original. It is a perfect example of V.'s evocative art; yet, suggestive as it is, it is perhaps still too explicit to be considered a *Symboliste* poem; contrast it with, e.g. some poems of Mallarmé. Even at his vaguest, V. remains more logical and rational than a true *Symboliste*, and he himself showed his disapproval of the general movement by referring to them, contemptuously, as *Cymbalistes*, and added that he did not understand what the expression meant. Too earthy for a *Symboliste*, V. should perhaps be considered as more closely related to the *décadents*, for which expression see the Introduction to Jules Laforgue.

255 *L'Espoir luit* (from *Sagesse*) Probably written in prison in Brussels, its disconnected nature echoes his bewilderment (cf. *Kaléidoscope*). The literal understanding of this disconnected poem has been greatly helped by the discovery that it echoes elements of a sonnet by the Parnassian poet Coppée, first published under the title *Le Cabaret*, in 1866. In this sonnet, a drunkard is drowning his sorrows in a low bar filled with the buzz of flies; his head is slumped forward and with wine spilt from an upset bottle he is spelling a woman's name on the table top with his finger. But V.'s sonnet, one of his masterpieces, is different musically, in its images, rhythms and, indeed, its whole approach; for one thing, V. introduces the idea of a second person (presumably the poet's *alter ego*) who observes the scene, addresses himself, and comments.

[l. 1] A striking image, suggesting, rather than stating, that the room is gloomy (cf. also l. 3).
[l. 2] A note of apprehension is introduced but we sense that the poet is afraid of something else than the wasp.
[ll. 5–8] Note how the broken lines 5 and 6 are resolved into the flowing gentle lines 7 and 8.
[l. 9] The ceremonious tone of this line contrasts with the straightforward simplicity of other lines. The observer is no doubt addressing Mathilde, whose memory is haunting the troubled conscience of the poet.
[l. 12] Again indirectly, V. suggests an oppressive atmosphere (cf. also l. 5).
[l. 13] Hope is now more concrete and palpable than the *brin de paille* of l. 1.
[l. 14] After the preceding jerky, disconnected images and comments, the traditional image of roses comes as a happy promise for the future; what could have been banal is accepted as, by contrast, pleasantly simple.

255 *Art poétique* (from *Jadis et Naguère*) First printed in 1882, this poem, written in the rare nine-syllabic metre, with the caesura after the fourth syllable, was written, on request, in 1874. Its precepts were to have a considerable influence on the younger generation of poets. V. himself wrote of this poem, in 1889: *Puis n'allez pas prendre au pied de la lettre l' 'Art poétique' . . . qui n'est qu'une chanson, après tout, JE N'AURAI PAS FAIT DE THÉORIE!*; and he added: *C'est peut-être naïf, ce que je dis là, mais la naïveté me paraît être un des plus chers attributs du poète, dont il doit se prévaloir à défaut d'autres*. In this statement V. was defending himself from too literal an interpretation of the poem, which is to be considered rather as a few technical hints and an expression of some of his own personal practices than as an official artistic creed. In particular, V. was opposed to too great a freedom in rhyming, and notably to *vers libres*. His attack on rhyme in the *Art poétique* was, in fact, an attack on the excessively rich rhyme of some *Parnassiens*, not an attack on rhyme as such (he stated himself that he preferred rare rhyme to rich rhyme). He was not prepared to abolish rhyme or even to reduce it to assonance.

[l. 1] Examples of musicality abound in V.

[l. 6] *méprise*. By avoiding too great a clarity the poet can achieve suggestiveness and mystery. By *méprise* he means deliberate avoidance of the *mot propre*.
[l. 13] *La Nuance*. In 1889, V. wrote: *la sincérité et, à ses fins, l'impression du moment, suivie à la lettre, sont ma règle préférée aujourd'hui. Je dis préférée, car rien d'absolu: tout, vraiment, est, doit être nuance.*
[l. 17] *la Pointe assassine*, biting satire. This is a precept which V. himself did not follow; the title of one of his collections of verse is *Invectives*.
[l. 20] *ail de basse cuisine*, too much garlic in the cooking giving too strong a flavour.
[l. 21] *l'éloquence*, no doubt a reference to Hugo and certain other poets of his generation.
[l. 30] *chose envolée*, soaring, winged.
[l. 31] *d'une âme*, dependent on *chose*.
[l. 34] *crispé*, sharp.
[l. 36] *littérature*, used ironically and pejoratively for too eloquent and pompous writing; the prosaic as opposed to the poetic.

Arthur Rimbaud

264 *Sensation* (March, 1870) This early poem, written at the age of seventeen, already shows R.'s tremendous consciousness of sensations; in this case of colour (always most important for R.) and touch.
[l. 7] An adumbration of later escapades.

264 *Les Effarés* (dated September 1870) A charmingly realistic scene which can nevertheless be read psychoanalytically (see Hackett, *Rimbaud l'enfant*). *Effaré* is a favourite word with R.; no doubt he was often scared. There is pity (but objectively expressed) and humour in this poem. Note the wealth of detail. The sound *ou* runs as ground bass throughout the poem. The verseform is interesting and not very common: the successive tercets rhyme *aabccb*.
[ll. 1, 2] An effective contrast between the blackness, the snow and the implied yellow or red of *s'allume*; R. was always colour-conscious.
[l. 3] *cul*—arse—a homely, familiar note.
[l. 4] *misère*, an effective emotional note created with great economy.
[l. 5] *Boulanger*, with a capital suggests a symbolic meaning: the *boulanger* provides life; and the hungry children think of him as a sort of God; and there are a number of religious references (e.g. ll. 11, 16, 22, 31, 33).
[ll. 10, 12] After sight R. turns to sound.
[l. 15] It has been pointed out that R. perhaps missed the warmth of a maternal breast and this line becomes more poignant.
[l. 16] *médianoche*, a Christmas feast.
[l. 17] *brioche*, a luxury bread that the five poor children probably had only seen in shop-windows.

[l. 20] The bread becomes particularly appetising in this line.
[l. 21] *grillons*, crickets (on the hearth).
[l. 33] The bakery is like heaven for the children.
[l. 34] Another very familiar, realistic note. Note the alliteration in *qu* and *c*, harsh, and suggesting the tearing of cloth.

265 *Au Cabaret-Vert* (dated October 1870). Another realistic poem, based no doubt on experience when R. had run away from home. It is full of colourful concrete detail. Note the frequent use of *enjambement* as well as the complicated play of sounds, e.g. in *ui* and *i* in l. 1, in *d*, and *l* in ll. 3, 4.

[l. 8] A picture of an adolescent ideal; and l. 9 is also a charmingly adolescent comment.
[l. 9] *épeure*, a local word for standard French *apeure*.
[ll. 11, 12, 13, 14] A continuous succession of sense impressions.
[l. 13] *chope*, a mug or tankard.

266 *Le Dormeur du Val* (dated October 1870) A sonnet in which R. comments, quietly yet effectively on the cruelty of war. Note again the colour: in particular the greens, the light and blue of nature contrasting with the pallor and red blood of the soldier; alone, in the play of warm, restless nature, he is cold and still. Note once more the use of enjambement (ll. 3, 4, 7, 14).

[l. 12] In the welter of colour, a scent appears.
[l. 13] The gesture takes on all its pathos from the sudden, surprising last line.

266 *Ma Bohème* A poem of an escapade, enthusiastic and good-humoured.

[l. 2] An amusing way of saying that he hadn't got an overcoat.
[l. 5] A deliberate anticlimax after l. 4.
[l. 8] An interesting and imaginative conception of the 'music of the spheres' is turned into a homely *frou-frou* (the rustle of a silk skirt).
[ll. 12–14] The humorous picture does not destroy the fervour, nor the vigour of the image in ll. 10, 11.

267 *Les Poètes de sept Ans* (written in 1871) A poem of obviously autobiographical nature; although some of the physical details of the hero of the poem are said to apply rather to Arthur's brother, Frédéric, the unhappy relationship with his mother is certainly that of Arthur. The sensitiveness to sensations, particularly of colour, is remarkable throughout this poem.

[l. 6] R. was, in fact, a most intelligent and model pupil in his early years at school.
[l. 12] A most vigorous colloquialism. R.'s language at this period was extraordinarily varied. Contrast *râlait* with the neologism *s'illunait* in l. 18, meaning to be lit by the moon.
[ll. 15, 16] One may suspect in these lines something of a desire to be outspoken, as well as to be completely honest. Whatever the motive, it is a completely new note in modern French poetry.
[l. 20] Already he is deliberately shutting himself off from reality and creating

his own hallucinations. *Darne* is a dialect word from the Ardennes, meaning giddy.

[l. 21] *galeux*, a very bold use of a word meaning itchy, scurfy.

[ll. 23–6] The vividness and uncompromising frankness is typical of the truculent side of R.'s character. One can imagine the horror of his mother at such unrespectable associations.

[ll. 28, 29] R.'s pity is shocked at his mother's lack of understanding.

[ll. 31–5] A most important statement, which shows us how bookish his knowledge of the world was (as one would expect from someone too young to have any wide experience outside his fantastic imagination).

[l. 38] *qu'elle avait sauté.* The *que* replaces *quand.*

[l. 48] Again his sympathy for the working classes.

[ll. 52–4] Notice the melodious tone and the change of vocabulary compared with the immediately preceding lines; notice particularly the generality of the vocabulary, enhanced by the scientific word, *pubescence* (=downiness).

[l. 60] *Sidérals* should be, more correctly, *sidéraux.* The whole line is mysterious and fraught with a sense of grandeur and strangeness.

[l. 61] R. frequently uses exclamatory nouns, in isolation, without verbs, for concentrated effect. Notice how, by bringing the four nouns together, one referring to a physical state (*vertige*), two implying either physical or emotional events (*écroulements, déroutes*) and one to an emotional state (*pitié*), the reader's mind, swayed backwards and forwards, receives a variety of different stimuli.

[ll. 63, 64] The unbleached linen cloth makes him think of sails.

269 *Voyelles* (cf. Baudelaire's *Correspondances*, p. 201) In this poem, R. establishes *correspondances* between the sounds of the vowels and colours, as well as with other sensations of hearing, seeing and smelling. It has been suggested that his conscious or unconscious point of departure was an ABC book of the period, in which the colours of the vowels are those allotted to them in the sonnet, except for the letter E, which is yellow. In a later prose work R. wrote sarcastically of his mad attempt to invent the colour of the vowels. Verlaine said, long after the poem was written, that R. 'couldn't have cared less whether A was red or green, that he saw it like that, and that was all'. This is perhaps the simplest explanation, and it has the advantage of allowing the reader to concentrate more on the quality and nature of the images used and the sound of the words used to express them. Another consideration is that R., who was interested in alchemy and refers to it in the sonnet itself, uses the colours in the order in which they appear, according to some alchemical works, in the course of the transmutation of base metal into gold. However, in view of R.'s limited knowledge of the subject, any interpretation based too exclusively on alchemy would be dangerous. It has also been suggested (by J. B. Barrère in the *Revue d'Histoire Littéraire de la France* of January–March 1956) that it is not so much the colours as the mysterious properties of the vowels themselves that were R.'s main preoccupation and, following this train of thought, it has been suggested that it was in going through the vowels in a dictionary that R. may have been led to discover certain *correspondances* of colour between words beginning with the same vowel, e.g. that *a* is black because of words such as

abîme, *abyssal*, *antre* (hence the *golfes d'ombre* of l. 5). Though this theory, in this form, is conjectural, it is not unlikely that, having fixed on certain colours for certain vowels, R. discovered his examples by thumbing a dictionary, e.g. the *strideurs étranges* of *o* could have been suggested by such words as *orchestre*, *orgue* and *orphéon* (a male voice choir). In all this speculation, one thing is certain: this sonnet owes much of its spellbinding power to its brilliant semi-incoherence and vivid fancy.

[l. 2] There is a suggestion here of interest in the origins of the vowels, in their shapes no doubt as well as in their sounds, that brings R. strangely near to some of Mallarmé's preoccupations. R. wrote himself that a weak-willed person starting to meditate on the letter A could quickly become mad: he was most conscious of the mystery of human speech and writing.

[ll. 3, 4] This description might fit *l'Abeille*, representing the A in the ABC mentioned above.

[l. 6] One reading of l. 6 has *rais blancs*, but this is attributable to the handwriting of Verlaine, who copied out this particular version of this poem.

[ll. 7, 8] The association of ideas is here much plainer.

[l. 14] The analogy with *omega*, the last letter of the Greek alphabet, would explain why R. alters the alphabetical order of the vowels. This last line is as rationally obscure as it is emotionally suggestive. The capital *S* of *Ses* suggests the idea of God, and *O*, as a circle, is an obvious symbol of completeness and perfection.

269 *Bateau ivre* (written 1871) R. identifies the poet with a drunken boat and recounts all the strange sights it sees on its imaginary voyage. He had never seen the sea when he wrote the poem; but many suggestions have been made of possible literary sources of his visions, including illustrated books about the sea. A particular source may have been the *Voyages of Captain Cook*, a number of incidents of which find their parallel in *Bateau ivre*. Another source may well be Jules Verne's *Twenty Thousand Leagues under the Sea*. In particular, it is interesting to speculate that if, from the fifth verse onwards, the *Bateau ivre* seems to show similarities with a submarine, this may be a reminiscence of Jules Verne's submarine, the *Nautilus*. But R. has imposed his own vision on the whole poem and infused his own vigour into it. It is an excellent example of his early experiments in *voyance*, of expressing an imaginative inner world.

[l. 1] In view of the use of the adjective *impassibles*, so often used of Parnassian poets whose work R. knew and admired, particularly Leconte de Lisle's and Gautier's, it has been suggested that R. is here describing how he is breaking free from Parnassianism. This is not impossible and, indeed, there are often several layers of interpretation possible with R.'s as with Baudelaire's or Mallarmé's work. On the whole, however, it is dangerous to try to read too explicit and rational a meaning into R.'s later work; he was using visions for vision's sake and using words emotionally and suggestively. A better understanding of him is achieved by giving oneself over to his vividness and vigour of expression, by trying to relive his imaginative experience irrationally, than by trying always to interpret his images logically.

[ll. 3, 4] A typical image for a boy interested in Red Indians.

[l. 16] *falots*, lanterns which were visible when he was in sight of land.

[l. 19] *taches de vins bleus et des vomissures.* Symbolic of the unpleasant reality which he is escaping from.
[l. 22] The stars are reflected in the sea.
[l. 25] The use of abstract nouns in the plural gives greater breadth and generality of meaning; cf. this line and l. 28 (*rousseurs*) with what he says of *bleu* and *rouge* in the *Voyelles* sonnet.
[l. 30] *ressacs*, surf or undertow.
[l. 34] *figements*, from *figer*, to make still and motionless.
[l. 35] A description very similar to Captain Cook's account of the appearance of the natives of Hawaii.
[l. 36] The sea's waves are compared to the slats of a window shutter. Notice how the generality of *horreurs mystiques* in l. 33 contrasts forcibly with the strictly visual image of *volets*, although they are personified by the use of the emotional and suggestive *frissons*.
[l. 40] *phosphores chanteurs* is an expression of synaesthesia.
[ll. 41, 42] *vacheries*, literally cowsheds, used perhaps here as a herd of cows to which the seaswell is compared. The image of the sea as cattle is continued in l. 44, where *forcer le mufle* (*mufle*, muzzle) could mean 'keep under control'.
[l. 43] In *Captain Cook's Voyages* there is a reference to the Maria Islands, off New South Wales, where the N.E. winds were described as extremely violent. For another explanation see E. Starkie's *Rimbaud*, pp. 143, 144.
[l. 48] *glauques troupeaux*, herds of sea-beasts of some sort.
[l. 50] A description of the Sargasso Sea.
[l. 52] Perhaps a memory of Poe's *Descent into the Maelstrom*.
[l. 54] *échouages*, strands where a boat is beached.
[l. 56] Notice the adjective of colour applied to a scent; cf. *Voyelles* and Baudelaire's *Correspondances*.
[l. 59] *dérade*, formed by R. from the verb *dérader*, meaning to be driven from an anchorage out to sea. *Bateau ivre* is full of such nautical terms.
[l. 68] *noyés*, a reminiscence of l. 24, referring, perhaps to other members of the crew of the *Bateau ivre* who have failed to survive these miraculous and adventurous experiences.
[l. 69] *cheveux des anses*, perhaps the branches of trees. In his *Voyages*, Captain Cook describes how, on one occasion, the yard arms of his ship were caught in the impenetrable branches of trees in a bay (*l'anse*) on the western coast of New Zealand.
[l. 70] The *Bateau ivre* is soaring into the empyrean.
[l. 73] *monté*, in the sense of manning a ship; these purple mists are the only crew.
[l. 79] *trique*, a cudgel. He personifies July as beating the skies and forcing them to precipitate their funnel-shaped cloudbursts.
[l. 83] He is almost at the summit of his experience, reaching the infinite stillness of eternity, symbolised by the blue sky (*fileur*, from *filer*, meaning to shoot along; *étoile filante* is a shooting star). But he suddenly comes to earth with a bump in l. 84. He cannot forget the reality of life in Europe, and gives up his attempted escape into the world of the imagination in favour of a return to a world of memory—the memory of his childhood (l. 95).
[l. 98] *enlever leur sillage*, etc., sail in the wake of.

[l. 99] *flammes*, pennants. This description of what seems a naval review could have been inspired by a similar description by Captain Cook of a review at which he was present in Batavia in 1770.
[l. 100] The reference is to the lights of the prison-hulks on which convicts wre imprisoned, and particularly, no doubt, the convicted members of the *Commune* of 1871 who were punished in this way. *Nager* is used in a technical sense, meaning to row.

273 *Chanson de la plus haute Tour* (dated May 1872) This allusive poem also occurs in a much simplified and modified form in his autobiographical *Saison en Enfer*; see notes on *L'Éternité*. In the *Saison en Enfer*, the *Chanson* follows immediately after the sentence; *Je disais adieu au monde dans d'espèces de romances*, that is, naïve and old-fashioned folk-songs. *La plus haute tour* is perhaps the ivory tower into which he withdraws (has withdrawn?) from the world; cf. the *auguste retraite* of l. 12.

[l. 3] *délicatesse*, excessive scrupulousness or perhaps unsociability.
[ll. 5, 6] The music of these lines is said to have been suggested to R. by a song with a similar sounding refrain which he heard from his schoolmaster friend Izambard. The poem is rich in skilful assonance and alliteration.
[ll. 8, 9] R. is saying to himself that he should go away, even if no greater joy will thereby come for him.
[l. 12] *auguste retraite*, the *plus haute tour* in which to take refuge.
[ll. 13, 14] He has lingered too long and become insensitive.
[ll. 15, 16] The *craintes et souffrances* would have helped him to create; they are part of his *dérèglement de tous les sens*.
[l. 22] *encens*, no doubt figuratively used for praise (excessive praise?); *ivraies*, weeds.
[ll. 23, 24] No doubt the savage hum of these foul flies is metaphorical also.
[l. 25] Is the *veuvages* that of Verlaine, deprived of R.'s company and consoling himself with the image of Our Lady in his conversion?
[ll. 29, 30] R. doubts if prayer to Our Lady is efficacious: how can anyone do it, he wonders.
[l. 36] A final hope of tenderness in the refrain.

274 *L'Éternité* In *Une Saison en Enfer* (1874), in which another version of *L'Éternité* is to be found and in which R. gives an account of his experiments in *voyance* and bids farewell to them, he refers to these simple songs as showing that *la vieillerie poétique*—traditional old-fashioned poetic forms and conceptions—still played a large part in his work, which is a confession that he had failed in his attempt to create a new language which he wanted to *résumer tout, parfums, sens, couleurs*. The simplicity (though not the strange and grandiose mystery) of such song-like poems is paralleled in Verlaine's *Romances sans paroles* written at the same period; also the obvious musical effect, the way in which, more than in any other of R.'s verse poems, the sense tends to be subordinate to the sound, so that the main impression is of a rhythm and a tune with the meaning of secondary importance, which, at the most, can be guessed and not known. In *Une Saison en Enfer* R. describes this experience of eternity thus: *je vécus, étincelle d'or de la lumière nature*; but adds, from his then state of

disillusionment: *De joie, je prenais une expression bouffonne et égarée au possible.*
[ll. 3, 4] Cf. ll. 70, 74 of *Bateau ivre*, where R. seems to have the feeling of eternity suspended between sun and sea.
[l. 5] *l'âme sentinelle*, the soul considered as a guardian, presumably a guardian of his essential spirit.
[ll. 7, 8] Here eternity is the marriage of night and day.
[l. 12] *selon*, in the original sense of 'along'. Cf. l. 83 of *Bateau ivre.*
[l. 14] Eternity is now felt as the marriage of extreme, flaring heat and the cool smoothness of satin.
[l. 15] Only the feeling of Eternity is absolute, and it is the duty of the poet to reach it and express it.
[ll. 17–20] R. seems here to come back to his theory of *voyance*, in which, to attain knowledge of *l'inconnu*, to become *le suprême savant*, the poet has to go through desperate (*sans espérance*) torture.
[l. 18] *nul orietur:* i.e. the Catholic formula of prayer, *orietur* (from *oreri*, to pray) is of no avail. Orthodox religion cannot help him to reach the feeling of eternity.

275 *Mémoire* (1872) This poem shows how, during his period of *voyance*, R. mingled reality and imagination.

[l. 1] He is beside a river, but instead of describing it, he starts meditating on whiteness, and his imagination leads him away first to two fairly ordinary comparisons (although charged with emotion, particularly the children's tears) and then a much more extensive comparison which occupies two lines. None of these comparisons seems logically connected.
[l. 2] *L'assaut*, the bodies are vying with each other in whiteness.
[l. 3] *oriflammes*, a most evocative word. On starting for war, early French kings received from the Abbot of St Denis this sacred banner of red silk on a lance.
[l. 4] *pucelle*, a memory of stories of the Maid of Orleans, Jeanne d'Arc.
[l. 5] He is pursuing his vision of whiteness (angels disporting themselves) when he realises he must return to the reality of the river, the banks of which he sees as heavy, black, fresh, grassy arms.
[l. 6] *Elle* refers to the river water which falls, perhaps over a weir, and then is curtained or hidden by the shade of a hill and a tunnel.
[l. 7] The sky is compared to a bed-canopy.
[l. 10] The bed of the river (*les couches*) is considered as being furnished in pale gold by the yellow river. The poet now launches into an account of what is reflected in the river as it flows along. The river has already in l. 9 been compared to a pane of glass.
[ll. 11, 12] A striking comparison which leaves us uncertain whether it is the little girls' dresses which look like willows or vice-versa. R., in his memory, cannot distinguish one from the other, for the both look the same to his mind's eye.
[l. 13] *louis*, a gold piece.
[l. 14] *le souci d'eau*, the marsh marigold. The yellow flower suggests to R. an association with the marriage-vow, perhaps because, in the language of

flowers, yellow means jealousy and deceit; and the *Épouse* could be R.'s mother, whose husband had run away from her; but it might also refer to married women in general.

[l. 15] Noon has arrived unexpectedly. *De son terne miroir*, the marigold is dull compared with the sun, and is thus jealous of it.

[l. 16] *la Sphère rose et chère* is a periphrase, deliberately 'poetic', for the sun. Notice in these last eight lines the emphasis on colour.

[l. 17] Another scene, logically unconnected with what has preceded, which the river sees as it continues on its course.

[l. 18] *où neigent*, etc. The white threads of the needle-work are seen as falling snow.

[l. 19] The *Madame* of this verse might be the harsh Mme Rimbaud, too proud to notice the flowers she is treading underfoot. Notice the use of the technical botanical word for flower-cluster.

[l. 21] *Lui*, the sun setting over the hill.

[l. 23] *Elle*, the river chasing after the sun, personified as a man; but again there may be an allusion to R.'s father having run away from his wife. As often, the image exists on more than one level.

[l. 24] *froide et noire* because the sun has gone down. The next eight lines express the various, disconnected emotions of the personified river.

[l. 25] Cf. l. 6.

[l. 27] The heat of August gives birth, in the deserted shipyards, to decay.

[l. 29] The river is sad because it has come to the end of its flow. Everything, after being so golden and lively earlier on, is now still and grey.

[l. 33] The poet at last appears himself in the poem, in a despairing mood which is no doubt induced by the grey despondency of the last few lines.

[l. 34] The poet is the helpless toy of the water. These last lines of the poem recall for R. childhood memories of how he would go down to lie in a boat moored at a quayside close to his school.

[ll. 35, 36] We cannot know exactly what these flowers represent for R., but it is plain that they represent something unattainable; *amie à l'eau*, etc., the blue flower matches the colour of the water.

[l. 37] *poudre*, dust.

[l. 38] The reeds are no longer pink from the sun.

[l. 40] The customary sinister ending to R.'s visionary experiences.

Jules Laforgue

284 *Méditation grisâtre* (from *Le Sanglot de la Terre*). An excellent example of L.'s cosmic anguish concerned with the idea of unending time and his despairing recognition of it. Notice the favourite adjective *blême* in this, as well as in *Pierrots*. The versification is regular in this sonnet, the tone occasionally rhetorical and with a strong flavour of Baudelaire.

284 *Le Soir de Carnaval* (from *Le Sanglot de la Terre*) The jerky rhythm and *enjambement* of the first stanza well suggest the feverish carnival atmosphere.

[l. 1] *le chahut* was a rowdy dance, the precursor of the can-can. The reference to gas-lighting shows L.'s wish to be modern in his poetry. In this early poetry, L. often, like Baudelaire, shows an interest in the shadier aspects of Paris life as well as a social conscience in his sympathy for the underprivileged.
[ll. 3, 4] The coldness and sterility of the moon fascinated L. In one poem he refers to the Pierrots as *blancs enfants de chœur de la lune*; it might almost be described as his favourite landscape.

285 *Soleil couchant* (an early poem, first published in 1879) A deliberately ironic treatment of the Romantic sunset.

[l. 1] *cocarde*, a red rosette; an amusing comparison clashing with the noble *azur*.
[l. 2] *le fellah*, an Arab peasant. L. is being impertinently and humorously exotic.
[l. 6] *camail*, a hood, cf. Vigny, *La Bouteille à la Mer* (p. 61), l. 3.
[l. 10] *le pélican* appears no doubt in memory of Musset's pelican in *La Nuit de Mai* (p. 125), ll. 153 *et seq.*
[l. 11] *Monsieur Renan*, a philosophical writer and philologian, of a disabused turn of mind.
[ll. 12, 13, 14] L. now tries his hand at some animal description, à la Leconte de Lisle.
[l. 19] L. is Romantic enough to be anti-bourgeois; *jabot non lesté*, the bohemian artist or student has nothing under his shirt because he can't afford to eat.

286 *Farce éphémère* (another early poem) L. was obsessed with death and decay as a young man; above all, he was sensitive to the difference between man's aspirations and pretensions and his infinitely small place in the universe.

[l. 10] *l'azur*, the sky and, as in Baudelaire and Mallarmé, the infinite.

286 *Apothéose* (another early cosmic poem, written about 1880) Here, as with Mallarmé (cf. *Toast funèbre*, p. 232), the implacability of passing time and the horror of infinite space is somewhat palliated by the ability of the poet to turn this sense of eternity into a poem.

[l. 3] *sablés*, sprinkled and glittering.
[l. 5] *là-bas*, in a tiny corner of this vast, lonely and sad universe; L. is referring to the Earth's solar system.
[l. 8] *patriarche éclaireur*, quite an original image.

287 *Pierrots* (from *L'Imitation de Notre-Dame La Lune*, 1886) To represent his changed attitude, from metaphysical anguish to ironical detachment (a detachment which indeed, save for short periods, he never really achieved), L. often uses the person of Pierrot the clown. He once wrote: '*Je devrais être clown, j'ai raté ma destinée.*' He wants to be the Pierrot who tries to be indifferent to everything, who realises that everything is basically a matter of chance, whose *beau rôle*, in fact, is *de hausser à tout les épaules*; although this attitude is often clearly a cloak and a protection for the Pierrot's fundamental *naïveté*, lack of practicality and even tenderness. All the same, in *L'Imitation de Notre Dame la Lune*, L. achieves a technical mastery and ironic detachment not often found in the earlier *Complaintes*. Notice the modernism of vocabulary; the boldness of syntax, e.g. *en allé* used as a noun in the sense of 'remoteness'.

[l. 2] *idem*, i.e. *raide*; a humorous use of a commercial term in poetry.
[l. 4] *hydrocéphale*, suffering from water on the brain. A typical use of a learned word to create an effect of surprise.
[l. 8] A bold and original comparison.
[ll. 9–11] *bonde*, a bung; *désopilé*, literally unobstructed. The reference is to the idiom *se désopiler la rate*, meaning to amuse oneself, to laugh and joke. *Désopilé* contrasts with *glacialement*; the Pierrot's humour is cold and forced, not jovial.
[l. 12] *le souris*, a familiar word for a gentle smile. *La Joconde*, the famous painting in the Louvre of the mysteriously smiling Mona Lisa, by Leonardo da Vinci.
[ll. 17–20] L. is emphasising, as in ll. 9–11, the wide range of interest and tolerance of the Pierrot. The magical suggestion of the Egyptian beetle-brooch is amusingly counteracted by the buttonhole of dandelions.
[l. 21] *azur* is used as in Baudelaire and Mallarmé to mean the Ideal.
[ll. 27–8] Life must be lived like a Shrove Tuesday carnival.

288 Complainte des Pianos qu'on entend dans les Quartiers aisés (from *Complaintes*, 1885) Although after a year or two of miserable living in Paris, L. never really suffered financial hardship, there always remains in his work a kind of resentment against the well-to-do middle classes. The structure of this ironical yet understanding poem is complex, as is the verse form. The quatrains of alexandrines seem to represent the poet's own comments, as do the succeeding couplets, where the poet is perhaps addressing himself rather than the reader. The four-syllable couplets represent the girls' own comments on their lot and the seven-syllable (*impair*) quatrains, with their monotonous refrain, represent the girls' remarks to their dreamed-of sweethearts.

[l. 1] Notice how ironically L. refers to himself.
[l. 3] Note the great economy of this line, to set the physical and moral scene.
[l. 6] *Ritournelles*, refrains.
[l. 7] *préaux*, school-playgrounds. *Christs des dortoirs*, the dormitories are provided with crucifixes; these girls belong to *bien-pensants* circles.
[l. 11] *tresses*, plaits of hair.
[l. 12] Canvas embroidery is, of course, a specifically bourgeois and ladylike accomplishment.
[l. 13] Notice the broken rhythm of the alexandrine.
[ll. 15, 16] L. is saying, in extremely anti-sentimental and anti-Romantic way, that even if the girls are still virgins (*la bonne blessure* suggesting the loss of virginity: a wound, but says L., a good wound), none the less the girls are well aware that a particularly luscious sunset will elicit from a sweetheart the most chaste confession of his love.

[l. 18] An amusing juxtaposition of the hero Roland (cf. Vigny's *Le Cor*, p. 40) and lace.
[l. 23] *Sulamites*, the bride of the Song of Songs.
[ll. 25, 26] *fatales clés de l'être*, a Schopenhauerian definition of a girl, who is born purely in order that the human race may be perpetuated. *Psitt!* is the word used to call someone's attention. L. is saying that sexual desire keeps on reawakening regularly (*ponctuels ferments*) and the girls call on men to provide them with posterity (*hérédités*).
[l. 28] This line mentions all the things that foster romance.
[l. 30] In the semi-playful tone, a savage note suddenly intrudes.
[ll. 37–40] L.'s cruel definition of marriage: the girls will be *pauvres coeurs en faute*, full of remorse, linked to rich (*cossus*) and conceited (*suffisants*) husbands; all they will have gained will be social prestige and new clothes in the monotony (*train-train*) of married life.
[l. 41] Notice the humorous juxtaposition: would they die for love, no, they're more likely to be embroidering a set of braces for a rich uncle who can provide them with a dowry.
[ll. 43, 44] The girls make an indignant protest; they are, they say, idealists.
[l. 48] *beau mal*, a Romantic definition of love.
[l. 50] Even for middle-class girls there is a wilder side (*vigne bohème*, a wild vine) to love, but in ll. 51, 52 L. says that this natural love (note the excellent metaphor, *pur flacon de vives gouttes*) will end in a conventional sacrament (*comme il convient*), presumably marriage.
[l. 54] What are these *plus exactes ritournelles?* Perhaps, as has been suggested, they will be practising the Wedding March?
[l. 55] With only one pillow (they would like another for their husband's head), they lie next to the wall (and their husband would come in between them and the wall when they are married?).
[l. 59] In a sudden dramatic change to noble language, L. inserts a note almost of tragedy, which he deflates however in the last line.
[l. 60] Extraordinary juxtaposition of words suggesting the monotonous succession of months, underwear (to be changed and washed) and meals to be eaten.

290 *Complainte de Lord Pierrot* (from *Les Complaintes*) The title of nobility given to a clown is amusing. Notice the use of a popular song refrain in the first eight lines; see also l. 51 and cf. Verlaine's *Romances sans paroles*. The popular song received considerable attention in this period. Indeed, the title of *Complaintes* (lament) which L. gives this collection was originally a term referring to a medieval popular song on a tragic or religious theme. In this poem note the contrast between the joking, jigging song-rhythm and the often serious and even lyrical alexandrines of ll. 31, 32. The variety of metre and stanza is extreme. Notice also the dramatic variety introduced by having a dialogue between the poet and Pierrot (an internal dialogue because the poet is, at the same time, Pierrot: L. is talking to himself). L. is much interested in trying to express conflicting attitudes in the same poem, by using refrains and varying metres and tones and even by introducing various characters into a poem.

[l. 12] The clown is compared to a bottle of medicine, to be shaken before using.
[l. 15] *le Régent* was the name given to a famous large diamond.
[l. 17] L. is expressing here his distaste for the comfortable *bourgeois*.
[l. 19] Typically, a classical allusion to the *Corybantes*, the dancers who accompanied the cult of Cybele in Greece and Rome, is placed in a most modern context. Notice the quick changes in allusion in this twelve-line passage—not only to the *Corybantes*, but to the legend of Leda and Zeus—as well as to the well-known *Après moi le déluge* of Louis XV.
[l. 25] *enlevons*, etc. *Enlever* is used in the sense in which the French say *enlever un morceau de musique*, to play a piece of music brilliantly.
[ll. 31, 32] Suddenly and poignantly one finds an expression of L.'s basic idealism with regard to women and his longing for an all-sacrificing love. This idealism appears again in l. 44. However, the exaggeration of the ll. 33, 34, shows that, even here, L. is being ironical and laughing at himself.
[ll. 52, 53] A typical anticlimax. l. 53 *ont la roupie*, their noses are running.
[l. 56] An original and humorous comparison, which leaves considerable play for the imagination in its interpretation.
[l. 59] Note the pun on *pierres* and *Pierrots*.

292 *Dimanches* (from *Derniers vers*) L. loathed Sunday for the dullness and loneliness he associated with it. Also, because it is a day of family foregathering and religious celebration, he felt excluded from it. This is very much a poem of loneliness and longing, which he hides behind banter; although, generally speaking, in the *Derniers vers* L. shows an increasing desire to come to terms with reality and is less purely destructive in his irony. At the same time, his self-analysis was never acuter than in the *Derniers vers*; indeed, the essence of his poetry is always analytical rather than lyrical, and is expressed more in rhythm than in melody. Notice the extraordinary variety of metre, rhyme-scheme and verse-forms.

[l. 4] Galathea was the statue created by the sculptor Pygmalion with which he falls in love, and which comes to life and loves him. The comparison is complex, but the general situation is clear: he would have liked to admit his love of this 'fiancée' but was too uncertain of himself to do so; and so she has left him.
[l. 12] The anniversary, no doubt, of the night his lover left him. Notice the line of sixteen syllables, which is perhaps less bold than at first might appear, since it divides easily into two octosyllables.
[l. 16] L. is saying: 'I should have allowed myself to give way to my enthusiasm for her, rather than analyse myself and my feelings.'
[l. 20] An absolute construction.
[l. 26] The malicious suggestion is that for some people the delicious cakes [*brioches*] which will be eaten after Mass are as important as the service itself.
[l. 30] *reblanchi*, literally, laundered. There is the suggestion of a comparison with a piece of washing.
[l. 35] *natal*, literally native, meaning inborn, forming part of one's essential self; *me recommence*, an ethic dative.

[l. 36] *ânonner*, to stumble, blunder through (a speech, etc.). The use reflexively is very bold. The sense of these lines seems that L. is sorry for this girl as she strums and sings, haltingly, sentimental dance-hall ditties and thinks of men—any man, because she would like a sweetheart, although she hardly admits it even to herself (*cœur qui s'ignore*). This smug innocence and sentimentality infuriated L. (ll. 39–42).
[l. 43] *dire son fait à quelqu'un*, to speak frankly to someone, to tell them where they get off. L. wants love to be the complete expression of the whole personality, although in ll. 47, 48 there is repulsion in his reference to the physical side of love.
[ll. 48–50] He cannot help remembering that our body is condemned to decay eventually (*incurables*), and that we have no power to stop ourselves from ageing. Our body is compared to a solitary monomaniac, living only for himself; but perhaps one can at least *s'entrevoir*—just glimpse each other before we finally rot in the tomb.
[ll. 52–7] What he wants is a harmony of sensual and sentimental love; as he says, it is mad for a man and a woman to pretend to feel only brotherly love for each other.
[ll. 58, 59] He realises she is not ready for such a love, and warns her sarcastically not to let herself go. She must not infringe social conventions by falling in love without the prospect of marriage.
[l. 63] *l'ellébore*, a plant which was supposed in ancient times to cure madness; and in view of L.'s ironical mood, he may also have intended us to remember that hellebore is a purgative.

294 *L'Hiver qui vient* (from *Dernier vers*) This poem shows complete liberation from any fixed principles of metre, rhyme and verse forms; it is entirely in *vers libres*.
[l. 1] *blocus*, a (naval) blockade. Winter will blockade his feelings; by an association with the idea of blockade, he adds *Messageries du Levant*, meaning literally a shipping company plying to the East. There is a suggestion of an escape to the sun-drenched East which will never take place.
[ll. 5, 6] Even the chimneys are not friendly, domestic ones, but factory chimneys. Notice how the final idea, important as it is to the sense of the sentence, is slipped in at the end apparently as an afterthought, to create a surprise and a shock.
[l. 8] L. addresses the reader directly and makes the poem thus much more personal for us.
[ll. 14, 15] Notice how, after the alexandrine of l. 14, the *impair* eleven-syllable of l. 15 brings out the meaning of the line.
[l. 16] An amusingly mock-heroic way of saying that the powerful summer sun, which has been producing such golden riches, has been buried. *Pactoles* is used in French as we would say 'a gold-mine'. The Pactolus was a river of Asia Minor, said to flow over golden sand.
[l. 21] A vigorous and deliberately repellent image.
[ll. 24–6] The horns are sounding. Come again! Come to yourself again! Notice in ll. 19–23 how, as the sun is described, the lines diminish in length, as if to match the declining power of the sun.

[l. 29] The subject of the verb is *cors*.
[l. 37] A reference to Don Quixote and the sheep.
[l. 39] Notice the unusual position of the adjective. *bercails*, sheep-folds or, figuratively the fold of the Church. This word is not used in the plural in French but L. ignores this.
[l. 41] *il en a fait de belles*, made a fine to-do.
[ll. 51–3] *masses*, sledge-hammers. The personification of telegraph wires, considered as suffering from *spleen*, is amusing. Contrast this ironic attitude with the intensity of Baudelaire's conception of spleen. Notice how the repetitions (e.g. of *c'est*), the alliterations (e.g. in *r*) and the assonances (e.g. in *ou*) all help to knit the free verse together and give it rhythm. Such devices may be studied throughout this poem. L. was at that time (1886) strongly influenced by the free verse of the North American poet Walt Whitman (1819–92).
[ll. 64, 65] An excellent example of L.'s method of association of words and ideas which often leads him to punning: *vendanges* make him think of the *paniers*, the baskets in which the grapes are gathered (both words also form part of an old folk-song refrain); *panier* means not only basket, but the hoop of a hoop-petticoat; this in turn makes him think of a painter of the period when hoop-petticoats were worn; and this painter, Watteau, used to paint scenes of picnics and country parties, which makes him think of country dances (*bourrées*) under the chestnut trees.
[l. 74] Notice the colloquial omission of the *ne*.
[l. 76] *vespéral* is an amusingly grand adjective to use of *statistiques sanitaires*. Notice the preoccupation with illness.
[ll. 79–84] Notice the monotonous and oppressive effect of the continued repetition.

296 *Solo de Lune* (from *Derniers vers*) This poem is an elaboration of an earlier poem, of six regular octosyllabic quatrains; but the direct story that he tells in this poem, *Arabesque de Malheur*, is greatly enriched in *Solo de Lune* by the detailed background of the meditations and the fact that in the latter poem, L. has distanced himself from the experience. The most important similarities and differences between the two poems are mentioned in the notes.

[ll. 1–7] The rather sad story of the unfruitful love affair is mitigated by the gay contrast of the introduction; notice the jerk of the top deck (*impériale*) of the stage-coach echoed in the alliterated *c* of l. 3 and the lilt in *iel* of ll. 4, 5.
[l. 7] Note the (gentle) irony of *belle âme*.
[ll. 8–11] Represent the first verse of *Arabesque*, except for the ironical addition of *bon* in l. 11, which makes the line, suddenly, into an impair nine-syllable.
[ll. 12–15] are also largely from *Arabesque* (verse 5) but the firm *comment* of *Arabesque* has become the querying *pourquoi* of l. 13.
[l. 15] in *Arabesque* appears as the much longer and explicit *Si on ne tombe pas d'un même/Cri à genoux c'est du factice./Ensemble! Voilà la justice/Selon moi, voilà comment j'aime.*
[l. 16] This almost plaintive question is lacking in *Arabesque*.
[ll. 17–20] The solicitude and pity shown in these lines is entirely absent from the first version.

[ll. 21–31] The gaiety of ll. 21–5, the resolution of ll. 26, 27 and the acceptance of ll. 30, 31, are all lacking in the original version, as are the details of ll. 28, 29.
[ll. 35, 36] The neutral *se dira* is the violent *ragera* in the first version and the disillusioned and wise comment of ll. 35, 36 has been added by L. for the final version.
[l. 44] *faillible* was originally the much less expressive and ordinary *tendre.*
[ll. 45, 46] He will presumably feel guilty because she will, because of him, have become a *vieille pécheresse.*
[l. 50] The anguished exclamation *Ah!* is lacking in the first version.
[ll. 51–107] This passage belongs entirely to the final version: it elaborates the scene, allowing scope for L.'s imagination to embroider on the past experience and introduce some of his favourite themes, e.g. the moon, the passage of time etc.
[l. 53] A typically Laforguian modern, industrial touch.
[l. 61] Note the sudden switch of ideas.
[l. 83] *gave*, a Pyrenean mountain stream, a memory of his childhood (and of later visits) in Tarbes.
[ll. 95–104] He develops the theme of solicitude and pity for his past love.
[ll. 104–7] The tone becomes pathetic but the last line makes an ironic pirouette in his comparison of his *perfect* love compared to the *perfect* rustle of his lover's dress.

Paul Valéry

309 *La Fileuse* (first published, in a slightly different form, in 1891, this poem was revised for the *Album de vers anciens* (1920), and is included as an example of that collection) Its painterly qualities and emphasis on colour remind one of Gautier, who also used the *terza rima* to good effect, but the inversions and preciosity recall Mallarmé, and both the general atmosphere of the poem and its half-suggested meanings are reminiscent of the Symbolist period.

Epigraph: Matthew 6:27: 'Consider the lilies of the field, how they grow; they toil not, neither do they spin.'

[l. 1] The girl spinning is seen from within, silhouetted against the blue sky.
[ll. 2, 3] Her trance-like state is extended by the poets to the garden, filled with the monotonous sound of the spinning-wheel. The stylised, almost magical garden recalls the romantic medievalism of the English Pre-Raphaelite school of painters.
[l. 4] She is intoxicated by the heat of the late afternoon as well as by the sound. Notice the repetition of vowel sounds. *Câline* is given an almost physical sense, soft and caressing.
[l. 5] The wool is compared to a head of hair; *évasive* is a neologism from *s'évader*, meaning that the wool slips from her fingers as she falls asleep.

[ll. 7–9] This stanza was written in 1900 to replace an original version which relied heavily on such stock-in-trade of minor Symbolist poets as perfumes and lilies; the new stanza is already characteristic in its accentuation of visual impression. The shrub seems to gather all the remaining light around itself, forming a 'spring' of air, which flows into the garden, dispersing the petals of the flowers.
[ll. 10–12] The wind stirs in a rose, which seems to bow before the spinning-wheel. Line 11 is particularly precious.
[ll. 13–15] The gathering shadows seem to be weaving a web of darkness over the sleeping girl, who now 'spins' her dreams.
[ll. 16–18] Dream and reality are intertwined; just as the girl's dream is spun without her conscious control, so the spindle continues to turn as she sleeps. *Crédule* here means *confiant et obéissant* (A. Henry). Notice the internal rhyme.
[l. 19] As the sun goes down, the light is seen behind the flowers; *se dissimule*, changes colour.
[l. 20] The poet now addresses the sleeping girl, who is silhouetted against the foliage and the light; the effect is like that of a halo (cf. the vaguely religious imagery of *angélique* and *sainte*.)
[l. 21] In the last rays of the sun, the tree seems to be on fire; one should imagine the rapid and dramatic sunsets of the Midi.
[ll. 22, 23] There is a mysterious relationship between the sleeper and the rose, which enters into her dreams with a melancholy sweetness. Her brow is *vague* both because of the fading light and because she is dreaming.
[ll. 24, 25] The picture is extinguished as the light finally disappears. It may also mean that the girl has died, and the whole poem has symbolic overtones, with a progressive movement from the real world to the world of dreams. The spinning can also be seen (though not exclusively so) as a symbol of poetic creation, which continues without the girl's (i.e. the poet's) conscious control.

310 *La jeune Parque* (For composition and other comments, see general notes on V.) V.'s major work in verse, too long to be included here, is represented by some hundred lines from the middle of the poem where the drama is at its most intense. Though it has been described as 'epic' and 'dramatic', the poem has no narrative in the ordinary sense; V. himself described it as *le changement d'une conscience pendant la durée d'une nuit*. The reader must imagine a girl waking in the night in some deserted spot by the sea; the entire poem is the monologue she addresses to herself and the world around her. On waking, she is conscious of an inner disturbance, which she traces to a dream in which she was bitten by a serpent, symbolising the birth of self-consciousness and also—for the psychological and physiological go hand in hand in this poem—the dawning of sexual awareness. Recalling nostalgically her former condition of un-divided harmony with herself and with the world about her, she then traces the growth of divisions within herself, of a progressive alienation between her self-conscious mind with its desire for lucidity and purity, and the desires of her body and sensibility. A fierce inner debate ensues, excellently described by an early reviewer as being *entre l'orgueil et le désir, entre la virginité et l'amour, entre volonté de solitude et l'instinct vital, entre la révolte individuelle et l'accession à la loi commune*. The passage quoted here opens where the heroine sees death as the only solution to her dilemma—but at the same time feels Spring and the rebirth of life move in her veins.

The title, *La Jeune Parque*, has given rise to some controversy. It is probably best to bear in mind that the Roman Parcae (unlike the better known Greek Fates, who are normally represented as aged) were in the first case goddesses of birth, and as is apparent from this passage, the heroine's dilemma of whether to sustain her lofty impulse towards purity, or accept her humanity, resolves itself into the question of whether to accept or reject the role of motherhood. At the same time, V.'s introductory 'fable' speaks of destiny brooding within each human being, and the title thus indicates also the universal relevance of the quasi-mythical heroine's situation.

[ll. 212–17] At the height of the heroine's crisis, the earth no longer seems firm beneath her; she herself feels utterly fragile, whilst her self-conscious mind loses control. She herself, or her body, is 'cette rose' which death seems to require for its dark purposes.
[ll. 218–21] The Fate welcomes the attentions of death, calling on him to put an end to her torments (*délie*, release). *Image condamnée*—the Fate's picture of herself as pure and self-sufficient has proved impossible to sustain.
[l. 222] The Fate is still addressing death, warning him to make haste lest Spring should reclaim her for life.
[l. 225] *Demain*, as it is in fact still night, and the Fate *imagines* the coming of Spring, thawing not only the fountains, but also the icy purity to which she aspires in death. *Bontés constellées*, the Fate thinks of the course of the seasons and of human destiny as being governed by heavenly bodies.
[l. 227] A. Henry notes the old sense of *étonner*, *provoquer une forte commotion physique et morale*. The Fate thinks of Spring as an attack (*viole*) and thus feels menaced from both sides, by life and by death.
[l. 228] V. may be using *candeur* in its Latin sense of whiteness; the *mots si doux* could then be seen as the murmur of streams of melting ice. But the Fate may simply be thinking of Spring as guileless but beguiling. For the imagery of this passage, see general notes on V.
[l. 230] The downward flow of fountains and streams is replaced by the upward surge of sap. *Écailles*, the new leaves.
[l. 231] The trees are weighed down by the air as well as by their foliage.
[l. 232] Note the bold synthesis of visual and auditory in *tonnantes toisons*, which also provides a verbal echo of *étonnant*.
[ll. 233–4] After being compared to fleeces, the trees are now likened to gigantic birds. The air is *amer* because it is salty; the drama takes place by the sea.
[l. 236] *O Sourde!* . . . The Fate is still addressing death, but her tone is now reproachful, for he does not hear the voices which are calling her away from him. *Liens*, the intertwined branches.
[l. 238] The movement of trees in the wind is compared to the to-and-fro motion of an oar. There is a latent play on words (*rame* is both oar and branch), and also a latent comparison between the sea below and the air in which the trees move.
[l. 241] The capricious spreading-out of branches is like an archipelago in the air.

[l. 242] The river is that of the sap, which commences in the roots (*sous les herbes*) and is carried by the trunk to the extremities (*fantasques fronts*) of the trees. The Fate describes it as *tendre* because it speaks to her of life and rebirth.

[ll. 243, 244] The repetition of the word *mortelle* suggests that the Fate is beginning to accept her human situation.

[ll. 244–7] The imagery of these lines intertwine sexual longing with nostalgia for the innocence of childhood.

[ll. 248–50] The roses are the heroine's breasts; her arms had been folded over them as over a basket, but they are now lifted by the sigh which escapes from her. (*Vainqueur*, the sigh is victorious over the enclosing arms). The metaphor is far-fetched, but its very preciosity fulfils a dramatic function; the Fate is not yet ready to confront directly her physical nature, and uses circumlocutions.

[ll. 250–2] Another precious, but exquisitely expressive metaphor. The light, representing life, impinges with only the slightest pressure, like that of a bee resting in the hair, but she feels it as a foretaste of stronger, irresistible emotions.

[ll. 256–7] The tautness of her breasts is indicative of the struggle she is undergoing, but the Fate already feels that she is committed to life and the delights it offers. *Réseaux d'azur*, veins.

[ll. 258–9] The thought of sexual delight leads on to the evocation of the children (*fantômes* because they exist only potentially) who share, or perhaps even prompt, her longing for life.

[ll. 259–62] In asking herself whether her destiny is simply to give birth, the Fate is comparing this with her own earlier aspirations towards a singular and exemplary destiny.

[l. 263] *L'âme étrange* is her own lucid self-awareness, which, in a last gesture of refusal, the Fate does not wish to see sacrificed to the eternal cycle of birth and death.

[l. 264] Her revulsion is indicated by the crudity of this line.

[l. 265] The 'harmony' which she denounces is the conspiracy between Nature and her unborn children to entice her into accepting the rôle of motherhood.

[l. 266] The *agonie* is the pain of childbirth, but the word is also used of the agonies of death, suggesting that for the Fate, who aspired towards an inhuman purity, acceptance of her lot would be a kind of death.

[ll. 267–8] Birth suggests death; what is the point of creating life which is simply destined to die?

[ll. 269–70] The Fate imagines the unborn pleading with her to be allowed as guests at the feast of life.

[ll. 271–4] Since she refuses them life, they are as dead.

[l. 275] *L'esprit sinistre et clair* recalls *l'âme étrange*; the adjectives suggest the Fate's awareness that her refusal is a refusal of the very conditions of life.

[ll. 277–8] After commencing with a note of tenderness (*Chers fantômes . . .*), and passing through repulsion and horror, this section closes on a note of gentle compassion for all that lives and is condemned to die, a mere whirling of dust. Such surging and eddying of often contradictory feelings is characteristic of the poem; here the change of tone prepares the way for the following passage.

[l. 279] The single separated line gives the effect of a pause for meditation.

[l. 280] V. thought of the poem as like a recitative, and tried to emulate the operas of Gluck in their purity of line; certain passages, however, like this one, have more of the character of aria. The tear to which the heroine now addresses herself has been imminent from the opening of the poem, which commences:

> *Qui pleure là, sinon le vent simple, à cette heure*
> *Seule avec diamants extrêmes? . . . Mais qui pleure,*
> *Si proche de moi-même au moment de pleurer?*

Then, the Fate had been unwilling to admit that the tear was her own; now, in her despair, she gives way to its solace. Death had been *sourde*, and the gods silent to her appeal (l. 279); only her tear replies and may even offer some dim light (*faibles clartés*) on her dilemma.

[ll. 283–4] She sees life as a variety of tragic possibilities.

[l. 285] The soul which is the source of emotions and hence of tears is hidden within the labyrinthine recesses of her body.

[ll. 286–7] *Contrainte*, distilled; *distraction*, extract (from the concrete sense of *distraire*, to separate a part from the whole). The tear is a concentrate of her most precious essence.

[ll. 288–9] The tear makes the eyes shine, and thus *sacrifices* the shadows which have obscured them; symbolically, the acceptance of the tear marks a sacrifice on the part of the Fate of her aspirations towards purity (the *arrière-pensée* which forbade her to accept her rôle).

[ll. 292–3] Notice the repetition of 't' sounds in these lines (and in ll. 296–7), evoking the painful tearing of a pathway within her.

[ll. 294–7] The Fate accepts her condition of *mortelle* and *mère*; the whole description of the tear's progress contains implicit comparisons with the upward rise of sap in the trees (ll. 236–42) *and* with the labour of childbirth energetically repudiated earlier.

[ll. 298–301] The Fate accepts, but does not understand her situation. The later part of the poem is largely devoted to her effort to comprehend what has happened to her. *Joyaux*, tears; the Fate is blinded by them as they now fall freely.

[302–3] The Fate now places her faith in her body, ignorant of what ends it pursues.

[ll. 304–5] Compare ll. 212–13 at the opening of this extract.

The Fate now rises and walks towards the sea, and the poem continues with a vision of the confusion of night in which she comes near to suicide. There is then a long pause, during which, as the reader later discovers, the heroine once more falls asleep. The poem reopens with a passage similar to the beginning of the poem, but it is now dawn, the world begins to emerge from darkness, a fishing-boat appears, plying its immemorial task, and the Fate ecstatically addresses the islands which take shape in the growing light. Recalling once more the events of the night, she realises that she was saved from suicide by the simple necessity of sleep; the body preserves the mysterious continuity of life despite the dramas of the mind. As the sun rises over the sea, she puts behind her the torments of the night, and goes forward to meet the day with a hymn of adoration to life:

Doux et puissant retour du délice de naître.

312 *Au Platane* (from *Charmes*, 1920) Trees play a prominent part in V.'s poetry—compare especially *Palme* and ll. 230–42 of *La Jeune Parque*. But in this ironic and humorous poem, the poet's use of the tree as symbol is set off against his realisation that the tree is simply a tree, existing according to its own laws, irrespective of the meanings we attach to it. For comments on the metre, see general notes on V.

[l. 1] *te proposes*: the verb acquires a concrete sense without losing its normal meaning; the tree offers itself to the sight, but seems also to offer itself as a symbol.
[l. 2] The bark of the plane tree is white (*candeur* is used in its Latin meaning; cf. *La Jeune Parque*, l. 228), like the skin of the Scythians which amazed the sun-tanned Greeks.
[ll. 3–4] The basic contrast of the poem is announced; it is between the vivacity of the tree and the restrictions of its situation.
[ll. 5–6] The wind both shakes and dies away in the tree's foliage, which rustles (*ombre retentissante*).
[ll. 7–8] *La noire mère* is the earth, which gave birth to the tree, but now restricts its movement.
[l. 9] The winds refuse to take the branches with them.
[ll. 10–12] Normal sentence order would be *la terre ne laissera jamais ton ombre s'émerveiller d'un pas*, i.e. the shadow will never move away from its fixed spot.
[ll. 13–16] The only movement allowed to the tree is that of sap moving upwards to the topmost branches, which are bathed in light (*degrés lumineux*).
[l. 18] The *hydre* is the earth, a many-headed monster imprisoning all trees.
[ll. 19–20] *l'yeuse* and *l'érable* are no doubt chosen for the sound of their names, just as *le tremble* and *le charme* (l. 25) are chosen for the evocative value of the common meaning of their names.
[ll. 21–4] The earth is composed of dead vegetation, including the flowers and mast which fall; *les pieds échevelés* are the roots.
[ll. 25–6] The trunk and branches of the beech recall female bodies.
[ll. 27–8] V. is playing on the double meaning of *rame* (cf. *La Jeune Parque*, l. 238).
[ll. 29–30] *confondus dans une seule absence*, their *common* destiny is to be *separate*.
[ll. 33–4] The description grows more anthropomorphic as the poet imagines the trees filled with amorous longing in their solitude.
[ll. 35–40] Their longing mingles with the dreams of a girl sitting in their shade. Lines 37–40 have a rather precious delicacy.
[l. 42] *l'or*, the light into which the branches reach.
[ll. 43–4] The foliage forms shapes similar to the menacing faces we see in dreams.

[l. 45] The tone grows more pressing, just as the wind begins to blow more strongly in the tree.
[ll. 46–8] i.e. when the wind makes the winter air re-echo in the topmost branches (*au comble de l'or*). *Tramontane* is the name given to the North wind in the Midi. The branches are like the Aeolian harp, which plays as the wind blows through its strings.
[ll. 51–2] The exploitation of the tree as symbol is carried a stage further here by the notion of the wind seeking a voice in the foliage; in the next three stanzas the poet urges the tree to find a language through which to create order from disorder, thus symbolising the poet's own task.
[ll. 53–6] The movements of the tree in the wind are like those of the martyr flaying himself, or like that of a flame blowing hither and thither in the breeze. (*dispute*, rival.)
[ll. 57–60] The tone changes to one of plangent solemnity as the poet attributes to the tree his own aspiration towards a pure, hymn-like song.
[ll. 63–4] The tree is like a bow (*arc*) from which the song, like an arrow, would fly towards heaven.
[ll. 65–6] The dryads were goddesses of the woods; the poet is saying that he rivals them in love for the tree.
[ll. 67–8] Pegasus, symbol of poetic inspiration.
[ll. 69–72] The final stanza is highly ironic. The tree refuses to serve the function attributed to it; it is a tree, and does not share the aspirations of mankind. But is not *sa tête superbe* (suggesting the seventeenth-century meaning of the word) as anthropomorphic as anything which precedes this stanza? After all, the poem is finished, the tree cannot really refuse the poet's choice of it as metaphor, any more than we can prevent ourselves projecting human feelings into inanimate objects. This teasing sequence of ironies is concluded by the mocking of the storm, treating the 'proud' tree no more respectfully than a blade of grass. Perhaps one may conclude that the tree remains to *se proposer nu*—to suggest meanings, but to remain ineluctably itself.

314 *Les Pas* (from *Charmes*) For the interpretation of this poem, see general notes on V.

[l. 1] The woman's steps answer so perfectly to the poet's desires that they seem to be born out of the silence of his own waiting. At that level of meaning which is concerned with poetic creation, this line suggests that patient maturing celebrated in *Palme*.
[ll. 9–12] The rhymes of this stanza are indistinguishable in practice, and seem to hurry the poem forwards, to be slowed down again in the final stanza with its emphasis on deliberation.
[ll. 15–16] A calm but emphatic repetition of the thought of the first line. The transition from intimate *tu* to formal *vous* contributes to the poem's sense of reserve, and adds a certain gravity to the conclusion.

315 *La Ceinture* (from *Charmes*)

[ll. 1–4] At sunset, when the evening sky is like a flushed cheek, the poet feels a fragile harmony between himself and the world. Note how the subtly

inverted syntax obscures the distinction of subject and object; similar indirect forms are used in all the first three stanzas.
[ll. 7–8] The *Ombre* is no doubt suggested by the elusive shape of a cloud tinged by the setting sun; its *libre ceinture* symbolises the paradoxical nature of the poet's relationship with the world—he is bound to it, but separate (cf. l. 13).
[ll. 13–14] The elaborate syntax of the first three stanzas is replaced by bare statement as night falls and the fragile link is broken. In the deepening darkness, the changing shape of the cloud now suggests a shroud (cf. the conclusion of Baudelaire's *Recueillement*).

316 *La Dormeuse* (from *Charmes*) *S'il est vrai que Valéry est peintre, il est avant tout un peintre de nus* (J. Duchesne-Guillemin); *La Dormeuse* benefits from the experience of a number of earlier poems which contributed in different ways to its richness. Of more than pictorial value, it is the most complex of V.'s short poems. Basic to its structure is the contrast between the mysterious metamorphosis working within the sleeper and the calm radiance of her body, whilst what is perhaps fundamentally in question is the operation of different modes of perception of the world, represented here by the various reactions of the observer, who passes from intellectual curiosity to desire and jealousy and finally to a purely aesthetic delight. Part of the poem's richness derives from its musical qualities, which are a result not simply of incidental alliterations, but of carefully orchestrated effects extending over all four stanzas.

[ll. 1–4] The poet imagines the sleeper burning inwardly, consuming some immaterial (*vains*) substance of her own secret dreams to produce the radiance which alone is visible. The face is a mask because it conceals what is going on within.
[l. 5] The rhythm and alliterations suggest a soft breathing.
[ll. 6–8] Unable to divine the secrets of the sleeper, the poet feels a kind of jealousy—*ennemie* is used in the précieux sense (the loved one is enemy of the lover's peace of mind)—but before the peace and calm which are more moving than tears, he resigns himself to his ignorance and deprivation.
[l. 9] The richness of this line is self-evident, but the recurrence of 'a' sounds throughout the poem should be noted; the similarity of *âme* and *amas* suggest that the soul within is only perceptible as the beauty of external form.
[l. 11] A superbly expressive metaphor, both of the sleeper's body in the languor of slumber, and of her inner state—guessed at by the poet—perhaps reaching out in her dreams for sensuous joys.
[l. 13] A traditional pose in paintings of nudes.
[ll. 12–14] The contrast is made explicit: on the one hand the soul, perhaps occupied with impure dreams (*occupée aux enfers*), and on the other the purity of form of the body which seems to watch over the sleeper (the word *veille* is repeated) protecting her from the would-be ravisher who contents himself with admiration.

316 *Le Sylphe* (from *Charmes*) The incarnation of a fugitive moment of erotic delight or of poetic inspiration. The poet does not distinguish too closely, and in the first tercet pokes fun at ponderous critics.

317 *Les Grenades* (from *Charmes*) A richly coloured still life, symbolising the moment of intellectual creation; the pomegranate bursting open under the pressure of the grains within suggests the mind of the scientific or artistic genius 'breaking forth' in its discoveries under the impulse of an organic inner development. (Compare the last two stanzas of *Palme*.) V. contributes to the poem's suggestiveness by playing on other meanings of the word *grenade*; the military sense (the poem was written during the first world war) is evoked by terms such as *éclatés*, *craquer*, *crève* and *rupture*, the royal city of Granada by *souverains* and *orgueil* and the fabulous riches of its Alhambra by *rudis*, *or*, *gemmes* as well as *architecture*.

[ll. 8–11] Notice the colours—the gold of the husk, the red of the grains—and the contrast between the hard dryness of the exterior and the liquid brilliance of the interior.

[ll. 13–14] Some commentators have interpreted the past tense (*que j'eus*) as indicating that V. was thinking of his youth. But this would introduce an uncharacteristically biographical note, and J. R. Lawler points out that the mind of whose *secrète architecture* the poet becomes aware is that which exists *before* the *lumineuse rupture* and is responsible for it. Cf. *L'œuvre est une modification de l'auteur . . . Il se fait* (*par exemple*) *celui qui a été capable de l'engendrer*.

317 *Le Vin perdu* (from *Charmes*) Like *Les Pas*, this poem resists specific interpretation; the gesture of pouring wine into the sea symbolises any kind of gratuitous expenditure of effort, whether spiritual, artistic or intellectual, which seems wasted but bears unexpected fruit later. Some commentators have found the first two stanzas flat and prosy, but the casual nature of the language indicates the state of mind of the poet at the time, only half-aware of the significance of his action.

[l. 8] A reference to the eucharistic wine.

[ll. 12–14] Compare *Palme* and Ecclesiastes 11:1, 'Cast your bread upon the waters, for ye shall find it after many days.'

318 *Le Cimetière marin* (from *Charmes*) See also general notes on V. Of this most personal and passionate of all his works, V. wrote: *J'avais fait quelques strophes du Cimetière Marin pendant que je composais la Jeune Parque. Il est né, comme la plupart de mes poèmes, de la présence inattendue en mon esprit d'un certain rhythme. Je me suis étonné, un matin, de trouver dans ma tête des vers décasyllabiques. Ce type a été assez peu cultivé par les poètes français du XIXe siècle . . . Quand au contenu du poème, il est fait de souvenirs de ma ville natale. C'est à peu près le seul de mes poèmes où j'aie mis quelque chose de ma propre vie. Ce cimetière existe. Il domine la mer sur laquelle on voit des colombes, c'est-à-dire les barques des pêcheurs, errer*, picorer . . . Since the poem's publication in 1920 it has been the subject of innumerable commentaries, most of them valuable, and becoming a stumbling-block to appreciation only when they seek to impose rigid interpretative schemas. It is unwise to seek too systematic a structure in these twenty-four stanzas; V. was still hesitating over their order at the time of publication. More importantly, the reader should beware of attaching a single symbolic significance to the various elements of the scene; the tombs among which the poet walks, the brilliant but pitiless sun above, the resplendent but ever-moving sea beneath—these basic images suggest different meanings as the meditation develops. Better then than to try and summarise the 'thought' of the poem is to proceed directly to commentary, guided simply by the epigraph, translated by V. in the following words: *O mon âme chère, n'aspire pas à la vie immortelle, mais épuise le champ du possible.*

[l. 1] The roof to which V. compares the surface of the sea should be thought of as a tiled and steeply sloping Mediterranean roof. Note that this apparently surprising metaphor rests on a directly visual impression—compare this passage from the *Introduction à la Méthode de Léonard de Vinci*: *La plupart des gens y voient par l'intellect bien plus souvent que par les yeux. Au lieu d'espaces colorés, ils prennent connaissance de concepts . . . Sachant horizontal le niveau des eaux tranquilles, ils méconnaissent que la mer est* debout *au fond de la vue.*
[l. 2] The sea is seen between the pines and tombs of the cemetery in which the poet is standing.
[l. 3] *juste* because it divides the day, and the scene before the poet, into two equal halves. As an example of the endless reworking which the poem underwent, compare the following earlier versions of this phrase: *Et l'or maritime, Et l'or sublime, Un songe d'or, Le pur solstice, Midi sublime, Midi le pur, Midi suprême, Midi le même, Midi le morne, Midi le calme.*
[ll. 7–8] A description of the play of light on the waves; each ephemeral fleck of foam is like a sparkling diamond, but is immediately destroyed (*consume*) by the endlessly flickering light.
[ll. 11–12] *Ouvrages purs* is probably in apposition to *Temps and Songe*. The poet attains to a state akin to the mystics' 'coincidentia oppositorum'; abstract and concrete, time and eternity, dream and knowledge, nature and art (*ouvrages*) are interfused.
[l. 13] The image of the roof with which the poem opened is extended to that of a temple, dedicated to Minerva, goddess of wisdom.
[ll. 15–16] *Sourcilleuse* is used in its metaphorical sense (haughty), but its literal sense gives rise to the following image of the eye. The water seems to affect a sovereign disdain for mere mortality, and in the image of the eye, concealing unknown depths, that disdain seems to be directed at the poet himself.
[l. 17] The poet however appropriates that disdain to himself, claiming the shimmering surface as a mirror of his own soul.
[l. 18] Whether within (in the poet's soul) or without (in the scene before him), the surface of disdain *is* merely a surface; what lies beneath will be considered later. The recurrence of the roof image rounds off the initial scene-setting and introduces the poet with his first reactions to it.
[l. 19] A single sigh seems sufficient to abolish time, making it static and ever-present like a temple.
[ll. 20–4] The *scintillation* is that of the sea (*l'altitude* is a Latinism indicating depth rather than height), but as in the previous stanza the poet appropriates it as a metaphor for his own state of mind and calls it *mon offrande suprême.*
[ll. 25–7] A fruit which is eaten loses its form, becoming *absence*; but that absence is delight to the eater. V. compares this process to his own aspiration

to dissolve in the burning sun, leaving only the immaterial soul (*fumée*) become one with the timeless condition of the scene before him.

[ll. 29–30] The sky and sea seem to echo and celebrate this aspiration in the consuming of the shore by the sea (*en rumeur* here means *into* sound, i.e. the material shores are transformed into immaterial sound.)

V. thought at one stage of suppressing stanzas 6 to 8, and whilst one may be grateful that several fine lines have been preserved, it is certainly the case that stanza 6 introduces an uncharacteristic note of personal confession, whilst stanza 8 introduces the theme of poetic creation which otherwise plays no part in the poem.

[ll. 35–6] *les maisons des morts*, the tombs on which his shadow falls, remind him of the frailty of his mortal condition.

[l. 37] *solstice*, the sun is at the height of the year as well as of the day.

[l. 40] Literally, the sun is the first element in the order of creation; symbolically, the kind of consciousness which it represents at this stage is of primary value for the poet.

[ll. 41–2] Only opaque objects reflect light. Rather preciously, V. argues that his aspiration to 'reflect' the sun's light and uphold its pitiless justice implies therefore some darker aspects of his own personality. l. 42, however, has a superbly dark timbre, and effectively marks the transition from the first seven stanzas characterised by light to the following stanzas considering the poet's inner self (stanza 8) and the cemetery (stanza 9 onwards).

[l. 45] This line has been interpreted as meaning the span of life, between *le vide* which precedes birth and *l'événement pur* of death. But in view of the phrase *aux sources du poème* in the previous line, it seems better to consider the 'event' as the moment of poetic creation, and *le vide* as the silence which precedes it, or more generally as the condition of pure potentiality which precedes any achievement.

[ll. 46–8] This interpretation is born out by the rest of the stanza, with its difficult but expressive metaphor. The poet's inner self is like a well; the pebble which has been dropped into it will reveal its depth and shape, but until that moment the self remains unknown, capable of a vast range of possibilities. Compare *Les Grenades*, in which the *secrète architecture* of the soul is revealed only after the mental event which defines and modifies it.

[l. 49] The poet is addressing the sea, seen through and apparently imprisoned by the foliage of the pines.

[l. 50] *grillages*—the metal gratings around the tombs. As they can hardly be seen against the brilliance of the sea, they seem to be devoured by it.

[l. 51] *secrets éblouissants* may be in apposition either to *captive* and *golfe* (i.e. the sea), suggesting the mysterious depths below its surface, or to *yeux clos*, indicating the depths of the soul.

[l. 54] *étincelle*, the spark of mortal life which draws the poet's thoughts away from the sea and sky to the dead, *mes absents*. The poem thus turns in the next stanza to consideration of the cemetery.

[l. 57] *Flambeaux*, the trees resemble torches watching over the tombs.

[l. 59] The air vibrates in the heat on the top of the marble tombs covering the 'shades' of the departed.

[l. 60] By an effect of perspective (cf. l. 1), the sea seems to be above the tombs. The metaphor of the sea as guardian (watchdog in l. 61) is extended in the next stanza, the poet considering himself as shepherd of the 'flock' of tombs. The metaphor marks a subtle shift in attitude; whereas earlier the poet had aspired to immortality, now he seems to be cherishing the thought of death; later his attitude changes more radically.

[ll. 65–6] He dismisses any consoling notion of life after death (the doves are traditional symbols of the soul).

[l. 67] This line may be interpreted in two ways. If *ici venu* refers to the dead, it signifies that death is a long idleness; if to the poet, that he views his future contentedly, hoping for nothing but a peaceful death. The two meanings are not of course contradictory.

[l. 68] The alliteration suggests the dry sound of the cicada.

[ll. 69–70] These lines take up the images of l. 28; in the background now however are suggestions of decomposition in death.

[ll. 71–2] The realisation of life's nothingness, joyfully accepted, gives rise to a kind of exalted intoxication; to see life in this severe but clear-sighted manner turns bitterness into sweetness.

[l. 74] The words *réchauffe* and *sèche* recall the images of the previous stanza, thus suggesting that the dead enjoy perfectly the state of mind evoked there. The poet then turns exultantly to the burning sun which presides over this Nirvana (cf. Leconte de Lisle), seen as a changeless, self-sufficient purity. But now comes the crucial turning-point of the poem in ll. 77–8. Instead of acclaiming the sun as symbol of all that to which he aspires, the poet suddenly feels himself to be the one element out of place in this scene of purity and immobility. From this point on, the poem is marked by the poet's urge to differentiate himself, as a living being, from the inhuman perfection of the scene, and from those who have perforce adopted that immobility in the changelessness of death.

[ll. 79–80] Human anxieties are the only disturbing elements in a world otherwise immaculate and resplendent.

[ll. 83–5] *Un peuple vague*, the dead, whose features are dissolving. (The word may also have its Latin sense of 'wandering', i.e. in the underworld.) The dead have accepted the *parti* of the sun (the whole stanza is addressed to 'Midi') since they have become immobile and no longer share the anxieties of the living.

[ll. 85–7] The change of attitude between the former and latter halves of the poem is illustrated by the recurrence here of the images of ll. 25–7 with a completely different sense; the vision now is purely biological, and the flesh is changed not into spirit, but into clay, feeding the flowers. Lines 86 to 96 form a single movement, a poignant evocation of life and its delights seen from the point of view of their inevitable end in death.

[l. 90] The grub crawls in the empty sockets of the eyes.

[ll. 91–5] This vision of life's joys is all the more moving for being concentrated in a series of detached images on which is threaded the brief but intense drama of a love relationship, from frivolous teasing through sensuous longing, sexual provocation and passionate kiss to the trembling fingers protecting 'les derniers dons' from the lover's demands.

[l. 96] The end of all however is the grave. Compare Andrew Marvell's

To his Coy Mistress: '. . . then Worms shall try/That long preserv'd Virginity:/ And your quaint Honour turn to dust;/And into ashes all my Lust./The Grave's a fine and private place,/But none I think do there embrace.'

[ll. 97–9] The poet now addresses himself, considering his previous aspirations in the light of this view of death. These lines refer to the Platonic notion according to which things on earth (i.e. viewed by *les yeux de chair*) are a pale reflection (*couleurs de mensonge*) of the real world of Ideas. The poet asks himself rhetorically whether he can imagine any world more real than that before him, composed of *l'onde et l'or*.

[l. 100] The omission of the second *vous* reminds the reader of late medieval and sixteenth-century usage, and the poets of that time who lamented the brevity of life.

[l. 101] An abrupt change of tone with the ironic and semi-colloquial *Allez!* appealing to common sense.

[l. 102] *la sainte impatience*, the impatience of the pious, waiting for death.

[ll. 103–6] Conventional notions of immortality and consolation are scornfully rejected.

[l. 105] *sein maternel*, i.e. the entrance to a new life.

[l. 108] The grinning skull. This attitude to life and death recalls Vigny or Leconte de Lisle, but V.'s view of the human condition is more direct and physical.

Stanza 19 (l. 109 onwards) starts a new and final movement of the poem, marked by a sharp awareness, at first anguished and then joyful, of that particular characteristic of the living human being—consciousness.

[l. 109] The *pères profonds* are the dead who have become earth; the description has a vein of sardonic humour, as the expression *profonds*, which one might take to refer to the wisdom of the aged, here simply means 'underground'.

[l. 112] A contrast between the worm which inhabits the dead flesh (cf. l. 90) and the worm of consciousness which feeds on the living soul.

[l. 113] Another touch of grim humour; the expression *dormir sous la table* is normally used of drunkards.

[l. 114] Since it lives on life, consciousness dies with our bodies.

[ll. 115–20] The purpose of consciousness is obscure, but whether it is friend or foe, it is the inevitable accompaniment to our mortal span.

[ll. 121–3] Zeno, a Greek philosopher of the fourth century B.C., propounded a paradox by which he denied the possibility of movement. Since an arrow can only be thought of as immobile at any given point of time, it is impossible to conceive logically of its movement. V. is not interested in the logic of this proposition (which in any case was propounded as a *reductio ad absurdum* of an opposing philosophy) but exploits it as an image of the impasse of immobility to which philosophical speculation leads, whereas the true condition of thought, like that of life itself, is change.

[l. 124] Life is born of movement (*le son*, the vibration of the arrow in flight) the arrow of Zeno's paradox, by denying movement, 'kills' life.

[ll. 125–6] A variant of the paradox imagines a race between Achilles and a tortoise who has been given a lead, and demonstrates that Achilles would never overtake the tortoise. V. skilfully weaves the elements of this paradox

with themes from the poem; the sun, previously resplendent image of a condition to which the poet aspired, is now a menacing shadow reminding him of the tortoise which appears to preclude movement. The soul threatened by this condition is like Achilles taking great strides in vain.
[l. 127] The poet shakes off these speculations and turns once more to the scene before him, urging himself to accept the flux of time (*dans l'ère successive*).
[l. 128] Thought itself is not dismissed, but simply those kinds of thought, religious or philosophical, which deny change and movement.
[ll. 129–30] The wind has sprung up, breaking the resplendent surface of the sea, which appears as movement, inviting the poet to life. The description which follows should be compared to that of the first three stanzas.
[l. 134] The flecks of foam are no longer seen as metallic (cf. l. 8) but as the spots on a powerful living beast. *Chlamyde*, a Greek tunic with shimmering folds.
[l. 135] *Idoles*, images, reflections (as an idol is an image of a god.).
[l. 136] The hydra, with which Hercules fought, grew new heads to replace those cut off.
[l. 138] The noise is so continuous that one ceases to hear it.
[l. 139] Cf. epigraph. This sole instance of one stanza running into the next renders the new sense of movement and life, and places added emphasis on this crucial line.
[l. 144] The final line echoes the first with a change of tense. (Apart from the perfect tense used in stanzas 14 and 15 for the evocation of the dead, and a single ironic future in stanza 17, the whole poem is in the present tense. The imperfect with which it concludes, the tense of change and continuity, thus stands out.)

322 *Palme* (from *Charmes*) This poem originally formed a single entity with *Aurore*, which opens *Charmes* as *Palme* brings them to a close. The first emphasises energetic aspirations, the other patient maturing. *Palme* also balances the ironies of *Au Platane*, and the reader will note many similarities and comparisons. V. dedicated the poem to his wife, and whilst she should not simply be identified with the angel of the opening stanza, the intimate tone is a kind of discreet compliment to the one who watched over, without disturbing, the poet's creative efforts.

[ll. 1–2] Angels visiting mortals shield their radiance. The word 'grâce' suggests a more 'galant' meaning; the poet would otherwise be distracted by the beauty of his companion.
[l. 4] André Gide picked out the apparently banal word *plat* for special admiration; it suggests not only the opacity of the milk, but also its traditional simplicity as food offered to a guest. Similarly, *tendre* both describes the bread and the affection which accompanies its giving.
[ll. 5–7] The remainder of the poem is saved from overt didacticism by the fact that the angel/companion merely gives a sign which the poet interprets; one imagines him addressing a silent monologue to himself.
[ll. 11–14] The tree accomplishes its destiny and attains its characteristic shape in bearing fruit.
[ll. 16–20] The shape of the palm-tree suggests a harmonious equilibrium

between the weight of fruit which draws its branches towards earth, and the tree itself rising upwards. (V. boldly uses *poids* in the sense of an upward rather than downward attraction.)
[ll. 21–4] The sybil's words of wisdom came from a sleep-like trance; symbolically, the metaphor suggests a balance of conscious and unconscious.
[ll. 26–7] These lines refer to the movement of the foliage in the breeze.
[ll. 29–30] Its fruits are worthy to be picked by a god.
[ll. 31–2] A bold assimilation of sight and sound, suggesting both the luminosity of the tree in the sun and the whisper of its leaves in the wind.
[ll. 33–40] Compare Gray's *Elegy in a Country Churchyard*: 'Full many a flower is born to blush unseen,/And waste its sweetness on the desert air'. But the voice of the palm-tree operates a transformation of the desert air (ll. 35–8); similarly, the poet's voice, imbued with harmonious strength (*soyeuse armure*) calms the sorrows of mankind.
[ll. 41–50] The evocation of the unhurried maturing of the fruit begins to unfold the angel's message.
[ll. 51–60] The poet must similarly bear himself in patience and place his trust in the slow workings of inspiration.
[ll. 61–70] The maturing of the poet's work is an unconscious process, just as much of the tree's activity takes place in the roots (*la substance chevelue*).
[ll. 71–80] If the poet has patience, the revelation will come when least expected, triggered off by an apparently trivial event.
[l. 79] *Cette pluie*, the falling of the ripe fruit.
[ll. 81–4] The crowds will fall on the dates lying in the dust.
[ll. 86–7] The tree is lighter for shedding its load, but is enriched (ll. 88–90), like the poet, by what it gives to others.

324 *Chanson à part* (from *Pièces Diverses*) This poem expresses in a personal manner, with a kind of grim wit, that *tædium vitae* which one feels lurking behind many of V.'s larger and more impersonal works.

Guillaume Apollinaire

333 *L'Adieu* (from *Alcools*) A. frequently used and adapted material from earlier, usually unpublished work, a method which gives concrete reality to his belief in the persistence of the past into the present and helps him in one of the purposes of his poetry which was his search, rather desperate at times and apparently unavailing, for a single identity. On the literary level, it represents his backward-looking, traditional side, which always coexisted with his *avant-gardisme*; and since such borrowed passages had appeared in different contexts and dealt with different preoccupations, they often clash in tone and style in the poem into which they are inserted, causing the shock surprise effect that in the course of his poetic career A. came to consider one of the most important elements of modern poetry. In *L'Adieu* he is seeking a naïve effect and has produced a carefully calculated masterpiece of surface simplicity with strange undertones. It originally appeared as part of a long, quite elaborate, poem entitled *La Clef*, rather symbolist in tone, concerning a vague autumnal quest by a mysterious lover for the key to her loved one's eyes. It read:

J'ai cueilli ce brin de bruyère
Mets-le sur ton cœur pour longtemps
Il me faut la clef des paupières
J'ai mis sur mon cœur les bruyères
Et souviens-toi que je t'attends

By 1903 when this passage appeared as an independent poem under the title *L'Adieu* in *Le Festin d'Ésope*, the first of the three literary reviews which A. edited, l. 3 has become simply and plangently: *nous ne nous verrons plus sur terre*. A. has deferred to the rule against rhyming singulars with plurals and *bruyère* is now in the singular in l. 4. In l. 2, *pour* has become, more expressively, *plus*. In a yet later version published in 1912 in *Vers et Prose*, one of the many reviews to which A. contributed in his successful progression to fame, he has replaced the rather commonplace and sentimental ll. 2 and 4 by the more objective and (in l. 4) more allusive lines of the final *Alcools* version. The inverted commas that had been inserted round the first three and the last two lines have disappeared and been replaced by a gap between the third and fourth lines. In *Alcools* even this gap has disappeared and the poem has become a completely integrated, hauntingly mysterious and musical five-line stanza. This was one of A.'s favourite forms, attractive for its varied rhyming possibilities and slightly halting unevenness (e.g. abaab, ababa, abbaa, where a or b can be either masculine or feminine rhymes).

[l. 1] The simplicity of this line has balladlike quality reinforced by the repetition of *brin de bruyère* in l. 4.
[l. 2] The autumn, as for Lamartine, Baudelaire and Verlaine, was a favourite season for A.
[l. 4] *odeur du temps*: a concrete sensation forms with an abstraction a suggestive, surprising yet apt *correspondance* (see p. 195).

333 *Mai* (from *Alcools*; first published in *Vers et Prose* in 1905, dated May 1902) One of nine poems in *Alcools* grouped under the title *Rhénanes*, dated from the autumn of 1901 to early summer 1902. These poems (and probably some half a dozen others, including *Les Colchiques*) were written during A.'s stay in Germany, mainly in the Rhineland (which fascinated him as much for its rich historical and legendary past, its fairy tales and its picturesque local life as for its scenery).

[l. 1] This cheerful start reminds the reader of Heine's modern ballad *Im wunderschönen Monat Mai* (In the lovely month of May). The mixture of sentimentality with playfulness tempered with melancholy found in a number of *Rhénanes* offers similarities with the mingled irony and lyricism of the German poet, although A. is generally more restrained, allusive and economical.
[ll. 2, 3] An assonance, not a rhyme (similarly ll. 14. and 17).

[ll. 1, 4] A singular rhymes with a plural.
[ll. 4–8] These lines establish a close *correspondance* between the natural Rhineland scene and the physical appearance of Annie Playden; there is a hint of the death of love in such words as *se figeaient*, *tombés*, *flétris*.
[ll. 9–13] A. uses his favourite five-lined stanza form to describe this gypsy apparition that adds a sudden bizarre note to the poem. A. was fascinated by Romany lore and gypsies often appear in his poetry. Notice how closely the scene is observed.
[l. 14] No doubt the ruins of some majestic, mysterious feudal castle.
[ll. 16, 17] The reader is left in rather ominous suspense despite the contrasting cheerful promise of the vine blossom.

333 *Nuit rhénane* (also from *Rhénanes* in *Alcools*; first published elsewhere in 1911)

[l. 1] The vibrant ring of nasals (-on, ein, un, -in, -em) and of *comme* and *flamme* give great resonance. *flamme*: A. was obsessed by fire and light which is associated with life-giving energy; it is here represented by wine. The idea of alcohol and intoxication in general recur frequently in A.'s poetry. We may speak of a Dionysiac inspiration; he thought that life should always contain stimulation. Notice, however, that the intoxication is destroyed in l. 13, although the simile of *un éclat de rire* has joyous (if ironic) undertones.
[ll. 3, 4] A reference to some unspecified German folk-song, ballad or fairytale; A. seems momentarily to fall under its charm. In the second stanza he tries to regain contact with reality; finally in the third stanza the eerie, fateful siren—love—takes over again, threatening death.
[ll. 4, 12] These strange women suggest witches.
[l. 9] Notice the music of the two resonant nasals followed by the vowel three times repeated; and an alliteration in *v*.
[l. 11] *râle-mourir*, a neologism coined by A. from *râle*, the death-rattle.

334 *Automne malade* (first published in *Alcools* but probably written about 1902; obviously a Rhine poem) is an ambiguous poem of frustrated promise: autumn is sick, poor but *adoré*, it has *richesse . . . de fruits*.

[l. 2] Notice the howling sound of *ou* and the guttural rasp of the *r*.
[l. 9] A threatening vision.
[l. 10] An allusion to the fairytale aspect of the Rhineland; *nicette*, an archaic diminutive, *symboliste* in its rarity and its mediaevalism.
[l. 11] A. is always obsessed by a possible absence of loving.
[l. 12] An exact, suggestive touch of local colour to establish mood.
[ll. 20, 21] A modern industrial note contrasting with the nature imagery and fairytale associations. Notice the great simplicity of statement in much of this poem, but also the extreme variety of metre, the free rhyming and assonancing. Some lines have no rhyme.

335 *Les Colchiques* (from *Alcools*, first published in a neo-symbolist review *La Phalange*, in 1907) The poisonous nature of the autumn crocus suggests the poisonous nature of love and the tone of the poem therefore suggests a period when the relationship between A. and Annie Playden has gone sour. The inextricable intermingling of description and idea and scene and mood recalls the *symbolistes* although the double use of simile (*comme*) spells out the message more overtly than a strict symbolism would (contrast Mallarmé's *Le vierge le vivace . . .*, p. 231). The uneven metre makes full use of the freedom employed by e.g. Laforgue, although the autumnal tone goes back to Baudelaire and further.

[ll. 2, 3] Originally one line; the final version slows down the rhythm and emphasises *lentement. cerne* is the ring round the eyes.
[l. 8] The noisy interruption (notice the hard *c* sounds) provides an excellent example of A.'s change in mood. The slow, gentle tone of the first verse is suddenly destroyed by the introduction of narrative.
[l. 13] The original reading was *chantonne en allemand.* A. has added vagueness by a less precise meaning.

335 *Annie* (from *Alcools*; first published in another of A.'s reviews, *Soirées de Paris*, 1912, under the title *Fanny*) Annie Playden emigrated to the U.S.A. to avoid A.'s persistence; the poem is thus a semi-playful treatment, from a position of later detachment, of a serious love affair; no doubt his relationship with Marie Laurencin is also involved, cf. *Cors de Chasse*. The tone is deliberately prosaic (cf. *Zone*); the metre and rhyming very free.

[l. 9] This starkly simple statement, contrasting with the preceding detail, is pregnant with all the memories of their earlier love; an excellent example of rich suggestiveness achieved with great economy.
[l. 10] *mennonite*, an early puritanical Protestant sect, named after its founder, Menno Simons (1492–1559). There is an obvious suggestion that the woman in the poem is puritanical.
[l. 11] Notice the pun on *boutons*, which means both rosebuds and clothes buttons: a charming conceit.
[l. 13] contains a fanciful understatement (*presque* le même rite) which ironically conceals the wealth of misunderstanding between the two lovers. A. wrote of this *affaire*: *Je l'aimai charnellement mais nos esprits étaient loin l'un de l'autre.*

336 *Cors de Chasse* (from *Alcools*; first published in *Vers et Prose*, 1912) Cf. Vigny, *Le Cor*, p. 40; Baudelaire, *Le Cygne*, p. 209; and Laforgue, *L'Hiver qui vient*, p. 294. This poem commemorates the end of A.'s stormy love affair with Marie Laurencin; she married a German in 1914.

[l. 1] An excellent example of the simple striking statement, grandiose in its implications, frequently found in A.'s poetry (e.g. the first line of his favourite *Alcools* poem, *Vendémiaire*, written in 1913: *Hommes de l'avenir souvenez-vous de moi/Je vivais à l'époque où finissaient les rois*).
[l. 2] contains a most suggestive image; *tyran* evokes cruelty, domination, caprice.
[ll. 3, 4] Each adjective emphasises the fateful, deeply human and tragic (as opposed to superficially pathetic) nature of his passion.
[ll. 6, 7] The sudden introduction of a new tone by the means of a somewhat learned allusion reveals A.'s deliberate intention to bewilder by avoiding logical progression. These lines date from a much earlier period (see notes at beginning of *L'Adieu*).

[l. 8] The name of de Quincey's love suggests that A. is still thinking of his earlier love for another English Anne, Annie Playden.
[l. 12] *dont* ambiguously refers to *souvenirs* or *cors de chasse* or both: in any case, both are dying away. These two lines introduce a note of tender melancholy that delicately tempers the power and pride of the first five lines.

336 *Les Fiançailles* (from *Alcools*; first published in the review *Pan*, 1908. The sections have been numbered for ease of reference, cf. Durry, iii, 172, n. 1.) A. described this poem (which he thought the best of *Alcools*) as *le plus nouveau et le plus lyrique, le plus profond*, but although it is a remarkable poem, it is to be noted that this messianic tone is relatively rare in A.'s work. His later poetic experiments (*Zone*, *Les Fenêtres*, *Pluie*) follow different lines. Both the form and content of this poem (which represents a return to creativity after some three years of relative infertility and into which, as so frequently, he incorporated earlier passages from various periods) reveal new aesthetic preoccupations and an intensified personal involvement in poetry. Among points to observe are: intensity of feeling, self-contemplation and analysis leading to a heightened vision and a transcending of his personality, so that his poetry becomes prophetic and cosmic, achieving an absolute value which makes the poet into a sort of high priest in the religion of beauty and prepared to sacrifice himself in its cause; the juxtaposition of irrational images creating a conscious discontinuity as opposed to progression by logical ideas. *Les Fiançailles* is frequently obscure. What is this betrothal? No doubt that of the poet with his work, his reconciliation with his present in preparation for the future.

SECTION I is an adaptation of a much earlier poem: its gentle minor key (with, however, suggestion of betrayal: *parjures*), the allegorical tone of verse 2 as well as its allusiveness, suggest symbolist influence. This section strongly contrasts with the directness, vigour and even exuberance of some later sections and as it stems from a poem completely unrelated to the rest of *Les Fiançailles*, it creates a feeling of bewildering inconsequentiality.
[l. 2] *feuilloler*, a neologism favoured by Apollinaire, suggesting waving about like leaves in the wind. Neologism was a common device of the symbolist period (cf. Laforgue, Rimbaud).
[l. 3] *l'oiseau bleu*, the fairy story blue bird symbolising true love; Prince Charming was turned into a blue bird. There may be an implied contrast here: the blue bird of love is nestling in the cypress traditionally found in cemeteries.
[ll. 4–7] All these images suggest charity, love, simple beauty.
[l. 7] *Paraclet*, a name for the Holy Ghost as intercessor. The simile is indefinite and mysterious; *le Paraclet* was also the name of the monastery founded by Abelard, of which Eloisa was the abbess; there is thus a suggestion of a great but unhappy love.
[l. 9] Even late-comers will find love.
[l. 10] The distant villages are trembling in the heat-haze like fluttering eyelids.
[l. 11] The lemon can be considered a symbol of love on more than one level: it is an evergreen bearing fruit and flower simultaneously and thus represents continuity; its bright fruit symbolises light, gleaming against the dark foliage; its juice is refreshing but bitter.

SECTION II. From this section onwards the metre becomes much freer.
[l. 1] This line is said to have originated from an occasion where A.'s friend accused him of not paying his fair share of a round of drinks. But the *mépris* in the poem has quite another resonance.
[l. 2] A striking image to express his previous soaring aspirations which render him invulnerable to his friends' contempt. (But in life A. had a nagging inner uncertainty that made him very dependent on possessing friends.) In an earlier version of *Fiançailles* entitled *Paroles Étoiles*, A. explicitly states that his poetic silence resulted from the grandiose nature of his projects that were beyond the powers of any poet who desired perfection.
[ll. 3–6] A description of the ruin of his poetic plans during his silence which he compares to a deep sleep.
[l. 5] He seems to be comparing himself to Christ.
[l. 6] *épurge*, spurge, a sort of castor-oil plant and violent purgative.
[l. 7] On awakening he fails to recognise any stars (=words?).
[ll. 8–16] These lines give details of the hideous urban scene around him: the *clair de lune* beloved of the Romantics is sordidly lit; undertakers show lack of respect for the dead by getting drunk; *faux cols* (men's collars) falling could suggest undressing and *jupes mal brossées* suggest slatternly women perhaps doing the same; recent mothers (*accouchées*) lack sincerity (*masquées*) or show shame in their celebration (*relevailles*) of the happy event; the city is like a motley collection of unrelated islands and the gloomy crowd of women surging along are all ugly. *Vaille que vaille* means as well as can be expected, 'for better or worse'.
[l. 14] *dulie* means the worship of saints and suggests idolatry. The women will probably get help from neither love or religion.
[ll. 15, 16] An evocation of gloom, the flow of water (=passing time), women as shapeless ugly shadows.

SECTION III continues to describe his plight, but l. 1 suggests that he has moved on from the self-pity of Section II, though he still suffers from his inability to find words which (in l. 3) are described as stars beyond his reach (cf. Section I).
[l. 4] *Icare*, see *Zone* l. 49.
[l. 5] *nébuleuses*, clusters of distant stars with which his own suns cannot make contact; the image continues the idea of l. 3.
[l. 6] *bêtes théologales*: *théologales* means directly connected with God; it is a bold idea to conceive of intelligence as something savage.
[ll. 7–9] He used to have control of the past and the mysteries of the future (the end of the world) but instead he is as if dying. In A. (as in Rimbaud) enthusiasm is often followed by depression.

SECTION IV takes up the idea of his attempt to master the past. He looks back to his happy days, in Italy or on the Riviera, as well as to his rackety days when he hung around *louche* cafés and taverns in Montmartre or the seedy district round the Gare St Lazare.
[l. 9] *ardents bouquets* etc.: the mulatto girls' eyes were like bright flowers coloured like a peacock's tail; this suggests bibulous and amorous evenings discussing French poetry.

SECTION V. Now aware of his weakness and in particular of the fact that he no longer wishes to write in his earlier more conventional style, A. sets out the basis of his new method: a deep meditation based on all-embracing love (*divinement*) and on imagination (l. 4) rather than on mere knowledge; this love would involve the whole world. At the moment (l. 6) he can only greet these future creations with a welcoming smile; but he will extend and concentrate his poetic powers to create a worthy work.
[l. 7] *l'ombre* is a key word for A., used in varying connotations, either of vague external shapes or inner hidden forces, in both cases suggesting mystery. Here it seems to represent inarticulate aspirations or beings, possibly forming part of A.'s own personality, for which he hopes to become the mouthpiece in his poetry.

SECTION VI. As part of this new freedom, A. now sings the praises of creative idleness, in particular as fostering the development of the senses (hearing, l. 12, touch l. 15, and sight l. 16 are mentioned as especially important). Strangely enough, although A. was a gargantuan drinker and eater, neither smell or taste is referred to; ll. 3–4 suggest, however, that he both realises the power (which needs controlling—*comment réduire*) and the limitations (*l'infiniment petite science*) of the senses. A.'s imagery in this section takes on a visionary quality.
[ll. 6–10] Possibly these lines hide an erotic meaning, with the sun representin an upsurge of creative (and procreative) desire and achievement, the flaccid moon hinting at detumescence (failure). *Décapité* is perhaps a fear of sexual failure which A. tries to exorcise in l. 11 where *l'ardeur infinie* suggests an endeavour to reach beyond minor sensuality and become one with the whole universe, mountains, sun and moon. The following lines are more imaginative and visual than merely sensual. The visionary quality will be echoed in Section IX (cf. also *Zone*); such imagery cannot be rationally or logically analysed but imaginatively experienced as visions (cf. Hugo, *Le Satyre*, p. 97; Rimbaud, *Bateau ivre*, p. 269). The section ends with a mention of bay leaves (the Olympic crown of victory) but they are bitter.

SECTION VII. In a sudden change to confidence and optimism in himself, he feels able to stand on his own feet.
[l. 2] He compares the moon to a fried egg (an implied rejection of high-flown imagery and acceptance of a conversational style).
[l. 3] A drowned woman (Ophelia has been suggested) needs no elaborate necklace to suggest beauty, only a few drops of water. Note the discontinuity in the imagery of these two lines; ll. 3, 4 again provide no continuity, not surprisingly since they are taken from the earlier unpublished poem from which he had already borrowed Section I. A. seems now to be saying that he can face up to his past and incorporate it into the present; but note the ominous presence of thorns in the tender love offering (the bunch of passion-flowers—but passion can mean suffering as well as fervour).
[l. 6] The rain from the past seems in this optimistic context to be refreshing.
[l. 7] Contrast l. 3 in Section II where the angels were exterminating angels. The section now ends joyfully.
[l. 10] There seems here a reference to A.'s methods of composition while singing (see p. 331).

SECTION VIII. Sailors frequently occur in A.'s poetry, perhaps symbols of freedom (cf. Baudelaire's line *Homme libre toujours tu chériras la mer*).
[ll. 3, 4] These lines show A.'s obsession with light (=joy) and shadow (cf. Section v, l. 7), the latter perhaps referring to his melancholy side; ll. 5–8 may represent these *ombres*; ships also recur in A.'s poetry; the association with sad departure is obvious (cf. Mallarmé: *La chair est triste, hélas*, p. 230). Half-dead mermaids emphasise this sadness, which, backward-looking, is then swallowed by future hope (the wind drops, the colour of the anemones suggests triumph, like an Olympic crown).
[l. 8] Virgo is the zodiac sign for late August, the third month of summer, merging into autumn and an appropriate sign for a change in approach to poetry, exemplified in the apocalyptic images of Section IX in which he reverts (as in the last verse of this section) to the elevated grandeur of the traditional alexandrine.

SECTION IX contains images of prophetic ecstasy and cosmic ardour.
[l. 1] *Templiers*, Knights Templar, associated with fervid Christianity and adventurous crusades, as well, possibly, as flames of martyrdom (cf. l. 12).
[l. 4] *girande*, a revolving firework.
[ll. 5, 6] A typical shift from enthusiasm to its opposite: his breath will quench these fires; his hint of early death (*à quarantaine*) proved unfortunately prophetic.
[l. 7] Note the resounding *m*'s and rolling *r*'s.
[l. 8] *quintaine*: a typical obscure learned reference. The quintain in the Middle Ages was a piece of wood, ring or similar object (in this case in the shape of a bird) set up as a target for tilting at on horseback. In the next verse this bird is depicted as false and painted, suggesting perhaps, A.'s own ambiguity of mingled confidence (hitting the target) and uncertainty; but, notice as Mme Durry suggests, that this doubt is resolved, in ll. 10–12, into success: he becomes a Phoenix rising from the flames.
[l. 10] The obsession with light recurs, associated here with a cheerful dance.
[l. 12] The grim note of the funeral pyre is resolved in the end on an expression of hope in *courage* and *le nid*, shelter and procreativity.

339 *A la Santé* III and V (from *Alcools*; the whole poem contains six sections) In September 1911 A. was arrested and imprisoned in la Santé prison in Paris under the suspicion of receiving stolen goods and having been concerned with the theft from the Louvre Museum in the previous month of Leonardo da Vinci's 'Mona Lisa'. A. was released after a few days but was badly scared; he had certainly been cognisant of thefts from the Louvre by a former associate and as a foreigner of bohemian tendencies could hardly have expected much sympathy from the authorities. The impressionistic detail, simple poignancy and religious nature of this poetry reflect A.'s bewildered shock. There are reminiscences of tone with similar prison poetry by Verlaine (cf. p.253) and the fifteenth-century poet François Villon.

SECTION III.
[l. 4] A fanciful non-representational image.

SECTION V. This ineluctable passing of time was never far from A.'s consciousness.

340 *Le Pont Mirabeau* (from *Alcools*; first published in *Soirées de Paris*, 1912) A.'s most famous poem deals with his liaison with Marie Laurencin. It was recorded by A. himself in 1914 for the *Archives de la Parole*, together with *Le Voyageur*. The *Pont Mirabeau* crosses the Seine at Auteuil, in which district A. and Marie Laurencin lived for a while. In its original form, each verse consisted of three decasyllabic lines. By the simple expedient of splitting the second line into two A. introduced metrical variety and freer rhyme (since the four-syllable lines do not rhyme) as well as changing the emphasis on certain words. Note the resonance provided by the all-feminine rhymes. The removal of punctuation gives a constant musical incantatory flow appropriate to a poem concerned with the passing of time, itself represented by the flowing water; it also creates ambiguity in l. 2, where it is uncertain whether *nos amours* is an additional subject for *coule* or is dependent on *souvienne* in l. 3; *souvienne* itself may look forward to l. 4.

[ll. 1–4] Note the obsessive repetition of *ou*.
[ll. 5, 6] This refrain was originally part of a poem written in la Santé prison (cf. preceding poem) and recalls a line of Villon: *Allé s'en est et je demeure*. The form of the poem (i.e. metre, verse form, some images and rhymes) is similar to a well-known mediaeval song—an example of A.'s using his rather special and haphazard erudition to creative effect.

341 *Le Voyageur* (from *Alcools*; first published in *Soirées de Paris*, 1912, with *Cors de Chasse*) A.'s friend Fernand Fleuret (to whom the poem is dedicated) says that A. and he composed it together by singing scraps of it whilst walking back from the *Bibliothèque Nationale* in Paris, where they were preparing a monograph on the *arcana* (reserved books considered too obscene for general access). A. enjoyed obscenity and for a time earned money by writing pornography and editing certain licentious authors such as Sade. *Le Voyageur* is on a theme much exploited by French nineteenth-century poets (cf. Baudelaire *Le Voyage* p. 215, Rimbaud, *Bateau ivre*, p. 269, Laforgue, *Solo de Lune*, p. 296). In A.'s poem, the external travel mirrors an inner journey through widely varying remembered experience. The disjointed nature of the poem reflects the rich experience, often filled with regret or foreboding, of a complex individual. Note the great variety of tone, length of line and formal structure of the poem.

[l. 1] A simple, poignant image, an archetype of distress (e.g. in dreams): a blank unopened door which reappears at the end, still unopened.
[l. 2] *Euripe* is an excellent example of A.'s use of rather obscure erudite allusions provided from memory or notes by his inexhaustible curiosity and haphazard reading in off-beat subjects. Euripus was the channel between Euboea and Greece with such sudden changes in current that it became a byword for changeability.
[ll. 3–6] In another abrupt change A. may be referring to Annie Playden's departure for the new world (cf. *Annie*) or he may be himself *le paquebot orphelin* (cf. Rimbaud as the *Bateau ivre*).

[l. 7] A. follows the association of ideas sparked off by the sea in the second verse. It is typically surprising to find *fleurs surmarines* (presumably on the surface of the water (cf. *Bateau ivre*) instead of the normal *fleurs sousmarines*.
[l. 12] *Luxembourg*, the Paris Latin Quarter garden.
[l. 13] Christ often provided a subject of meditation for A. Presumably he is here referring to a picture. This whole verse offers a modern genre scene, somewhat disquieting in its rather strange inhabitants.
[l. 18] Note this second poignantly suggestive reference to being fatherless and motherless, associated with wandering.
[l. 20] Modern towns are as light by day as by night; note the dramatic vigour and vividness with which this rather ordinary idea is expressed.
[l. 21] The sailor is the epitome of the wanderer (cf. *Les Fiançailles*).
[ll. 22–5] It has been suggested that this idea of association and estrangement may be related to a photograph of A. and his brother in sailor-suits (cf. ll. 48, 51–3). Does the simplicity of l. 25 enhance the pathos?
[ll. 27–30] A typical helter-skelter of urban images, in which even the countryside is seen as industrialised.
[l. 31] This semiprosaic line is followed by the insistent beat of the solemn quatrains down to l. 47.
[l. 32] The cypress is found in cemeteries, particularly in the south of France,
[ll. 34, 35] A strikingly suggestive juxtaposition: *langoureux* yet *irrité*. The flowing water conjures up the relentless passing of time (cf. *Le Pont Mirabeau*).
[ll. 40–7] These ghostlike bearded shadowy figures with their unexplained, majestic presence and sudden gestures evoke a strange mixture of regret, danger and fear. Note the triple emphasis on *ombre*.
[ll. 48–50] The prosaic tone is resumed.
[ll. 54, 55] The rather cheerful image of l. 53 is cancelled by the reprise of the first two lines of the poem. Despite his excursion into these experiences of his past life, A. remains baffled and disconsolate.

343 *Zone* (from *Alcools*; first published, with punctuation, in *Soirées de Paris*, 1912, under the title of *Cri*) This poem dates from and bathes in the atmosphere of the period of the end of A.'s relationship with Marie Laurencin. The significance of the present title is obscure; one very suitable one would be the reference to the shanty town area outside the old fortifications of Paris which used to be called *la zone*. Certain parts of this poem may have been influenced by a poem on similar lines entitled *Pâques* by A.'s friend, Blaise Cendrars; but most details, the rhythms and the music are entirely Apollinaire's. It was the last of *Alcools* to be completed and is the most modern in its use of prosaic elements of conversational tone, its rapid shifts in time and place, its reference to homely everyday scenes, its allusions to modern scientific industrial urban life; but it is also full of more traditional themes.

[l. 1] An excellent example of A.'s ability to coin an unforgettable, evocative line (cf. the rhyming nasals, the repetition of *la*); but this resonant statement of modernism is far from being maintained throughout the whole poem.
[l. 2] Note the complicated pattern of repeated sounds: *ber—bê—tour—trou—fel—bêle—Ei—bê*.

[l. 3] A typical example of the conversational, prosaic style found throughout the poem which takes on particular emphasis when it contrasts with surrounding passages more plainly 'poetic' in tone.
[l. 4] The mention of the motor-car reminds us that A. had a shortlived enthusiasm for *futurismo* (for which he wrote a manifesto); this movement completely rejected the past and its conventions (including traditional grammar and syntax as well as all past art) and sought poetic inspiration in modern science and technology (cf. l. 6).
[l. 7] Once again we see A.'s nostalgia for the Christ figure, although he would seem to have lost his faith as an adolescent.
[l. 11] Like Rimbaud, A. finds stimulus for the imagination in popular art as represented by catalogues etc. This attitude represents a revaluation of beauty. The appeal is to be to things modern and novel; advertising has, indeed, in modern times become a form in which words and images combine to form a work of art, albeit with the utilitarian purpose of direct propaganda rather than with the disinterested function of pleasing.
[l. 13] A. was a great reader of *romans policiers*; once more we see him accepting a genre which was—and to some extent still is—considered an extra-literary genre; though the French *nouveaux romanciers* often have a strong 'thriller' element in their works.
[l. 15] Note the change of person from *tu* to *je*, a frequent switch throughout this poem. *Tu* seems usually to represent the poet in the past while the *je* is A. in the present.
[ll. 15–24] A. is emphasising the liveliness and attractiveness of modern urban life (contrast Baudelaire's attitude).
[l. 25] A sudden switch to the past.
[l. 27] A.'s nostalgia for religion continues and in ll. 33–41 the solemn praise of Christ (in the form of a litany) turns into a modernistic, almost humorous, image.
[l. 42] The fantasy of ll. 40, 41 lead on to an extraordinary bravura passage in which it seems difficult to find an exact meaning for every detail. A. is putting into effect his belief that surprise, novelty and fancy are elements that need no exact explanation and probably have none. The images are there to suggest ideas and create moods. A. is letting his imagination and erudition (e.g. in l. 49) run riot.
[ll. 42, 43] There is probably a pun here. Christ is seen as the pupil (i.e. the essential point of vision) of the modern eye (the twentieth-century eye) and the century is then seen as the pupil (i.e. student) of Christ learning from him how to fly (Christ in his resurrection being looked on as the first airman).
[l. 45] Simon the Magician tried to buy the power to work miracles from St Peter. He has given his name to Simony. *Judée* is needed for the rhyme; Simon came in fact from Samaria.
[l. 47] In A.'s poetic canon, the pun is legitimate (as it had already been for Laforgue).
[l. 49] An example of A.'s somewhat undisciplined erudition, used as much to confuse as to enlighten. In Greek legend, Icarus escaped from King Minos's maze in Crete (the home of the Minotaur) by using wings attached by wax,

which melted when he flew too near to the sun and he fell into the sea and drowned. Enoch, Cain's son and Elia, a Hebrew prophet, were carried up to heaven. Apollonius of Tyana was a philosopher and mystic of the first century B.C. from Asia Minor who was said to have miraculous powers. Note how freely and abruptly A.'s imagination ranges from period to period, just as later on he moves suddenly from place to place.

[l. 57] The rock-bird occurs especially in the Arabian Nights.

[l. 61] A typical piece of A.'s erudite, somewhat adolescent foolery.

[l. 63] The Holy Ghost.

[l. 64] *oiseau-lyre*, the lyre-bird (from the shape of its tail).

[l. 67] It is not clear why only three sirens should be mentioned. The sirens (whom Homer depicts as feathered and winged like birds) frequented the Straits of Messina between Scylla and Charybdis, luring sailors to their doom. The whole effect of this concourse of birds is to emphasise concretely the universality of Christ, just as A. aspires in his poetry to a universal viewpoint by his various historical and geographical allusions.

[l. 71] A. returns to himself and to Paris but this time the atmosphere is no longer gay but tense and raucous.

[l. 72] Note the modernity of *autobus*.

[l. 78] All A.'s friends speak of his ready laugh but here, in a striking image, it appears as something of a façade to hide unconscious fears (l. 79).

[l. 81] *ensanglantées* no doubt by the glow of the sun; but blood suggests hidden wounds and weaknesses. Redness now runs like a sinister thread through the poem (see ll. 84, 127, 155).

[l. 83] The famous stained-glass of Chartres cathedral.

[l. 84] *Sacré-Cœur*, the name of the famous basilica on the *butte* at Montmartre.

[l. 85] A. is sadly unable to respond to the promise of salvation.

[l. 89] He now embarks on an endeavour to exorcise the present by a cosmopolitan trip through his past.

[l. 92] Nice, Menton and la Turbie are three towns on the Côte d'Azur.

[l. 94] For the early Christians, the fish was the symbol of their religion and of Christ.

[l. 95] Here begins the recital of A.'s cosmopolitan experiences, seemingly based considerably on fact.

[l. 98] The rose-beetle is an obvious symbol of the danger of destruction and decay in love.

[l. 99] In the cathedral of Prague, A. detected a distorted portrait of himself in the marble markings of an agate; an eerie experience.

[l. 104] The *Hradchin* is the royal palace in Prague.

[l. 109] A humorous note intervenes; A. is letting his fancy rove, but l. 113 abruptly changes the tone (cf. notes on La Santé poems).

[l. 117] Annie Playden and Marie Laurencin.

[l. 118] Note the dramatic appearance of the *je* as he comes back, painfully, to a sudden realisation of the irrevocable passing of time.

[l. 119] The *Soirées de Paris* version had *la croix* instead of *les mains*: perhaps he is thinking of the gesture of joining his hands to pray that he can no longer make.

[l. 121] One of A.'s favourite images to express desolation is that of emigration.
[l. 123] A vividly realistic detail followed by a comment of completely different tone.
[l. 125] Another pun (cf. Laforgue).
[l. 127] A. had himself been given an eiderdown by his mother to which he obstinately clung during his changes of residence.
[l. 130] These streets are in a poor Jewish emigrant and prostitute quarter in Paris.
[l. 132] A touch of humour in a pathetic passage.
[ll. 138–43] seem to hint at personal memories of seeking sexual satisfaction with rather miserable low-class prostitutes; but A. shows pity rather than self-pity.
[l. 145] echoes a cheerful sound; but the dawn will not be cheerful.
[l. 146] *métive*, an old form of *métisse*, a half-caste woman.
[l. 148] reminds us that the title of the collection is *Alcools* but the burning of the alcohol in his throat is very different from the warmth and glow of real joy and poetry inspired by real joy.
[l. 150] We remember that Marie Laurencin lived in Auteuil.
[l. 151] Primitive sculpture with its powerful non-realistic expressiveness was coming into fashion. A. was one of its first admirers and collectors.
[l. 155] The rising sun is seen as dead, like the bleeding stump of the neck of someone guillotined—a most powerful image of cosmic and human despair, underlining the farewell of l. 154.

348 *Les Fenêtres* (from *Calligrammes*, 1918) First published in 1913 as a text to accompany an exhibition of painting in Berlin by A.'s friend, Robert Delaunay. A theorist as well as a practising painter, Delaunay was at first interested in attempts to reject perspective and express on canvas, simultaneously, various aspects of an object seen from different angles; hence sprang a shortlived branch of cubism called *simultanéisme*; A., too, was interested in trying to juxtapose apparently heterogeneous elements of a poem together on the page. From this rather intellectual approach, Delaunay shifted his emphasis to creating on canvas a swirling of colour almost independent of the object to be represented. The dynamic joyous effect of Delaunay's bright sweeping colours (predominantly gay reds and yellows) led A. to describe this style as *orphisme*. It was an early form of almost abstract painting as it is the pure movement of the paint that creates the picture and colour and light predominate over draughtsmanship; there is a strong influence of the *fauves* (cf. p. 328). *Fenêtres* is an example of a *poème-conversation*, intended to reveal life in its vivid multiplicity and composed of scraps of conversation. The effect created is one of bewildering juxtaposition of heterogeneous statements including puns, lists of words, mysterious comments, descriptions and apparent nonsense. One or two similar but far more coherent *poèmes-conversàtion* had already appeared in *Alcools* (e.g. *Les Femmes*, *La Synagogue*); in these, all the elements are clearly part of a conversation whereas in *Les Fenêtres*, there seem more purely descriptive and picturesque parts.

One account of the origin of *Les Fenêtres* is that it was a joint composition of A. and some friends in a café, where A. provided the first line and the others contributed a line each; it has also been said, however, that A. himself composed the poem in Delaunay's studio. It was one of A.'s favourite poems, not least because of its simplified syntax; it may have been A.'s first poem in which he abolished all punctuation. It remains, however, unique in its genre in A.'s work: he himself said that after writing it he had not been able to create other poems in similar vein.

[l. 1] A.'s description of a colour effect in Delaunay's painting.
[l. 2] *ara*, the macaw, a tropical bird.
[ll. 3, 4] cf. *Zone*, ll. 61, 62, 69.
[l. 6] Note the modern psychological medical note, completely unrelated to the previous line and only related possibly by contrast or fun to the following line.
[l. 12] A richly mysterious line which leads on to a further line suggestive of emotional and aesthetic reactions.
[l. 16] A pun on the names of two newspapers, *Le Temps* and *La Liberté*.
[l. 17] *bigorneaux*, winkles, *lotte*, a white fish commonly eaten in France, *oursin*, a sea-urchin, its dark ruddy brown imaginatively conceived as looking like a setting sun.
[l. 19] The town of Tours (capital of Touraine, on the Loire) or the plural of *tour* (=tower).
[l. 20] Laid flat, the tower is seen as a street.
[l. 22] Well-heads seen as street squares and then in l. 24, as hollow trees. A.'s mind is leaping from one illogical idea to the next or one incongruous image to the other.
[l. 24] The bewildered reader asks what the wandering she-goats are doing; and the answer is probably that A. means to bewilder by showing us, without either emotion or symbolic intent, wandering nanny-goats and we can do with them what we will.
[l. 25] *chabins*, a sort of sheep.
[l. 26] *marronnes*, running wild; *un esclave marron* is a runaway slave.
[l. 27] *oua-oua* is a pun as well as onomatopoeic.
[l. 28] *raton*, racoon. We have been swiftly and mysteriously transported to the Frozen North. Here as elsewhere, A. is trying to be ubiquitous in space as well as simultaneous in time.
[l. 29] *pelleteries*, shovelfuls of mud and stone in which to find (l. 30) diamonds.
[l. 31] Vancouver on the west coast of Canada would be on the way south from Alaska.
[l. 35] *Hyères, Maintenon*; these French towns are also obviously puns: *hier* and *maintenant*. *Les Antilles*, the West Indies.
[ll. 36, 37] The light and colour of the imagery of these last lines show that this poem contains more than just snippets of casual conversation, since A. clearly intervenes himself with a typically luminous image.

349 *Il pleut* (from *Calligrammes*; first published in the review *SIC*, December 1916, written in July 1914) In his prose poem *Un coup de dés jamais n'abolira le hazard*, written in the 1890s, Mallarmé had used the arrangement of words on the page and their typography to create a specific visual as well as verbal impression; A.'s Italian futurist contemporaries, had also produced *idéogrammes* (A.'s original word for *calligrammes*). Similar attempts at *poésie figurée* date back to Greek antiquity. As used by A., the *calligramme*, produced by him mainly in 1913 and 1914 when he was at the centre of *avant-garde* poetic theories and experiment, represents an attempt to create simultaneously a visual and verbal effect and thus unify the fine arts and literature. The relative importance of the visual and verbal elements varies from poem to poem; in some, the words are grouped with little logic, grammar or syntax to create a picture; in others, the words seem to exist as poetry in their own right and the visual arrangement is relatively less important; indeed, the visual arrangement rather impedes than fosters the readers' comprehension of the words. The pure ideogram has not proved a successful art form, although on occasion A. used it with some success to create a particular effect, in more conventional poems.

[l. 3] *auriculaires*, pertaining to the ear (e.g. earshaped) or perceived by the ear.

350 La Nuit d'Avril, 1915 (from *Calligrammes*; first published in the review *Elan* in 1916) This poem, written shortly after A.'s arrival at the front, was (in slightly modified form), one of a number of war and love poems sent by A. to Louise de Chatillon-Coligny ('Lou') as a result of their very shortlived but violent love affair early in 1915.

[l. 1] *Boches*, depreciatory slang for Germans.
[l. 2] A.'s attitude towards war is oddly uncritical; he dwells more on its peculiar beauty and strange fascinations whilst largely ignoring its horrors, dangers and discomforts; this may be because his war poems are usually love poems as well (to Lou and his fiancée Madelaine Pagès); and also doubtless because of his robust virility and basic optimism. Indeed, in a way the danger seems to have intensified his love of life and his need for love as well as firing his imagination. He seems almost to have seen war as a wonderful opera.
[l. 4] *le mot*, the password.
[l. 6] *créneaux*, the firing-slits of the trenches (literally, *battlements*).
[l. 8] A bold topical image in which his heart is likened to a bursting shell searching like a wild star looking for the season (of love?); the fragments whistling through the air are like someone whistling a love song; but the heart (and the shell) are destroyed in the process, although in l. 10 he suggests that his imagination (*les dieux de* [*ses*] *yeux*) succeed in replenishing the emptying ammunition boxes of his heart with fresh hope.
[l. 12] The shells are like love-lorn cats.
[l. 13] A. seems aware of Lou's fickleness.
[l. 13] *ton souffle*, Lou's breath (or perhaps the poet is addressing himself and referring to his own inspiration) will blow on the river of time in which, one day, when the war is ended, blood will cease to flow.
[l. 15] A classical allusion to gladiators greeting the Emperor: *Morituri te salutamus*.
[l. 16] *la veilleuse*, lights dimmed to escape recognition by enemy forces.
[l. 17] The stars/shells (or star-shells) are now suggestively seen as dead eyes.

[l. 20] Ulysses's home was on the island of Ithaca, south of Corfu.
[l. 21] Once again we see A.'s permanent obsession with remorse and regret; but he ironically says that, by means of art, i.e. illusion, he will turn his remorse into something sexually exciting.
[l. 22] *fétus*, wisps of straw.

Paul Éluard

358 *Max Ernst* (from *Répétitions*, 1922) In the Dada publication, *Répétitions*, poems by Éluard are linked with Max Ernst's collages, where figures and objects cut out of old magazines are juxtaposed in the most arbitrary and unsettling manner.

[l. 6] *les poissons d'angoisse:* an irrational image constructed according to a favourite formula of E.'s: a concrete and an abstract noun joined by *de*.
[ll. 10–11] A perfectly normal visual impression—moths round a lamp—is made unreal by the addition of unexplained references to breasts, killing and redness.

358 *La Parole* (from *Répétitions*) In his early experiments with language, E. would sometimes take a repetitive sentence structure and deploy words within it. Here he 'rehearses' a sequence of disjointed sentences until they begin to yield a meaning. The title suggests that the poem is about his wonderment at the poetic virtues of language, its supple beauty, its playful innocence and purity. Toying with words can lead to something serious, and the poem attains a mysterious authoritativeness when two perfect alexandrines emerge.

[l. 10] However often a word is used, it may still serve to evoke beauty.

359 *L'Amoureuse* (from *Mourir de ne pas mourir*, 1924) The title of this collection echoes a poem by St Theresa of Avila that expresses an extreme mystic rapture. With simplicity yet force, E.'s poem evokes a love so intense that it effects complete physical interpenetration of the poet and his unnamed beloved. There is finally a suggestion that the latter is no other than language itself, so that the poem may be read as a homage to the new muse of Surrealism, poetic inspiration seen as an innate property of language.

[ll. 1, 4, 7] The insistence on eyes and contact with the beloved through the shared look (*regard*) will become a constant of E.'s poetry from now on.
[ll. 9–10] The beloved is an unequalled source of illumination.
[l. 12] This statement might serve as a motto for the surrealist poet, who is confident that he can elicit meaning by allowing words free rein.

359 *Ta Chevelure d'Oranges dans le Vide du Monde . . .* (from *Au défaut de Silence*, 1925) This collection was published anonymously after E.'s return from the world cruise which had seemed like a despairing farewell to poetry. Instead of remaining in silence, the poet finds himself called to use words again, as though these were being drawn from him by the dream-girl with orange hair whose presence in his imaginings offers a magical escape from the sense of nothingness.

[l. 1] Contrasted with emptiness, the girl's hair has the warm colour and the richness of ripe fruit.
[ll. 3–4] The poet's vision is, however, tenuous.
[ll. 7–9] With poignant simplicity, these lines transmit a perplexed doubt as to the reality of what is only an invention of a lonely imagination.

360 *Je te l'ai dit pour les Nuages . . .* (from *L'Amour la poésie*, 1929) Variants on a basic statement add up to a simple litany in which the poet insists on the validity of a vision both amorous and poetic. All aspects of the natural world are attuned to E.'s joyous sense of a lasting harmony made possible by love. No note of doubt is sounded here.

[l. 6] A woman's eyes are of such focal significance for E. that they can subsume her whole face and even take on the dimensions of the landscape they reflect.

360 *Nusch* (from *La Vie immédiate*, 1932) After E. had met Nusch, he gradually realised her to be the incarnation of the dream-girl he had shaped through the medium of words. In one of the first poems written for her, he celebrates the luminous quality of her love. From now on, he could have complete confidence in her and his poetry; life had become 'immediate', and solitude and escapist dreams were at an end.

[l. 1] *apparents*: openly revealed.
[ll. 5–6] The eyes of the beloved both see and are seen; that is, they establish an interchange between the individual and the world. The poet can participate in this contact, which seems to guarantee the reality of his vision of the world as a place of plenitude and light.
[l. 7] *cristal:* a favourite Eluardian image, suggesting delicacy or purity.
[l. 8] *deux miroirs:* the shared look of the lovers is implicit in the image of the double mirror.

361 *Telle Femme* (from *La Rose publique*, 1934) This poem is a hymn to Woman, seen as intermediary between the poet and Nature. The aura that surrounds her illuminates the infinite multiplicity of things, and shows the world to be, in fact, a marvellously coherent whole in which the poet can participate.

[ll. 1–7] Sun and fire are almost interchangeable images of the poetic process, the impulse towards light and warmth spreading through all creation. The 'fine gesture' of poetry is to transmit its *flambeau* without false shame.
[l. 11] The first of a number of straightforward statements of the correspondence between Woman and Nature.
[l. 22] *Décolorées*: the radiance of female eyes outshines that of precious stones, illuminating and thus transforming reality.

[ll. 24–6] The poet-lover is in turn transformed, and blindly identifies himself with the principle of life.
[ll. 27–30] With forceful directness, E. suggests the commingling of the material and the spiritual into a perfect continuum. This might suggest some sort of transcendental mysticism, if he did not insist on the tangible quality of the experience.
[l. 35] The poet has a sense of stability, to the point of feeling at one with the inanimate world. Nature is seen as a sentient being in much the same way as in Nerval's poem *Vers Dorés*.
[ll. 40ff.] Having established the theme of harmony, the poet now picks out a few of the separate facets of the world; these no longer seem ordinary, but are immediately meaningful.
[ll. 57–61] The poetic vision can reconcile contraries: *foudre/flot*, *incendies/méduses*, which join 'in marvellous compliance' to demolish the scaffolding of antilyrical thinking.
[ll. 66–70] The poem concludes with an unaffected yet impressive re-statement of the poet's faith in the luminous force of the beloved's eyes.

363 *Tu te lèves l'eau se déplie . . .* (first printed in *Facile*, 1935) One of E.'s most famous poems, illustrated with photos of Nusch taken by E.'s friend Man Ray. Yet, as in *Telle femme*, the particular woman is equally Woman at large. The poem is based on the analogy between the genesis of the world and the creation of Woman. References to water, earth, air and fire serve to associate the female principle with each of the elements, and show Woman to be omnipresent (l. 8) and eternal (ll. 9–10). All things in creation partake of her being, which is thus constantly being reproduced, always different yet always the same. Woman is finally identified with the process of poetic analogy itself (l. 14), so that the poem emerges as a dense statement about the interdependence of natural and poetic creation.

363 *A Pablo Picasso* (from *Les Yeux fertiles*, 1936) The first part of this poem was inspired by E.'s journey to Spain early in 1936, on a lecture tour in connection with Picasso's first retrospective exhibition, organised by the Popular government. E.'s friendly reception is recorded in this evocation of a people and a landscape whose poverty and austerity do not exclude a surprising confidence in the future. The second part turns from a landscape actually seen to a landscape the poet invents through imagery, the poetic equivalent of the artistic landscape revealed through Picasso's 'fertile eyes'. The dedication to the painter may be associated with the thematic colouring of the poem, whereby light appears to merge into darkness, as flames merge into cinders—possibly a lyrical way of speaking about the mood of gentle ferocity, of joy and desperation that informs Picasso's work at this time.

[l. 7] Weightlessness may be a metaphor of euphoric hope (cf. Baudelaire's *Élévation*, p. 200).
[ll. 18–9] The reference is presumably to Picasso, seen as a kind of artist-magician who can recreate the world with a touch of his fingers.
[ll. 20ff.] Images of circularity suggest the unity and regularity of purpose of Picasso's work.

[ll. 26ff.] References to darkness—*nuages, une seule étoile, sans être ébloui, pierres obscures*—cast a sombre shadow over the poetic landscape, perhaps indicating an involuntary despair behind E.'s confident manner.
[l. 36] *filles noires et pures*: E. is alluding to the two Spanish sisters who were working for Picasso at this time. Their noble qualities seem to give them symbolic status as representatives of the Spanish people.
[l. 41] *monter la terre*: In l. 19, this phrase suggests a marvellous transformation carried out by the artist-magician, who has power to turn the visible world upside down. But its return at the close of the poem makes a special impact, and one might be tempted to see in it a half-realised image of popular uprising. E. has carefully dated the two parts of the poem: in the interval between May and August 1936, Franco's army had begun its terrible onslaught upon the forces of the Republic.

365 Je n'ai envie que de t'aimer ... (from *Les Yeux fertiles*, 1936) This simple poem presents the dual theme of the beloved shaped by the solitary imagination and her real incarnation as Nusch, whose intimate presence brings a fulfilment so perfect that love becomes an absolute.

365 Novembre 1936 (from *Cours naturel*, 1938) In September 1936 Franco's troops assassinated the Spanish poet Lorca; by November they had pushed forward to Madrid to begin a long and bloody siege of the city. E.'s response to these events was deep. Shortly before, in a lecture entitled *L'Évidence poétique*, he proclaimed that poets were men *profondément enfoncés dans la vie des autres hommes, dans la vie commune*. This meant taking sides against the fascist menace that was soon to affect all Europe. This poem is deliberately dated as though to affirm the moment of E.'s political commitment. He had it published in the communist newspaper *L'Humanité*, the communists being fully committed to the Republican cause. Here, Franco's artillery becomes a symbol of the whole capitalist system that crushes its servants and 'builds ruins'. Political themes are henceforth of major import to his poetry.

[l. 18] In *L'Évidence poétique*, E. refers to *ce bien épouvantable qui a le visage de la mort*—capitalist exploitation.
[l. 22] *chaîne brisée*: the expression has a distinctly communist ring.
[l. 25] Now that E. has found *la raison*—what he sees as the unavoidable confrontation with public events and a communist interpretation of them—he has passed beyond 'pure' Surrealism. Yet he hopes to maintain a degree of intuitive insight to temper the harshness of his political vision.

366 Passionnément (from *Cours naturel*, 1938) Many of E.'s love poems express adoration of a woman whose youthful innocence and simplicity make of her a perfect mirror of his poetic reality. The lover is thus equally the man of poetic imagination whose words renew the external world. Here, disjointed fragments of poetry, many resistant to prose explanation, combine to suggest an overall harmony that arises without effort from the *cours naturel* of emotion.

[ll. 11–13] Typical of E. is the feeling of almost ethereal chastity that accompanies his erotic touches.

[ll. 16–17] In these lines, the conjunction of snow and coal with the suggestion of a flash of lightning—possibly signifying the mysteries of physical passion—produces a perfect example of what Breton called 'convulsive poetry'.
[ll. 20–1] The beloved is celebrated as the synthesis of all E.'s poetic values.
[ll. 24–5] These lines announce a theme much stressed in the later E., that love for one woman must expand into love for all.
[l. 33] The poem closes on a wistful note when the youthful confidence of the poetry seems menaced by the brute facts of life and the passing of time.

367 *La Victoire de Guernica* (from *Cours naturel*, 1938) The destruction of the little Spanish town of Guernica on market-day, 26 April 1937, by German planes sent to try out the possibilities of 'total war' by bombing a civilian population, shocked the whole world. Picasso painted a huge and terrifying picture called 'Guernica', which became the basis of a film by Alain Resnais for which E. wrote the commentary, incorporating parts of the present poem, which is prized for the austere manner in which deep compassion and anger are formulated. The poem may be read aloud as an uninterrupted sequence; the visual disposition in separate fragments may be intended to convey a sense of horrified dislocation in the manner of Picasso's pictorial deformations.

[l. 1] *masure:* tumbledown cottage.
[l. 7] E. forces a terrible irony from this phrase. The deaths of so many innocent people provide Hitler with a satisfying example of the efficiency of his air force. Equally they represent an example of inhumanity that *les hommes réels* will not want to forget.
[l. 9] *Ils:* the Nazi pilots.
[ll. 16–17] E. seems to conceive of the bombing operation as having been carried out with Germanic precision: it was all very correct and pitiless.
[l. 18] *ils exagèrent:* a savage use of understatement.
[ll. 20, 26] There is a poignant transition from green leaves, symbolising peace, to red flowers, symbolising wounds. The treasure of innocence is snatched away from the women and children as the bombs fall.
[l. 35] *bourgeon:* an image of fecund plant-life, indicating that a last hope for man is still possible.
[l. 36] *Parias:* outcasts.
[l. 39] The poem ends on a vengeful note that echoes the splendid defiance of the title.

369 *Identités* (from *Cours naturel*, 1938) This little poem (dedicated to a friend of Picasso and Éluard) presents the poet's view of the external world. It is one of such fluidity that all objects become comparable and form an 'open book' in which he can divine the message of a harmony underlying all conflicts between peace and violence, pleasure and pain, light and darkness.

370 *Nous sommes* (from *Chanson complète*, 1939) As E. proceeded to link commitment to love more and more to commitment to a political cause, so his intimate voice modulated into that of a public speaker. Proud certainty is the keynote of this poem, in which *je* and *tu* swell into a collective *nous*, and all things—animals and the countryside, the individual and the collectivity—are affirmed as being participants in a progression towards a new world, beyond strife and bloodshed. Love, with its immediate proof of the accessibility of a 'paradise' here and now, can no longer be a Romantic dream insulated from the dull melancholy of everyday life (as in Vigny's *La Maison du Berger*), but must serve that life as a power for change.

[ll. 9, 10] Self-centred loving is a thing of the past.
[l. 12] *Sosies*: counterparts.
[ll. 30–4] E. prophesies a time when the proletariat will rise up and make good its dream of a joyful, unburdened life.

371 *Au premier Mot limpide* (from *Médieuses*, 1939) *Médieuses* was illustrated with drawings of women done by Valentine Hugo. Here E. reformulates some of his favourite themes: seeing and touching, light and timelessness.

[l. 12] The poem is closed off with the suggestion that love is a refuge from dark reality, understandable in so far as it was composed during the last months of peace before war broke out.

371 *Mourir* (from *Le Livre ouvert* I, 1940) In the context of the poet's life, this sombre piece probably relates to the listless period after war had been declared when E., mobilised in the Reserve, was posted for several months to a railway depot in the bleak Sologne region. In the context of his poetry, it represents a despairing cancellation of the images of confidence that had been elaborated during the thirties. A record of spiritual desolation and total absence of light, the poem is the complete reverse of poems like *Au premier mot limpide* and *Je n'ai envie que de t'aimer*. It is none the less a valid poem, for though emotional confidence may have faltered, the authority of E.'s poetic voice remains to sustain what he expresses.

[l. 4] The image is one of utter lack of contact.
[l. 14] *miroir*: usually associated with light and plenitude, the mirror has now become opaque and sterile.

372 *Le Coin du Cœur disaient-ils gentiment* (from *Les sept poèmes d'amour en guerre*, 1943) Published clandestinely during the German Occupation under the pseudonym Jean du Haut, this poem presents E.'s familiar message—that love for one woman involves a commitment to the struggle for collective freedom—in terms that were accessible to a wide audience. The relaxation of poetic density is obvious when one compares this with earlier poems such as *Nous sommes*. Though E.'s abandonment of obscurity and search for a simple directness of expression resulted in the most popular, and probably the most effective poetry of the Resistance, there are indications that his later idiom was to become 'facile' in the worst sense.

[l. 1] *ils:* E. is attacking those poets who continue to write poems about their personal emotions, without realising that personal poetry is no longer valid unless it has a collective dimension.

373 *Notre Mouvement* (from *Le dur Désir de durer*, 1946) This is one of the most finely poised renderings of E.'s theme of the duality of desire, seen in both erotic and social terms—for *notre mouvement* refers equally to the motions of love and to the communist movement. Though bizarre at times, the images build up an overall impression of a marvellous process governed by the feeling of identity and involvement that spring from lovemaking or militant activity. Out of the confusing visions and the awesome metamorphoses one idea emerges supreme: the unmistakeable certainty that this ardent restlessness will lead to regeneration and universal fecundity. All this is made convincing by E.'s careful admixture of clear statement into obscure suggestion, and the emphatic alexandrine line which he began to apply to his poetry after the war.

[l. 8] *soleil double:* an image of dual illumination.
[ll. 9, 10] These lines indicate hesitation and a momentary fear of dispersal; this is relieved at the end of the poem by the confident way in which the feeling of limitlessness is asserted.
[l. 13] A good slogan for surrealist poetry.
[l. 14] *aveugles voyants:* blind visionaries.
[ll. 15–18] A sequence of harmonious reconciliations (cf. *Identités*).

373 *L'Extase* (from *Le Temps déborde*, 1947) This poem describes a landscape of love which is as though suspended out of time, a fragile realm of poetic beauty that is self-sufficient and independent of real life (although E.'s dating locates the poem as having been composed only four days before the sudden death of Nusch). This is, then, a personal reverie, an absorption in an intimate dream excluding all else; yet, this poetic celebration of feminine beauty, a beauty so radiant that it illuminates the whole interior landscape, attains a summit of personal expression that paradoxically induces a valid response from others.

[ll. 1, 2] A woman's body, beautiful as a landscape, fascinating as fire, exercises an almost hypnotic attraction.
[ll. 5, 6] The mirrors, denoting the shared look of lovers, vacillate between an emotional ecstasy akin to blindness and a clarity born of sustained sensuality.
[l. 8] The landscape of desire is boundless.
[ll. 13ff.] As in *Tu te lèves* . . . all the elements seem to be animated by the feminine principle.
[ll. 20, 21] The echo of ll. 1 and 2 serves to identify the poet-child with the branch that has now been thrown on the fire: ecstatic contemplation has reached such a pitch that the lover is entirely consumed, the poet identified with his medium.

374 *La Poésie doit avoir pour but la Vérité Pratique* (first printed in *Deux poètes d'aujourd'hui*, 1947) The collection in which this poem first appeared contained work by both E. and Aragon, the two major postwar voices of Communism in France. Its title, a quotation from Lautréamont, defines E.'s conception of militant poetry. Addressing friends who are 'hard to please', the

poet argues that though they may be willing to accept his work when it contains sensual, exotic, or even esoteric imagery, i.e. when it can be enjoyed as 'pure' poetry dissociated from real existence (*L'Extase* might be placed in this category), they ought at the same time to pay attention when he expresses the aspirations of the proletariat. As he indicated in *Le coin du coeur* . . ., intimate wordplay is no longer a sufficient basis for poetry, an opinion that shows how far he has come since the days of poems like *Amoureuse*.

[ll. 21–4] The poet does not just want to make his readers marvel at poetic effects—seaweed and rushes being emblems of the sort of poetry that gives passive pleasure—but to make them feel involved in the constructive work of his comrades.

375 *Le cinquième Poème visible* (from *A l'intérieur de la vue*, 1948) In 1913 Max Ernst prepared a set of collages which E. decided to 'illustrate' with poems. He finally wrote these in 1946, by which time his idiom had evolved into the distinctively 'candid' manner of his postwar period, utterly distant from the cryptic style of early poems such as *Max Ernst*. Now E. feels confident enough to rely on the resonances of a few abstract nouns (*beauté*, *tristesse*, *espoir*, etc.) rather than exploit surrealist metaphors. Yet he still retains his favourite device of near-repetition of phrases, which—though monotonous in some poems—is well suited to this poem's solemn lesson that man's suffering can only be banished by his efforts here and now.

376 *Poésie ininterrompue* (fragment) (from *Poésie ininterrompue* II, posthumously published in 1953) Though predominantly a writer of short poems, E. showed that he could extend himself and sustain poetic tension over long stretches. This redeployment and reaffirmation of his main themes forms a fitting last movement to his work.

[ll. 3–4] E.'s crucial intuition is that authentic self-awareness leads at once to concern for others.
[ll. 9–10] A marvellously evocative statement of the correspondence between sensual knowledge and insight into the universe.
[l. 14] *la vie sans différences*: the undifferentiated unity of life, upheld by the principle of analogy.
[ll. 18–26] The five senses—fully illustrated in later lines—lead man out of isolation and into a world recreated through the luminous vision of love.
[l. 23] With punctuation this would read: *Il nous faut voir, ne pas voir noir, être confiant.*
[l. 35] *abreuvés*: quenched.
[l. 40] *de fil en aiguille*: little by little.
[l. 51] After listening to external sounds, the poet recommends we pay attention to the inner murmurings of the spirit.
[l. 69] All contraries can now be accepted as aspects of the one whole.
[l. 73] After reviewing the ecstasies of physical life that are made available through the mediation of Woman, the poet finally realises that the central factor in this process of discovery has been the creative faculty of poetic perception: imagination, as a kind of sixth sense, is now recognised as the highest condition of the real.